KB160741

PRACTICAL

HAIR

TRANSPLANTATION

실전 모발이식

저자 최정근, 최경범

군자출판사

실전 모발이식
PRACTICAL HAIR TRANSPLANTATION

첫째판 1쇄 인쇄 | 2016년 4월 1일
첫째판 1쇄 발행 | 2016년 4월 10일

지 은 이 최정근, 최경범
발 행 인 장주연
출판기획 조은희
편집디자인 박선미
표지디자인 김재욱
일러스트 김경렬
발 행 처 군자출판사
등록 제4-139호(1991. 6. 24)
본사 (10881) **파주출판단지** 경기도 파주시 회동길 338(서패동 474-1)
전화 (031) 943-1888 팩스 (031) 955-9545
홈페이지 | www.koonja.co.kr

ISBN 979-11-5955-034-8
정가 120,000원

실전 모발이식

저자 최정근, 최경범

저자

최정근

- 의학박사, 보건학 박사
- 탈모닥터 모발이식 네트워크 대표원장
- 탈모닥터 모발이식 아카데미 원장
- 부천 예스의원 모발이식센터 원장
- 미국, 일본 유학
- The Australasian College of Cosmetic Surgery, Diploma
- 저서 『탈모클리닉 실전 바이블』
  『모발이식 왜 망설이세요?』
  『모발이식과 탈모치료』

최경범

- 아주대학교 성형외과 전공의사
- 대한성형외과학회 회원
- 탈모닥터 모발이식 아카데미 외래강사
- 부천 예스의원 모발이식센터 자문의사
- 저서 『모발이식과 탈모치료』

"이 책은 모발이식에 대한 잡다한 내용은 거두절미하고, 최소한 모발이식을 하는 의사들이 실전에서 꼭 알아야 할 지식을 압축하고자 노력하였다."

미국 유학 시절에 모발이식을 보고 깜짝 놀란 기억이 벌써 20여 년이 지났다. 들어보지도 못한 방법으로 모발이식을 한다는 것이 그저 경이로울 뿐이었다. 그 후 모발이식을 공부하고, 실제 모발이식을 한 지도 20년이 지났다. 탈모드와 탈모닥터 모발이식 네트워크를 하면서 한 달에 한 번, 때로는 두 달에 한 번씩 세미나를 개최하여 모발이식 방법을 알린 지도 10여 년이 지났다. 참여한 의사 선생님이 800여 명이 되었으나 변변한 책 한 권도 없이 프린트로 대신하였다. 세미나를 하면서부터 실전에 꼭 필요한 내용을 모아서 모발이식 책을 집필해야 한다는 생각으로 하나하나 정리하기 시작하여 오늘에 이르렀다.

이 책을 발간하게 된 이유는 그동안 모발이식 세미나를 개최하면서 느꼈던 실전에 꼭 필요한 내용 만을 모아서 책으로 출판하고자 하였다. 또한 세미나에 참석한 의사선생님에게 10여 년 전부터 한 약속을 실천하고자 하였다. 국내에서 발간된 모발이식에 대한 책들이 최근에 출판되었으나 실전에 바로 적용할 만한 요약된 책이 필요하다고 느꼈다. 다행인 것은 사랑하는 아들이 성형외과 전공 의사이니 부족한 지식을 서로 도와서 공동저자로 출판하게 되었다.

이 책이 나의 모발이식 경험과 노하우를 다른 의사들에게 전하여 모발이식을 시작하는 의사뿐만 아니라 모발이식을 하고 있는 의사들에게 좀 더 좋은 결과를 얻기 위해서 여러 의사들에 도움이 되었으면 하는 바람이다.

2016년 4월

최정근, 최경범

차례

차례

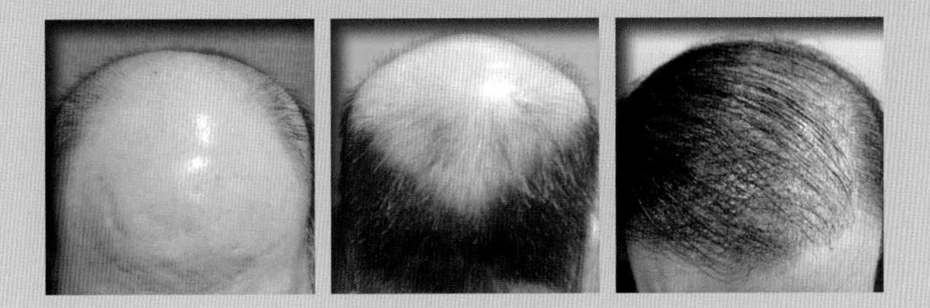

Chapter 1

탈모증의 원인과 분류

1. 남성 탈모증
2. 여성 탈모증
3. 비정형 탈모증(기타 탈모증)
4. 감별진단이 필요한 탈모증

탈모증의 원인과 분류

남성이나 여성의 탈모증은 원인이 확실하게 밝혀지지 않았으나 유전적 요인과 노화, 호르몬 등이 복합적으로 작용하는 것으로 알려져 있다. 또한 복합적인 원인에 따라 탈모의 양상도 다양하다. 그러나 남성과 여성의 탈모증은 원인이 다소 차이가 있으며, 원인에 따라 다양한 탈모과정을 거친다.

모발은 성장기(anagen) – 퇴행기(catagen) – 휴지기(telogen) – 성장기(anagen)의 과정을 거치며, 이 과정에 유전적 요인과 노화, 호르몬, 건강상태, 외적 요인 등 다양한 원인들이 작용하여 모발주기가 변화되면서 탈모가 온다.

탈모의 특징은 2가지로 요약할 수 있다. 첫째는 모발주기가 점차 짧아져서 자주 빠지고 휴지기 모발이 증가하는 것이다. 둘째는 모발이 점점 가늘어지면서 성모가 연모로 변화하는 것이다. 모낭(hair follicle)도 작아지고 모구(hair bulb)도 작아진다(그림 1–1, 표 1–1).

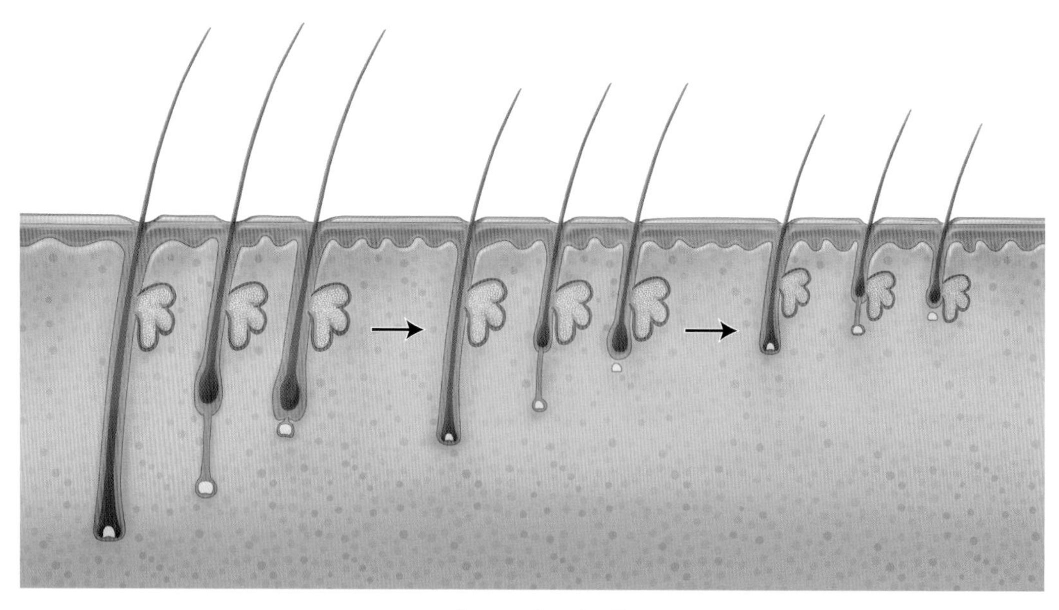

그림 1–1 탈모의 진행

표 1-1	탈모의 2가지 특징

1. 모발이 자주 빠진다. 모발주기가 짧아지고, 휴지기 모발이 증가한다.
2. 모발이 점차 가늘어 진다. 성모보다 연모가 많아지며, 모낭이 작아진다.

탈모의 원인이 정확히 밝혀지지 않았으므로 탈모증을 분류를 할 때 탈모의 원인에 따른 분류보다는 탈모의 모양 또는 형태에 따른 분류가 주로 사용되고 있다. 때로는 동일한 탈모증임에도 중복하여 분류되기도 한다.

1 남성 탈모증

1) 명칭

남성형 탈모증(male pattern hair loss, MPHL) 또는 안드로겐성 탈모증(androgenetic alopecia, AGA)이라 부른다. Androgenetic이란 androgen과 genetic factors를 합성한 단어로, 남성 탈모증은 androgen 호르몬과 유전적 요인에 가장 큰 영향을 받으며, 이 두 가지의 영향에 따라 다양한 형태로 진행된다. 남성 탈모의 약 90%가 androgentic alopecia라고 한다.

2) 원인

남성과 젊은 여성의 탈모는 유전적 요인이 가장 크다. 다양한 상염색체상의 유전적 변이(autosomal dominant)나 유전적 이상이 복합적으로 작용(polygenic)하여 탈모를 일으키는 것으로 알려져 있다.

하지만 유전적 요인이 있다고 하여 반드시 탈모를 유발하는 것은 아니며, 유전적 요인이 있으면서 탈모를 촉진시키는 촉발요인(trigger factor)이 동반되면 탈모는 더욱 빠르고 심하게 진행되는 것으로 알려져 있다(표 1-2).

촉발요인은 내부요인으로 노화와 호르몬 이상, 갱년기 증상, 질병, 스트레스가 대부분이며, 외부요인으로 인스턴트 음식섭취와 환경의 영향 등이 있다.

촉발요인은 대부분 질환이나 건강과 관련이 있으므로 탈모 치료를 할 때 질환 치료가 동

표 1-2	탈모의 촉발 요인(trigger factor)

1. 질환
   갑상선, 뇌하수체, 부신피질, 고환, 여성생식기 등의 질환
   고혈압, 당뇨병, 고지혈증, 심질환, 간질환, 암, 빈혈 등
2. 호르몬 이상
   특히 갑상선 호르몬, 여성호르몬, 뇌하수체 호르몬 등
3. 스트레스
4. 영양불균형(다이어트 포함)
5. 장기적 복용 약(관절염, 우울증 등)
6. 탈모 유발 약
7. 생활습관, 음주, 흡연, 음식, 환경 등

시에 이루어져야 효과가 있다. 따라서 탈모치료는 의사가 해야 한다. 최근의 연구들을 보면 탈모와 심혈관 질환, 당뇨병 등의 대사성 질환이 탈모와 관련이 있다는 사실들이 많이 보고되고 있다. 그러므로 탈모를 치료할 때 다른 질환에 대한 검토와 동반치료가 필요할 수 있다.

(1) 탈모 유전인자의 강도(intensity) 또는 표현력(expressiveness)

탈모의 원인 중에서 가장 중요한 요인이다. 부계의 가족력이 모계보다 유전 경향이 좀 더 크다. 부계의 유전인 경우 남자에서 40-60%가 탈모가 온다. M자형 탈모는 부계의 가족력을 따르며, 정수리 탈모는 모계의 가족력이 좀 더 큰 것으로 알려져 있다.

가계조사를 할 때 3대(증조부, 증조모, 외증조부, 외증조모)까지 유전요인을 확인해야 하며, 가계 중 한사람이라도 탈모가 있다면 유전성 탈모로 판단한다. 그러나 유전요인만이 있는 것이 아니고, 다양한 유전인자와 다른 촉발요인이 복합적으로 작용한다.

탈모 유전인자의 강도 또는 표현력에 따라 20대 또는 50대에서 탈모가 시작된다. 여기에 탈모를 일으키는 촉발요인들이 존재하면 탈모가 빨리 시작되고 빨리 진행된다.

(2) 노화

노화는 탈모증에서 중요한 요인이다. 최근 탈모는 노화의 일종으로 받아들여지고 있다. 나이가 들면 모발도 가늘어지고, 휴지기 모발도 많아져 탈모가 온다.

중년 이상에서 시작되는 남성이나 여성의 탈모는 노화치료를 동반해야 치료효과가 좋다. 특히 중년 이상의 여성에서 오는 탈모는 탈모치료와 동시에 노화치료와 호르몬치료가 필수다.

(3) 남성호르몬의 감수성

유전적 요인으로 인해 남성호르몬(안드로겐 호르몬을 포함하여 통칭)인 테스토스테론이 쉽게 변성될 수 있는 유전인자를 갖고 있으면 탈모가 빨리 온다.

테스토스테론이 많다고 하여 탈모가 오는 것은 아니고 테스토스테론의 감수성이 중요한 요인이다. 탈모 환자의 대부분은 테스토스테론 량이 정상 범위다. 따라서 '대머리는 정력이 좋다'는 농담은 잘못된 것이다.

테스토스테론은 두피에 있는 5-α-reductase라는 효소에 의해서 DHT (dihydrotestosterone)로 변하게 되며, DHT는 모낭에서 androgen receptor와 결합하여 탈모를 유발한다.

DHT는 모낭에서 단백질 합성을 억제하고, 모낭 수축을 일으키며, 멜라닌세포의 활동을 감소시키고, 모발을 휴지기에 빠지게 한다. 반면에 DHT는 피지샘과 땀샘을 발달시키고, 수염과 가슴 털, 기타 체모 등을 더욱 풍성하게 하는 아이러니가 있다. 대머리의 탈모 부위가 유달리 번쩍이는 이유는 피지샘과 땀샘의 발달로 분비물이 많기 때문이다.

(4) 두피 질환

두피의 피부 질환인 지루성 피부염, 편평태선, 염증성 질환 등도 탈모가 온다. 지루성 피부염 자체가 탈모를 일으키기 보다는 피부염으로 인한 이차적 장해로 탈모가 온다. 염증이 모낭까지 침범하는 봉소염이나 독발성 모낭염, 가성 독발도 영구적 탈모가 온다. 이 장의 뒤편에 기술한 비정형 탈모증의 원인을 참고한다.

(5) 전신 질환과 약 복용

탈모는 전신 질환의 전구증상이라고 보는 경향이 있다. 다시 말해 건강하지 못하다면 탈모가 먼저 온다. 심장질환, 암질환, 당뇨병, 내분비 질환(갑상선과 여성 생식기 관련), 빈혈 등의 혈액관련 질환 등도 탈모 증상이 먼저 온다고 한다. 전신성 면역질환인 홍반성 루프스 등도 탈모를 일으킨다.

관절 질환이나 우울증 등의 정신질환이 있을 때 장기적인 약 복용도 탈모가 온다. 특히 일부 진통제와 약제는 탈모와 관련이 많다. 탈모를 일으키는 약제는 약 300여 가지로 알려져 있으며, 탈모를 치료하는 의사는 탈모를 일으키는 약제를 알아야 한다(표 1-3). 이장의 뒤편에 기술한 비정형 탈모증의 원인을 참고한다.

표 1-3	탈모를 일으키는 대표적 약물들
• Anticoagulants	• Gold-based agents
• Anticonvalsants	• Nonsteroidal anti-inflammatories
• Antifungals	• Oral contraceptives
• Antigout agents	• Retinoids
• Antineoplastics	• Vitamin A
• Immunosuppreants	• Amphetamines
• Antipsychotics	• Cimetidine
• Antidepressants	• Interferon
• Angiotensin-converting enzyme inhibitors	• Levodopa
• Beta-blockers	• Loratadine
• Spironolactone	• Propylthiouracil
• Cholesterol-lowering agents	• Stanozolol

(6) 두피의 혈액 순환 장해

모발은 혈액 순환에 아주 예민하다. 혈액 공급이 감소하면 모발은 바로 퇴행기를 거쳐 휴지기에 빠진다. 그러나 일시적인 혈액 순환 장해로는 모낭이 사리지는 영구적 탈모는 흔치 않으며, 보통 6개월 이후에 재생된다.

모발이식을 할 때 공여부의 봉합이 긴장도가 높거나 이식한 부위의 조직 손상이나 혈관 손상으로 혈액 순환이 나빠지면 이식한 모발의 생존율도 낮지만 기존 모발이 빠지는 동반 탈락이 온다.

탈모치료에서 테스토스테론이 DHT로 변화되는 과정을 차단하는 치료(복용하는 탈모치료제인 finasteride, dutasteride) 다음으로 혈액 순환의 증가(탈모 부위에 도포하는 탈모치료제인 minoxidil과 탈모치료에서 고주파, 레이저, 메조주사 등)가 중요하다. 탈모치료를 할 때 메조주사나 다륜침, 침투성이 강한 롱 펄스 레이저 등을 오래 지속하면 두피조직의 섬유화로 혈액순환이 나빠져서 오히려 탈모가 심해진다.

흉터나 염증 등으로 섬유화가 있으면 혈액순환 장해가 발생하기 때문에 탈모가 발생하는 것이 대표적이다. 외상이나 압박(모자나 가발 등으로 두피를 심하게 압박하는 경우), 고혈압이나 혈관 경화증, 고지혈증 등으로 혈액 순환에 장해가 발생하면 탈모가 온다.

(7) 신체적 요인

① 스트레스

스트레스 자체보다는 스트레스가 호르몬 계통에 영향을 주어 탈모를 일으키는 것으로 추측된다. 스트레스의 강도는 최소한 잠을 자려고 해도 고민 때문에 잠이 오지 않거나, 잠을 자다가도 자주 깨어나고, 쉽게 잠이 들지 못할 정도가 6개월 이상 지속되어야 한다. 일상적인 스트레스 정도로 탈모가 오지는 않는다고 한다.

② 영양결핍과 체중감소

영양결핍은 모발의 단백질 합성과 호르몬 계통에 장해를 유발한다. 허약해 보인다면 영양결핍으로 인하여 탈모가 가능하다. 다이어트 등으로 체중감소가 심한 경우에도 탈모가 온다. 한 달에 3–4 kg 정도 감소하여 6개월 이상 지속할 때 탈모가 오는 것으로 알려져 있다. 한 달에 1–2 kg 정도 감소하는 것은 탈모가 오지 않는다고 한다.

③ 음주와 흡연

심한 음주와 흡연은 탈모를 일으킨다. 그렇지만 음주와 흡연이 지나칠 경우에 탈모가 진행된다. 아직 정확한 연구는 없지만 일주일에 3회 이상 심하게 취하거나 하루에 2갑 이상 흡연을 한다면 탈모가 가능할 것으로 보고 있다.

(8) 환경적 요인

① 음식

인스턴트 음식은 탈모를 유발한다. 정확한 기전은 밝혀지지 않았지만 호르몬에 영향을 주어 탈모가 유발되는 것으로 추측된다. 한 예로 아프리카의 한 부족이 탈모가 없는 것으로 잘 알려져 있었는데 추장의 아들들에게서 유달리 탈모가 발생하였다. 이들은 영국의 유학 시절 햄버거를 주로 먹었으며, 귀국 후에도 햄버거를 수입하여 먹었다고 한다. 이 이야기는 음식으로 인해 탈모가 온 이야기로 유명하다.

② 심한 파마와 헤어 드라이, 잘못된 샴푸 사용

모발에 심한 자극을 주는 경우도 탈모가 발생한다. 샴푸 때문에도 탈모가 발생하므로 지성이나 건성, 중성 샴푸를 적절히 선택하여 사용해야 한다. 샴푸에 포함된 물질들이 피부나 조직을 자극하면 탈모를 유발하기도 한다.

③ 중금속과 솔벤트 등의 유해물질과 고온 작업

중금속, 세정제, 솔벤트를 취급하는 직업에서도 탈모가 가능하다. 고온에서 일을 장시간 하는 경우도 탈모가 발생한다.

3) 남성 탈모증의 분류

남성형 탈모증의 전형적인 형태는 앞머리의 M자 모양 탈모로 시작하여 정수리(vertex) 탈모로 진행된다. 그러나 남성형 탈모증에서도 여성 탈모의 특징인 두정부(mid-scalp)나 정수리 탈모가 앞머리보다 먼저 오는 경우도 흔하다.

남성 탈모증의 분류는 현재의 탈모 상태를 나타내기 위한 방법이며, 탈모의 형태가 남성에서도 다양하여 한 가지 분류방법으로 모두 표현하기는 어렵다.

탈모의 원인에 따라 분류하기는 어렵기 때문에 탈모의 부위와 정도에 따라서 분류하는 방법을 일반적으로 사용한다. 남성 탈모증을 분류하는 대표적인 방법은 2가지다.

1. Norwood-Hamilton 분류법
2. BASP(basic specific) 분류법

(1) Norwood-Hamilton 분류법

남성형 탈모의 형태에 따라 분류하는 방법으로 가장 흔한 방법이다. 1941년 Hamilton이 type I부터 VII까지 탈모모양에 따라 분류하였으며, 1975년 Norwood가 Hamilton 분류 방법에 4가지 탈모형태를 추가하였다(그림 1-2).

(2) BASP 분류

Norwood 분류법으로 표현되지 못하는 탈모 형태가 있고, 여성의 탈모증에 대한 분류도 쉽지 않아 새롭게 제시된 분류법이다(그림 1-3).

BASP 분류법(Lee WS(이원수), et al, J Am Acad Dermatol 2007;57:37-46)은 외관상 나타나는 탈모 모양을 표시하기 위한 대안으로 개발되었으며, 남성과 여성 탈모증에서 모두 사용할 수 있고, 쉽게 적용할 수 있다.

BA(Basic type)은 앞이마의 탈모 모양을 표현한 것으로 M, L, C, U type으로 표시한다.

1. M type은 전형적인 앞머리의 모서리 탈모(M자 모양 탈모)를 표시한 것으로 탈모 정도에 따라서 M0, M1, M2, M3로 구분한다.
2. L type은 앞머리의 한쪽 모서리만 탈모(L자 모양 탈모)된 형태를 나타낸다.
3. C type은 앞머리부터 두정부까지 탈모(C자 모양 탈모) 형태를 나타낸 것으로 탈모정도에 따라서 C0, C1, C2, C3로 구분한다.
4. U type은 앞머리부터 정수리의 뒤까지 탈모(U자 모양 탈모) 형태를 나타낸 것으로 탈

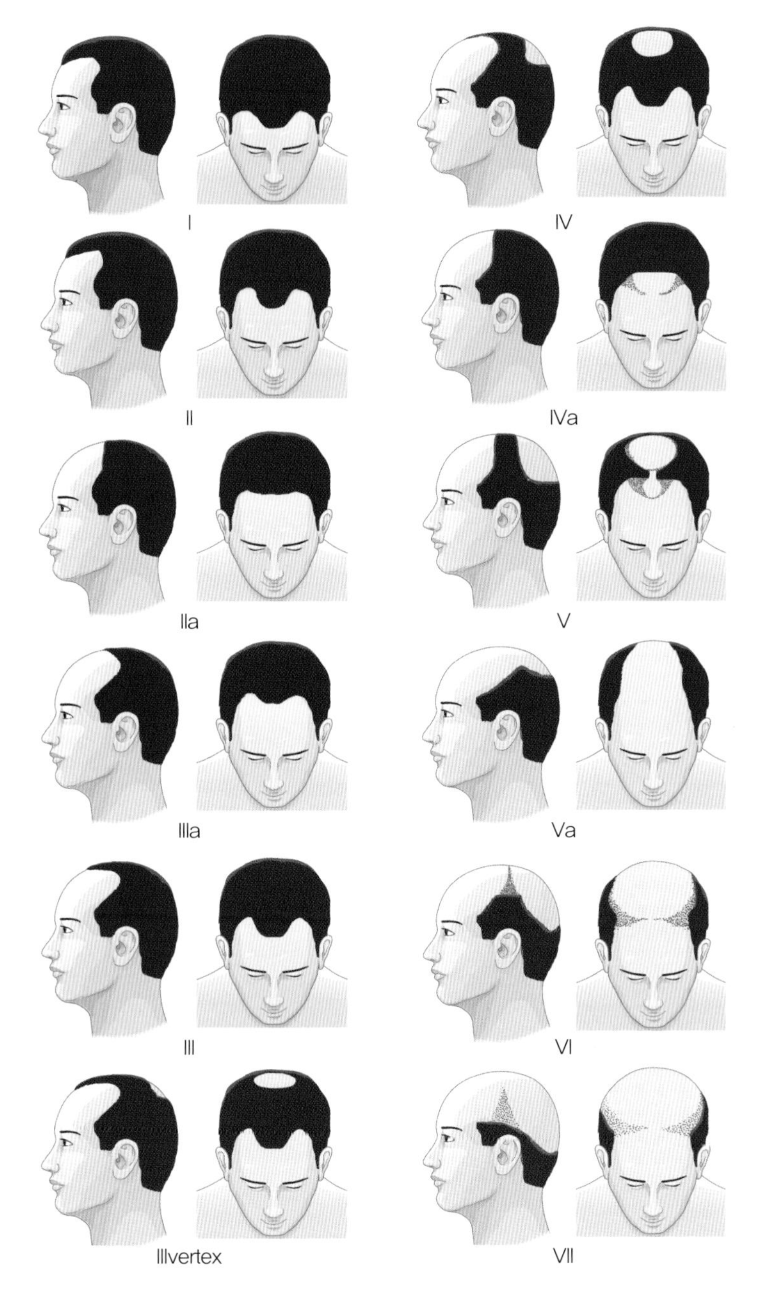

그림 1-2 Norwood-Hamilton의 분류

모정도에 따라서 U1, U2, U3로 구분한다.

SP(specific type)는 가마 중심의 정수리 부위와 두정부의 탈모를 나타낸 것으로 V와 F type으로 구분한다.

1. V(vertex type)는 정수리 부위의 탈모를 나타낸 것으로 탈모 정도에 따라서 V1, V2, V3로 구분한다.

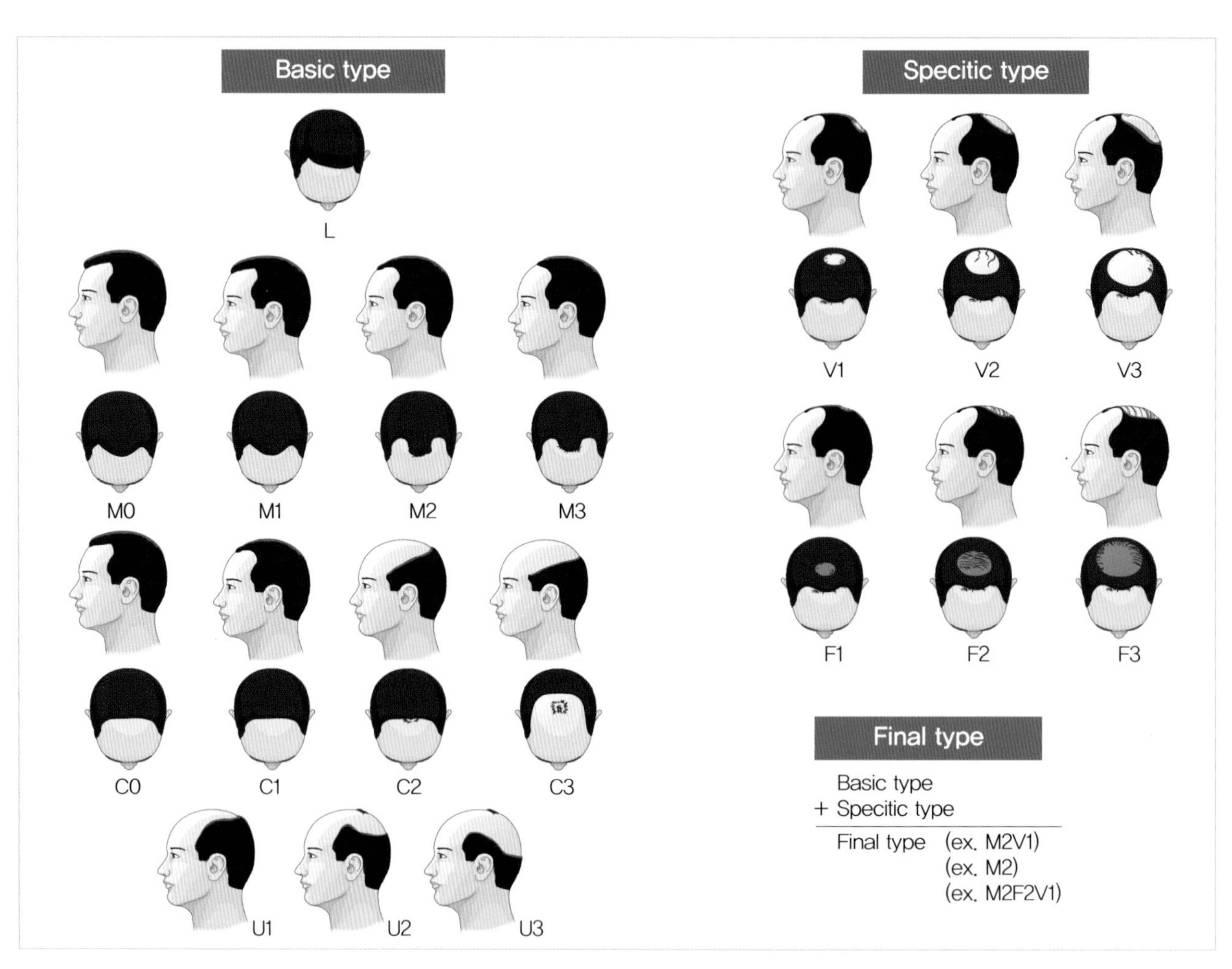

그림 1-3 BASP 분류(Lee WS(이원수), et al)

2. F(frontal type)는 두정부 부위의 탈모를 나타낸 것으로 탈모 정도에 따라 F1, F2, F3로 구분한다.

최종적인 표현은 BA type과 SP type을 병행해서 표기하게 된다. 예로 M2V1, M2, M2F2V1 등으로 표기할 수 있다.

남자는 M type이 가장 많았으며, 여성에서는 L type이 가장 많았다고 보고하였다.

(3) 기타 형태의 남성 탈모증

Norwood-Hamilton 분류법이나 BASP 분류법에 해당되지 않는 남성 탈모증이 가끔 있는데 탈모증이나 두피 전체의 모발이 가늘어지는 형태와 탈모증이나 어느 한 부위의 모발은 가늘어지면서도 남아 있는 형태다.

① 미만성 정형 탈모증(diffuse patterned alopecia in male)

Norwood-Hamilton 분류법에 포함된 부위이나 완전한 탈모가 오지는 않으면서 모발만 가늘어지는 탈모증이다.

② 미만성 비정형 탈모증(diffuse unpatterned alopecia in male)

두피 전체의 모발이 가늘어지는 탈모증이나 완전히 모발이 사라지지는 않는 탈모증이다. 주로 나이가 들면서 오는 노화성 탈모증 형태다.

③ 전두부 모발 밀집(frontal tuft, frontal forelock, central core)

Norwood-Hamilton 분류법에서 V, VI, VII 형태지만 전두부에 탈모가 진행되지 않거나 다른 부위보다 탈모 진행이 늦어서 전두부에 모발이 있어 마치 기둥이나 섬처럼 보이는 탈모증이다. frontal tuft는 두정부와 연결된 마치 기둥처럼 보이는 전두부 모발밀집을 말하고, frontal forelock 또는 central core는 독립된 섬처럼 보이는 전두부 모발밀집이다(그림 1-4, 1-5). 이 부위 모발도 점차 가늘어지고 탈모가 진행되면 frontal tuft는 frontal forelock으로 진행된다.

④ 전두부 모발 경계(frontal fringe)

마치 여성형 탈모증처럼 두정부의 탈모증이 심한데도 불구하고 전두부의 헤어라인 모발

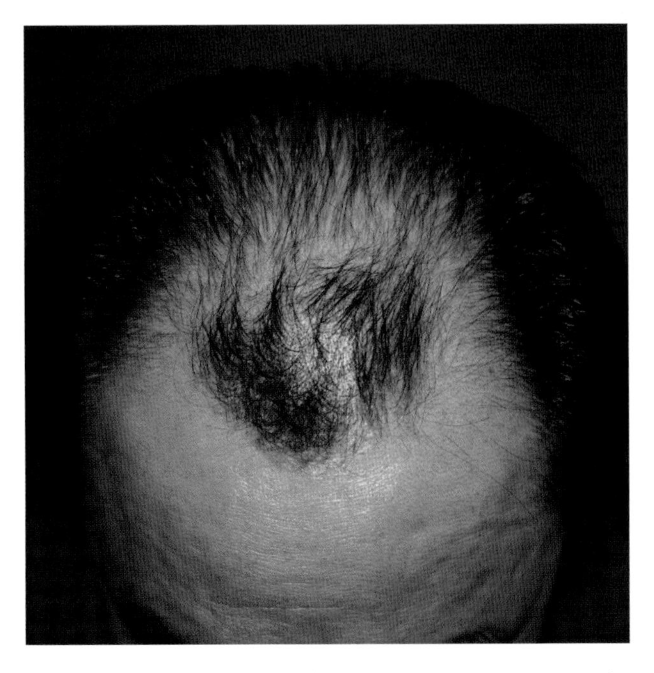

그림 1-4 전두부 모발 밀집(frontal forelock, central core)

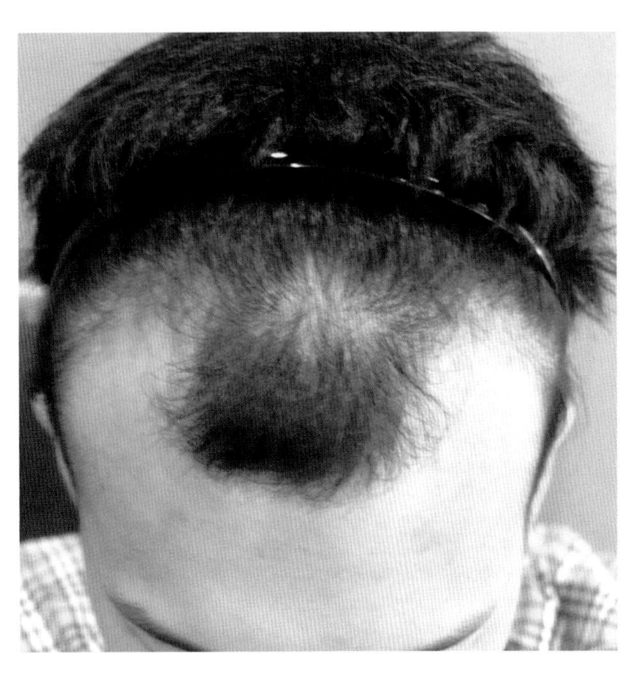

그림 1-5 전두부 모발 밀집(frontal tuft)

이 가늘지만 남아 있어 완전한 탈모가 오지 않는 형태이다.

2 여성 탈모증

여성 탈모증은 남성 탈모증과 다르게 원인도 다양하고, 탈모 모양이나 양상도 다양하다. 원인별 감별진단도 쉽지 않다.

1) 명칭

보통 여성형 탈모증(female pattern hair loss, FPHL)이라고 통칭한다. 여성 탈모증을 분류하는 방법도 다양하고, 동일한 탈모증인데도 다양한 명칭으로 부르고 있다.

이러한 이유는 아직도 탈모의 원인이 정확히 밝혀지지 못한 면도 있으나 원인이 다양하기 때문이다. 그러나 여성은 테스토스테론의 양이 많지 않기 때문에 남성처럼 안드로겐성 탈모증(androgenetic alopecia, AGA)이라고 부르지는 않는다.

하지만 여성에서도 테스토스테론의 양이 적지만 있기 때문에 안드로겐의 영향으로 인한 탈모는 거의 없다고 하였으나 완전히 무시할 수는 없다. 최근에는 여성 탈모도 안드로겐의 영향이 중요하다고 여기기 때문에 androgenetic 또는 androgenic alopecia in women이라고 불리기도 한다. 젊은 여성이면서도 골격이 남성처럼 크고, 몸에 털이 많은 경우에 주로 발생하고, 중년 이상의 탈모증에서도 특히 폐경기와 관련하여 androgen의 양이 증가하면 탈모가 발생하기 때문이다. 또한 female diffuse alopecia, diffuse hormonal alopecia라고 부르기도 한다.

여성 탈모는 20대와 40대에 두 번 호발하는 특징이 있다. 20대의 원인은 유전성이 많을 것으로 추정하고, 40대는 노화와 호르몬 등의 변화가 주된 원인이라고 추측하게 된다. 그러나 정확히 밝혀진 기전은 없다.

보통 유전성으로 오는 여성형 탈모증은 40세 이전에 오는 경우가 많으며, 헤어라인은 유지되나 헤어라인의 1-2 ㎝ 위 전두부 부위부터 탈모가 오고, 후두부는 탈모가 거의 없는 Christmas tree pattern을 보인다. 1999년 Olsen은 이런 모양의 여성 탈모증을 androgenetic effect라고 하였다(그림 1-6).

40세 이후에 오는 탈모는 유전성 이외에도 다양한 원인 때문에 오며, 전체적으로 모발이 가늘어지고, 두피가 훤히 보이는 형태가 대부분이다. 노화와 호르몬의 변화가 큰 영향일 것으로 추정한다.

또한 남성 탈모증에서 복용하는 finasteride나 dutasteride는 효과가 없기 때문에 사용하지 않는다. 단, 남성형 탈모증와 유사한 고안드로겐혈증인 조기 여성형 탈모증와 폐경 후 발생하는 만성 미만성 탈모증에서 선택적으로 사용할 수 있다.

2) 원인

남성 탈모증과 달리 여성 탈모증은 원인이 다양하고 형태도 매우 많다. 젊은 여성에서 오는 탈모증이라면 유전성 탈모일 가능성이 높아 남성형 탈모의 원인과 비슷하다. 여성 탈모증에서 유전성은 30-40% 정도로 보고되고 있다. 그러나 젊은 여성도 여성 생식기와 관련된 질환과 정신적인 문제가 탈모에 관여되는 경우가 종종 있다.

젊을 때는 탈모가 없었으나 중년이 되면서 탈모가 시작되거나 갑자기 심해진다면 유전성보다는 노화에 따른 탈모, 호르몬 변화에 따른 탈모(갱년기 장해)로 갑상샘 등의 내분비 장해에 따른 탈모, 정신적인 스트레스나 우울증, 약물에 의한 탈모 등이 대부분이므로 유전성 탈모라고 판단하여 치료하면 실패할 가능성이 높다.

여성 탈모증의 원인은 남성 탈모증의 원인이 모두 포함되며, 중년 이상에서 오는 여성 탈모증은 노화나 호르몬 변화, 내분비 장해, 정신적인 스트레스, 약물 등의 원인이 추가된다.

(1) 탈모 유전인자의 강도 또는 표현력

여성에서도 탈모 유전인자의 강도는 매우 중요한 요인이다. 젊은 여성의 탈모증과 관련이 많고 중년이상의 여성 탈모증도 유전인자와 관련이 높다.

(2) 호르몬의 변화

중년 이상에서 오는 여성 탈모증의 원인으로 중요하다. 이중에서도 여성 호르몬의 변화가 중요한 요인이며, 이것은 여성 호르몬인 estrogen과 progesterone의 비율 변화인데 폐경기가 되면 estrogen은 감소하고 progesterone은 증가하기 때문에 탈모가 발생한다. 그 외 갑상샘과 부신 등의 호르몬도 탈모를 유발한다.

(3) 노화

중년 이상에서 오는 여성 탈모증의 원인으로 중요하다. 여성 탈모도 노화의 한 과정으로 이해하는 경우가 많다.

(4) 정신적 문제

여성에서 정신적 문제는 탈모를 유발하며, 예민한 성격과 스트레스 등은 남성보다 많은 영향을 미치는 것으로 알려져 있다.

(5) 두피 질환

남성과 동일하다.

(6) 전신질환과 약 복용

중년 이상의 여성 탈모증은 장기적 약 복용을 꼭 확인해야 한다. 특히 갑상샘 치료제와 항우울증 치료제, 관절염의 소염 진통제 등의 장기 복용은 필수적으로 확인해야 할 사항이다.

(7) 두피 혈액순환 장해

남성과 동일하다.

(8) 기타

신체질환과 체중감소, 다이어트, 특정 영양소 결핍, 두피오염, 파마와 드라이, 모발관리할 때 사용하는 유해물질, 샴푸, 화장품, 한약복용 등이다.

여성 탈모증은 원인이 다양하므로 그에 따른 치료 방법도 달라져야 한다. 원인을 정확하게 진단하지 못하면 탈모치료의 효과도 떨어진다. 탈모치료를 할 때도 다양한 원인을 고려하여 치료해야 효과가 좋다.

3) 여성 탈모증의 분류

원인이 다양하고, 아직 밝혀지지 않은 원인이 많기 때문에 다양하게 분류한다. 여성 탈모증은 남성 탈모증과 다르게 정수리 부위의 탈모가 대부분이며, 앞머리의 헤어라인 탈모는 거의 없다. 가끔 젊은 여성에서 유전적 요인 때문에 앞머리 탈모가 발생하기도 하나 젊은 여성의 앞머리 탈모가 반드시 유전성인 것은 아니다.

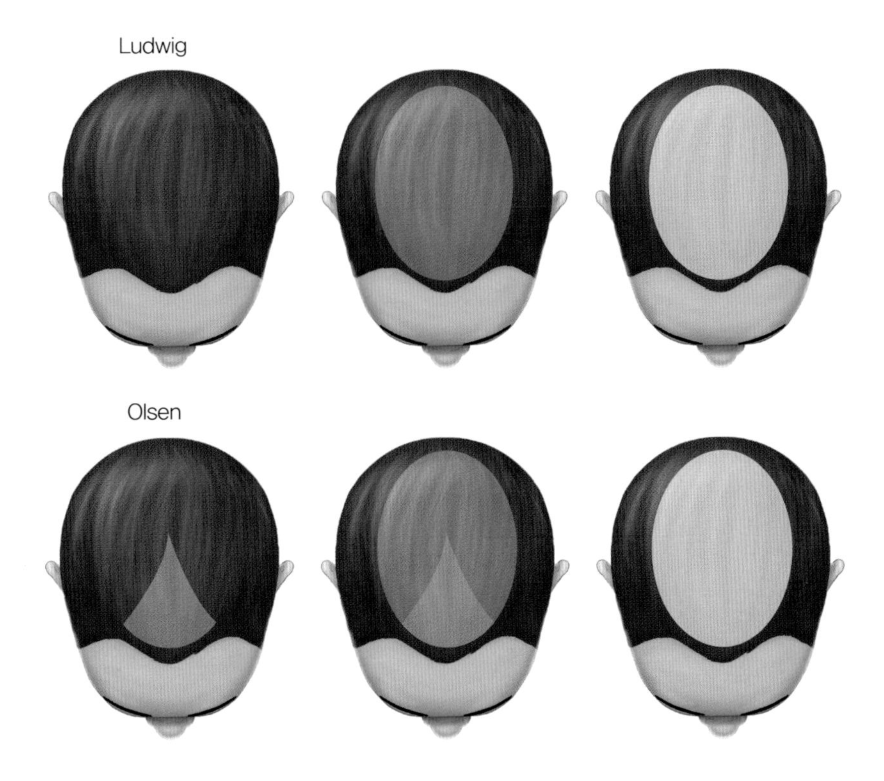

그림 1-6 Ludwig와 Olsen의 여성탈모증의 분류

여성에서 앞머리 탈모가 오지 않는 이유는 5-α-reductase 효소가 앞머리에 적고, testosterone을 progesterone으로 변화시키는 aromatase라는 효소가 있기 때문으로 알려져 있다. 또한 여성의 유전적 탈모는 남성보다 심하지 않고 탈모의 진행속도도 느린데 이는 테스토스테론의 양이 적고, aromatase이 영향을 미치기 때문이라고 알려져 있다.

중년 여성에서 노화나 호르몬 변화 등으로 인한 탈모(만성 미만성 탈모증 또는 만성 휴기기 탈모증)는 더욱 빠르게 진행된다.

남성 탈모증의 분류와 같이 탈모의 원인에 따른 분류는 어렵기 때문에 탈모의 부위와 정도에 따른 분류를 일반적으로 사용한다. 앞머리 탈모가 거의 없기 때문에 Norwood 분류는 사용하지 않고 일반적으로 Ludwig 분류 또는 BASP 분류를 따른다(그림 1-6).

또한 Olsen은 여성 탈모증도 androgen의 영향이 중요하다고 하여 androgenetic alopecia를 특징으로 하는 탈모 모양을 제시하였는데 헤어라인은 유지되지만 그 위 1-2 ㎝의 앞머리가 Christmas tree pattern처럼 특징적으로 빠진다고 하여 Ludwig 분류와 다르게 제시하였다(그림 1-6).

표 1-4	Olsen의 여성 탈모증 분류
Early onset(20-30대)	
With androgen excess	
Without androgen excess	
Late onset(postmenopausal)	
With androgen excess	
Without androgen excess	

1999년 Olsen은 여성 탈모증을 androgen의 영향으로 발생하는 것과 기타의 원인으로 크게 2가지로 분류하였다. androgen의 영향은 20-30대에 탈모가 발생하고, 기타 원인은 폐경 이후에 발생하는 탈모로 분류하였다(표 1-4).

3 비정형 탈모증(unpatterned alopecia, 기타 탈모증)

남성형 탈모증이나 여성형 탈모증의 전형적 유전성 탈모증과 다른 탈모증을 말한다. 전형적인 탈모가 아니라고 해서 비정형 탈모증이라 불린다.

비정형 탈모증은 반흔성 탈모증(cicatricial alopecia)와 비반흔성 탈모증(non-cicartricial alopecia)으로 구분한다.

1) 반흔성 탈모증(cicatricial alopecia)

반흔성 탈모증은 표피나 진피, 피하지방에 피부질환이나 외상으로 인하여 모낭이 손상되어 영구적인 탈모를 말한다. 선천성과 감염, 피부질환, 화상, 동상, 방사선, 감염, 종양 등이 포함된다(표 1-5).

탈모 부위는 대부분 반흔이 있으며, 섬유화가 동반된다(그림 1-7, 1-8).

2) 비반흔성 탈모증(non-cicartricial alopecia)

비반흔성 탈모증은 반흔이 없는 탈모증을 말한다. 생리적 변화나 질병, 영양 결핍 등으로 오는 것으로 영구적인 탈모는 거의 없다. 원인을 모르는 경우도 많다(표 1-6).

탈모 부위는 대부분 반흔이 없으며, 섬유화도 없이 탈모가 진행된다.

표 1-5	반흔성 탈모(cicatricial alopecia)의 원인들

감염(infection)
피부 질환(skin diseases) 또는 염증성 질환(inflammatory diseases)
- 가성독발(거짓 원형 탈모증, pseudopelade of broq)
- Central centrifugal cicatricial alopecia
- 독발성 모낭염(folliculitis decalvans)
- 켈로이드성 여드름(acne keloidalis nuchae)
- 모공 편평태선(lichen planopilaris)
- Frontal fibrosing alopecia
- 원반모양 홍반루푸스(discoid lupus erythematosis)

외상 원인(traumatic causes)
- Injury
- Burn
- Radiation
- Postoperative scar

신생물(neoplasms)

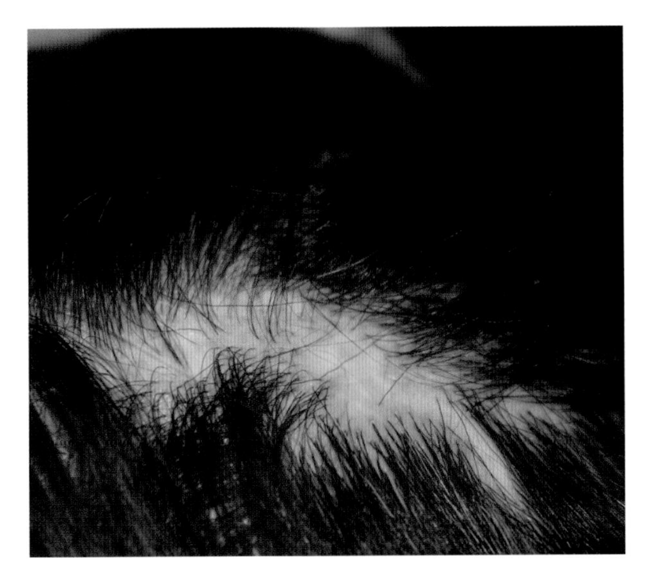

그림 1-7 가성 독발

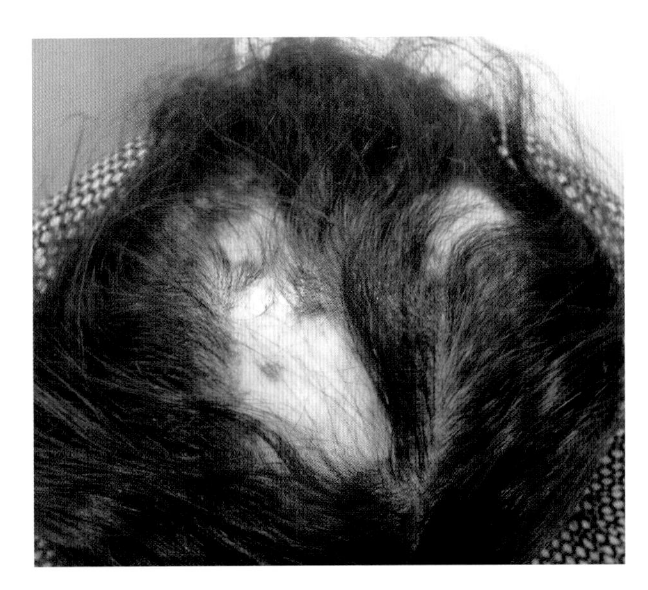

그림 1-8 홍반성 루프스 탈모증

4 감별진단이 필요한 탈모증

탈모 환자를 진료하다 보면 전형적인 남성형이나 여성형 탈모증과 다른 형태의 탈모증들이 많다는 것을 알게 된다. 특히 여성에서 많으나 남성 탈모증에서도 가끔 경험하게 된다.

표 1-6 비반흔성 탈모증(non-cicartricial alopecia)의 원인들

휴지기 탈모증(acute, chronic telogen effluvium)
성장기 탈모증(anagen effluvium)
원형 탈모증(simple, diffuse alopecia areata)
노인성 탈모증(senescent alopecia)
대사성 질환(metabolic, nutritional causes)
 Iron, protein deficiency
내분비계 질환
 Thyroid disease
 Androgen-excess disease(polycystic ovary syndrome, adrenal, ovary tumor)
약물
외상적 원인(traumatic cause)
 발모벽(trichotilomania)
 견인 탈모(traction alopecia)
 압력에 의한 탈모(pressure-induced alopecia)
 모발관리(shampoo, bleaching, wave)
모간 이상(hair shaft abnormalities)

1) 만성 탈모증(diffuse alopecia)

흔히 중년 이상의 남자나 여자에서 발생하는 만성 탈모증이며, 특히 중년 이상의 여성에서 많다. 두정부나 정수리의 탈모가 전체적으로 오면서 급격한 탈모를 보이는 경우가 많다. 측두부와 후두부도 같이 탈모가 오는 경우도 흔하다. 즉, 두피의 전반에 걸쳐서 발생한다. 전형적 남성이나 여성 탈모증은 두정부나 전두부, 정수리 부위에서 주로 탈모가 일어나는 것과 대조된다.

이런 경우는 보통 만성 탈모증(diffuse alopecia)이라고 통칭한다. 이 중에서 휴지기 탈모증(telogen effluvium)과 성장기 탈모증(anagen effluvium)이 포함된다.

이러한 탈모의 원인은 비반흔성 탈모증의 원인들이 모두 포함될 수 있다. 만성 탈모증의 원인 중에서 질환에 의한 탈모나 원인이 확실한 탈모는 감별진단이 쉬우나 대부분의 만성 탈모증은 원인을 찾기가 어렵다.

(1) 휴지기 탈모증(telogen effluvium)

휴지기 탈모증은 두피 전체의 모발이 확실하지 않은 어떠한 원인으로 인해 동시에 모발 주기가 같아져서 급격히 탈모가 일어난다. 성장기에 있던 모발이 갑자기 동시 다발적으로 휴기기에 빠지는 탈모증을 휴기기 탈모증이라 한다. 산후 탈모증이 대표적이다.

표 1-7	휴지기 탈모증과 여성형 탈모증의 차이	
	휴지기 탈모증	여성형 탈모증
호발 시기	40-60대	20-40대
진행	빠름	느림
경과	회복과 악화 반복	지속적 악화
초기 탈모 부위	두정부와 후두부	두정부(Christmas tree pattern)
모발의 미세화	거의 없음	심함
일일 탈모량	많음	적음
전두 측두 경계부의 퇴축	심함	거의 없음
밀도	심한 감소	서서히 감소
모발의 전체 볼륨	약간 감소	심한 감소

임상 증상에 따라 분류하여 여성의 만성 미만성 탈모증(chronic diffuse alopecia in women) 또는 만성 휴기기 탈모(chronic telogen effluvium, CTE)이라고 부르기도 한다.

휴지기 탈모증은 원형의 탈모반이 있는 일반적인 원형 탈모증과 달리 두피 전체적으로 오는 원형 탈모증과 구별이 어렵다. 특히 초기에 오는 원형 탈모증과는 더욱 구별이 어렵다.

또한 휴기기 탈모증은 유전적으로 오는 여성형 탈모증과도 감별 진단하기가 어렵다(표 1-7).

휴지기 탈모증은 원인이 있은 후 3주가량의 퇴행기와 2-3개월의 휴지기를 거쳐서 발생하므로 원인이 있은 후 약 3개월 후에 탈모 증상이 전체적 두피에서 갑자기, 동시에 발생하는 특징을 가지고 있다.

휴지기 탈모증의 원인은 다양하다고 해도 진단 방법은 어렵지 않다. 사진모발검사(phototrichogram)가 유용한 진단 방법으로 두피의 약 2 ㎝ 정도를 면도하고, 3-5일 후 자라지 않는 모발은 휴지기 모발로, 성장하는 모발은 성장기 모발로 구분하여, 15% 이상의 모발이 자라지 않는다면 휴기기 탈모증으로 진단한다. 모발을 뽑아서 현미경 검사를 했을 때 곤봉모양의 모발이 증가했다면 이것도 하나의 진단 방법이다.

탈모치료는 원인을 고려하지 않으면 치료가 되지 않는 경우가 흔하다. 특히 중년 이상의 여성에서 치료가 어렵다. 원인을 찾기가 쉽지 않은 경우가 많으나 원인이 사라지면 대부분 호전된다. 그러나 재발하여 호전과 악화를 반복하는 경우가 많다.

(2) 성장기 탈모증(anagen effluvium)

성장기 탈모증은 원인이 있고나서 수주 이내로 급격히 발생한다. 염증성과 비염증성으로 구분할 수 있으며, 염증성은 모구 주위에 염증세포가 많아지는 것이 특징이다. 전신의 염증성 질환과 면역성 질환인 홍반성 루프스, 매독 등이 있다.

또한 항암제나 방사선 치료, 전신 질환, 발암물질이나 중금속 중독 등으로 발생하는 것으로 쉽게 진단할 수 있다.

성장기에 있는 모낭이 손상되어 모간이 급격히 가늘어지고 뾰족하게 변하므로(이형성 성장기 모발, dystrophic anagen hair) 현미경 검사로 쉽게 의심할 수 있다. 원형 탈모증에서도 나타나나 원인에 대한 과거력을 확인하면 쉽게 구분할 수 있다.

휴지기 탈모증은 전체 모발의 50% 미만 정도 탈락되나 성장기 모발은 90% 이상 탈락한다. 성장기 탈모증은 원형 탈모증의 하나인 급성 전두 탈모증(acute alopecia totalis)과 비슷한 양상을 보인다.

대부분의 휴지기 탈모증과 성장기 탈모증은 원인이 사라지면 회복된다. 그러나 6-12 개월 정도 탈모로 인해서 스트레스를 받게 된다.

2) 원형 탈모증(alopecia areata)

대부분의 원형 탈모증은 원형의 탈모반이 있는 것으로 진단한다. 그러나 여러 곳에 원형 탈모증이 생기거나 탈모반이 생기지 않은 초기의 원형 탈모증은 만성 탈모증과 감별진단이 쉽지 않다(그림 1-9, 1-10).

원형 탈모증의 진단은 원형의 탈모반이 나타나며 현미경 모발검사에서 2-4 ㎜ 정도의 부러진 모발, 연필심 모양의 끝이 뾰족한 모발(dystrophic anagen hair)이 관찰되고 확대 두피모발검사에서 감탄부호(!) 모양의 모발이 보인다면 쉽게 진단할 수 있다(표 1-8).

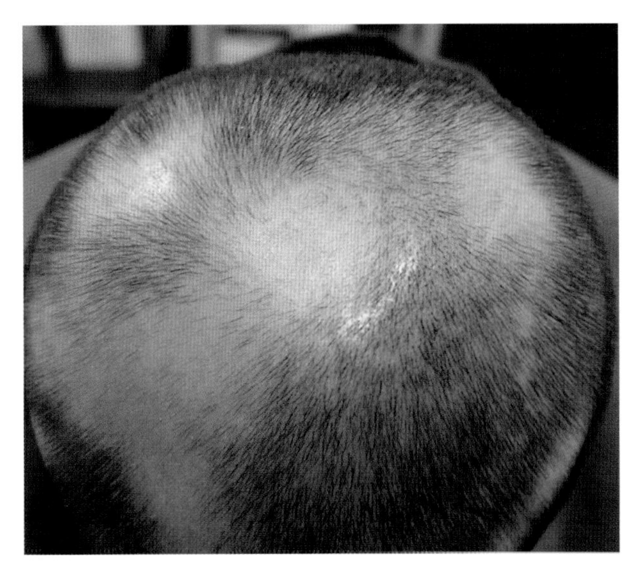

그림 1-9 원형 탈모증

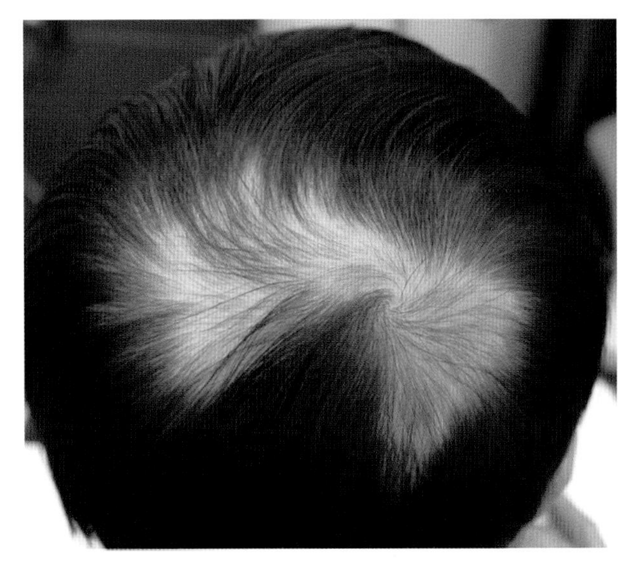

그림 1-10 소아(8세)의 원형 탈모증

표 1-8	원형 탈모증과 휴지기, 성장기 탈모증의 특징		
	원형 탈모증	휴지기 탈모증	성장기 탈모증
범위	두피 전체	두피의 50%	두피 전체 90%
진행	수주 이내 혹은 수개월	수주 이내	수주 이내
감별진단	원형 탈모반 이형성 성장기 모발 감탄부호 모발	사진모발검사 곤봉모	병력 청취 이형성 성장기 모발
일일탈모량	적음 또는 매우 많음	많음	매우 많음

(1) 급성 전두부 탈모증(acute alopecia totalis)과 미만성 원형 탈모증(diffuse alopecia areata)

두피 전체의 모낭에 원형 탈모증이 급격하게 온 것으로 처음에는 여러 군데의 탈모반이 관찰되나 수주 이내로 두피 전체 모발에 퍼진다. 전체적으로 탈모가 오면 미만성 원형 탈모증(diffuse alopecia areata)이라고 하며, 그래도 어느 정도 모발이 유지된다(그림 1-11, 1-12, 1-13, 1-14).

급성 전두부 탈모증은 초기에 휴지기 탈모증 그리고 성장기 탈모증과 매우 유사하지만 휴지기 탈모증과는 사진모발검사와 곤봉모의 확인으로 구분할 수 있으며, 성장기 탈모증과는 과거력의 청취로 구분이 가능하다.

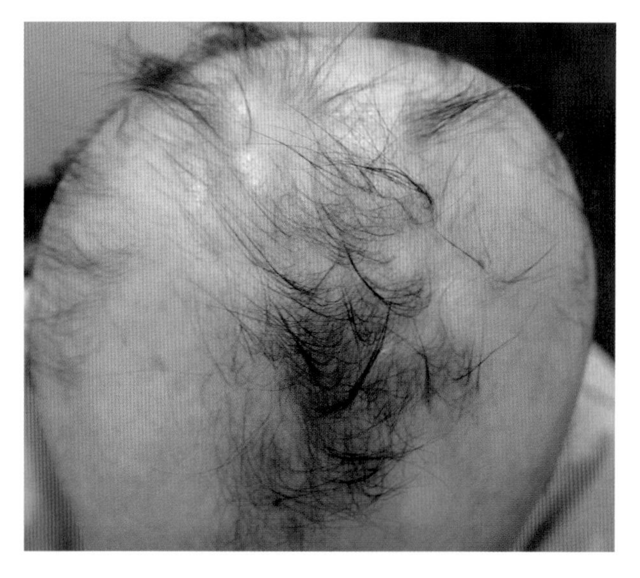

그림 1-11 급성 전두부 탈모증

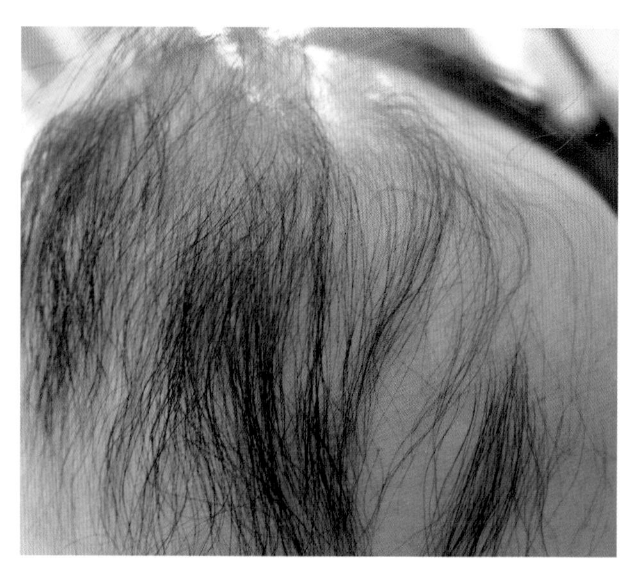

그림 1-12 급성 전두부 탈모증

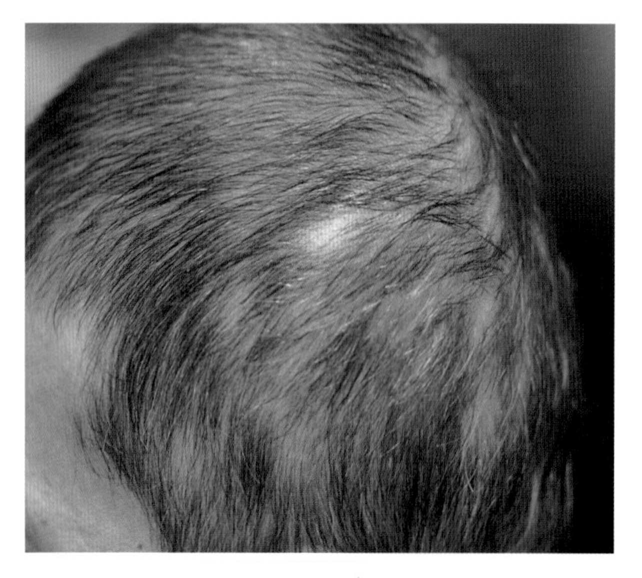

그림 1-13 미만성 원형 탈모증

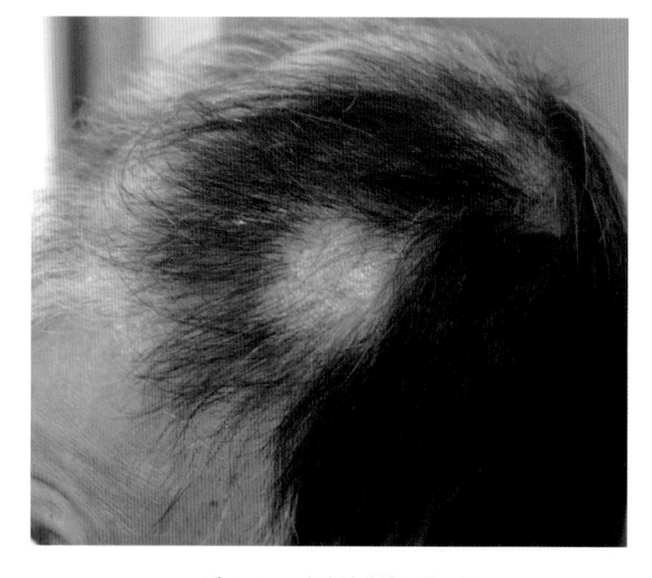

그림 1-14 미만성 원형 탈모증

(2) 급성 미만성 전두부 탈모증(acute diffuse alopecia totalis)

미만성 전두부 탈모증은 어느 정도 모발이 유지된 상태에서 탈모가 진행되나 급성 미만성 전두부 탈모증은 수주 이내로 완전히 모발이 탈락되어 완전한 대머리가 된다(그림 1-15, 1-16).

특히 젊은 여성에서 발생하며, 수주 이내에 두피 전체 모발이 탈락되고 모발 당겨보기 검

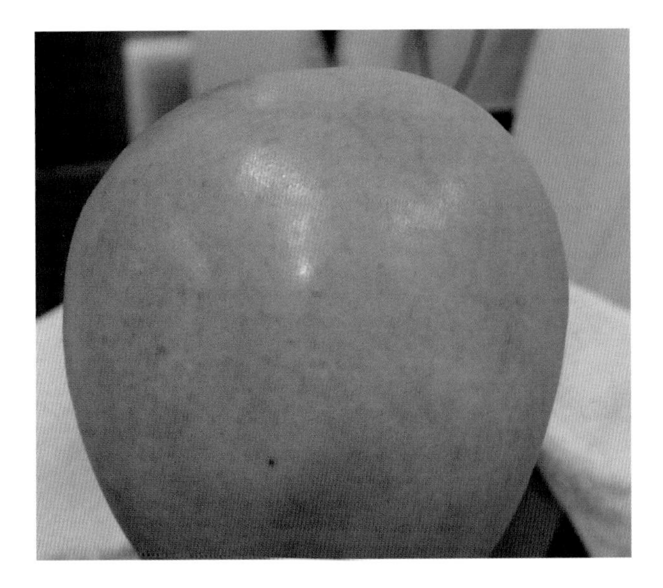

그림 1-15 급성 미만성 원형 탈모증

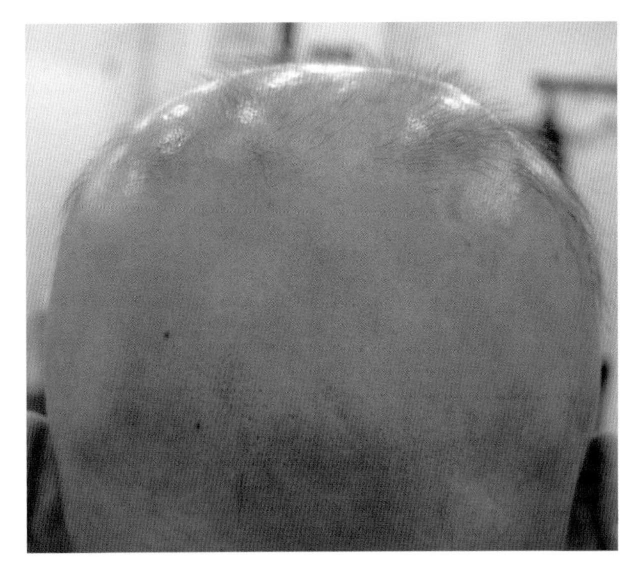

그림 1-16 급성 미만성 원형 탈모증

사에서는 모발이 수 없이 빠지는 모습을 볼 수 있다.

모발 현미경 검사에서 연필심 모양의 끝이 뾰족한 모발(dystrophic anagen hair)이 관찰된다.

완전한 대머리가 되므로 스트레스를 많이 받게 되며, 가발 착용이 필요하다. 보통 6개월이 자나면 모발은 재생되므로 예후는 좋은 편이나 재발하는 경우를 종종 보게 된다.

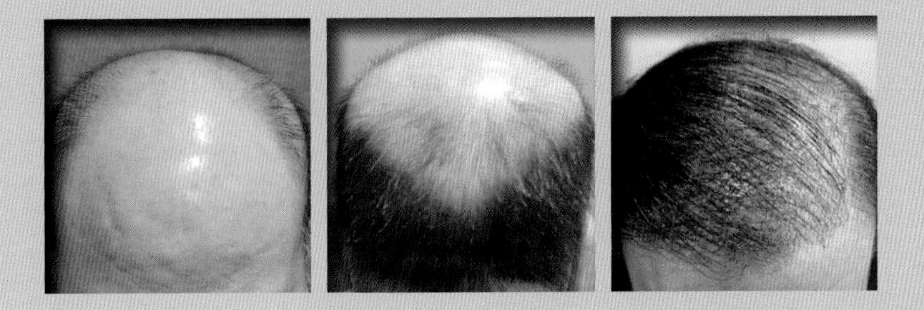

Chapter 2

탈모 두피의 해부학과 주요 명칭

1. 모발이식에 필요한 두피의 해부학
2. 탈모와 관련된 두피의 주요 명칭

1 모발이식에 필요한 두피의 해부학

1) 모낭의 구조

모발은 상피와 진피를 구성하는 외배엽과 근골격계를 구성하는 중배엽에서 기인하여 혼합적으로 구성된다. 외배엽 세포들은 피하지방층의 상층부까지 자라나서 모구(hair bulb)를 형성하게 되는데 모구 중에서도 주로 모기질 세포(matrix cell)와 모근초(outer, inner root sheath)를 형성한다. 유두세포(모유두, dermal papilla)는 중배엽에서 유래된다.

모낭(hair follicle)은 3개 부분으로 구성되어 있다. 모구로부터 입모근(arrector pilli muscle)까지를 하부(inferior segment), 입모근과 피지선이 포함되어 있는 협부(ishmus), 피지선의 개구부부터 상피까지를 모누두(infundibulum)라고 한다(그림 2-1).

모낭의 하부에는 모구(hair bulb) 또는 모근(hair root)이 있으며, 모구는 모기질 세포와 유두세포를 포함하고 있다. 모구와 모낭 협부에는 줄기세포가 있는 팽대부(bulge)가 있다.

2) 모발주기

모발은 성장주기인 성장기(Anagen) – 퇴행기(Catagen) – 휴지기(Telogen) – 성장기(Anagen)가 반복된다. 일부 전문가들은 퇴행기때 탈락기(Exogen)가 있다고 하나 논란의 여지가 있다. 모발은 동물의 털처럼 동시에 털갈이를 하지 않으며, 하나하나의 모발이 독자적인 모발주기를 갖고 있다.

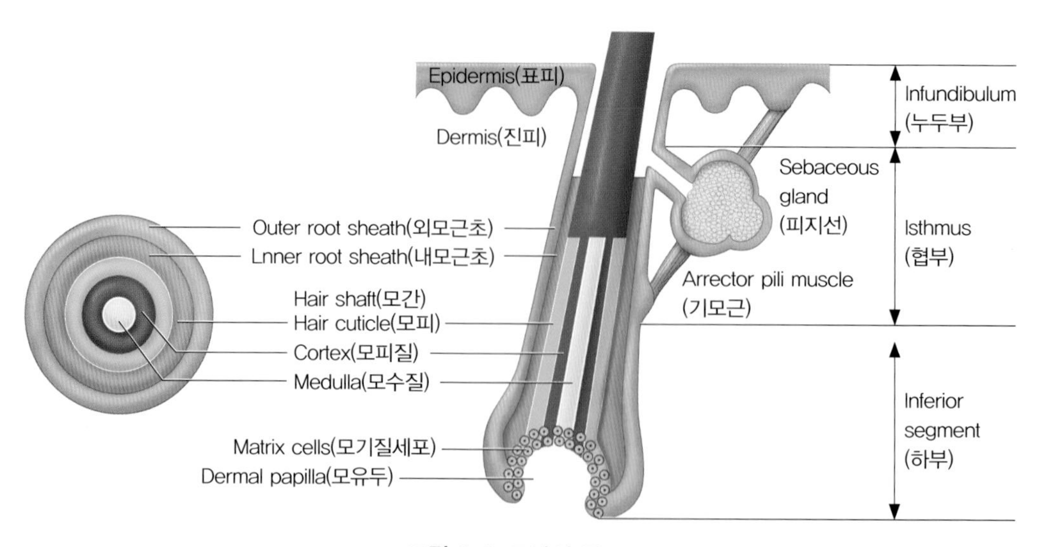

그림 2-1 모낭의 구조

표 2-1	모발주기(hair cycle)와 기간
성장기(anagen)	3-10년
퇴행기(telogen)	2-3주
휴지기(catagen)	3-4개월
탈락기(exogen)	수주-수개월

표 2-2	신체부위 털의 모발주기
수염	1-4개월
겨드랑이	1-6개월
다리	5-7개월
팔	1.5-3개월
눈썹	1-1.5개월

정상적인 모발의 성장기는 3-10년이고, 퇴행기는 2-3주, 휴지기는 3-4개월이나 탈모증에서는 성장기는 짧아지고 휴지기는 길어진다. 정상적인 모발은 평생동안 10-30번의 모발주기를 갖게 되나 탈모증에서는 이보다 더 많은 모발주기를 갖게 된다(표 2-1). 모발 이외의 신체부위 털들도 각자의 모발 주기를 가지고 있다(표 2-2).

모발주기는 모낭의 유두 세포와 그 주변을 싸고 있는 모기질 세포가 서로간에 신호를 주고받으며 결정하게 된다. 유두 세포가 모기질 세포에게 신호를 주어 지속적으로 모발이 성장하며, 모기질 세포가 유두세포에게 신호를 주어 모발의 굵기와 모발주기를 조절하게 된다.

이러한 모발주기는 항상 동일한 주기를 반복하는 것이 아니라 유전적 요인과 노화, 호르몬, 건강상태, 외적 요인 등 다양한 원인들이 작용하기 때문에 탈모가 발생하게 된다.

3) 두피 모발 수

모발은 태어나면서부터 숫자가 정해져 있기 때문에 성장하면서 그 수가 증가하지 않으며, 서양인은 약 10만 - 15만, 동양인은 7만-10만개 정도라고 한다(표 2-3).

표 2-3 인종에 따른 두피 모발의 수

blonde	12-16만개
brown	9-11만개
black	8.5-10.5만개
red	7-10만개

4) 모발의 굵기

모발이식에서 공여부 모발 굵기는 중요하다. 모발이 굵을수록 이식 후에 풍성해 보여 만족도가 높으며, 생존율도 높다. 인종에 따라 모발의 굵기는 다르다(표 2-4).

표 2-4 인종에 따른 두피 모발의 굵기(평균)

asian	80 ㎛
caucacian	70 ㎛
black	60 ㎛

동양인의 모발은 평균 80 ㎛이므로 이를 중심으로 3가지로 구분한다(표 2-5).

표 2-5 모발의 굵기 분류

1. 가는 모발(fine hair) : 직경이 60-65 ㎛
2. 중간 모발(medium hair) : 직경이 65-80 ㎛
3. 굵은 모발(thick hair) : 직경이 80 ㎛ 이상

5) 두피의 구조

두피는 5개의 층으로 구성되어 있으며, 앞 글자만 따면 SCALP다(그림 2-2, 2-3).

S : skin(epidermis and dermis)

C : connective or subcutaneous fat tissue(결합조직층 또는 피하지방층)

A : aponeurosis(galea aponerotica, 모상건막층)

L : loose areolar tissue or subgaleal fascia(유륜상 조직층, 모상건막하층)

P : pericardium or periosteum

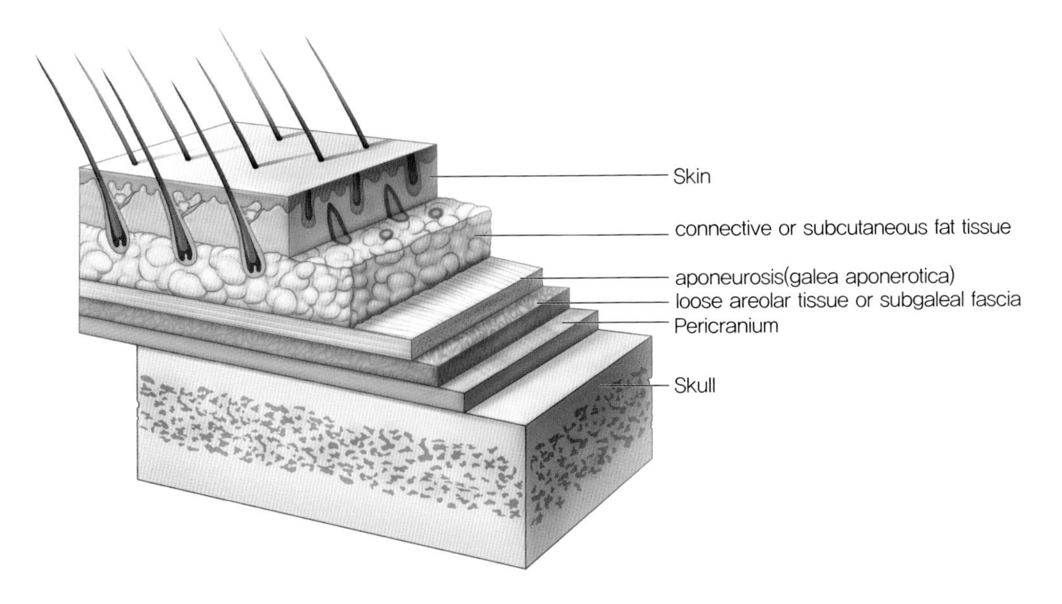

그림 2-2 **두피의 해부학적 구조**

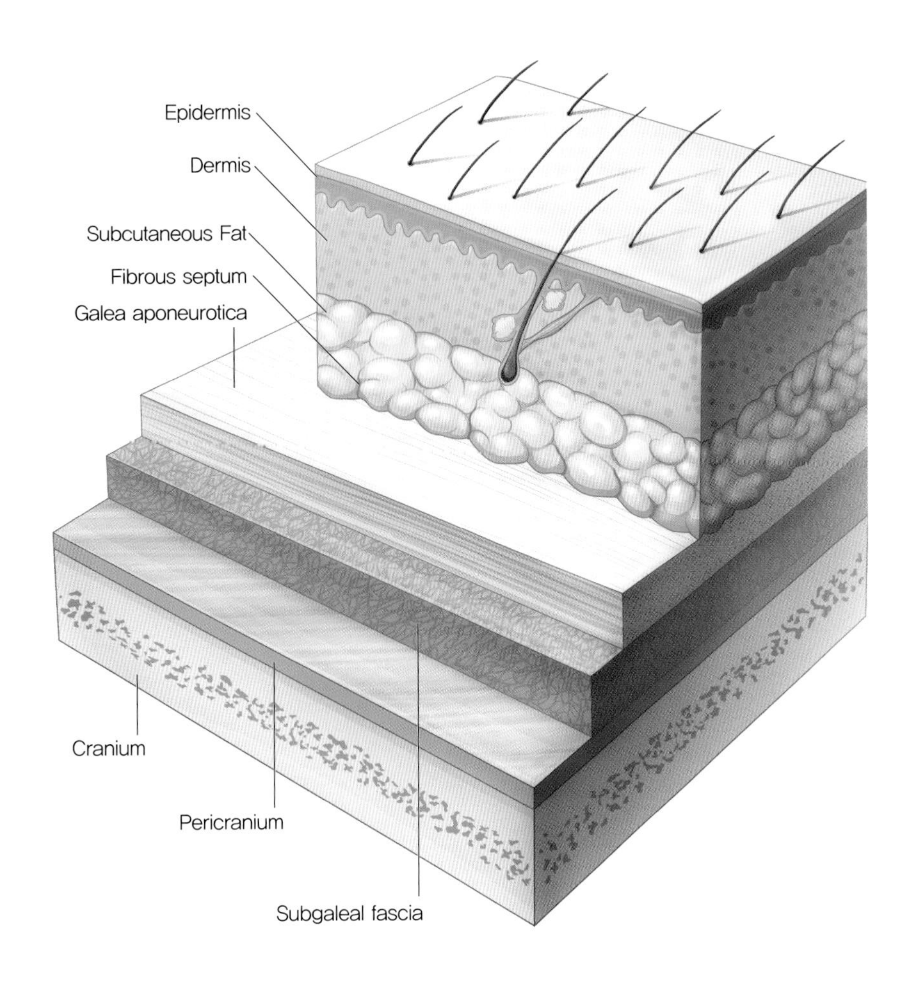

그림 2-3 **두피의 해부학적 구조**

(1) 두피

두피는 3–8 ㎜로 다른 부위보다 두껍다. 모낭과 피지선, 에크린선, 입모근 등이 있다.

(2) 피하지방층(subcutaneous fat layer)

피하지방층의 상층부에 모구(hair bulb)가 위치하고, 하층부는 혈관과 신경, 임파선이 있다. 좀 더 정확한 혈관과 신경, 임파선의 위치는 피하지방층 하층부와 모상건막 사이에 있다.

절개하여 모발을 채취할 때 박리부위가 피하지방층 하층부를 포함하면 혈관과 신경 등의 손상이 우려되고, 상층부를 박리하면 모구의 손상이 우려되므로 중간층을 박리하는 것이 좋다. Fibrous septum이 잘리게 되는데 모상건막과 혼동하지 말아야 한다. 또한 모발이식을 할 때 모구의 위치가 중요한데 피하지방층의 상층부에 모구가 위치하도록 이식해야 한다.

(3) 모상건막(galeal aponeurosis, galea aponeurotica)

모상건막은 1–2 ㎜ 정도의 얇은 막으로 비탄력적이며, 마치 fibrous sheet처럼 보이는 강한 tendon과 비슷한 조직이다. 이마부위의 frontal muscle과 뒷머리의 occipital muscle, 귀 위쪽의 superior auricular muscle, 귀 앞쪽의 anterior auricular muscle, 귀 뒤쪽의 posterior auricular muscle이 연결되어 있다(그림 2–4, 2–5).

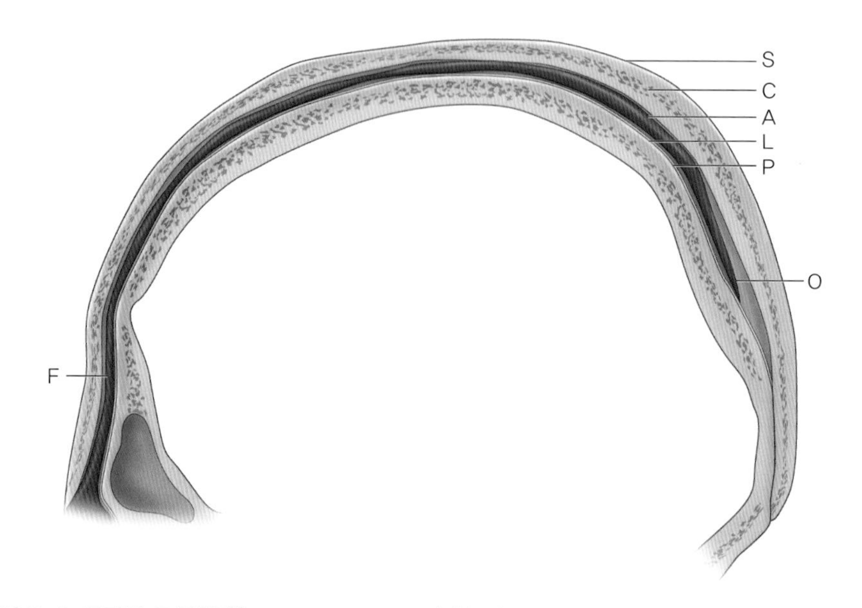

그림 2–4 두피의 모상건막(galeal aponeurosis) 분포(F: frontal muscle, O: occipital muscle)

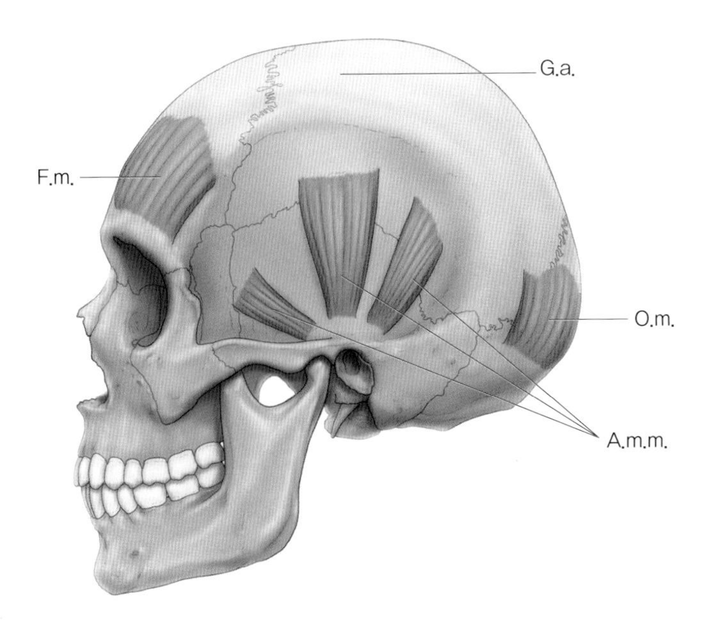

그림 2-5 근육의 분포(G.a. : galea aponeurotica, F.m. : frontal muscle, O.m. : occipital muscle, A.m.m. : auricular muscle)

모상건막은 frontal muscle과 occipital muscle, auricular muscle을 연결하는 강한 musculoaponurotic tissue로 tendon과 같은 조직이다. 즉, 근육이 없는 곳은 모상건막이 싸고 있는 형태다(그림 2-6). 모상건막과 근육을 epicranius muscle이라고 부르는 이유도 여기에 있다. 모상건막의 상층부는 혈관과 신경, 임파조직이 있다.

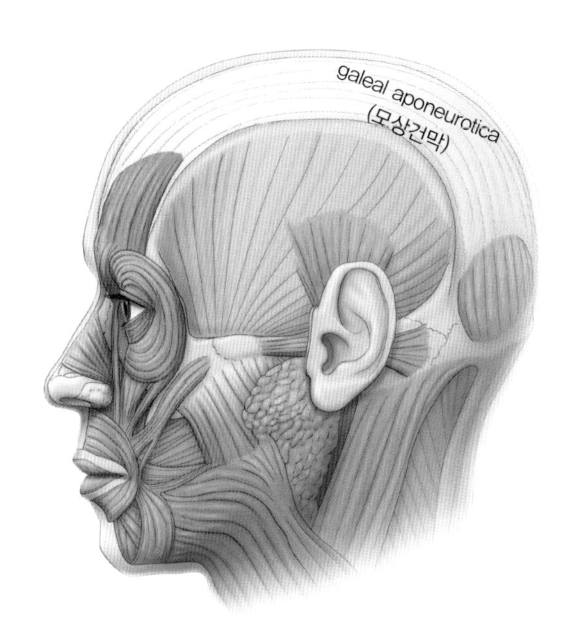

그림 2-6 두피의 모상건막(galeal aponeurosis) **분포**

모상건막은 loose areolar tissue(subgleal layer)를 감싸고 있는 형태이며, 얇은 막처럼 보인다. 근육과 겹치는 부위에서 모상건막은 전두부에서 frontal muscle의 하부에, 후두부에서는 occipital muscle의 하부에 위치한다.

모발이식을 절개하여 채취하는 영역에서는 주로 5개 층으로 구성된 부분이다. 후두부의 occipital muscle과 측두부의 auricular muscle 부위는 근막과 근육층이 보이고 모상건막은 보이지 않는다. 근육층 밑에 모상건막이 존재하기 때문이다. 근육이 없는 부위는 모상건막이 보인다(그림 2-4).

얇은 층이나 강한 tendon과 같은 조직으로 두피 축소술을 할 때 봉합할 수 있고, 모발이식을 할 때 봉합이 불가능한 경우 이층을 봉합하기도 하며, 모상건막하층에 조직확장기를 삽입하여도 이층이 유지해주는 층이다. 봉합할 때는 혈관과 신경, 임파조직의 손상이 우려되므로 잘 하지 않으며, 손상을 조심해야 한다.

(4) 유륜상 조직층 또는 모상건막하층(loose areolar tissue, subgaleal fascia, merkel layer)

유륜상 조직층 또는 모상건막하층은 galea보다 두꺼운 층이며, 혈관과 신경이 거의 없으나 일부 혈관은 galea를 지나서 dermis까지 분지한다. 주로 혈관이나 신경이 거의 존재하지 않으므로 박리할 때 출혈이 거의 없다. 두피가 움직이는 이완력(skin laxity) 또는 두피 활강력(glidability)을 결정하는 층이며, 피하조직층과 같이 움직이며, 모발이식에서 절개폭을 결정하는데 중요한 조직이다. 또한 사체 해부할 때 쉽게 박리되는 부위이고, 두피축소술이나 rotation flap 수술, 두피확장기를 삽입할 때 이 부위를 이용하게 된다.

또한 이 조직은 전두부에서 모상건막의 심층부에 출혈이 있다면 전두근이 두개골에 붙어있지 않아 쉽게 이 조직을 타고 번져서 뇌나 안구 주위로 염증이 쉽게 퍼질 수 있는 곳으로 가능한 다치지 않도록 한다. 반면에 후두부는 후두근이 두개골에 붙어 있으므로 출혈이 퍼지는 것을 막는 역할을 하므로 출혈이 넓게 퍼지지 않는다.

(5) 두개골막(pericardium or periosteum)

두개골막은 두개골과 강하게 부착되어 있다.

6) 혈관과 신경의 분포

두피의 혈관은 풍부하여 감염의 위험은 거의 없으나 출혈이 심하다. 하나의 동맥이 손상되어도 다른 동맥과 잘 연결되어 있으므로 걱정할 필요는 없으나 피부괴사와 수술 후 모발의 동반탈락의 위험이 있으므로 주의해야 한다(그림 2-7).

동맥은 전두부에 supratrochlear artery와 supraorbital artery, 측두부는 superficial temporal artery, posterior auricular artery가 있으며, 상호 복잡하게 연결되어 있다. 후두부는 occipital artery가 있다. 모발이식에서 공여부 채취를 할 때는 occipital artery와 posterior auricular artery가 관련이 있다.

또한 큰 동맥과 정맥, 신경이 거의 같이 주행하므로 동맥이 손상될 때 신경 손상이 동반될 가능성이 크므로 절개나 지혈 등에 주의를 요한다.

정맥은 복잡하게 연결되어 jugular vein으로 연결된다.

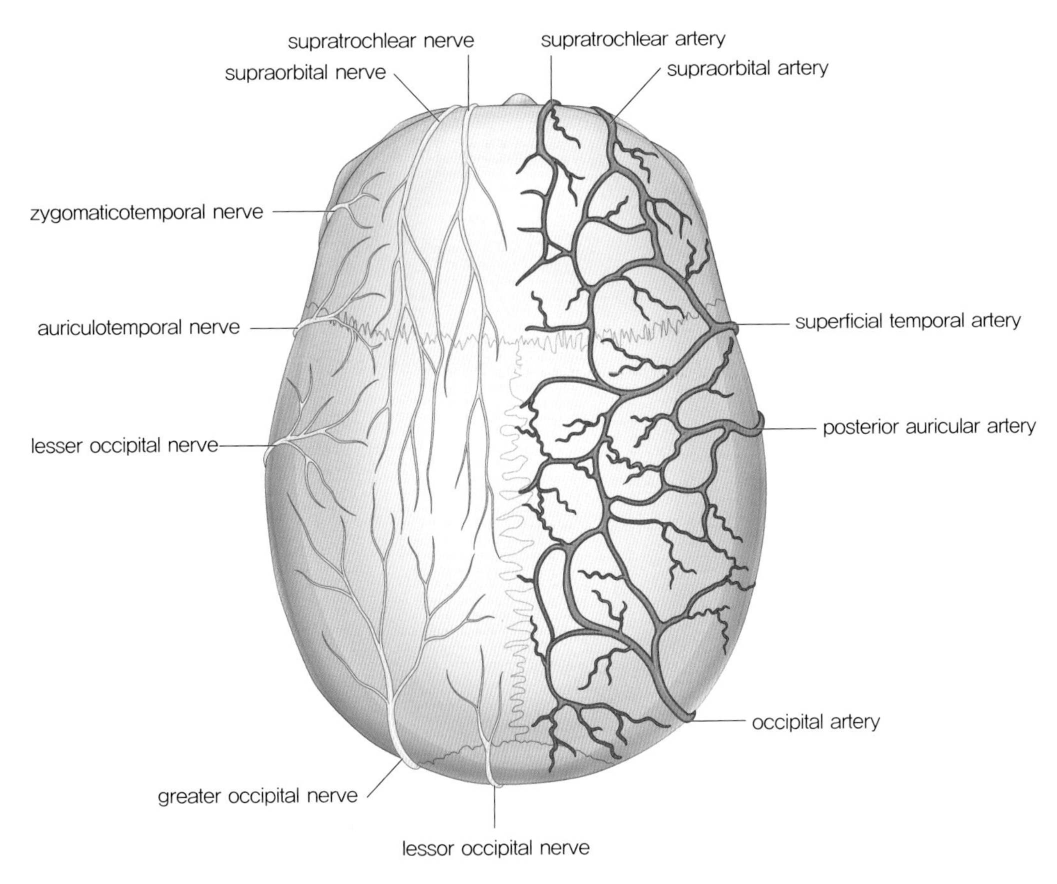

그림 2-7 두피의 신경과 동맥 혈관

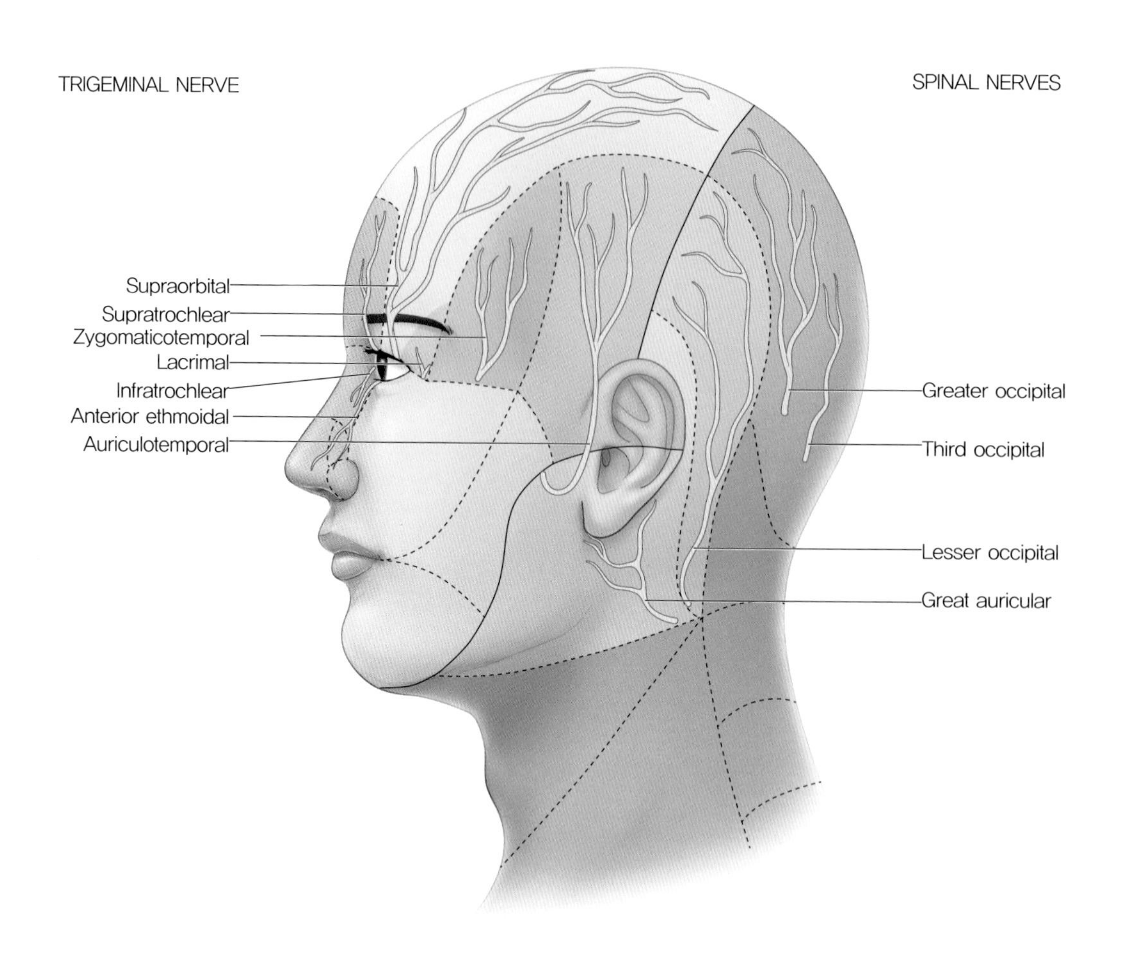

그림 2-8 두피의 감각신경 분포

감각신경은 galea 층에 존재하며, 전두부에 supratrochlear nerve와 supraorbital nerve, 측두부는 zygomaticotemporal nerve와 auriculotemporal nerve, lesser occipital nerve가 있다. 후두부는 greater occipital nerve와 lessor occipital nerve가 있다(그림 2-8).

모발이식에서 공여부 채취할 때는 lesser occipital nerve와 greater occipital nerve, third occipital nerve가 관련이 있다.

운동신경은 모발이식에서 중요하지 않다. facial nerve와 mandibular nerve의 지배를 받는다.

2 탈모와 관련된 두피의 주요 명칭

남성 탈모와 관련된 주요 명칭은 3개 부위로 전두부(frontal area or frontal region), 두정부(중두부, mid-scalp area), 정수리(vertex, crown)다(그림 2-9). 가끔 후두부(occipital area)와 측두부(temporal area), 측벽부(parietal area)도 탈모가 발생하기도 한다. 여성 탈모는 주로 두정부와 정수리 부위이나 두피 전체적으로 발생하기도 한다.

1) 전두부(frontal area)

이마와 연결된 모발 부위다. 탈모에서는 중요한 이정표다(그림 2-10, 2-11).

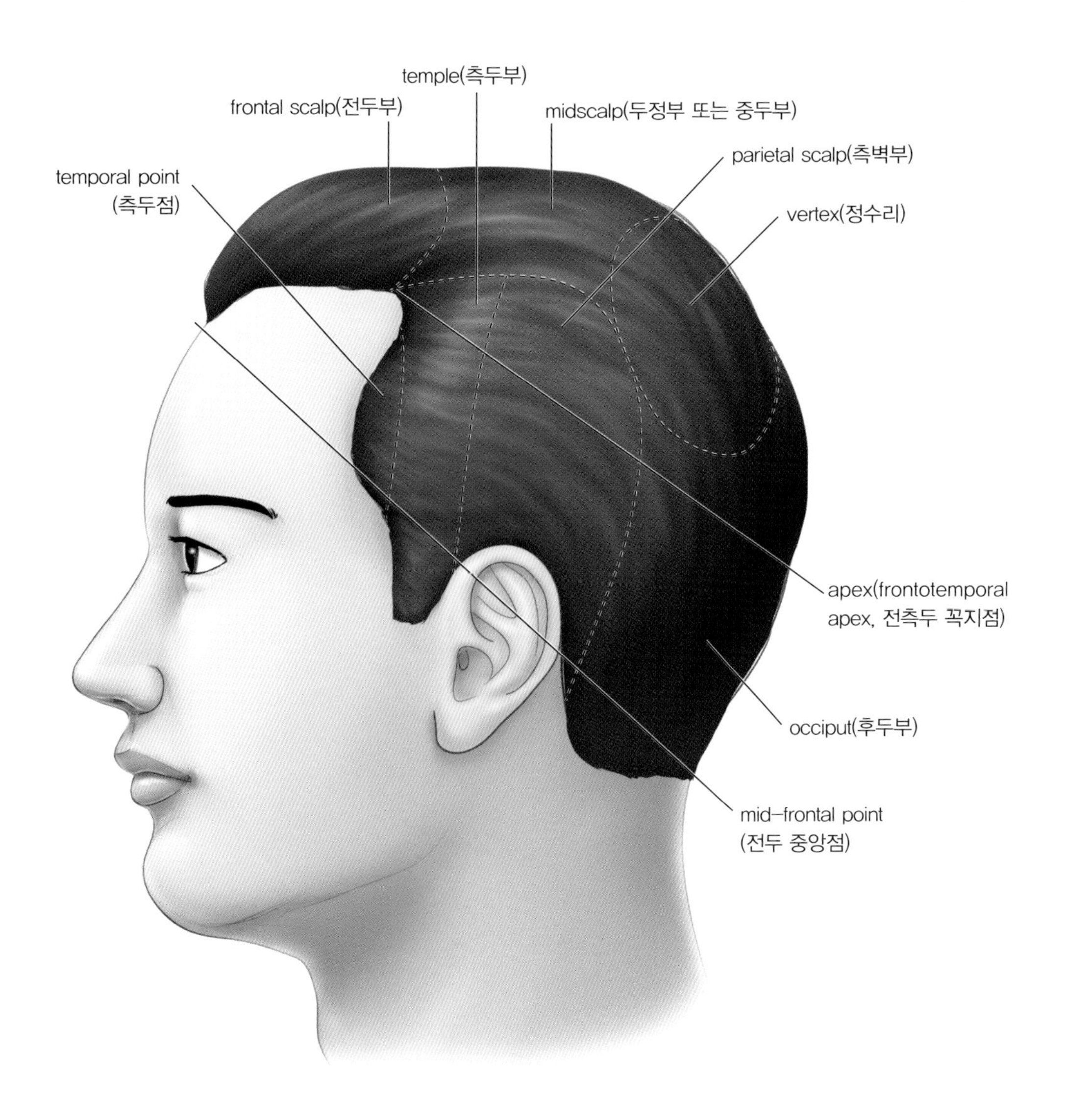

그림 2-9 두피의 주요 명칭

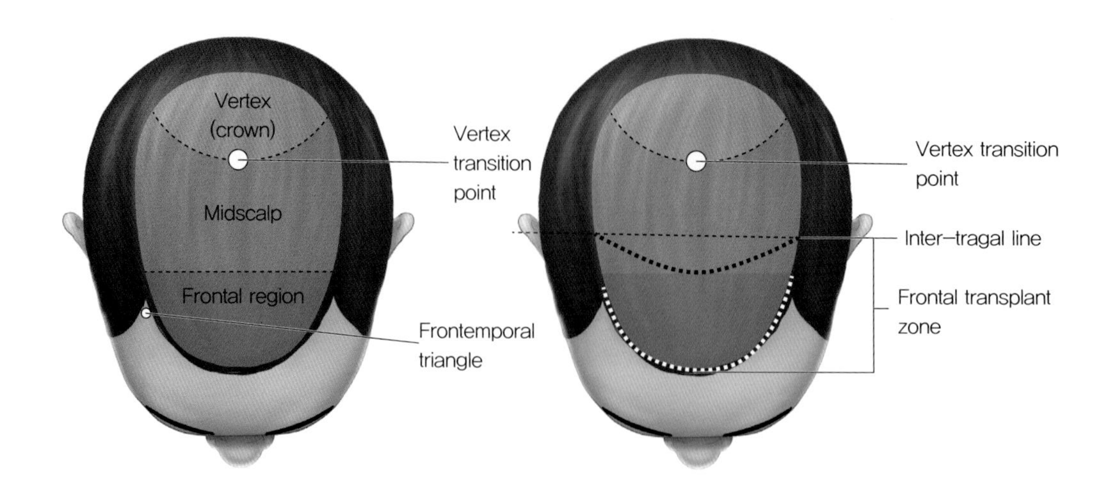

그림 2-10 탈모와 관련된 주요 3개 부위

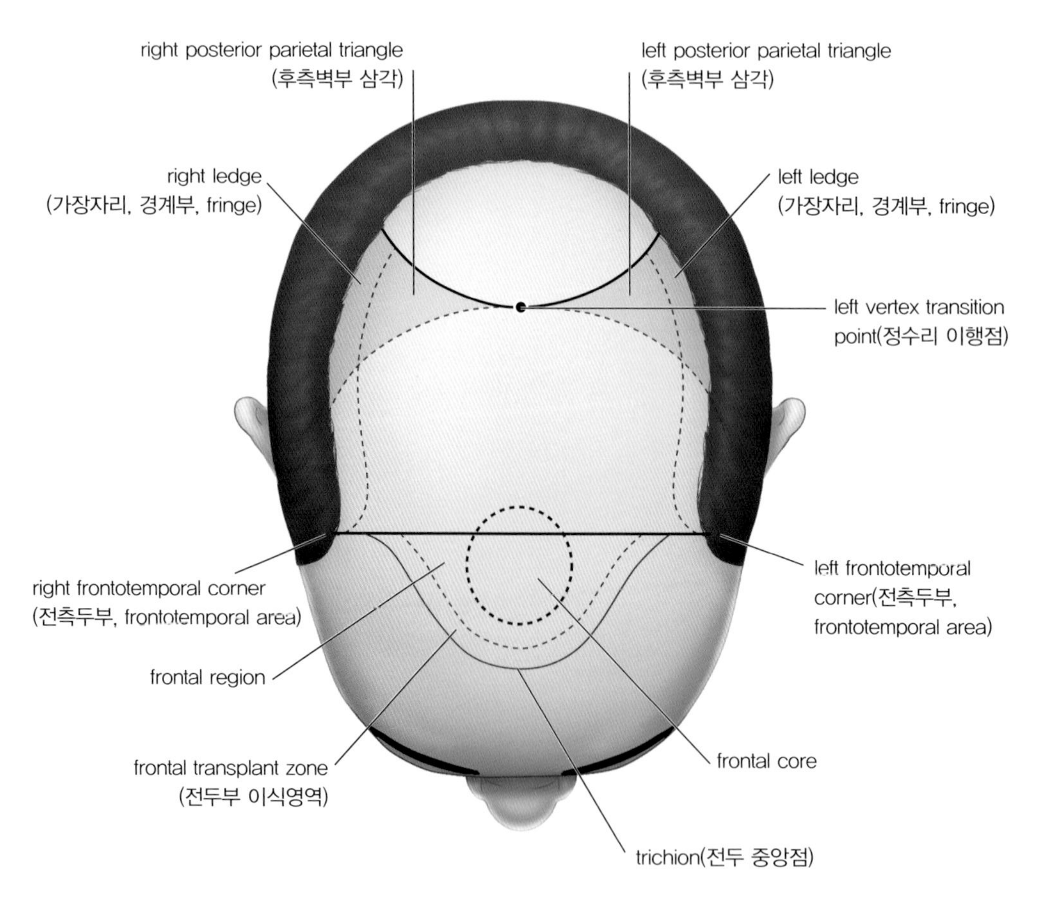

그림 2-11 탈모 두피의 주요 명칭

(1) 전두 모발선(헤어라인, frontal hairline)

얼굴의 황금분할은 전두부 모발선부터 미간(눈썹의 윗부분을 연결한 선)까지, 미간부터 코끝까지, 코끝에서 턱까지 거리가 1:1:1이 되는 것이다. 모발이식에서 전두부 모발선은 인상과 탈모냐 아니냐를 따지는 매우 중요한 선이다.

(2) 전두 중앙점(trichion, mid frontal point, MFP)

전두모발선의 중앙이 되는 점을 말한다.

(3) 중앙돌출부(central peak, CP; widow's peak, WP; V자형 hairline)과 측면 돌출부(lateral peak)

전두부 모발선 중앙에 모발이 튀어나와 있으며 이를 중앙돌출부라고 한다. 서양인에서는 중앙돌출부가 있는 경우가 많으나 아시아인에서는 많지는 않다. 중앙 돌출부가 심하면 마치 원숭이 이마처럼 보이기도 한다.

중앙돌출부에서 좌우로 약간 떨어진 곳에 모발선이 튀어나와 있는 곳을 측면 돌출부라고 한다(right lateral peak, RLP; left lateral peak, LLP).

(4) 전두 이행부(frontal transition zone)

전두모발선으로부터 1-2 ㎝ 윗부분을 말하며, 모발선으로부터 이행부까지는 모발의 밀도가 낮으나, 이행부부터 두정부로 갈수록 모발의 밀도가 높아진다. 이 부분을 전두 이행부라고 한다. 모발이식을 할 때 모발선으로부터 이행부까지는 단일모로 밀도를 낮게 이식하나 이행부부터는 1모와 2모 또는 3모을 혼합하여 이식하게 된다.

(5) 전두 모발 밀집부(frontal forelock, frontal tuft)

탈모가 전두부나 두정부에 전체적으로 있으나 전두부와 두정부 일부에 모발이 탈모가 오지 않고 남아있는 형태를 말한다.

(6) 전두 가마(앞가마, frontal whorl)와 소 핥은 머리(cowlick)

가마 모양이 전두부에 있는 경우도 있으며, 모발방향이 정상과 다르게 자라나는 소 핥은 머리가 전두부에 있는 경우가 있다.

2) 전측두부(fronto-temporal area, fronto-temporal corner)

소위 M자 모양 이마(M shape forehead) 부위를 말한다. 남성형 탈모증에서 탈모 여부를 결정하는 중요한 부위이며, 여성에서는 이 부위에 탈모가 있으면 남성형 이마처럼 보인다.

(1) 전측두 삼각(fronto-temporal triangle, FTT), 전측두 후퇴부(fronto-temporal recession), 전측두 함몰부(fronto-temporal gulf), M자 부위

전두와 측두 모발선이 연결된 소위 M자 모양 부위를 말한다. 정상 모발선과 탈모 때문에 발생한 모발선으로 이루어진 영역을 말한다.

(2) 전측두 꼭지점(fronto-temporal apex, FTA)

전두와 측두가 이루는 모발선(M자 모양) 삼각에서 꼭지점을 말한다.

(3) 전측두 교차점(fronto-temporal point, FTP; fronto-temporal junction)

전두부에서 측두부로 이행하는 모발선이 곡선으로 변하는 점. 즉, M자의 모양을 결정하는 모발선의 꼭지점을 말한다. 서양인에서는 lateral epicanthus에서 수직선을 연장했을 때 모발선과 만나는 점이나 동양인에서는 lateral epicanthus에서 외측으로 약 1 ㎝ 떨어진 곳에서 수직선상에 있는 모발선과 만나는 점을 말한다. 이 점은 높이와 모양에서 서양인과 동양인이 다르고, 이마 형태와 탈모인지 아닌지를 결정하기 때문에 중요한 지표다.

3) 측두부(temporal area)

(1) 측두점(temporal point)과 측두 돌출부(temporal peak)

측두점은 측두에서 모발선이 가장 돌출된 점을 말한다. 측두 돌출부는 측두점을 포함한 돌출부를 말한다. 탈모가 오면 측두점과 측두 돌출부는 후두부쪽으로 후퇴하게 되고 모발도 가늘어진다.

측두점과 측두 돌출부는 얼굴의 넓고 좁음을 결정하기 때문에 모발이식에서 중요한 지표다. 남성에서는 보통 탈모가 와도 이 부위에 모발이식을 하지 않지만, 탈모가 아닌 여성에서는 헤어라인을 낮추면서 얼굴을 작게 보이기 위해 모발이식을 할 때가 있다.

(2) 상측두부(supra-temporal area)와 상측두 후퇴부(supra-temporal recession)

측두점으로부터 전측두부의 모발 부위를 말한다. 이 부위도 탈모가 오면 후두부쪽으로 후퇴하게 된다.

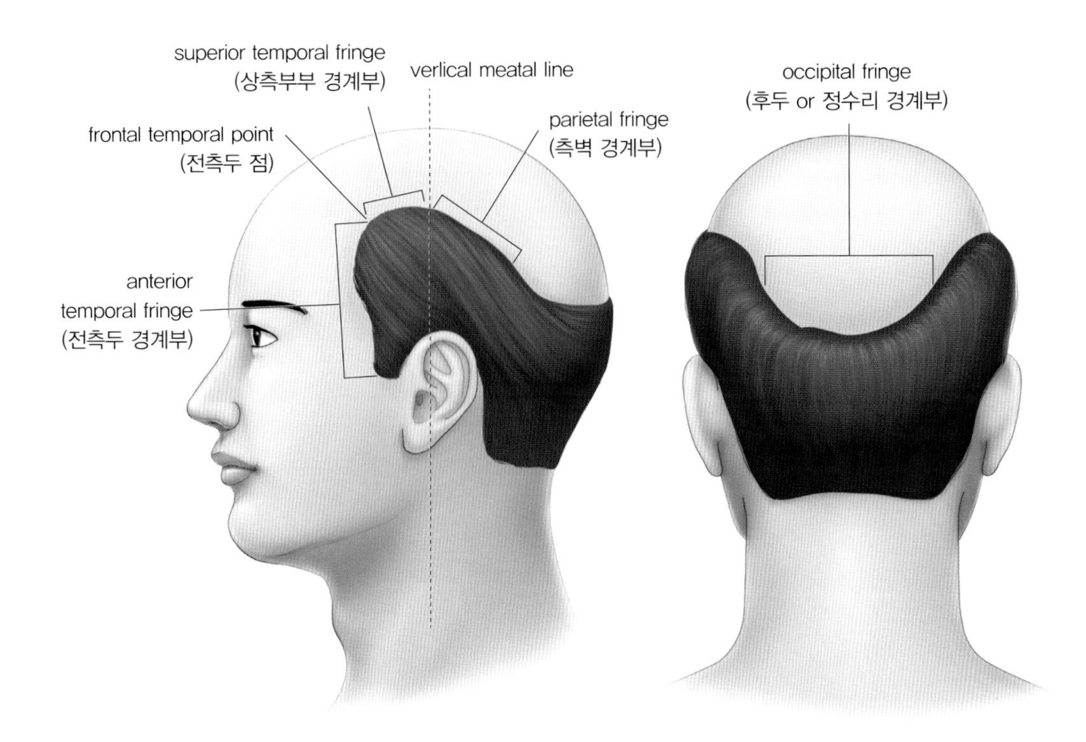

그림 2-12 탈모 두피의 주요 명칭

(3) 하측두부(infra-temporal area)와 하측두 후퇴부(infra-temporal recession)

측두점으로부터 구레나룻까지 연결된 부위를 측두 하부라고 한다. 이 부위도 탈모가 오면 후두부쪽으로 후퇴하게 된다.

(4) 구레나룻(sideburn)

귀의 하벽부에서 턱에 이르는 모발을 말한다.

(5) 전방 측두 가장자리(전방 측두 경계부, anterior temporal fringe)와 전방 측두 모발선(anterior temporal hairline)

상하 측두 부위의 모발선을 말한다(그림 2-12).

4) 두정부(mid-scalp area)

(1) 가르마(partline)

가르마를 중심으로 모발 방향이 달라진다.

5) 정수리(vertex, crown)

(1) 가마(vertex whorl)

가마를 중심으로 모발이 자라나는 방향은 시계방향으로 바뀐다.

(2) 후두 가장자리(후두 경계부, occipital fringe)와 후두 모발선(occipital hairline)

탈모가 심할 때 정수리와 후두부의 모발 경계부를 말하며, 이 부위 모발선을 후두 모발선이라고 한다.

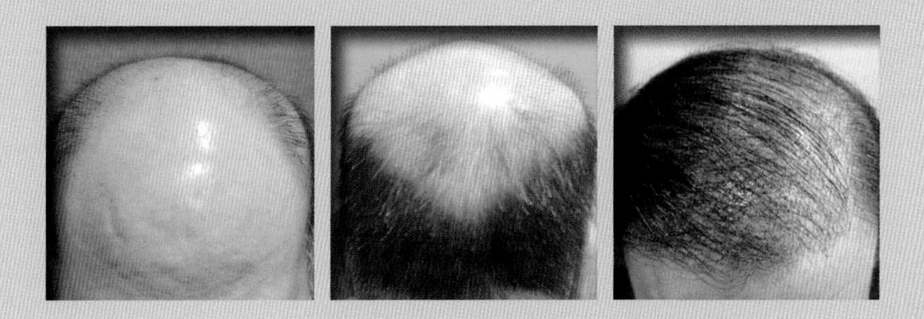

Chapter 3

모발이식의 대상과 금기

Hair Transplantation

표 3-1 모발이식과 탈모치료의 결정

모발이식
1. 모발로써 구실을 하지 못할 정도로 가늘어 탈모치료의 효과를 기대하기 어려운 경우
2. 탈모 치료의 효과가 미미하고 개선이 잘 안 되는 경우
3. 미용 목적인 헤어라인, 눈썹, 속눈썹, 음모, 흉터 등의 개선이 필요한 경우
4. 빨리 외모를 변화시켜야 할 경우

탈모치료
1. 모발로써의 구실을 하고 있고, 모낭을 살릴 수 있는 경우
2. 탈모의 초기로 예방과 회복이 필요한 경우
3. 일시적 탈모인 경우
4. 모발이식 후 기존 모발의 탈모 예방과 이식모의 증진이 필요한 경우

1 모발이식의 대상

1) 모발이식과 탈모치료의 결정

모낭이 사라져 대머리인 상태거나 심하게 가늘어져 탈모치료를 해도 모발로써의 의미가 없다면 모발이식을 한다. 반면에 어느 정도 모발로써의 구실을 하고 있고, 탈모치료로 회복이 가능할 정도라면 모발이식보다 탈모치료가 우선이다(표 3-1).

특히 초기 탈모증은 모발이식보다 탈모치료를 우선하는 것이 좋다. 헤어라인도 마찬가지이지만 좁은 부위의 모발이식은 이식모발과 기존모발간의 차이로 자연스럽지 못한 경우가 종종 있기 때문이다.

앞머리의 모서리 부위(frontotemporal area)인 M자 모양 탈모는 탈모치료를 해도 효과가 적나. 이 부위는 탈모치료를 해도 가느다란 모발이 자랐다가도 쉽게 사라지고, 굵어지지 않는 등 치료가 잘 안되므로 처음부터 모발이식을 권한다.

모발이식 후에도 탈모치료는 꼭 필요하다. 이식한 모발의 탈모를 예방하고 성장을 촉진하기 위해서도 필요하지만 이식하지 않은 부위의 기존 모발이 탈모가 되어 재차 모발이식이 필요한 경우가 종종 있기 때문이다. 이식할 때는 기존 모발이 있어 휜하게 보이지 않았으나 탈모치료를 하지 않으면 기존 모발에 탈모가 진행되어 휜하게 보인다. 또한 기존 모발은 탈모가 오고 이식한 모발만 남아서 마치 섬(island)처럼 보여 부자연스럽다.

모발이식 후에 탈모치료를 하지 않으면 환자들이 2-3년 지나 모발이식의 효과가 없다고

불만을 드러내거나, 이식한 모발이 자라지 않아서 훤하게 보인다고 주장하며 효과는 불신하는 경우가 있다. 물론 이식 후에 6-12개월까지는 모발이식의 영향으로 기존 모발이 휴지기에 빠지는 동반탈락이 와서 더 훤해 보이는 경우도 있다.

2) 모발이식의 환자 선택

(1) 모발이식의 대상

공여부인 뒷머리의 모발이 어느 정도 있으면서, 모발이식의 금기(obsolute, relative contra-indication)의 경우가 아니라면 대부분의 환자는 모발이식이 가능하다.

모발이식은 뒷머리의 모발 상태가 중요하다. 굵고 건강하다면 이식 후에 생존율이 좋아 모발이 풍성해질 것이나, 가늘고 밀도가 떨어져 있는 상태라면 생존율도 낮고 엉성해 보일 수 있다.

그러나 이러한 문제점이 있다는 것을 이식하기 전에 환자와 충분히 상의한다면 문제가 될 것이 없다.

(2) 나이

모발이식은 나이 제한이 없어지고 있다. 모발이식은 보통 35세 이후에 탈모 진행이 어느 정도 안정된 후에 하는 것이 좋다고 한다. 탈모가 안정된 후 모발이식이 좋다는 것은 탈모 부위에 모발이식을 해도 다른 부위에 탈모가 진행되어 다시 이식이 필요하게 되거나 이식한 모발은 탈모가 오지 않으므로 기존 모발만 탈모되고 이식 모발만 섬(island)처럼 남아 미용학적으로 좋아 보이지 않았기 때문이다.

모발이식 후에 진행되는 탈모는 먹는 탈모치료제(finasteride, dutasteride 등)와 바르는 탈모치료제(minoxidil, copper peptide 등), 병원의 탈모치료 프로그램(고주파, 메조주사, 레이저, 전기장 치료 등)으로 예방과 치료가 가능해졌으므로 문제가 될 것이 없다.

젊은 나이에 탈모로 고민하는 것보다는 모발이식으로 자신감을 찾아주는 것이 더 삶의 질을 높인다고 생각된다.

가끔 젊은 사람 중에서 탈모 때문에 공황장애가 있는 경우가 있다. 이들은 탈모 때문에 외출이나 다른 사람과 만나기를 꺼려하면서 일상생활을 할 수 없다고 말한다. 따라서 완벽

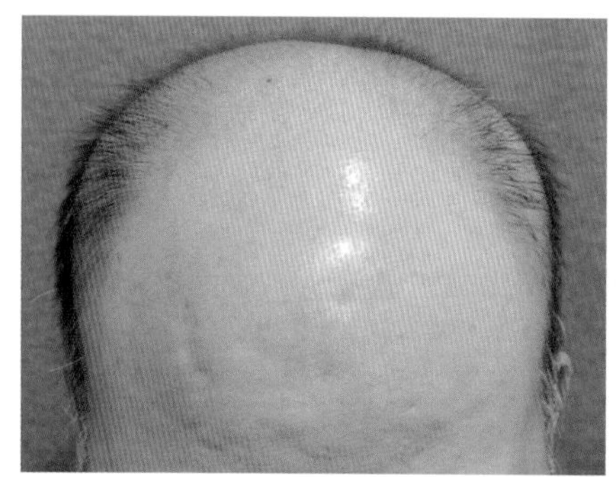
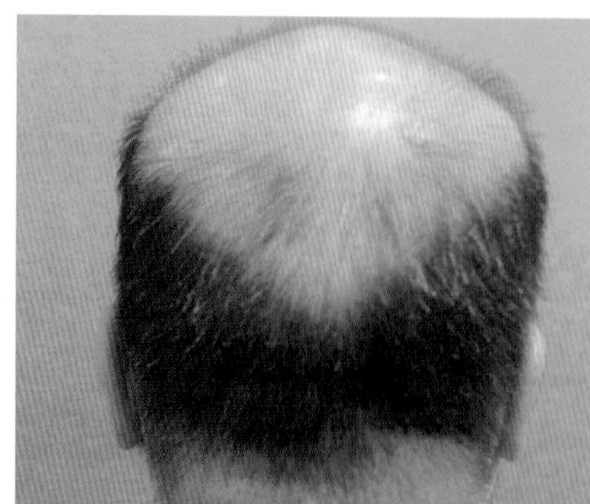
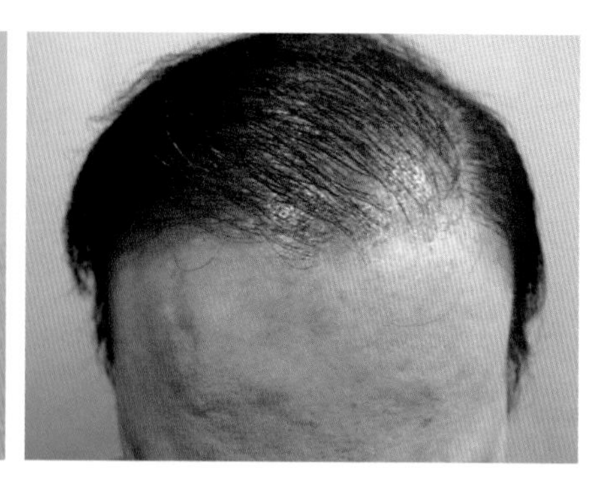

그림 3-1 공여부의 모발이 부족해도 3차 절편채취 모발이식술로 개선한 사례

한 탈모 개선을 요구하기 때문에 이식수술 후에 만족감이 떨어져서 곤란한 경우가 있다.

그리고 젊어서 일찍 시작한 탈모는 중년 이상이 되어 아주 심한 탈모로 변할 가능성에 대하여 검토해야 한다.

(3) 심한 탈모인 경우

Norwood-Hamilton 분류 type VI나 VII인 경우도 모발이식으로 훌륭하게 개선시킬 수 있다. 공여부 모발이 어느 정도만 있어도 뒷머리 공여부를 절개하여 모발을 채취하는 절편채취술(절개법)과 절개하지 않고 펀치 등으로 모공단위만 축출하는 펀치채취술(비절개법)으로 보통 2-3회 모발이식이 가능하다(그림 3-1).

환자의 요구사항을 검토하여 만족시킬 수 있다고 하면 모발이식을 추천한다. 특히 가발을 착용하였거나 착용하고자 하는 환자도 가발착용의 불편함과 어려움이 있기 때문에 모발이식을 한다.

중년 이상의 환자에서 심한 탈모인 경우 모발이식의 만족도는 탈모 초기나 중기보다 오히려 높다.

(4) 노화성 탈모

노화로 인한 탈모도 모발이식이 가능하다. 그러나 뒷머리의 공여부에 탈모가 심하거나 너무 가늘어진 모발이라면 생존율이 낮고 풍성해 보이지는 않는다는 것을 고려해야 한다.
탈모부위를 옆머리로 넘겨서 감추는 환자들은 모발이 조금만 있어도 만족하기 때문에 이식을 해주는 것이 좋다(그림 3-2).

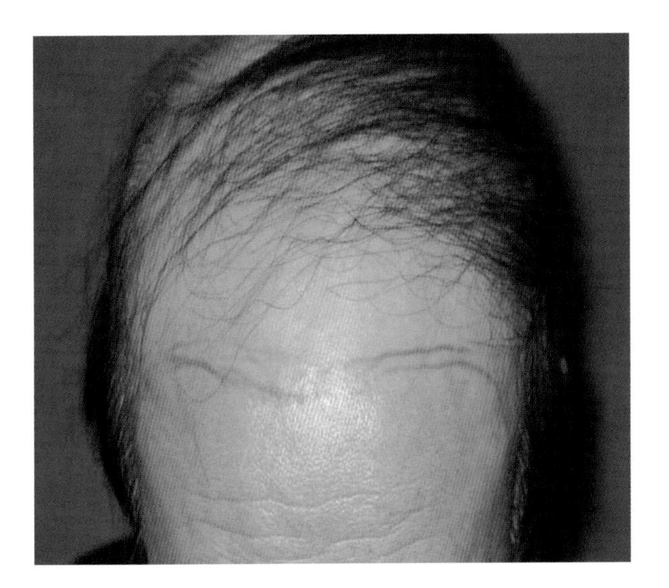
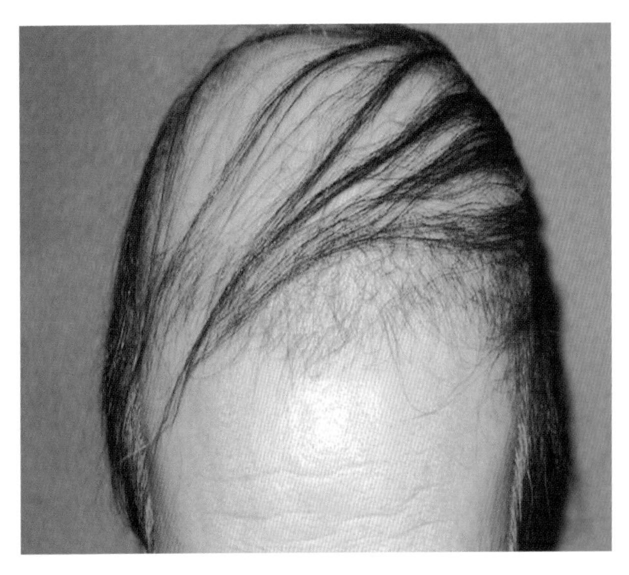

그림 3-2 74세 노화성 탈모 환자의 모발이식(약간만 이식하기를 원함)

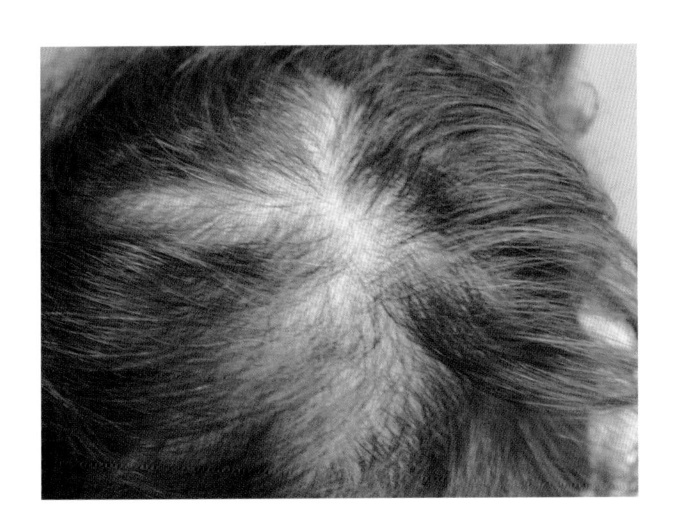
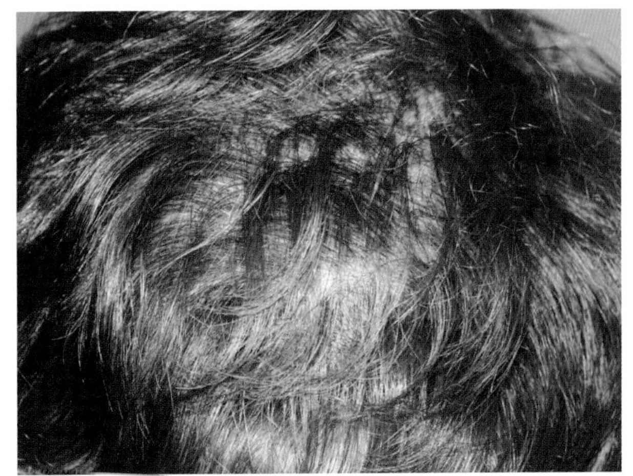

그림 3-3 57세 여성 환자의 정수리 모발이식(객관적으로 보아도 좋아졌으나 만족하지 못함)

중년 이상의 여성 탈모 환자의 정수리는 많이 심어도 만족도가 낮다. 훤한 속살이 감춰지도록 이식하기를 원하기 때문이며, 이식으로 훤한 머리를 감추려면 최소한 2회 이상의 모발이식이 필요하기 때문에 상담할 때 자세하게 요구 사항을 파악하고 만족을 줄 수 있는지 면밀히 검토해야 한다(그림 3-3).

(5) 급하게 탈모를 개선하고자 할 때

탈모치료는 시간이 많이 소요되고 결과가 서서히 나타나는 반면 모발이식은 좀 더 빠르게 호전시킬 수 있다. 결혼이나 입사 등으로 급하게 탈모를 개선하고자 할 때는 모발이식을 추천한다.

모발이식을 해도 한번 빠졌다가 다시 자라야하기 때문에 6개월 정도는 지나야 효과가 나타난다는 것을 고려한다.

(6) 기존 질환이 있는 경우의 모발이식

고혈압이나 당뇨병, 심장 질환 등이 이식수술을 금지해야 할 정도는 아니다. 어느 정도 관리되고 있다면 모발이식을 하는데 무리가 없다.

기타 심장수술이나 큰 수술을 받았어도 현재 건강상에 별 문제가 없다면 이식이 가능하다. 논문에서도 모발이식을 하는데 기존 질환이나 과거 수술경력이 있어도 무리가 없다는 발표가 많다. 그러나 모든 수술과 마찬가지로 구급장비를 갖춘 후에 수술해야 한다.

(7) 두피 질환이 있는 경우의 모발이식

건선이나 모공성 편평태선 등의 피부 질환은 가급적 수술을 피하는 것이 좋으며, 지루성 피부염 등은 선택적으로 수술할 수 있다. 모발이식의 금기 편에 자세히 설명하였다.

2 모발이식의 금기

모발이식을 하지 말아야 할 경우는 그리 흔치는 않다. 그러나 하지 말아야 할 경우에 모발이식을 하면 재차 교정을 한다는 것이 쉽지 않고, 효과가 반영구적이기 때문에 교정의 어려움을 감수해야 한다(표 3-2).

또한 여러 가지 상황을 종합적으로 판단해야하는 경우도 있다. 이식 후에 성공적인 이식임에도 불구하고 시간이 지나면서 이식한 모발의 탈락이나 탈모, 예측하지 못한 결과가 나타나기도 하고, 주관적인 불만을 갖는 환자들도 있다. 의사는 당연히 '수술을 하지 말았어야 했다'라고 생각하게 된다.

특히 여성의 헤어라인이나 두정부 모발이식의 경우 고려해야 할 점이 더욱 많다. 여성은 아주 조밀하게 속머리가 보이지 않게 이식하기를 원하고, 원하는 헤어스타일도 다양하며, 탈모의 원인이 다양하고, 감별진단이 어렵기 때문에 모발이식의 대상인지, 금기대상인지 결정하기가 어렵다. 자세한 내용은 16장의 여성의 헤어라인과 두정부 모발이식편을 참조한다.

표 3-2 모발이식의 절대적 금기와 상대적 금기(신중한 고려가 필요한 경우)

1. 자연적 치료가 가능한 경우
   - 휴지기, 성장기 탈모증
   - 원형 탈모증
   - 산후 탈모증
   - 장기적 약물 복용으로 인한 탈모증
   - 영양결핍이나 심한 다이어트 등으로 발생한 탈모증
   - 기타 항암치료 등으로 발생한 일시적 탈모증
2. 공여부의 모발 이상과 탈모증
3. 피부 질환
   - 지루성 피부염
   - 건선
   - 모공성 편평태선
   - 켈로이드성 피부
   - 전두부 섬유화 탈모증(frontal fibrosing alopecia)
4. 전신 질환
   - 탈모가 진행되는 질환
   - 전신 질환과 대사성 질환
   - 면역계 질환
5. 외상적 탈모
   - 발모벽
   - 견인성 탈모
   - 압력에 의한 탈모
6. 정신적 질환과 성격 이상
   - 신체추형장애(body dismophic syndrome)
   - 성격 이상

1) 자연적 치료가 가능한 경우

특별한 치료 없이도 탈모가 자연적으로 호전될 수 있는 경우다. 모발이식은 필요하지 않는 경우가 대부분이다.

자연적으로 호전될 수 있는 탈모도 최소한 1년간 호전되지 않고 변화가 없을 때는 모발이식을 고려할 수 있다. 그러나 질환에 의한 탈모는 1년이 경과했다고 하더라도 질환이 재발할 가능성이 있는 경우는 모발이식을 피하는 것이 좋다.

(1) 휴지기, 성장기 탈모증

휴기기 탈모는 10일–2달 정도에 급격히 탈모가 일어나는 경우로 일시적인 탈모일 수 있기 때문에 탈모치료를 먼저하고 최소한 1년을 경과하면서 모발이식을 고려한다.

성장기 탈모는 암으로 인한 항암제 사용과 방사선 치료, 심한 질환, 심한 영양결핍 등으로 인한 탈모이므로 이 또한 1년을 경과하면서 모발이식을 고려한다.

(2) 원형 탈모증

1년 이상 지나도 탈모가 계속된다면 모발이식을 고려할 수 있다. 원형탈모 부위에 모발이식을 하면 모발이 탈락되고, 다시 탈모가 진행될 수 있다는 것을 간과하면 안 된다.

1년이 지나도 원형탈모가 개선되지 않는다면 모발이식을 할 수 있으나 결과는 만족스럽지 못할 때가 있다.

(3) 산후 탈모증

일시적 휴지기 탈모증의 한 종류로 인식하고 있으며, 출산 후 3-6개월 사이에 심한 탈모가 나타난다. 여성 호르몬인 estrogen과 progesterone의 불균형으로 인한 탈모다. 출산 후에 progesterone이 급격이 감소하면서 호르몬의 불균형으로 인해서 탈모가 발생한다.

대부분은 치료하지 않아도 호전되나 영구적인 탈모로 진행되는 경우가 있어서 심한 경우에 탈모치료가 필요하다.

(4) 장기적 약물 복용으로 인한 탈모증

약물 복용을 중단하면 탈모도 호전될 수 있기 때문에 탈모치료를 먼저하고, 경과를 보면서 모발이식을 고려한다. 1장의 탈모를 일으키는 약물을 참고한다.

(5) 영양결핍이나 심한 다이어트 등으로 발생한 탈모증

영양결핍이나 심한 다이어트를 중지하면 보통 6개월 정도 지나면 탈모도 회복되는 경우가 대부분이다. 탈모가 1년 이상 지속된 경우라면 모발이식을 고려한다.

2) 공여부의 모발 이상과 이미 탈모가 된 경우

공여부에 채취할 모발이 없다면 이식은 불가능하다. 약간은 펀치채취로 모발이식이 가능하나 환자의 만족도가 문제이다. 공여부가 탈모가 진행되었다면 이식 후에도 생존율이 감소하고 이식한 모발도 탈모가 올 가능성이 높다.

특히 공여부의 목덜미 주위에 탈모에 의한 연모현상이 있는지 확인해야 한다. 목덜미 부위에 탈모가 있다면 이식한 모발도 가늘어지고 탈모가 올 수 있다. 또한 탈모가 심해지면 절편채취 모발이식술로 이식할 때 흉터가 보일 수 있기 때문에 신중해야 한다.

공여부 모발이 너무 가늘거나 휴지기 모발이 많다면 이식을 피하는 것이 좋다. 환자의 동의하에 선택적으로 시행할 수도 있다.

3) 피부 질환

두피에 피부질환이 있거나 이식 후에 재발 가능성이 있다면 모발이식을 신중하게 고려해야 한다.

(1) 지루성 피부염

모발이식의 금기는 아니라고 하더라도 이식 후에 지루성 피부염이 발생하여 생존율이 감소하거나 모낭염이나 농포 때문에 고생할 수 있다.

이식 전에 피지선의 활동이 증가되어 있거나 여드름 등의 표재성 습진성 피부염이 심하다면 모발이식한 부위에 이런 지루성 피부염 발생이 증가될 수 있으므로 사전에 알려주고, 적절한 치료가 필요하다.

치료는 항진균제, 스테로이드, 항생제의 복용이나 도포 등이다.

(2) 건선

모발이식의 금기는 아니라고 하더라도 신중한 결정이 필요하다. 은백색의 인설을 동반한 구진과 판이 두피에 발생할 수 있다. 원인은 유전적, 면역학적, 생화학적인 요인 등이 있으며, 피부의 외상, 염증, 차고 건조한 기후, 스트레스 등에 의해 악화될 수 있다. 모발이식 후에 건선이 발생할 수도 있고, 악화될 가능성도 있다.

치료는 vitamin D 유도체와 스테로이드 등의 국소치료와 광선치료, retinoid나 cyclosporine, steriod 등의 전신치료제가 있다.

(3) 모공성 편평태선

모발이식의 금기는 아니라고 하더라도 신중한 결정이 필요하다. 모낭의 과각화증과 모공 주위의 홍반을 특징으로 하는 질환으로 두피나 모발을 포함한 부위에 호발한다.

(4) 켈로이드성 피부

공여부와 이식한 부위에 켈로이드가 발생하는 경우가 가끔 있으므로 모발이식 전에 파악하고, 환자에게 알려주어야 한다. 발생하면 트리암시놀론이나 스테로이드 등 적절한 치료가 필요하다. 심한 켈로이드 피부라고 하면 펀치채취(비절개) 모발이식술도 하지 않는 것이 좋다.

(5) 전두부 섬유화 탈모증(frontal fibrosing alopecia)

전측두부(fronto-temporal area)부위에 헤어라인의 모발이 탈락되면서 눈썹의 소실이 나타난다. 확대경 소견에서 모공의 사라짐과 모공 주위의 홍반, 미세한 각질이 나타난다. lymphocyte mediated cicatrical alopecia이므로 모발이식은 가능한 하지 않는 것이 좋다.

4) 전신 질환

(1) 탈모가 진행되는 질환

만성 미만성 탈모인 경우로 주로 중년 이상의 여성에서 갑자기 두피에 전체적으로 발생하는 탈모인 경우다. 심한 스트레스나 급성 열성 질환으로 발생한 탈모는 탈모치료를 우선으로 한다.

호르몬 이상에 의한 탈모는 특히 여성에서 많다. 호르몬이나 갑상선 호르몬, 부신피질, 뇌하수체 이상으로 온 탈모는 기존 질환을 치료하면 탈모가 호전될 수 있으므로 기존 질환과 탈모치료를 먼저하고 경과를 보면서 이식을 고려한다.

이식하여도 생존율이 낮고 이식한 모발도 탈모가 진행될 가능성이 높다.

(2) 전신 질환과 대사성 질환

전신 질환에 의한 탈모는 모발이식을 하여도 생존율이 낮거나 탈모가 될 가능성이 많으므로 모발이식은 하지 않는 것이 좋다.

암이나 심한 합병증을 동반한 당뇨병, 고혈압, 심장, 간, 신장 질환 등으로 인한 탈모는 기존 질환이 치료되거나 호전되면 자연적으로 탈모가 개선될 수 있으므로 탈모치료를 먼저 하면서 경과를 본 후에 이식을 고려한다.

철대사 장해와 갑상선 질환, 다낭성 난소 질환 등이 있어도 이런 질환이 개선되지 않는다면 모발이식을 하지 않는 것이 좋다.

질환이 치료되고나서 1년 정도 경과하였으나 탈모가 호전되지 않고 변화가 없을 때는 모발이식을 고려한다.

(3) 면역계 질환

홍반 루푸스나 국소 경피증, 기타 면역계 질환에 의한 탈모는 이식해도 생존율이 낮고, 탈모가 올 가능성이 크기 때문에 금기에 해당된다.

5) 외상적 원인에 의한 탈모

발모벽이 있어서 발생한 탈모와 견인 탈모, 압력에 의한 탈모가 있다면 모발이식을 신중하게 고려해야 한다. 발모벽이 치료되지 않는다면 모발이식 후에도 지속적 발모벽 때문에 효과를 기대하기 어렵다. 견인이나 압력에 의한 탈모도 원인이 호전되지 않는 한 모발이식은 하지 않는 것이 좋다.

안전모 등 강한 압박이 가해져서 온 탈모라면 원인을 제거하면 탈모는 개선될 수 있고, 모발이식을 해도 압력이 계속된다면 이식한 모발도 탈모가 온다.

6) 정신적 질환과 성격 이상

비현실적 기대감은 상담을 통하여 어느 정도 현실적 기대감을 갖도록 할 수 있으나 신체추형장애 또는 신데렐라증후군은 아무리해도 변화시키기가 어렵기 때문에 모발이식 수술 후에 골칫거리가 되는 경우가 종종 있다.

(1) 신체추형장애

신체추형장애는 본인의 외모에 대하여 심한 혐오감이나 못생겼다는 생각이 너무 심하여 성공적인 수술임에도 불구하고 만족하지 못하는 경우가 많다.

Carlos Wesley는 그의 저서에서 상담하는 동안 신체추형장애를 의심해야 하는 중요한 단서를 다음 표와 같이 기술하고 있다(표 3-3).

(2) 성격 이상

일명 신데렐라증후군으로 객관적으로 보아도 아주 잘 된 이식임에도 불구하고 본인의 만족을 채우지 못하는 경우가 많다. 또한 자신이 예쁘다고 생각하거나 다른 사람보다 예뻐야 한다는 생각이 강한 집착형은 이식 후에 항상 불만이 많다(표 3-4).

표 3-3	상담할 때 신체추형장애의 중요한 단서

1. 이전에 한 미용수술에 대하여 불만을 나타낸다. 이런 경향을 갖은 환자는 성공적인 치료법을 찾기 어려울 것이다.
2. 일반인들과 다르게 생각하고 특정한 외모에 대한 환상을 갖고 있다.
3. 하루 중 오랜 시간(1시간 이상)을 자신의 모습에 대하여 생각하고 걱정하는 경향이 있다.
4. 외모에 대한 집착으로 사회생활을 하지 않고, 집밖에 외출을 삼간다.
5. 자신의 외모를 개선하는 방법을 의사에게 자세히 설명한다.
6. 본인의 사진을 많이 갖고 있으면서 컴퓨터나 그림그리기로 외모의 변화를 시켜보거나 상상한다.

표 3-4	모발이식 수술을 피해야 할 성격 이상 환자들

1. 신체추형장해(body dysmorphic disorder)나 신데렐라 증후군이 있는 환자
   본인의 외모가 못 생겨서 대인관계나 사회생활을 기피하는 환자는 절대 금기다.
2. 외모를 중시하는 환자
   모발이식을 하면 완전히 인물이 바뀌고, 외모가 달라지고, 인생이 달라질 것이라고 생각하는 환자
3. 비현실적 기대감을 갖는 경우
   모델이나 배우의 사진처럼 해달라고 하는 환자나 모발이식 후 자신의 변화된 모습을 보여 달라고 하거나 완전히 탈모에서 벗어나게 해달라고 집착한다.
4. 공황장애
5. 자신이 중요한 인물이라고 생각하는 경우
   자신이 사회적으로 매우 중요하거나 텔레비전 등에 출현하므로 외모를 중시하는 사람은 피하는 것이 좋다. 대부분 불만족하면서 투덜대고, 자신의 외모가 수술로 가졌다고 핑계를 댄다.
6. 배우나 정치가, 연예인
   만족이 끝이 없고 불만족은 결국 자신의 인생을 망쳤다고 생각한다. 피해보상을 요구하기 일쑤다. 경험이 많은 의사일수록 이런 사람은 금기시 한다.
7. 밀도에 대한 자세한 설명이나 보장을 해달라는 환자와 상담을 여러 번 요구하거나 의문이 많은 환자
8. 결정을 쉽게 내리지 못하고 망설이면서 질문이 많은 환자
9. 다른 의사를 비방하거나 수술로 인생을 망쳤다고 하는 환자
10. 고민할 정도의 탈모도 아닌데 수술을 요구하는 환자

아름다운 사람을 보면 '이렇게 만들어 주세요'라는 요구가 계속되고 욕심이 끝이 없다. 이러한 증상이 있다면 이식을 하지 않는 것이 좋다.

젊은 환자 중에서 공황장애가 있다면 모발이식을 피하는 것이 좋다. 탈모로 인하여 너무 고민하고, 대인기피증으로 외출을 하지 못하고 모든 이유를 탈모 때문이라고 생각하기 때문에 아무리 모발이식을 잘 해도 욕구가 끝이 없다.

(3) 정신질환

정신질환도 모발이식을 피해야 한다.

3 특별한 경우의 모발이식

1) 공여부에 이미 탈모가 있는 경우(낮은 밀도, 가는 모발)

공여부 탈모가 심한 상태라면 모발이식은 신중해야 하고 수술 전 충분한 설명이 필요하다.

이미 공여부에 탈모가 진행되어 모발이 가늘거나 밀도가 낮은 경우라면 이식한 모발도 생존율이 낮고 탈모가 진행될 가능성이 많다. 물론 이식할 모발 수도 적어 기대에 못 미치는 경우가 종종 있다.

특히 중년 여성의 미만성 탈모증나 노화성 탈모증는 공여부 모발이 가늘고 약해서 이식을 하더라도 생존율이 낮고 탈모가 진행될 가능성이 커서 이식한 효과가 반감되는 경우가 많다.

또한 뒷머리가 훤하게 보일 수 있기 때문에 적은양의 이식만 가능하다. 또한 동반탈락의 가능성이 높기 때문에 절편채취술보다는 펀치채취술에 의한 모발이식을 추천한다.

공여부 모발의 밀도가 낮은 40 모낭단위(약 72/㎠ 모발수) 이하라면 모발이식의 금기에 해당된다.

2) 2차 이상의 모발이식이 필요한 경우

2차 이식의 계획은 1차 이식 때부터 일찍 결정하는 것이 좋다. 환자도 2차 이식에 대한 준비를 일찍 할수록 만족도가 높아지고 마음에 준비를 하게 된다.

뒷머리 공여부 채취도 2차 이식을 고려해야 한다. 2차 이식은 최소 6개월은 지나서 한다. 9개월이나 1년 후는 더욱 좋다.

2차 이식은 뒷머리의 공여부 피부가 섬유화로 딱딱해져 있기 때문에 폭이 1차 이식할 때보다 좁아져야 한다. 따라서 채취할 모발이 적어지고, 흉터가 커질 가능성이 높다.

2차 이식은 1차 이식보다 채취할 모발 수가 적다. 1차 이식할 때보다 약 20-30%가량 줄어든다. 공여부가 섬유화로 봉합하기가 어려워 폭이 좁아져야 하고, 1차로 인하여 밀도가 낮아졌기 때문이다. 또한 모낭분리도 어렵다.

3) 기존 모발이 있는 정수리 부위 이식

기존 모발이 있는 상태에서 모발이식은 조심해야 한다. 특히 기존 모발이 잘리거나 손상을 받아 탈모가 더욱 진행될 수 있기 때문이다. 특히 이식한 후 1-2개월 사이에 기존 모발이 손상되어 휴지기에 빠지거나 동반탈락으로 이식한 주위에 모발이 휴지기에 빠져들면 탈모가 더욱 심해 보일 수 있기 때문이다.

또한 너무 조밀하게 이식해도 미세혈액순환 장해를 일으키거나 섬유화로 혈액순환이 감소하면 휴지기에 빠지기 때문에 조심해야 한다.

특히 중년 여성에서 정수리 탈모로 이식하는 경우 동반탈락이나 휴기기에 빠지는 경우가 많아 환자에게 일찍 알려주어 이에 대한 마음에 준비를 하도록 하는 것이 필요하다.

또한 여성의 정수리 부위 이식은 만족하지 못하는 경우가 종종 있다. 머릿속이 보이지 않을 정도의 이식을 원하지만 불가능하기 때문이다.

4) 약간 탈모가 진행된 젊은 환자의 이식

심하지 않으면서 약간 탈모가 진행된 젊은 환자의 이식은 신중해야 한다. 그 이유는 이식이 어려워서가 아니라 정신적인 문제가 많을 가능성이 있기 때문이다.

특히 심한 탈모에 대한 두려움과 집착증, 탈모로 인한 공황장애, 신체추형장해일 가능성이 많기 때문에 이식하여도 불만이 많고, 만족이 적은 경우가 종종 있다. 의사로서는 환자관리가 매우 어려워 질 수 있기 때문에 탈모치료를 먼저 하는 것이 좋다.
또한 탈모로 인한 미래에 대한 걱정이 너무 많을 가능성이 있고, 설령 이식하여도 젊어서 시작한 탈모이므로 진행이 빨라 이식한 부위가 더욱 부자연스럽거나 마치 섬(island)처럼 될 가능성이 있기 때문에 신중할 필요가 있다.

5) 가발 착용 환자의 모발이식

가발은 밀도가 원래 모발의 1/2이 보통이고 모발이식은 1/2-1/3이므로 가발보다 두피가 훤하게 보이게 된다.

모발이식으로 가발처럼 회복될 수 있다는 비현실적 기대감을 갖은 환자는 충분한 설명이 필요하다. 하지만 가발을 착용하는 불편함에서 벗어나기 위한 모발이식이 대부분이므로 밀도를 높이려면 2차 이식이 필요하다는 것을 처음부터 설명해 주는 것이 좋다.

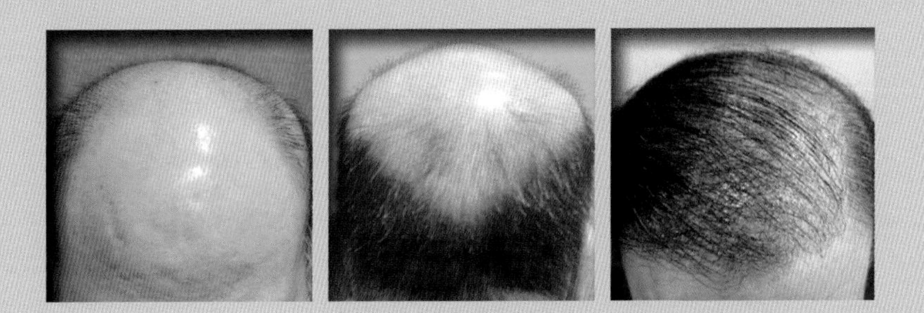

Chapter 4

모발이식보다 먼저 고려해야 할 수술과 치료들

1. 단순흉터절제술과 흉터축소술
2. 지방이식술
3. 탈모 원인의 치료
4. 미용적 수술

Hair Transplantation

모발이식보다 다른 수술이나 치료 방법이 효과적일 때가 있다. 두피나 털이 있는 부위의 흉터가 대표적인데 모발이식보다 흉터제거술이나 흉터축소술이 먼저 고려되어야 한다.

피하지방층이 없는 경우는 지방이식술을 먼저 시행한 후 모발이식이 권고된다. 탈모를 일으키는 갑상샘 질환에 의한 갑상샘 호르몬의 저하나 증가가 있는 경우 갑상샘 호르몬 조절을 먼저 하는 것이 매우 효과적일 때가 있으며, 다른 탈모를 일으키는 질환이 있을 때도 원인을 찾아 먼저 치료하고 난 후 모발이식을 권한다. 장기적 약물 복용으로 인한 탈모도 약물을 중단하거나 다른 약으로 대치하여 탈모를 개선한 후에 모발이식이 권고된다.

1 단순흉터절제술과 흉터축소술

1) 두피의 흉터

두피의 화상이나 사고로 인한 흉터나 모발이식으로 인한 공여부에 흉터가 심할 때는 모발이식보다 흉터제거술을 우선적으로 하는 것이 효과적이다(그림 4-1, 4-2). 흉터의 모발이식은 3-4차례 시행해야 하고 비용도 부담스럽다. 수술 방법은 22장의 두피 흉터 제거술을 참조한다.

흉터의 길이가 10 ㎝를 초과하지 않는다면 길이보다 폭이 중요하다. 대부분의 흉터는 절제 폭을 1 ㎝ 이하로 여러 번 시행하는 것이 좋다.

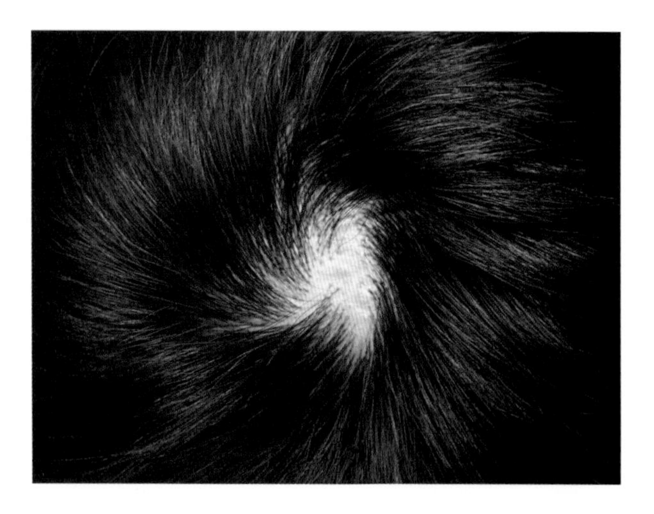

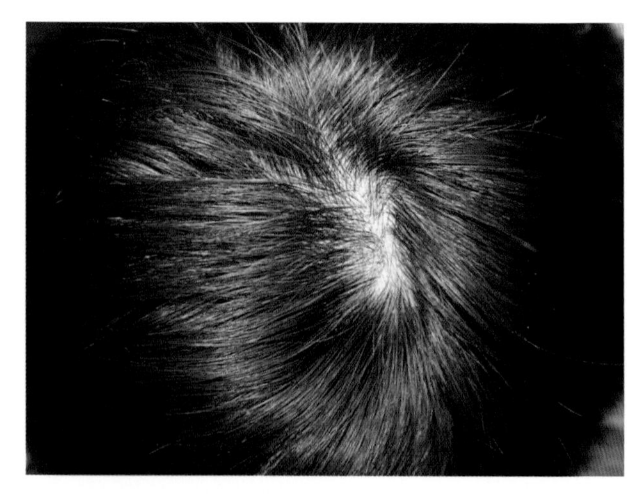

그림 4-1 사고로 인한 두피 흉터를 단순절제술로 개선한 사례

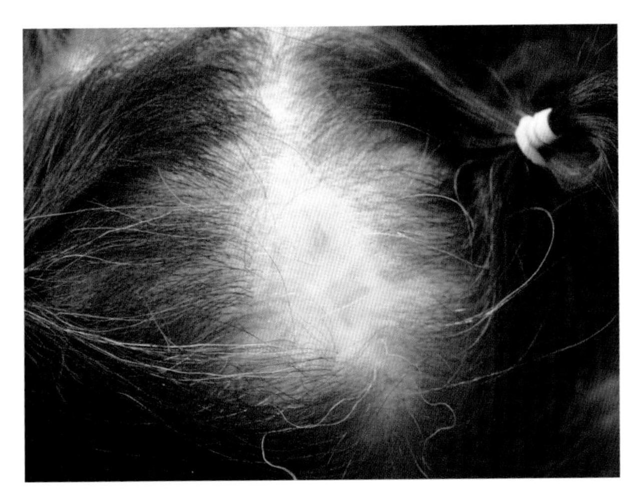
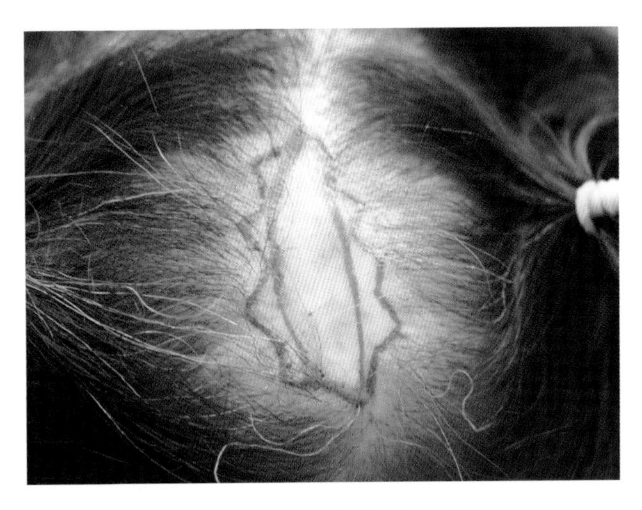

그림 4-2 농가진으로 인한 두피 흉터를 1차 단순절제술과 9개월 후에 2차 W plasty 절제술의 디자인

두피에 있는 흉터는 다른 부분의 피부 흉터제거술과 달리 두피의 피부 탄력이 매우 나빠서 수술 전에 충분히 봉합이 가능할 것이라고 판단되어도 봉합이 어려울 때가 많다.

특히 여러 개의 같은 방향 흉터가 있을 때 동시에 수술하게 되면 봉합이 어렵고 수술 후에 흉터가 커지거나 동반탈락이나 조직괴사로 어려움을 겪게 되므로 한 군데씩 해야 한다.

2) 두피의 피부질환

표피모반(상피모반, epidermal nevus) 또는 피지샘 모반(nevus sebaceus)이나 점, 사마귀 등에 의한 탈모, 선천성 피부 무형성증(aplasia cutis congenita), 모낭염, 가성 독발 등에 의한 탈모가 두피에 있을 때 모발이식보다는 단순제거술이 효과적이다(그림 4-3, 4-4).

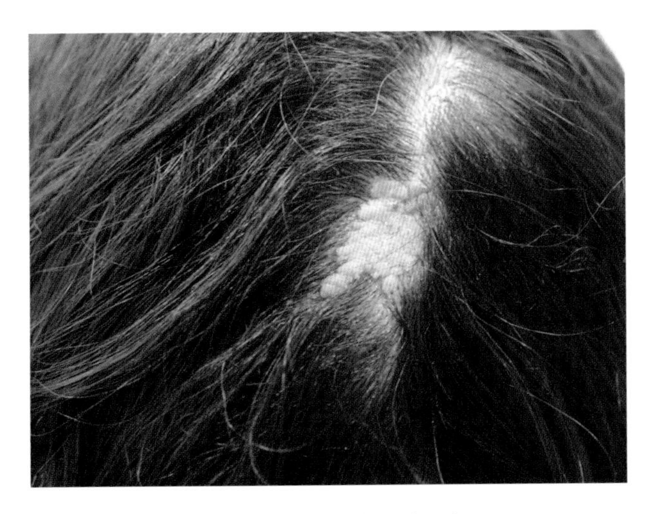

그림 4-3 두피의 표피모반

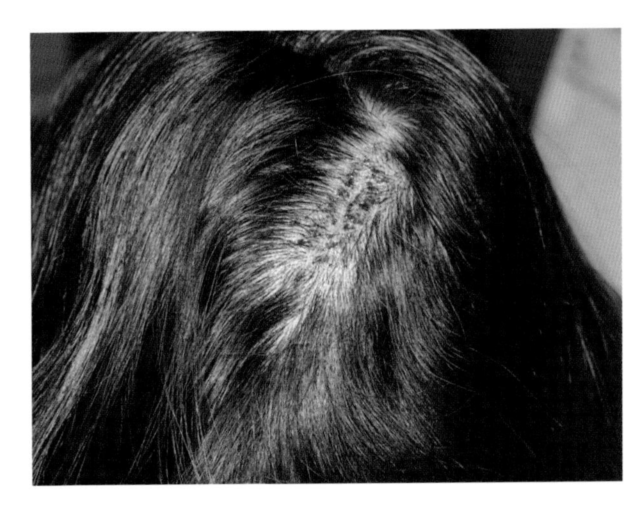

그림 4-4 단순절제술 시행 후

3) 기타 흉터 부위의 탈모

눈썹이나 속눈썹, 턱수염, 콧수염 부위의 흉터는 모발이식보다 미용적인 흉터제거술이 유용한 경우가 많다. 흉터제거술을 시행하고 난 후에도 흉터를 가리기 위해서 모발이식을 할 수도 있다.

흉터부위에 모발이식을 하면 생존율이 낮아 여러 번 이식해야 하는 경우가 대부분이며, 모발이 자라나는 방향이 일정치 않거나, 모발의 굵기나 결이 달라 부자연스러운 경우가 종종 있다. 탈모라고 하여 모두 모발이식으로 해결하려고 하는 것은 지양할 필요가 있다.

2 지방이식술

화상이나 흉터로 인하여 피하지방층이 없거나 매우 얇다면 모발이식은 불가능한 경우가 많다. 설령 모발이식을 하여도 생존은 거의 불가능하다. 하지만 흉터가 있더라도 피하지방층이 충분하다면 모발이식의 생존율은 일반적 탈모 부위의 모발이식과 크게 차이가 나지 않는다. 상피와 진피 부위만 흉터가 있는 경우 일반적인 모발이식을 해도 생존율은 매우 높다.

지방이식을 하여 피하지방을 살려 놓고 혈액 순환과 주위 조직을 어느 정도 개선하고 나서 이식하면 생존율을 높일 수 있다. 저자의 경험으로 볼 때 약 50–85%로 생존율이 높다는 것을 알 수 있었다(그림 4–5, 4–6, 4–7, 4–8, 4–9, 4–10).

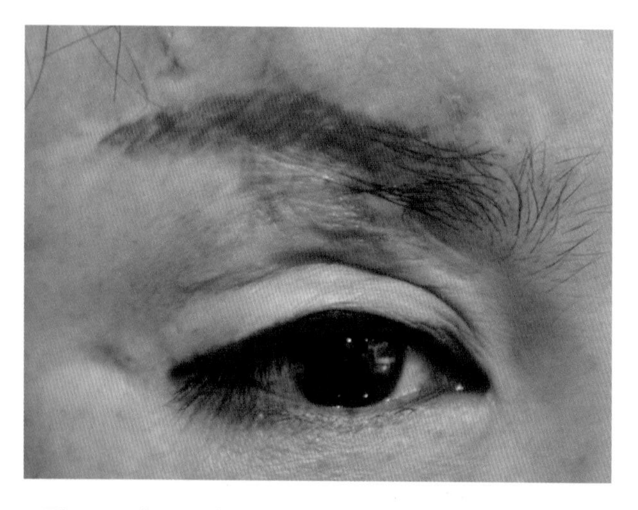
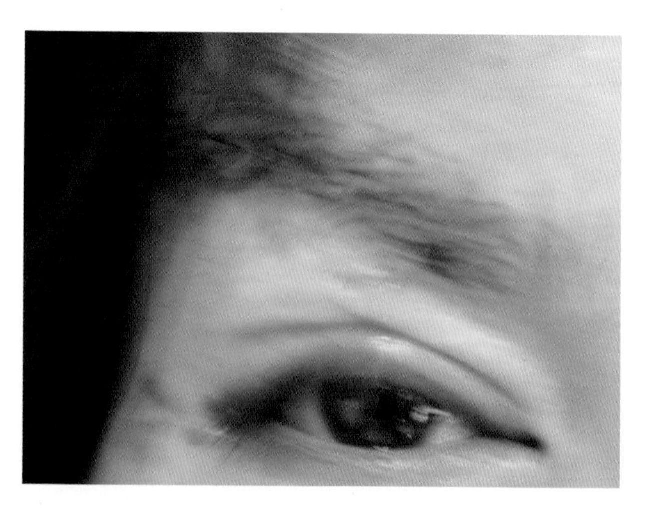

그림 4–5 사고로 인하여 피부이식을 하여 피하지방이 거의 없는 상태에서 지방이식 후 눈썹이식한 경우로 50% 정도 이식한 모발이 생착되었다.

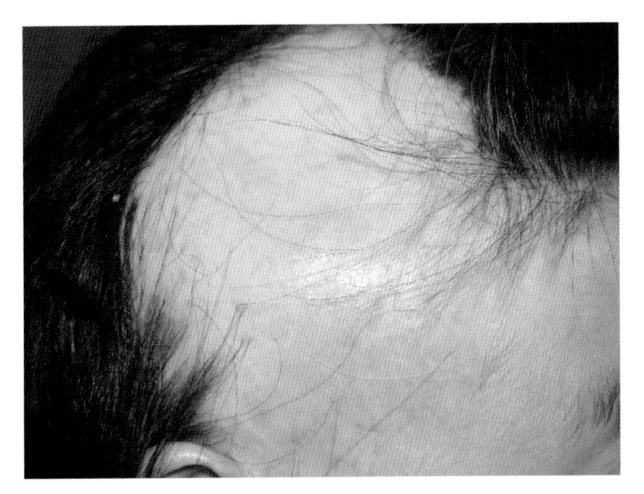

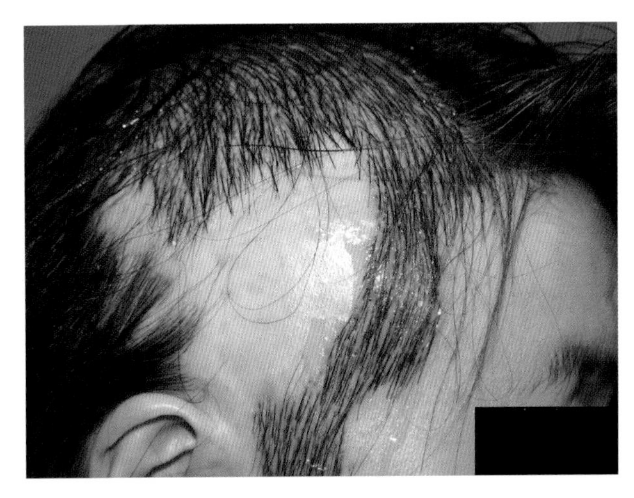

그림 4-6 화상으로 피하지방층이 거의 없는 경우로 지방이식 후 절편채취로 4,300모 1차 모발이식 후 1개월 경과

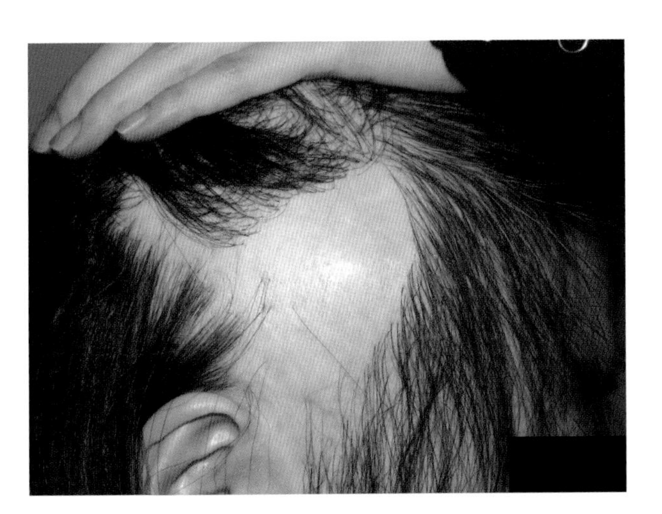

그림 4-7 4,300모 절편채취로 모발이식 후 1년 경과. 약 85% 생존율을 보이고 있다.

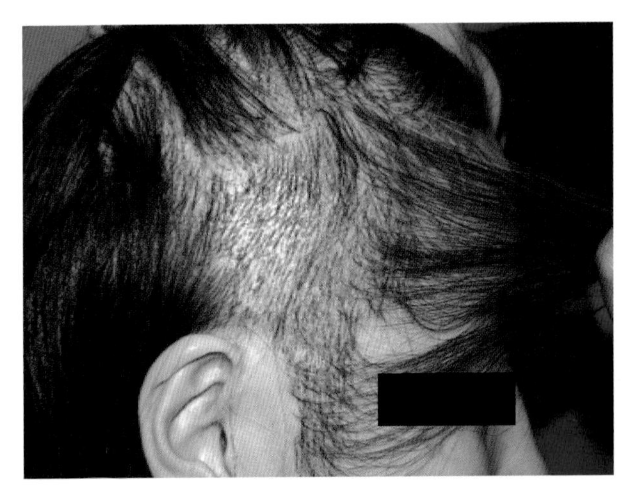

그림 4-8 1차 모발이식 후 1년이 지나서 2차 모발이식. 3,500모 절편채취로 이식 후 1개월 경과

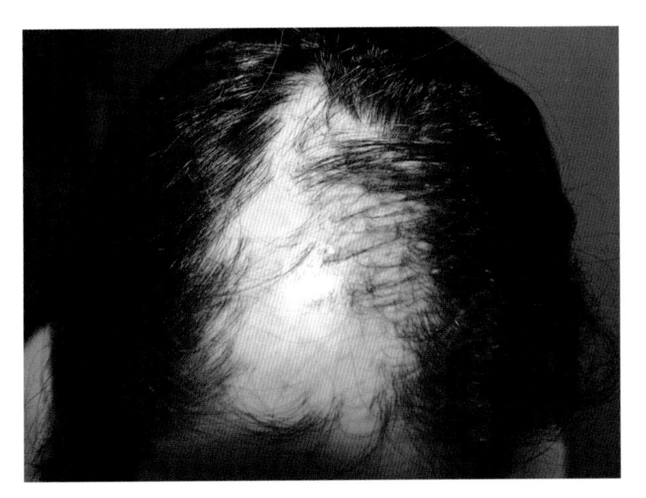

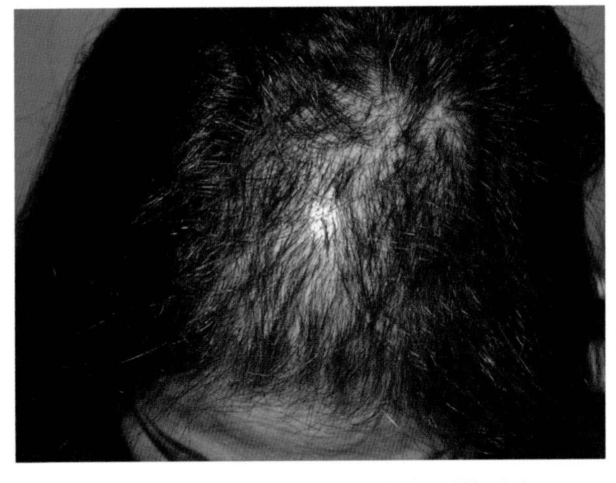

그림 4-9 화상으로 피하지방층이 거의 없는 경우로 지방이식 후 절편채취로 3,500모 1차 모발이식 후 1개월 경과

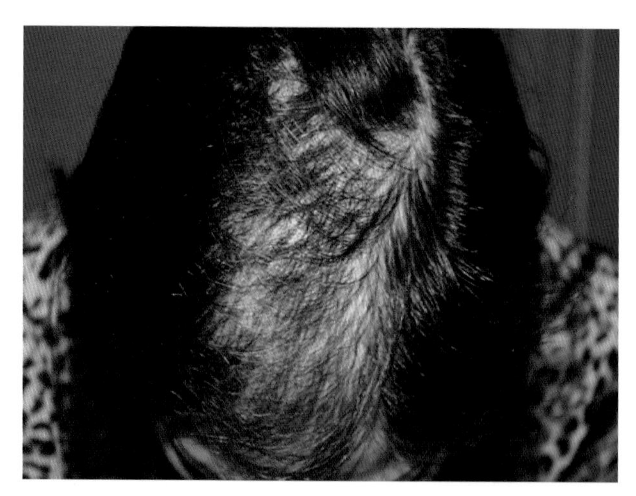

그림 4-10 1차 모발이식 후 6개월 경과. 약 80% 생존율을 보이고 있다.

3 탈모 원인의 치료

비반흔성 탈모증이 대표적으로 질환에 의한 이차적 탈모증이 왔을 때 모발이식보다 원인을 먼저 치료해보고 난 후에 모발이식이 필요하다. 탈모증의 원인이 치료되지 않고 모발이식을 하면 생존율이 낮고 이식한 모발이 다시 탈락되는 경우가 종종 있기 때문이다.

그 중에서도 철이나 단백질 결핍 등의 대사성 탈모증과 갑상샘과 생식기계 내분비계 질환, 폐경에 의한 호르몬 불균형에 의한 탈모증, 관절염 등의 장기적 진통제 복용에 의한 탈모증 들은 원인이 사라지면 탈모증이 개선될 수 있기 때문에 모발이식 전에 적절한 치료를 하고 후에 모발이식을 하는 방법이 필요하다.

4 미용적 수술

넓은 이마를 교정하는 헤어라인의 모발이식은 반드시 모발이식만으로 교정할 필요가 없는 경우도 있다. 이마거상술(forehead lifting)을 하여 이마를 좁힐 수도 있다. 전두부 섬유화증(frontal fibrosis)이 있어 모발이식의 결과가 좋지 않는 경우에도 이마거상술과 안면거상술로 어느 정도는 개선이 가능하다. 물론 흉터가 문제이지만 모발이식으로 교정이 어렵다면 이런 수술 방법도 고려할 필요가 있다. 앞머리이기 때문에 머리를 내려서 흉터를 감출 수도 있다.

안면거상술이나 이마거상술, 눈썹거상술 후에 남는 모발을 이용하여 탈모나 얼굴 윤곽을 교정하는 모발이식 방법도 고려하면 좋은 결과를 만들 수 있다.

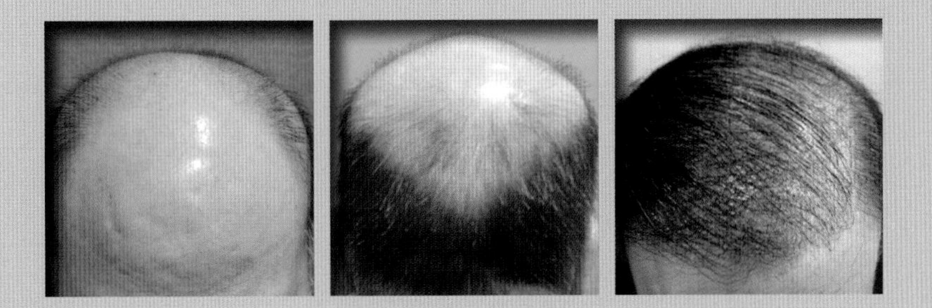

Chapter 5

이식과 채취 가능한 모발 수의 계산

1. 모와 모낭단위, 모낭단위와 이식편 이식
2. 이식에 필요한 모발 수의 계산
3. 채취 가능한 모발 수의 계산
4. 간단하게 이식 가능 범위를 파악하는 방법

1 모와 모낭단위, 모낭단위와 이식편 이식

두피는 한 개의 구멍(모낭단위, 모공단위, follicular unit(FU))에 1모(1hair)도 있고 2모(2hair)와 3모(3hair)도 있다(그림 5-1, 5-2). 서양인은 4모(4hair)도 있는 반면 동양인에서는 거의 없다. 1모를 1모낭단위(1hair FU), 2모를 2모낭단위(2hair FU), 3모를 3모낭단위(3hair FU)라고 한다. 동양인은 1개 모낭단위(FU)당 평균 1.8개의 모(hair)가 있는 반면 서양인들은 2.3개가 보통이다.

모낭군(follicular group, follicular family)은 모낭단위가 명확하게 구분되지 않거나 밀집되어 있을 때 2개 또는 3개의 모낭단위를 말하는 것으로 모발이 가늘거나 풍부하게 보이기 위해서 모발을 분리할 때 합해서 분리하게 된다.

연구자들의 보고에 의하면 두피의 위치에 따라 한 개 모낭단위당 모수의 분포가 다르다(표 5-1).

모발이식은 2모와 3모를 단일모로 분리하지 않고 한 개의 모낭단위로 이식한다. 이것이 모낭단위 이식(follicular unit transplantation, FUT)이다. 단일모로 분리하면 모발 수는 많아지지만 모낭의 손상이 우려되고, 분리도 어려우며, 시간이 많이 걸리고, 풍부함이 감소하기 때문에 분리하지 않는다.

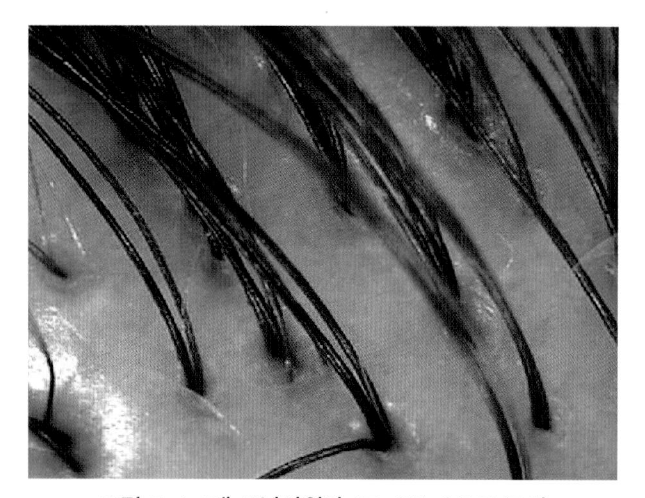

그림 5-1 1개 모낭단위당 1모, 2모, 3모로 구성

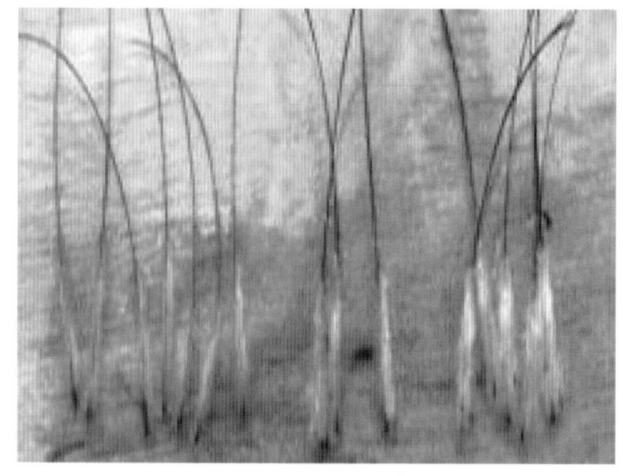

그림 5-2 1모낭단위(1hair FU)와 2모낭단위(2hair FU), 3모낭단위(3hair FU)에 따라서 모발분리한 사진

표 5-1 모낭단위별 모발 수의 분포

	전두부(모발 수/㎠), (%)	후두부(모발 수/㎠), (%)
단일모	63.3(46.5)	77.4(44.9)
2개 모	57.1(42.0)	72.9(42.3)
3개 모	8.3(6.3)	12.9(7.5)
분류불가능	7.5(5.5)	9.1(5.3)
총합	136.1(100)	172.3(100)

표 5-2 이식편(graft)에 따른 모발 수

이식편의 종류	이식편 당 모발 수
모낭단위 이식편(follicular unit graft)	1–4
모낭군 이식편(follicular family graft)	3–6
다모낭단위 이식편(multi follicular unit graft)	3–6
미세이식편(micrograft)	1–2

한 개의 모낭단위도 모낭들이 떨어져 있는 경우(follicular splay)가 있고 밀집해서 있는 경우도 있다. 이식할 때 필요에 따라서 한 개의 모낭단위를 분리하기도 하고, 2개를 합하여 분리(재조합 분리, follicular pairing, recombinant graft)하기도 한다.

이식편(graft)은 모발이식을 할 때 모낭을 분리한 단위를 의미한 것으로 해부학적인 분류인 모낭단위(모낭군)와 다른 의미이나 일반적으로는 같은 의미로 사용되는 경우가 흔하다. 모낭단위로만 분류한다면 이식편과 모낭단위는 같은 숫자이나 모낭단위를 다시 분리하거나 재조합한다면 이식편 숫자는 달리진다. 즉, 2개의 모낭딘위를 재조합하여 분리하면 1개의 이식편이 된다(표 5-2).

공여부에서 절개를 하여 모낭단위로 모발이식을 하는 절편채취 모발이식술의 모수(hair, hairs) = 모낭단위(FU)) × 1.8이 된다.

그리고 공여부에서 펀치를 이용하여 모낭단위로 채취하는 펀치채취 모발이식술은 주로 2모와 3모를 채취하게 되므로 모수(hair, hairs) = 모낭단위(FU)) × 2.2–2.4가 된다. 이식편으로 계산한다면 분리하는 방법에 따라 이보다 모수가 많아질 수도 적어질 수도 있다.

최근에 대량이식 기술이 발달하면서 이식하는 모발 수에 따라 Mega-session, Giga-

표 5-3 이식하는 모수에 따른 분류

1. Mega-session: 4,000 이상 - 6,000모 이하
2. Giga-session: 6,000 이상 - 8,000모 이하
3. Tera-session: 8,000모 이상

session, Tera-session으로 부르기도 한다(표 5-3).

2 이식에 필요한 모발 수의 계산

1) 이식에 필요한 모발 수의 계산 방법

모발이식은 이식에 필요한 모발 수와 채취 가능한 모발 수가 결정되어야 한다. 이식할 부위가 넓지 않다면 채취할 모발 수는 중요하지 않다.

그러나 이식할 범위가 넓다면 공여부에서 몇 모나 채취가 가능한지가 중요하다. 절편채취 모발이식술(절개법)은 한 번에 보통 3,000-5,500모를 채취할 수 있어 이식부위가 넓으면 한 번에 이식이 불가능한 경우가 있으나, 펀치채취 모발이식술(비절개법)은 한 번에 20,000모까지 가능하기 때문에 넓은 범위를 이식할 수 있다. 보통 절편채취술은 3,000모를 이식하는데 4-5시간이 소요되나 펀치채취술은 6-10시간 소요되기 때문에 많은 모수를 이식하는데 며칠이 필요하기도 하다.

채취 가능한 모발 수에 따라 헤어라인의 높이를 결정하고, 이어서 이식 범위가 결정된다. 범위는 이식할 밀도에 따라서 다양하게 결정할 수 있으나 적정한 밀도(미용학적 밀도)가 되어야 환자는 만족한다.

(1) 이식 범위의 결정

모발이식은 탈모가 된 부분뿐만 아니라 탈모가 진행되어 가늘어질 가능성이 있는 모발 부위까지 포함하여 이식(over rapping)해야 한다. 보통 이식이 필요한 부분으로부터 1-2㎝ 정도다. 이 부위를 이식하지 않으면 3-4년이 지나면 그 부분이 탈모가 되어 모발이식을 진행한 부분이 마치 섬(island)처럼 보일 수 있기 때문이다(그림 5-3).

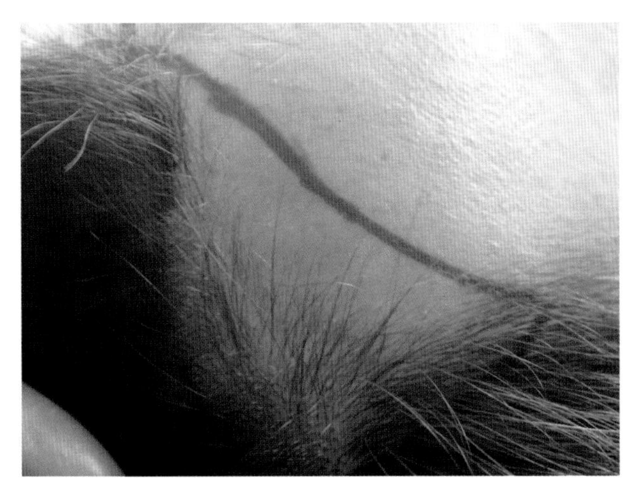

그림 5-3 탈모된 부위보다 약 1-2 ㎝ 넓게 이식할 범위를 결정

(2) 밀도 결정

보통 모발이식을 할 때 모발의 밀도는 25-35 모낭단위(FU)/㎠이다. 절편채취 모발이식에서 모낭단위는 1모와 2모, 3모로 구성되어 있으며, 평균은 1.8모다. 따라서 모발 수로 따지면 45-63 모/㎠(25-35 모낭단위 × 1.8)가 된다. 뒷머리의 평균 밀도는 56-78 모낭단위/㎠이며, 모발 수는 100-140개/㎠다. 따라서 뒷머리 밀도의 1/2 - 1/3 정도가 이식되게 된다.

이보다 더 조밀(고밀도 이식, dense packing)하게 40-50 모낭단위/㎠(72-90 모/㎠)까지도 이식이 가능하다. 그러나 이식할 부위가 넓다면 조금밖에 이식하지 못하게 되므로 효과적이지 못하고, 생존율도 낮아지기 때문에 적절한 밀도의 판단이 필요하다.

절편채취에서는 보통 2모나 3모를 주로 채취하기 때문에 모수가 절편채취 보다 많아 평균 2.2-2.4모가 된다. 밀도에 대한 자세한 내용은 11장을 참고한다.

(3) 필요한 모발 수의 계산

헤어라인의 높이와 이식할 부위가 결정되고, 밀도가 정해지면 필요한 모발 수를 계산할 수 있다. 옆머리와 구레나룻에도 이식이 필요하다면 적당히 모수를 추가하면 된다.

필요한 모발 수 = 면적 × 원하는 밀도(모낭단위는 1.8로 나눈다)

정확한 면적을 계산하고 필요한 모발 수를 산출할 수도 있지만 보통 상담하면서 빠르게

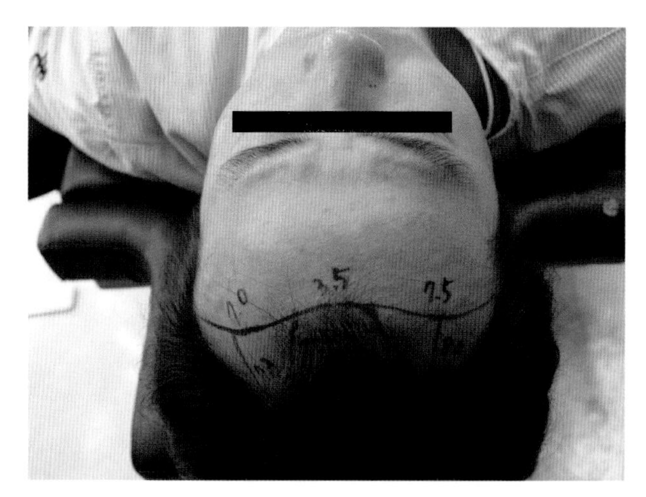

그림 5-4 이식할 범위와 필요한 모발 수의 계산

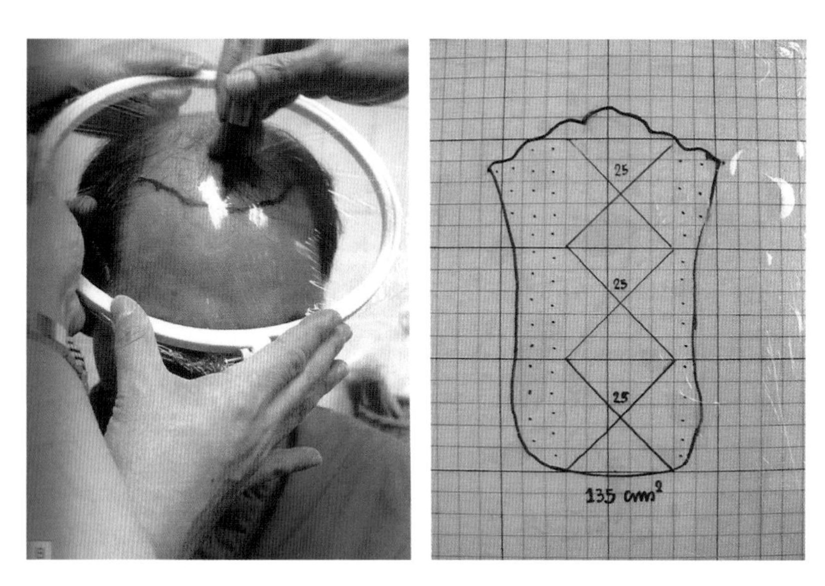

그림 5-5 이식부의 면적을 파악하는 방법 Chang method(정확한 탈모면적을 계산하기 위해서 비닐판에 면적을 그리고 모눈종이 위에 놓아서 면적을 계산하는 방법, 출처 Hair transplantation, Robert S Haber and Dowling B Stough)

산출해야하기 때문에 아래와 같이 간단하게 추정하는 경우가 많다(그림 5-4).

면적 : 7.5 × 8.0 × 1/2 + 3.5 × 2.5 + 7.0 × 7.3 × 1/2 = 64.3 ㎠
밀도 : 30 FU(45모)/㎠
필요한 모발 수: 64.3 × 30 = 1,929 FU(3,472 hairs)

좀 더 정확하게 계산이 필요하다면 Chang method가 간단한 방법인데 투명한 비닐판(saran wrap, polyurethane wrap)을 대고 이식할 면적을 표시한 다음 모눈종이에 대고 면적을 계산하는 방법이 있다(그림 5-5).

(4) 두정부(midscalp)와 정수리(vertex, crown) 부위의 이식

두정부와 정수리 부위의 탈모 면적을 파악하는 방법은 대충 가로와 세로의 길이를 측정하여 계산하거나 반지름을 측정하여 원의 면적($\pi\gamma^2$)을 파악하고 밀도를 고려하여 필요한 모발 수를 추정하게 된다.

필요한 모발 수 = 원의 면적($\pi\gamma^2$) × 원하는 밀도(FU or hairs)

두정부를 포함하여 정수리까지 이식하게 되면 타원형이 될 수 있으며, 타원형의 필요한 모발 수도 동일하다.

필요한 모발 수 = 타원형의 면적(πab, 타원형의 반지름a, 반지름b) × 원하는 밀도(FU or hairs)

(5) 공여부 모발의 특성에 따른 필요 모발 수

모발이 굵다면 계산된 모발 수보다 적게 이식하여도 만족도가 높으나 가늘다면 더욱 조밀하게 이식할 필요가 있다. 또한 모발이 곱슬이라면 풍성하게 보여 만족도가 높으므로 필요 모발 수보다 조금 적게 이식해도 된다. 모발이 검은색이라면 blonde나 brown, red보다 풍부해 보이므로 다소 적게 이식해도 풍부해 보인다.

2) 필요한 모발 수를 간단하게 추정하는 방법

간단하게 필요한 모발 수를 알아보는 방법으로는 Norwood-Hamilton 분류가 있다. 탈모가 진행된 모발 수와 이식이 필요한 모발 수를 정리하면 다음과 같다(표 5-4).

3 채취 가능한 모발 수의 계산

뒷머리에서 채취할 수 있는 모발 수는 공여부의 폭과 길이, 밀도에 따라 달라지므로 이식에 필요한 모발 수만큼 채취하는데 한계가 있다. 특히 절편채취 모발이식술에서 제한이 많은데 폭을 너무 넓게 하면 봉합이 되지 않고, 봉합이 되지 않으면 흉터가 남으면서 주위의 모발이 빠지는 동반탈락이 일어날 수 있다.

펀치채취 모발이식술로 공여부에서 모발을 채취하는 것은 절편채취에 비하여 많은 수가

표 5-4	Norwood-Hamilton의 분류에 따른 이식에 필요한 모발 수			
	추천치료법	탈모된 모발 수 (Hair)	이식이 필요한 모발 수(Hair)	이식이 필요한 모낭 수(FU)
type 1	탈모치료	3,000-6,000	1,260-1,800	700-1,000
type 2	1회 모발이식술과 탈모치료	8,000-12,000	1,800-3,240	1,000-1,800
type 3	1회 모발이식술과 탈모치료	13,000-16,000	3,240-4,320	1,600-2,400
type 4	1-2회 모발이식술과 탈모치료	20,000-30,000	4,320-5,400	2,400-3,000
type 5	1-2회 메가모발이식술과 탈모치료	30,000-40,000	5,400-7,200	2,500-5,500
type 6	2회 메가모발이식술과 탈모치료	40,000-50,000	7,200-10,800	4,000-6,000
type 7	2회 이상 메가모발이식술과 두피축소술, 탈모치료	50,000-75,000	10,800-12,600	5,000-7,000

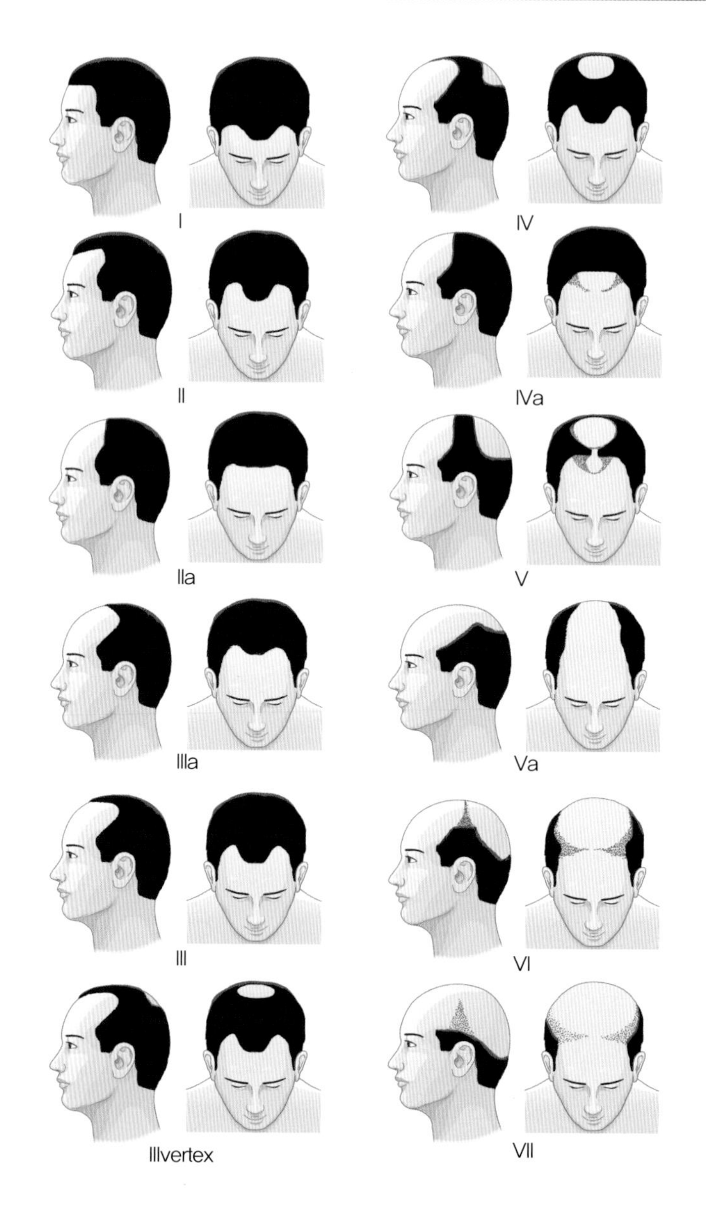

가능하지만 장단점이 있기 때문에 모든 수술을 펀치채취법으로 할 수는 없다. 따라서 의사는 모발 채취 방법을 선택해야 한다.

의사는 모발을 이식하기 전에 이러한 공여부의 흉터나 동반탈락 등의 문제를 제일 먼저 고려해야 한다. 흉터와 동반탈락은 모발이식을 하는 의사에게 가장 고통을 주게 되므로 폭 결정은 신중해야 한다.

절편채취에서 폭의 결정은 환자 두피의 이완력(두피 유연성, scalp laxity)에 달려있다. 손가락으로 pinch test하거나 기구를 이용하여 피부를 움직여 보면서 결정하게 되는데, 이는 경험이 필요하다.

뒷머리 절개의 폭은 보통 1-2.5 ㎝이며, 길이는 20-25 ㎝ 정도이다. 폭은 특별한 경우가 아니면 1.5 ㎝를 초과하지 않는 것이 좋다. 두피의 이완력(scalp laxity)이 매우 좋다고 하더라도 봉합은 가능할 것이나 신장복원력(stretch-back phenomenon) 때문에 흉터가 커질 가능성이 높다.

두피의 이완력이 거의 없는 경우(tight scalp, hard scalp)는 폭이 1 ㎝보다 작은 경우도 종종 있다. 반대로 유연성이 좋을 때는 폭을 2.5 ㎝까지도 한다.

저자는 2.5-3.0 ㎝을 채취하는 경우도 흔하다. 최근에는 대량 이식(mega graft)하는 기술이 발달되면서 폭도 점차 넓게 채취하게 되었다.

뒷머리의 절개가 폭 1 ㎝이면서 길이가 25 ㎝라면 25 ㎠가 된다. 뒷머리의 밀도는 평균 100-140개/㎠이므로 2,500-3,500모를 채취하게 된다. 아래 그림과 같이 밀도를 120 ㎠라고 하면 약 2,500모 이식이 가능하다(그림 5-6).

그러나 절개는 직사각형이 아니고 타원형이므로 약 500-600모 정도를 감해야 한다. 모낭단위로 하면 약 1,100-1,700 모낭단위(FU)가 된다. 이식할 때 모발이식기로 심는 횟수

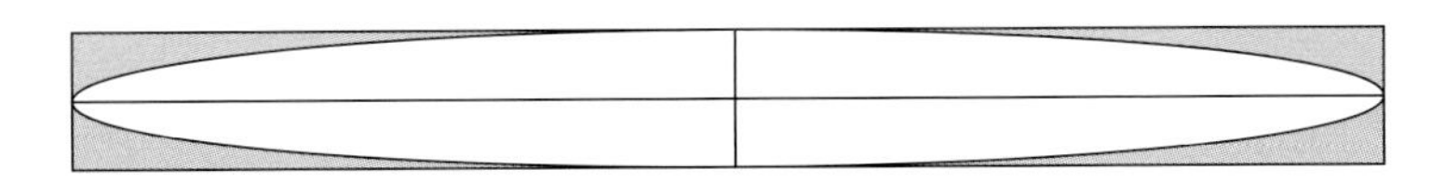

그림 5-6 1 ㎝ x 25 ㎝의 절개(1x25x120모/㎠=3,000모-500모=2,500모 이식)

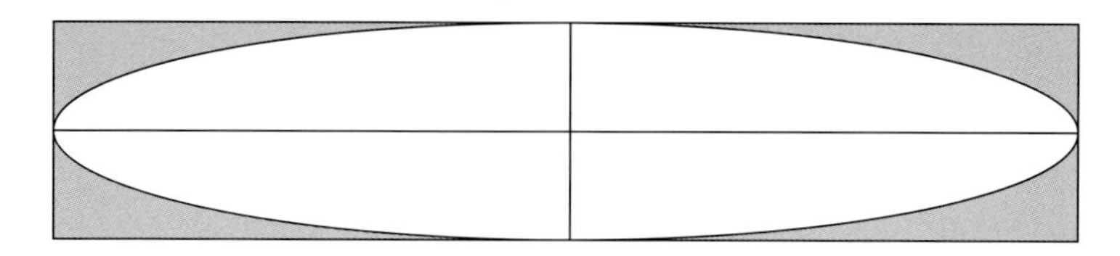

그림 5-7 2 x 25 ㎝의 절개(2x25x120모/㎠=6,000모-600모=5,400모 이식)

는 모낭단위로 분류하였다면 1,100 - 1,700번이 된다. 모낭단위로 분류하지 않았다면 이식편(Graft) 수와 동일하다.

뒷머리의 절개가 폭 2 ㎝이면서 길이가 25 ㎝라면 50 ㎠가 된다. 뒷머리의 밀도는 평균 100-140개/㎠이므로 5,000모에서 7,000모를 채취하게 된다. 600모를 감하면 4,400-6,400모가 채취된다. 모낭단위로는 2,400 - 3,600 모낭단위다(그림 5-7).

4 간단하게 이식 가능 범위를 파악하는 방법

1) Rule of Threefold

절편채취 모발이식에서 간단하게 파악하는 방법이 저자의 경험상 'Rule of Threefold'다. 즉, 이식 범위는 채취 가능한 공여부 넓이의 3배다(그림 5-8). 3배 면적을 이식하면 미용학적으로도 별다른 문제가 없다. 공여부 밀도가 평균적으로 100-140 모/㎠이므로 이식하는 밀도는 1/3인 40-50 모/㎠라고 하여도 밀도를 높게 이식하는 부위가 있고, 낮게 이식하는 부위도 있기 때문이다. 3배보다 넓은 면적을 이식하면 밀도가 떨어져 환자의 만족도가 감소한다.

물론 공여부에서 채취가 가능한 모발이 이식부보다 많다면 이 방법은 적용할 필요가 없다. 미용학적 밀도나 최대 밀도로 이식하는 방법이 추천된다.

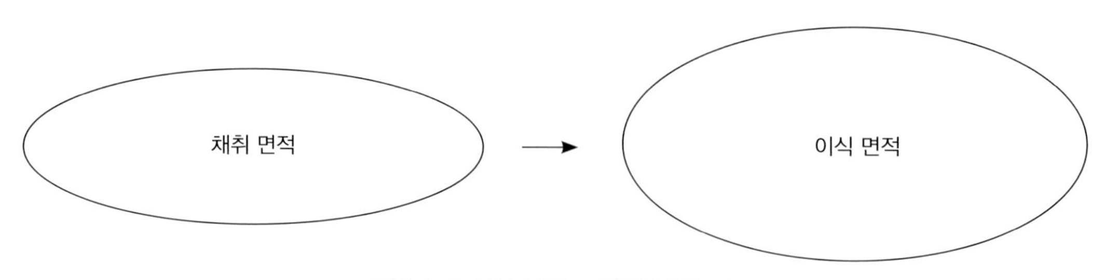

그림 5-8 이식 면적 = 채취 면적 x 3

이 방법은 눈썹이식이나 음모이식 등에서 이식할 면적이 정해지면 공여부에서 얼마나 채취해야 하는지 쉽게 계산될 수 있다. 눈썹이나 음모는 이식밀도가 낮기 때문에 이식할 면적의 1/4-1/5만 채취해 오면 된다.

2) 손바닥 넓이로 이식에 필요한 모발수를 추정

수술자마다 손바닥 넓이가 다르나 보통 손바닥 넓이라고 할 때 그림과 같이 개략적인 이식에 필요한 모발수를 추정할 수 있다(그림 5-9).

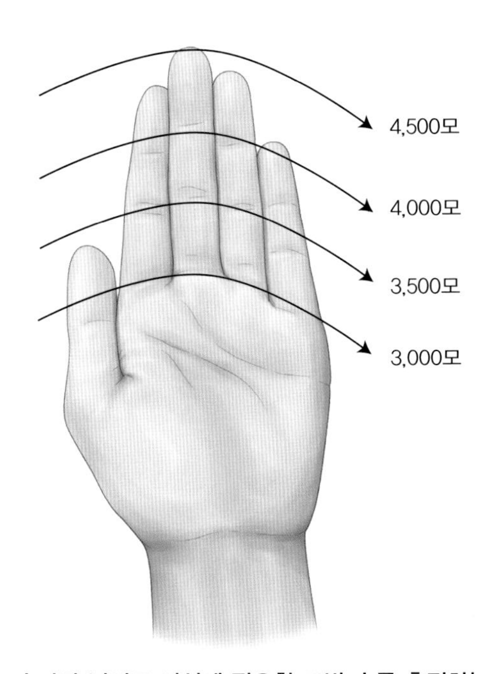

그림 5-9 **손바닥 넓이로 이식에 필요한 모발 수를 추정하는 방법**

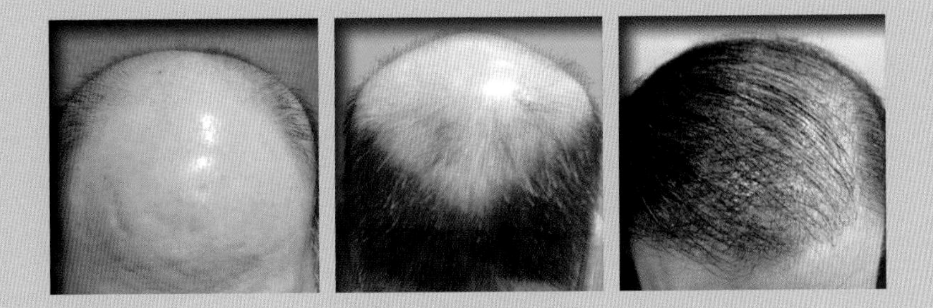

Chapter 6

모발이식의 상담

1. 모발이식의 상담 방법
2. 상담할 때 설명해야 할 사항들

Hair Transplantation

1 모발이식의 상담 방법

탈모로 고민하는 환자는 스트레스가 이만저만이 아니다. 보통 다른 사람들이 넌지시 던지는 한마디가 큰 상처로 돌아오기 때문에 과거의 모습으로 회복되기를 간절히 바란다. 한 올의 털도 매우 소중하게 생각하기 때문에 의사는 이점을 먼저 이해해야 올바른 상담을 할 수 있다.

또한 모발이식을 하면 과거의 모습으로 돌아 갈 것이라는 막연한 생각을 하며 바로 효과가 나타날 것으로 기대한다. 또한 기대감이 크고, 비용이 비싸다고 생각하기 때문에 결과에 만족하지 못하면 시시비비 거리가 되므로 상담할 때 발생 가능한 문제점을 자세하게 알려주어야 한다. 따라서 모발이식 상담은 최소 30분 이상이 필요하다.

1) 상담 순서

(1) 사진 촬영

모발이식은 기대감이 커서 작은 변화에 만족하지 못하고, 모발이식 후에도 기존 모발의 탈모가 진행되면 다시 휀해지기 때문에 모발이식에 대한 불신감이 있을 수 있어 사진에 의한 기록보존이 매우 중요하다.

또한 수술결과를 판단하는 중요자료가 되므로 반드시 촬영하고, 보존해야 한다. 촬영할 때 카메라의 촬영 조건과 배경이 언제나 동일해야 한다. 탈모가 잘 보이도록 머리털을 묶거나 핀 등으로 고정하여 탈모가 잘 보일 수 있도록 한다.

사진은 상담에 필요한 상태를 정확히 알기 위해 의사가 촬영하는 것이 좋으나 현실적으로 어렵다. 상담하기 전에 간호사가 사진과 간단한 과거 탈모 치료력과 현재 치료 중인 상태, 탈모의 가족력을 파악하도록 한다. 상담 전에 설문조사와 사진을 확인한 후에 상담을 시작한다. 상담 시간을 줄이기도 하고 신뢰감을 주기 위해서다.

사진은 보통 8장이 기본이며, 필요에 따라 추가한다. 8장은 정면 1장과 두정부 45도 1장, 두정부 90도 1장, 뒷머리 1장이며, 탈모부위가 잘 보이도록 머리띠를 착용하고 정면 1장, 정면 확대 1장, 우측 측면 45도 1장, 좌측 측면 45도 1장이다(그림 6-1).

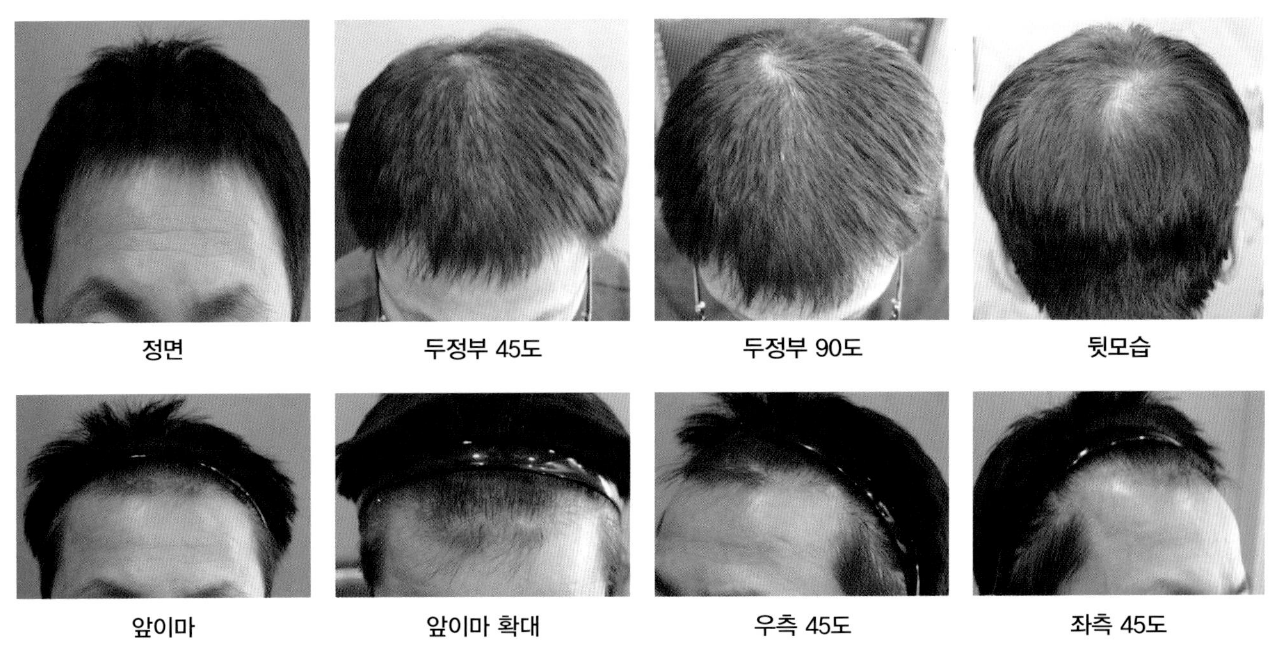

그림 6-1

그림 6-1도 사실상 잘못되었다. 배경이 각기 다르기 때문이다. 배경색은 흰색으로 하는 것이 가장 좋다. 차선책으로 옅은 파란색 계통도 무난하다.

컴퓨터화 된 trichoscan 또는 phototrichogram을 촬영하면 더욱 정확한데, 탈모부위와 뒷머리 공여부의 모발의 밀도와 굵기, 탈모 상태를 파악하는데 도움이 되고 불만이 있을 때 이해시키는 좋은 근거가 된다.

대부분의 모발(두피)진단기는 컴퓨터에 연결하여 trichoscan 또는 phototrichogram 촬영이 가능하다(그림 6-2, 6-3).

그림 6-2 모발진단기(Lead M사)

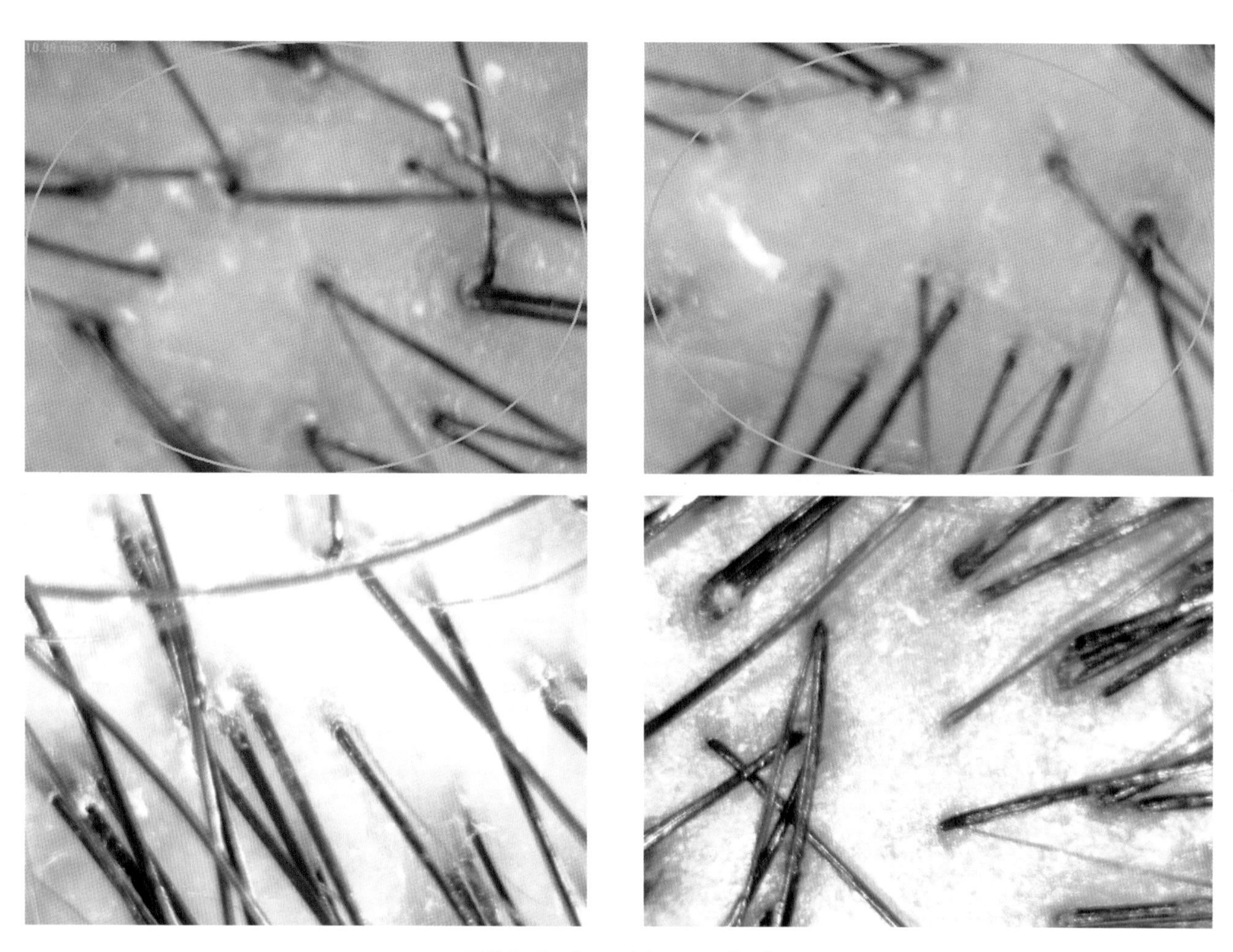

그림 6-3 phototrichogram의 예

(2) 의사의 상담

① 환자의 탈모상태 파악

직접 육안으로 파악하여 모발이식이 필요한지, 탈모치료만으로 가능한지 판단해야 한다.

모낭이 사라져 대머리인 상태거나 심하게 가늘어져 탈모치료를 해도 모발로써의 의미가 없다면 모발이식을 추천한다. 반면에 어느 정도 모발로써의 구실을 하고 있고, 탈모치료로 회복이 가능할 정도라면 모발이식보다 탈모치료를 우선 추천한다. 2장의 모발이식 대상과 금기편을 참조한다.

② 환자의 목적 확인

의사는 환자의 욕구를 먼저 파악해야 한다. 모발이식을 원하는지, 탈모치료를 원하는지 확인한다. 다음으로는 어느 정도의 모발이식 범위와 밀도를 원하는지를 파악한다. 아주 조밀하게 원하는지 또는 탈모라는 이야기만 듣지 않을 정도를 원하는지 파악한다.

③ 이식 부위(수여부)의 확인

이식할 부위의 면적을 파악하고 어느 정도의 밀도로 이식할 것인지 결정한다(그림 6-4, 6-5, 6-6, 6-7, 6-8, 6-9). 이때 환자도 동의하는지 꼭 확인한다. 탈모부위에 물을 축이면 더욱 선명하게 보인다.

이때 이식할 부위(수여부)의 두피의 두께와 이완력, 탄성력(scalp elasticity)을 파악하면 도움이 된다. 두피가 두껍고 이완력이 좋고, 탄성력도 좋다면 이식하기가 편하다. 좀 더 높은 밀도로 이식이 가능하고, 생존율도 좋으며, 이식할 때 이미 이식한 모발이 빠지는 현상

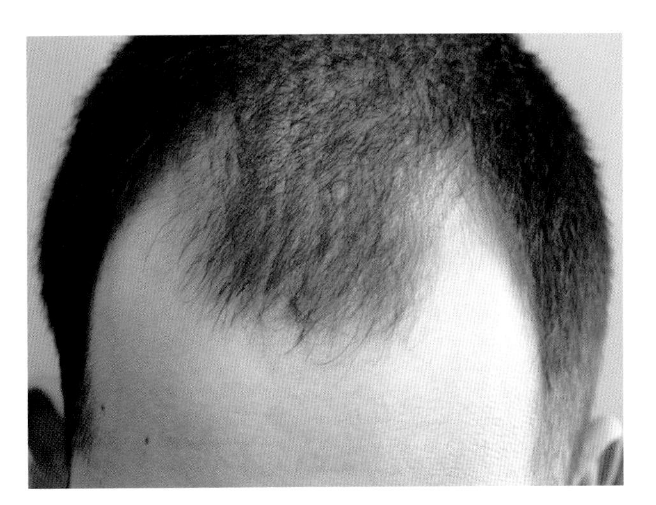

그림 6-4 1회 모발이식이 필요

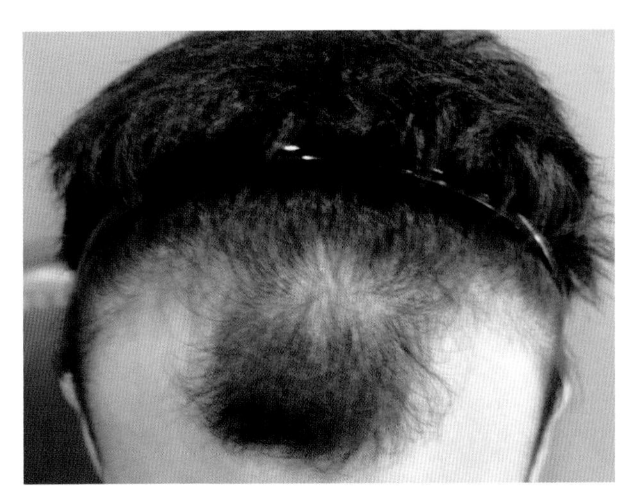

그림 6-5 1회 모발이식이 필요

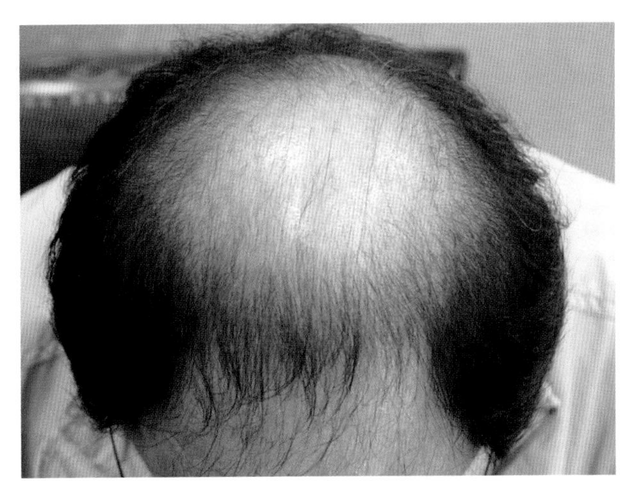

그림 6-6 2회 모발이식 필요

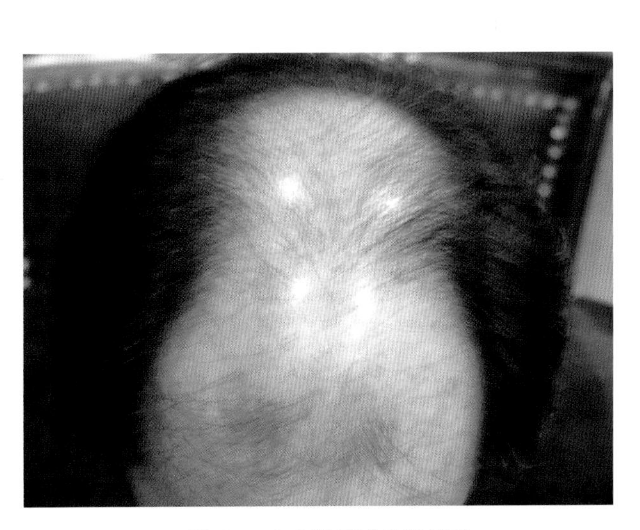

그림 6-7 2-3회 모발이식 필요

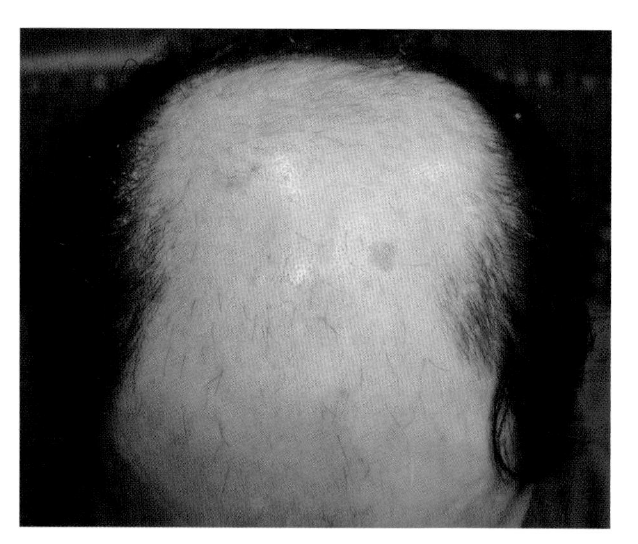
그림 6-8 3회 또는 그 이상 모발이식 필요

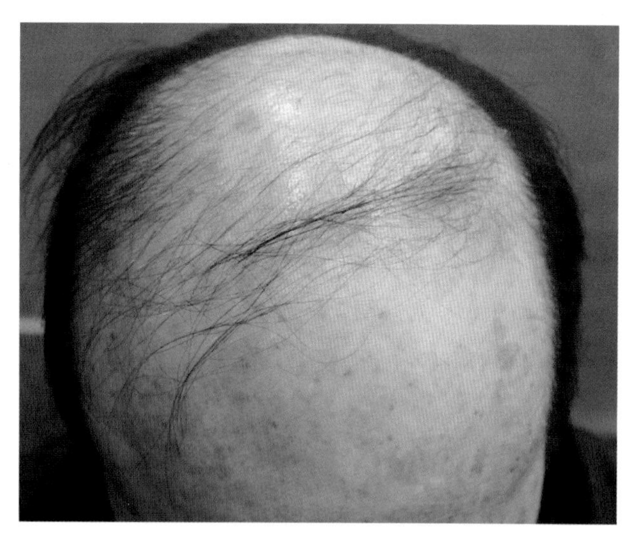
그림 6-9 3회 또는 그 이상 모발이식 필요

(pop up)이 적다.

탈모된 부위가 넓어 한 번의 모발이식으로 커버할 수 없을 때는 가장 효과적인 이식방법을 선택해야 한다.

가끔 밀도가 낮더라도 탈모부위를 전체적으로 이식하기를 원하는 환자가 있다. 이런 요구를 들어주면 만족감이란 없다. 따라서 2차 이식을 하거나 이식한 모발로 감추더라도 미용학적 밀도로 이식하는 것이 좋다.

가끔 앞머리보다 정수리 쪽을 먼저 이식해달라고 요구하는 환자도 있다. 앞머리를 이식해야 미용학적으로 만족도가 높으므로 정수리보다는 앞머리 부위를 먼저 이식하는 것이 좋다.

④ 뒷머리 모발 채취 부위(공여부)의 확인

공여부가 될 뒷머리의 상태를 파악하는데 이식이 가능한 모발 수를 파악하고, 수술 후 결과를 예측하기 위함이다. 채취가 가능한 모발의 면적과 모발의 굵기, 밀도, 형태, 탈모 정도, 두피의 이완성(유연성) 등을 확인한다(표 6-1).

탈모 환자들은 공여부의 채취 부위에도 탈모가 있거나 듬성거리는 경우가 많으므로 사전에 파악해야 한다. 또한 모발의 굵기나 모양을 확인하는데 이식 후 결과를 예측하기 위함이다. 모발이 굵다면 같은 모발 수임에도 불구하고 이식한 모발이 풍성하게 보인다. 모발

표 6-1	공여부의 확인

1. 채취 가능한 모발 수
2. 모발의 굵기
3. 모발의 밀도
4. 모발의 형태(curl, wave, frizz)
5. 탈모의 상태
6. 두피의 이완성(scalp laxity, 유연성)
7. 가늘어진(miniaturization, fine hair) 모발 수와 정상 수의 비례

이 곱슬이라면 직모보다 풍성해 보인다.

공여부도 탈모가 진행되어 가늘어졌다면 이식해도 효과가 적으며, 이식한 모발도 탈모가 올 수 있다. 가끔 탈모가 뒷머리까지 되어서 공여부의 모발도 밀도가 감소하고, 굵기도 감소된 상태라면 채취 가능한 모발도 현저하게 줄어든다. 또한 모발이식을 해도 풍부해 보이지 않으며, 생존율도 낮아지기 때문에 불만의 원인이 되는 경우가 많다. 특히 중년 이상의 여성과 나이 많은 남성의 모발이식은 이 상태를 꼭 확인해야 한다(그림 6-10, 6-11).

가늘어진 모발이 20% 이상이면 모발이식을 하지 말라고 권고한다. 만성 미만성 탈모증이 될 가능성이 높아 절개한 흉터가 보이거나 이식한 모발이 가늘어지면서 탈모가 올 확률이 크기 때문이다.

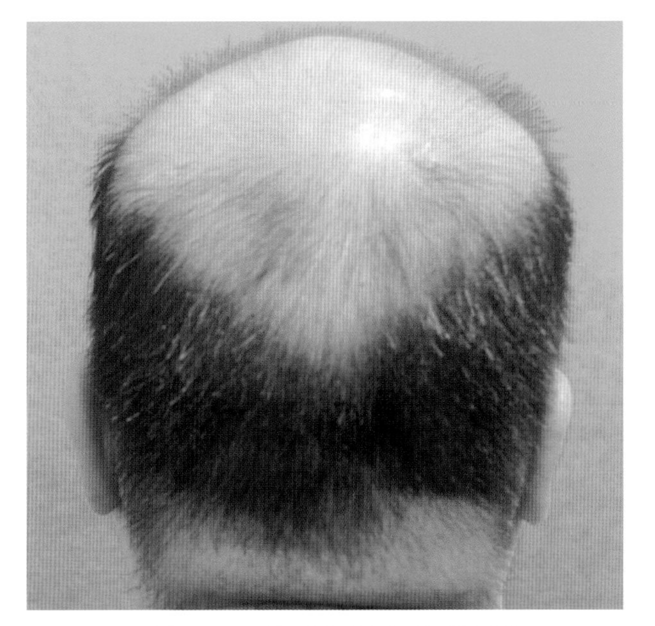

그림 6-10 **2회 모발이식이 가능한 경우**

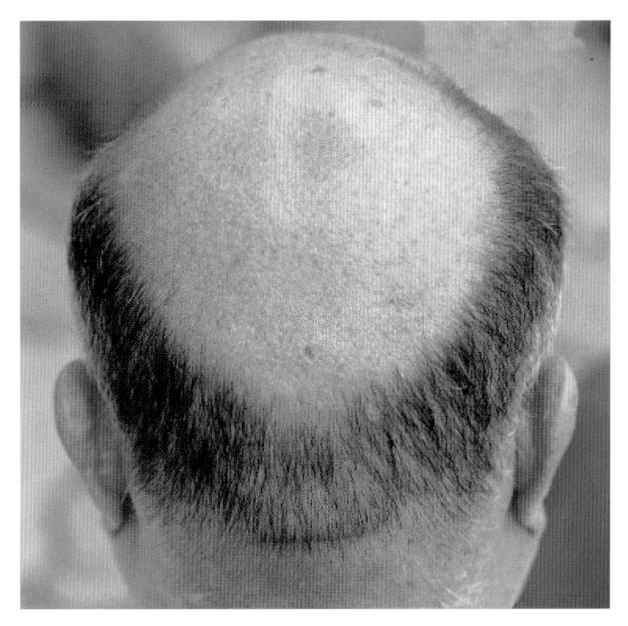

그림 6-11 **모발이식이 불가능한 경우**

그림 6-10 정도라면 절편채취 모발이식술보다는 펀치채취 모발이식술인 FUE(follicular unit exraction)가 좋을 것이다. 그림 6-10의 환자 상태는 절편채취 모발이식을 최대 3회까지 가능하나 그림 6-11은 펀치채취 모발이식술도 불가능하다.

Tricoscan 또는 phototricogram을 이용하면 모발의 밀도와 굵기, 상태를 파악하면서 이식할 모발 수를 좀 더 정확하게 판단할 수 있다.

⑤ 헤어라인의 높이에 대한 설명

환자가 원하는 헤어라인을 파악한다. 의사는 얼굴의 황금분할(rule of third)에 따라 위치를 제시하고 서로 상의해야 한다. 저자는 상담할 때 손을 이용하여 헤어라인의 높이와 모양을 설명하는데 편리한 방법이다(그림 6-12).

남성들은 이마가 너무 넓으면 대머리라는 인상을 주고, 너무 좁으면 답답한 인상을 준다. 나이가 들면 넓은 헤어라인이 어울리고 좁아 보이면 부자연스럽다. 관상학적으로도 이마는 그 사람의 시원한 인상을 주기에 충분한 곳이다. 여성들은 이마가 넓으면 남성처럼 보이고, 탈모나 대머리라는 인상을 주게 되며, 좁으면 답답하고, 고집이 세어 보인다.

젊은 사람은 이마가 좁아 보이는 것을 선호한다. 이마가 좁게 보이기를 원하므로 헤어라인을 내려줄 것을 요구하는 경우가 많다. 그러나 젊어서 시작한 탈모는 빠르게 진행되어 나중에는 모발채취가 불가능한 경우가 있다.

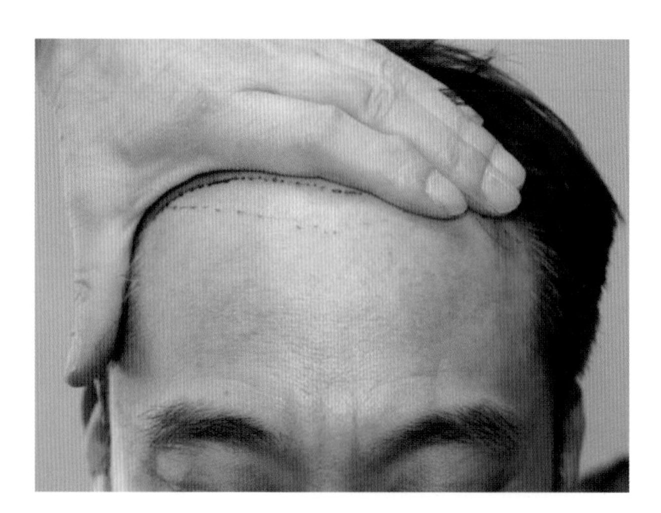

그림 6-12 손을 이용한 헤어라인 높이 설명

젊은 환자일수록 황금분할에 의한 헤어라인 보다 1-2 ㎝ 정도 높게 잡는 것이 바람직하다. 향후 탈모가 빠르게 진행될 것을 고려하여 이식할 모발을 남겨두기 위한 배려다.

⑥ 필요한 모발 수와 채취 가능한 모발수의 관계

이식부에 필요한 모발 수만큼 공여부에서 채취가 가능하다면 모발이식은 쉬워진다. 반대로 이식부에 필요한 모발 수만큼 공여부에서 채취할 수 없다면 이식 범위는 한정될 수밖에 없다.

밀도를 낮추어 넓은 범위를 이식하는 것은 만족도도 떨어지고 미용적으로도 좋은 방법이 아니다.

이러한 경우에 2차 이식이 필요하다. 2차 이식의 필요성은 상담할 때 일찍 알려주고 준비하도록 해야 한다. 이식 후에 알려주면 불만족의 원인이 된다.

⑦ 헤어스타일과 건강상태 확인

이식 후에 환자가 원하는 헤어스타일과 가르마 위치를 확인하고, 이식할 때 밀도를 높여야 할 부분과 밀도가 낮아도 괜찮을 부위를 확인한다.

머리를 짧게 할 스포츠 헤어스타일이나 올백 등은 이식 후에 뒷머리의 흉터가 보이거나 이식한 티가 나고, 밀도가 적어 보이는 단점이 있으므로 짧은 머리 스타일이나 올백은 환자와 상의하며 추천하지 않는다.

이식 수술을 위한 건강 상태와 질환 여부, 약 복용 여부, 수술의 과거력 등도 상담할 때 확인해야 한다. 가끔 암이 있으면서 숨기는 경우가 종종 있다.

2 상담할 때 설명해야 할 사항들

1) 기대감과 현실감의 차이에 대한 설명

모발이식을 받는 환자는 예전 모습으로 돌아갈 것이라는 기대감을 가지고 탈모에서 완전히 벗어날 것이라고 생각한다. 인터넷 등의 정보매체가 발달하면서 모발이식이 마치 탈모를 완전히 개선할 것처럼 만든 과대광고를 접한 환자들이 많기 때문이다. 그러나 현실적으로 이런 만족을 줄 수가 없으므로 모발이식으로 좋아질 수 있는 정도를 정확히 설명하는 것이 좋다.

가끔 수술 전후 사진이나 출판물, 또는 상담실장 등이 너무나 좋은 결과만 보여주어 기대감을 높이는 경우가 있으나 이러한 결과는 불만으로 돌아온다. 수술 전에 기대감을 낮추어 현실감을 가지도록 노력하거나 어렵다면 수술을 포기하는 것이 현명하다.

수술의 한계는 이해하지 못하고 자신의 목적만 추구하기 때문에 수술 후에 불만이 증가한다. 또한 설명을 할 때는 건성으로 듣고 나중에 결과에 불만을 표시하는 경우가 많기 때문에 다양한 결과의 사진을 보여주면서 현실감을 갖도록 하는 것이 좋다.

특히 젊은 여성의 이마 모발선(헤어라인)이나 젊은 남성의 탈모 초기인 M자 모양 이마의 모발이식은 만족감이 떨어진다. 앞 라인은 더욱 내려오기를 희망하고, 최대한 이식해도 밀도가 낮다고 생각하고, 모발이 굵어서 아무래도 자연스럽지 못하기 때문에 만족감이 떨어지는 경우가 있다.

또한 중년이나 노년층, 특히 여성은 그동안 탈모로 인한 스트레스를 모두 날려 보낼 것이라고 기대하다가 기대한 만큼 결과가 부족하다고 생각하면 불만을 갖게 된다. 머릿속이 훤하게 보이는 현상(see through phenomenon)이 없을 것이라는 기대가 가장 크다. 모발이식으로 완벽하게 과거로 돌아갈 것이라고 기대를 갖고 있는 환자는 수술 후에 만족감이 떨어지고, 불만족의 원인이 된다.

2) 이식할 모발 수의 한계에 대한 설명

인터넷 광고에서는 한 번에 수천모를 이식이 가능한 것처럼 선전하기 때문에 대부분의 환자들은 직접 상담해보는 것과 많은 차이를 느낀다. 의사의 입장에서 보면 절편채취 모발이식술은 공여부의 흉터와 괴사, 동반탈락 등의 문제를 제일 먼저 고려해야 하기 때문에 한 번에 한없이 많이 이식할 수가 없다.

펀치채취 모발이식술도 실제적으로 보면 채취하는데 시간이 많이 걸리고 의사가 집중하다보면 눈의 피로감이 많이 생기기 때문에 한 번에 대량이식은 불가능한 경우가 대부분이다. 따라서 하루에 4,000-6,000모씩 나누어 이식해야 한다고 하면 실망하는 경우가 많다. 이식에 필요한 모발 수가 8,000개이나 한 번에 또는 하루에 4,000개 이식이 가능하다고 하면 환자는 기대감과 너무 떨어진다고 느낀다.

3) 밀도에 대한 설명

환자는 모발이식을 하면 뒷머리처럼 조밀하거나 옛날처럼 조밀하게 되어 전혀 표시가 나지 않을 것으로 기대한다. 그러나 현실은 뒷머리의 1/2-1/4인 밀도로 이식하기 때문에 듬성거린다는 것을 인식시켜야 한다.

밀도가 낮다면 2차 이식으로 만족도를 높여야 한다는 것도 알려야 한다. 그러하지 않으면 모발이식 후에 불만이 따르고 무료로 다시 이식해주기를 바란다.

너무 넓은 부위에 낮은 밀도라도 한 번에 이식해주기를 바라는 환자도 있다. 그러나 결과는 만족하지 못한다. 의사는 너무 낮은 밀도로 넓은 범위를 이식하지 않는 것이 좋다(그림 6-13, 6-14).

4) 이식부위에 대한 설명

Norwood type IV 이상으로 2번 이상 모발이식이 필요한 환자도 한 번에 전체적으로 모발이식이 가능할 것으로 기대하고 있다. 물론 펀치채취 모발이식술은 한 번에 가능하나 이식할 수 있는 범위를 정확하게 설명하고, 기록해 두는 것이 좋다.

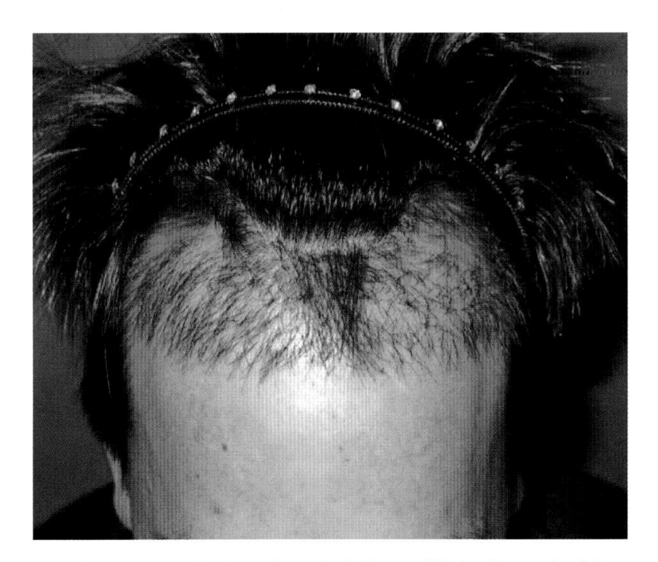

그림 6-13 낮은 밀도의 모발이식으로 환자 만족도가 낮음

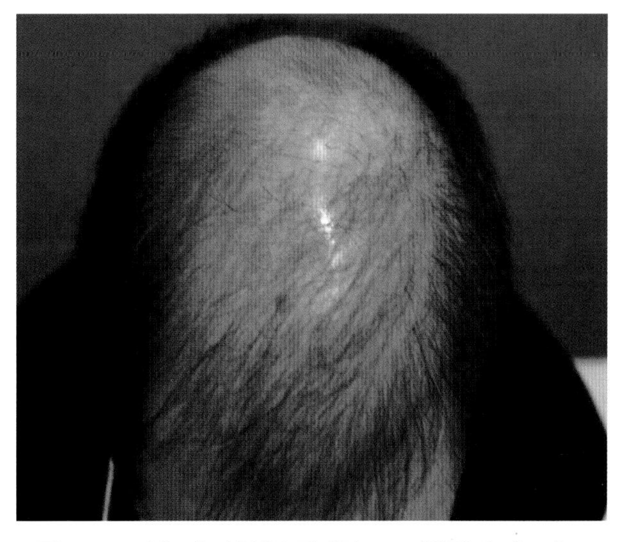

그림 6-14 넓은 탈모부위를 전체적으로 이식하여 밀도가 낮아 환자 만족도도 낮음

5) 탈모치료의 필요성

모발이식만 하면 탈모치료가 필요 없다고 알고 있는 환자가 많다. 하지만 기존 모발이 있는 부위에 모발이식을 했을 때, 기존의 모발이 탈모가 진행된다면 휀해지고, 또한 기존 모발이 있던 부위도 탈모가 진행되어서 다시 모발이식이 필요하게 된다.

모발이식 후에 반드시 탈모치료를 하여 더 이상 탈모가 진행되지 않도록 해야 한다. 탈모치료는 Finasteride나 Dutasteride의 복용과 Minnoxidil 도포, 병원치료로 고주파나 메조테라피, 레이저 치료, 자기장 치료 등을 말한다.

탈모치료를 하지 않으면 기존 모발은 탈락되고 이식한 모발은 남아 있어, 섬(isolated island)처럼 보이는 이상한 모습으로 변하게 되고, 결국 다시 모발이식을 할 수 밖에 없는 경우가 종종 있다(그림 6-15).

이식한 모발도 뒷머리의 상태에 따라 탈모가 가능하다. 뒷머리는 탈모가 오지 않는다고 해서 이식한 모발이 영구적인 것은 아니다.

그동안 공여부 우성설이라 하여 뒷머리의 탈모가 오지 않는 부위에 모발로 이식하면 탈모가 오지 않아 영구적 또는 반영구적이라고 설명하는 의사가 많았다. 즉, 나이가 들어 노화가 와야 이식한 모발도 가늘어지고 휀해진다고 설명하였다.

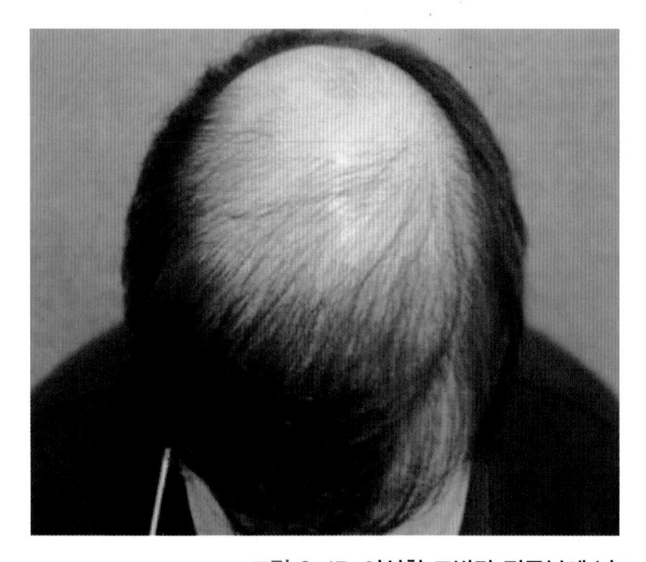
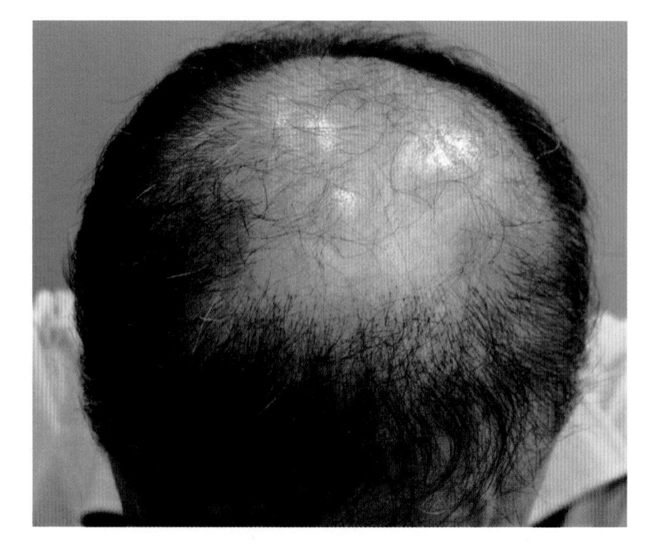

그림 6-15 이식한 모발만 전두부에 남고 시간이 지나 정수리 부위 탈모가 진행된 예

그러나 최근에는 수여부 영향설(recipient site influence, 황성주 등 발표)이 받아들여지고 있다. 즉, 이식한 모발도 이식한 두피의 영향을 받아 가늘어지고 탈모가 진행되며, 이식한 부위의 원래 모발처럼 변한다는 것이다.

따라서 이식한 모발도 탈모가 진행되고 뒷머리 모발의 특성과 상관없이 가늘어진다는 것을 알고 이식해야 한다. 그러나 이식한 모발은 뒷머리 모발의 특징을 갖고 있어서 탈모가 쉽게 진행되지는 않는다.

가끔 이식한 모발이 자라지 않고, 생존율도 매우 낮으며, 탈모가 진행되는 것을 경험하게 된다. 혈액 순환의 장해나 노화, 전신적 질환도 탈모를 유발하고 이식부의 영향을 받아 탈모가 진행될 수도 있다. 따라서 심한 탈모나 진행이 빠른 탈모는 이식한 모발도 탈모가 진행될 수 있으므로 탈모치료를 꼭 권해야 한다.

6) 흉터에 대한 설명

절편채취 모발이식술에서 공여부를 봉합할 때 과긴장이 없다면 흉터는 거의 하나의 선으로 보인다. 이는 머릿속이기 때문에 더욱 보이지 않는다. 그러나 긴장도가 심하다면 심한 흉터가 남게 된다. 펀치채취 모발이식술도 펀치의 내경이 1.0 ㎜ 이상이거나 채취하는 비율이 높다면 흰색의 작은 점처럼 흉터가 남을 수 있다. 또한 두피가 얇아져서 넓은 범위가 마치 함몰된 것처럼 보일 수도 있다.

환자가 흉터가 없는 것으로 알고 있는 경우도 있어 일선의 흉터는 영구적으로 남는다고 설명해야 한다. 기끔 이발소 등에서 머리를 깎다가 알게 되어 놀라는 경우도 있기 때문이다.

흉터에 대한 두려움이 많다면 펀치채취 모발이식술(FUE)을 추천한다.

7) 동반탈락과 주위탈락(postoperative effluvium)에 대한 설명

모발을 채취한 공여부 주변 부위나 또는 이식한 부위의 정상 모발이 수술 후에 탈락되는 현상을 공여부는 공여부 주위탈락, 수여부는 수여부 동반탈락이라고 하나 혼용해서 사용한다. 특히 절편채취 모발이식술에서 발생한다.

동반탈락은 성장기에 있던 모발이 수술 후 곧바로 퇴행기를 거쳐 휴지기 모발로 이행하

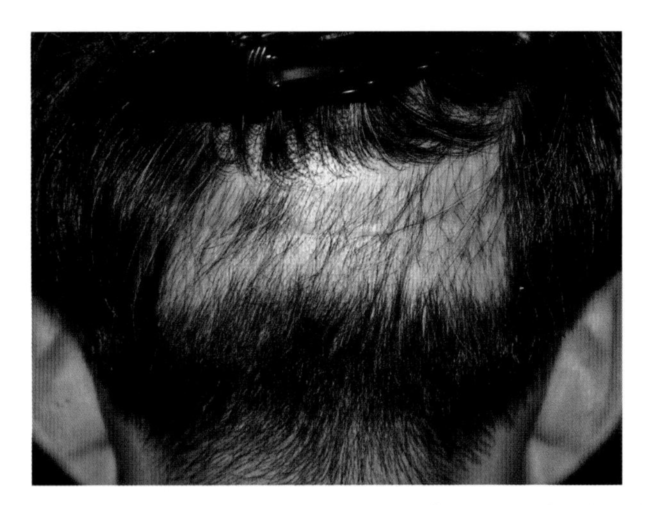
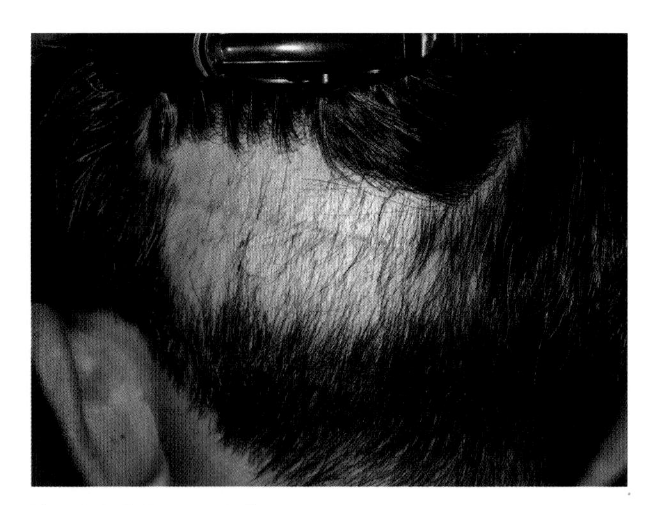

그림 6-16 공여부의 동반탈락(모발이식 후 6주 경과)

기 때문이다.

봉합할 때 두피의 긴장도가 심하다면 봉합한 주위의 모발이 탈락하는 경우가 종종 발생한다. 또한 공여부가 이미 탈모가 진행된 상태로 가늘고 밀도도 낮은 상태라면 봉합 부위의 긴장도와 상관없이 동반탈락이 오는 경우가 흔하므로 이식을 시작하기 전에 가능성에 대하여 알려야 한다. 특히 중년이후의 여성에서 잘 발생한다(그림 6-16).

이식한 주변의 기존 모발이 탈락하는 경우도 있다. 이는 기존 모발의 손상, 절단과 혈관 손상 등의 혈류 장해, 부종, 스트레스로 인한 모낭의 생리적 변화에 기인한다. 모발이식을 하고 나서 2-6개월 정도 지난 시점에서 더욱 휀해 보이고 모발이 많이 빠진다고 하는 이유가 여기에 있다.

동반탈락은 보통 4-6주 후에 나타난다. 대부분은 6개월 지나면 다시 재생하지만 긴장도가 심하다면 영구적으로 탈모가 될 수 있다.

8) 수술 후 경과의 설명

이식한 모발은 2-4주 사이에 빠지기 시작하고 2-3개월이 지나면 거의 이식한 모발은 빠져서 원래 상태와 비슷해진다. 약 70%가 이런 과정을 거친다. 빠진 모발은 보통 2-3개월 후에 다시 자라난다.

다시 재생될 때 가벼운 모낭염이 대부분 발생한다. 이는 경미한 염증반응 때문이다. 가끔 모발이 피부를 한 번에 뚫지 못하고 피부 속에서 꼬이게 되거나 이식할 때 모발에 붙어 있는 피지샘 등에서 삼출액이 배출되지 못하거나, 너무 깊숙이 이식하여 심한 모낭염이 생기는 경우가 있다. 또한 지루성 피부염 등으로 인하여 모낭염이 발생하기도 한다. 심한 모낭염은 모발이식 후에 치료가 필요하다는 것을 알려주어야 한다.

이식한 모발은 보통 5-6개월이 지나야 1-3 ㎝ 정도 자라서 이식한 효과가 나타나기 시작한다.

처음 재생되어 나올 때는 연모(vellus hair)이므로 효과가 없는 것처럼 느낄 수도 있으나 점차 자라면서 성모(terminal hair) 형태로 바뀌어 굵게 자라게 되므로 조급하게 결과를 판정하지 말아야 한다.

또한 처음 재생되어 나올 때는 모발이 곱슬거리지만 시간이 지나면서 직모로 변하게 된다. 그러나 모낭분리를 잘못하거나 모낭의 이식 위치가 너무 깊으면 곱슬거림은 거의 영구적이 된다.

모발이식의 최종 결과는 12-18개월 후에 확인 가능하다. 하지만 이식 후 2-3개월이 지나면 이식한 모발이 탈락되고 동반탈락이 동반되면 더욱 듬성하여 불만족스러워 한다.

5-6개월이 되면 이식한 모발이 모두 자란 것이 아니므로 밀도가 낮거나 풍성함이 덜하다고 불평하여도 좀 더 기다리도록 하는데 너무 큰 기대감을 주면 오히려 화근이 될 수 있다. 모발은 처음에 날 때는 가늘게 나서 자라면서 굵어지는 특성도 설명하면 도움이 된다.

9) 향후 탈모 진행과 2차 수술에 대한 계획

현재의 탈모상태는 나이와 진행정도, 가족력 등을 고려하여 향후 얼마나 심하게 될 것인가를 예측하고 수술을 해야 한다.

특히 젊은 환자에서 탈모가 심하다면 20년 후에는 아주 심한 대머리가 될 수 있다는 것을 고려하여 뒷머리 모발채취 부위와 앞 라인의 결정이 필요하다.

뒷머리의 흉터는 탈모가 심해지면 보이게 되므로 매우 흉하다. 전두부 헤어라인을 너무 낮게 설정하면 2차 또는 3차 수술이 필요할 때 뒷머리에서 채취할 모발이 없어 난감할 수 있기 때문이다.

절편채취 모발이식술로 이식할 때 이식할 부위는 많은데 1차 때 채취할 모발이 적다면 2차 수술을 고려해야 한다. 2차 수술은 1차 수술 때부터 고려되어야 하고, 환자에게 설명해 주어야 한다. 1차 수술한 부위에 밀도를 보강하면서 부족분에 대한 모발이식을 한다고 설명한다.

10) 생존율(생착율)에 대한 설명

이식한 모발의 생존율은 공여부 채취로부터 이식하는 방법 등의 기술적 요인과 모발의 특징과 건강상태에 따른 개인적 요인에 따라 차이가 많이 난다. 보통 60-90% 생존한다. 13장 '모발이식의 생존율'에서 자세히 설명하였다.

생존율은 뒷머리 공여부에서 채취한 모발부터 이식 후 1년 정도 경과 후에 살아남은 모발을 계산하는 방법과 이식한 모발 중에서 살아남은 모발을 계산하는 방법이 있다. 일반적인 생존율이라 함은 이식한 모발 중에서 살아남은 모발을 말한다.

모발이식을 하면서 채취한 모발 수를 정확히 파악한다는 것은 거의 불가능하다. 또한 생존한 모발 수도 정확하게 파악한다는 것이 불가능하다. 이는 휴지기 모발이 있기 때문이다.

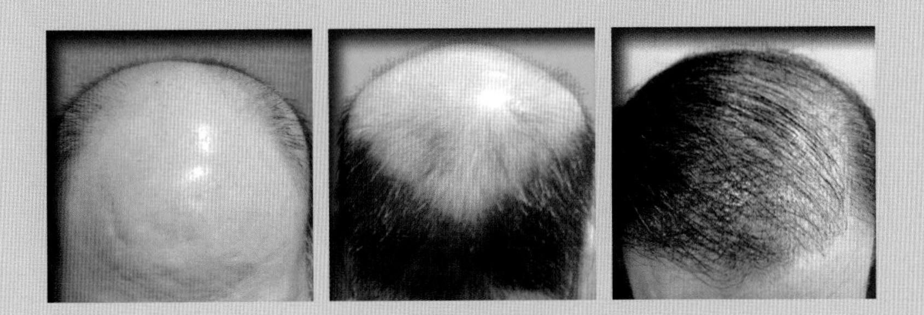

Chapter 7

모발이식의 기구 및 준비

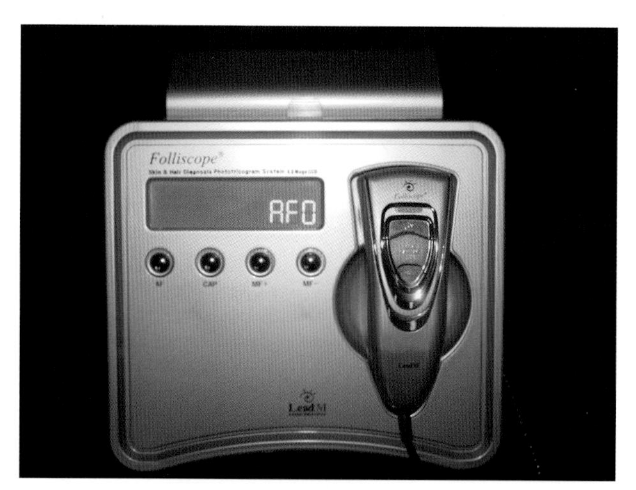

그림 7-1 모발진단기(Lead M사)

1 탈모의 진단기기

1) 사진기

사진기는 탈모의 정도와 부위 확인, 모발의 일반적 상태를 알기 위하여 필수다. 최근 사진기가 계속 발전하고 있지만 1,000만 화소 이상이면 족하다.

2) 모발(두피)진단기

모발진단기는 phototrichogram을 촬영하여 두피상태와 탈모 정도, 탈모 진단, 모발의 밀도와 굵기를 확인하기 위해 필요하다(그림 7-1). 가능하면 두피 전용 진단기를 사용하면 전후사진이 저장되므로 수술 전후의 비교와 탈모의 진행 정도를 알 수 있다.

모발진단기 대신에 피부진단기를 이용할 수도 있으며, 저장할 수 있고, 비교할 수 있는 진단기라면 편리하다.

2 모발 채취 기구

1) 절편채취 모발이식술에 필요한 기구

절편채취 모발이식에서 공여부를 채취하는 수술기구는 메스와 봉합실, 핀셋, 지혈감자(hemostat), 타월클립, 날카로운 가위, 확장기 등이 필요하다(그림 7-2).

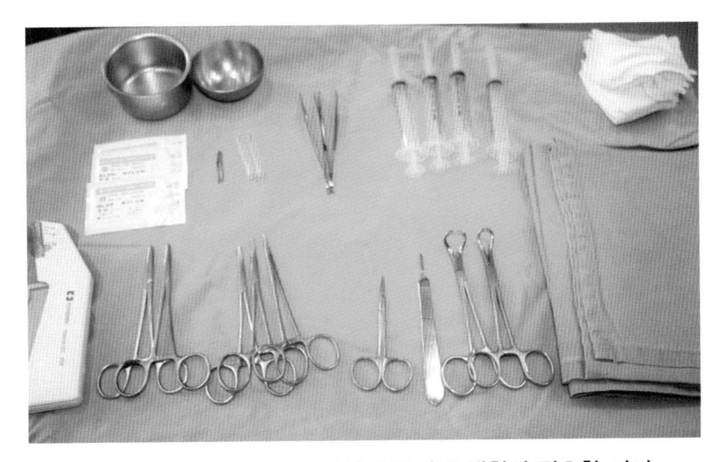

그림 7-2 절편채취 모발이식의 공여부 채취시 필요한 기기

(1) 메스

메스는 본인이 선택하는 것으로 보통 15번과 20번 메스를 사용한다.

(2) 봉합사와 피부봉합기(skin stapler)

봉합사는 보통 4/0, 5/0 나일론실을 사용한다. 가끔 봉합부위가 넓어 긴장이 생기면 1/0 또는 2/0 나일론실이 필요할 때도 있다.

나일론실보다는 피부봉합기(skin stapler)가 더 유용할 때도 있다(그림 7-3). 시간도 단축되며, 피부 긴장도가 낮아 혈액공급이 좀 더 원활하다. 보통 35W를 사용하는 것이 편하다. 그러나 일부 의사들은 환자의 불편을 고려하여 피부봉합기보다 나일론 봉합을 선호하기도 한다. 피하층 봉합을 한다면 3/0, 4/0, 5/0 vicryl 등의 흡수사가 필요하다.

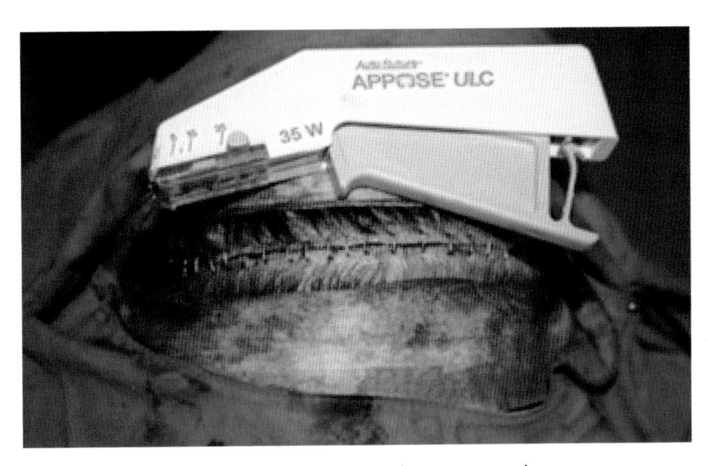

그림 7-3 피부봉합기(skin stapler)

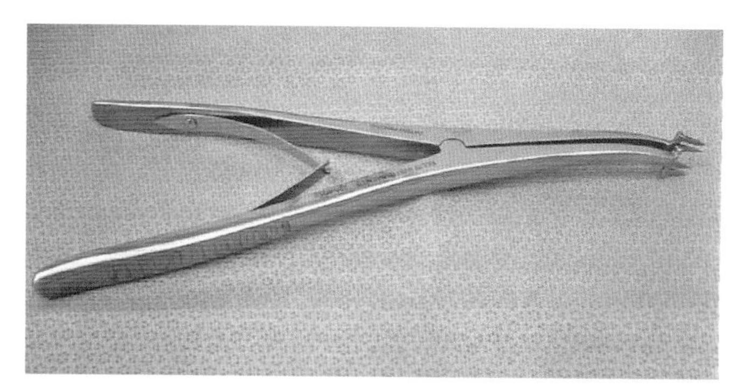

그림 7-4 조직 확장기(tissue spreader)

(3) 전기소작기(electric cauterization)

두피는 출혈이 많기 때문에 꼭 필요하다. 가능한 hemostat과 묶는 방법으로 지혈하는 것이 원칙이다. 국소팽창 마취 용액(tumescent fluid)을 이용해도 출혈을 피할 수 없기 때문에 전기소작기가 준비되어야 한다.

(4) skin hook과 확장기(spreader)

공여부의 두피를 1-2 ㎜ 절개하고 나서 모낭의 손상을 줄이기 위해 skin hook으로 벌리면서 더 깊이 절개하게 된다. 확장기는 모낭 깊이까지 절개하고 나서 모낭의 손상과 혈관, 신경손상을 줄이기 위해서 박리할 부위를 벌리는 기구로 꼭 필요한 기구는 아니다(그림 7-4).

(5) 두피 이완력 측정기(laxometer)

공여부의 절편 폭을 측정하기 위한 기구로 여러 가지가 있으며, 손가락과 자를 이용하여 강하게 수축시켜서 이완정도를 측정할 수도 있다.

(6) 계단식 봉합(trichophytic closure)에 필요한 기구

봉합부위의 흉터를 줄이기 위한 봉합 방법으로 절단면의 하부 1-2 ㎜를 잘라내기 위한 기구로 면도기 날을 이용하기도 하고, 메스, 날카로운 가위를 이용할 수도 있다.

(7) 베개(prone-pillow)

prone position으로 업드려서 공여부를 채취하므로 호흡이 원활하기 위해 prone-pillow라는 모발이식 전용 베개가 있다. 없다면 호흡이 원활한 베개가 있으면 된다.

2) 펀치채취 모발이식술(FUE)에 필요한 기구

펀치 채취는 모낭단위로 채취하게 되며, 수동식 펀치(hand punch), 전동식 펀치(motorized punch), 로봇 펀치(robotic punch) 방법이 있다.

(1) 수동식 펀치(hand punch)

수동으로 모낭단위에 구멍을 뚫고 핀셋으로 뽑아내는 방법이다. 전동식이 많이 이용하고 있으나 아직도 수동 펀치 방법을 선호하는 의사들도 있다. 펀치의 모양은 다양하나 특정한 기기가 좋다고 할 수 없으므로 의사가 선택하여 익숙해지는 것이 관건이다(그림 7-5).

보통 단일모 채취부터 3모 채취까지 0.6-1.2 ㎜ 펀치를 사용하며, 1.0 ㎜ 이상 펀치는 모래알 같은 작은 흉터를 남길 수 있어 잘 사용하지 않는다.

(2) 전동식 펀치(motorized punch)

수동식 펀치에 모터를 부착하여 한방향이나 양방향으로 회전하여 모낭단위 모발을 채취하는 기기로 구멍을 뚫고 핀셋으로 뽑아내는 방법이다(그림 7-6). 수동식 펀치 방법에 비하여 속도가 빠르고, 피로가 덜하며, 노동력이 덜 들어가고, 기기가 비교적 저렴하여 많이 사용하고 있다.

그림 7-5 **수동식 펀치**(A: sharp punch, B: blunt punch)

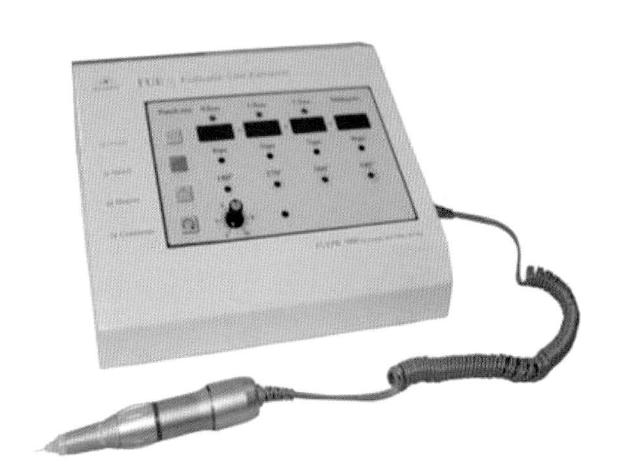

그림 7-6 **전동식 펀치**(Lead M 사)

전동식 펀치를 이용하여 펀치한 후 핀셋으로 뽑아내는 것을 대신하여 음압을 가하여 자동으로 채취하는 기기가 있었으나 최근에는 사용하지 않고 있다. Omnigraft라는 펀치 기기로 유럽에서는 'SAFER'라고 부르고, 아시아나 미국에서는 'Neograft'라고 부르나 기기는 동일한 것으로 보면 된다.

(3) 로봇 펀치(robotic punch)

최근에 Artas 사에서 개발한 로봇 펀치가 있으며, 자동으로 채취하고 자동으로 흡입할 수 있는 기기다. 가격과 비용대비 효과면에서 비싼 편이므로 대부분의 의사들은 전동식 펀치를 주로 사용하고 있으나 미래에는 이런 기기나 줄기세포를 이용한 모발이식이 대세로 변할 것이다.

3 이식에 필요한 기구

이식에 필요한 기구는 모발이식기를 이용한 이식방법과 슬릿(slit)을 만들고 핀셋으로 집어넣은 방법이 있다. 또한 슬릿을 만들고 모발이식기를 이용하여 이식하는 방법이 있다.

1) 모발이식기(식모기, hair implanter)

절편채취 모발이식이나 펀치채취 모발이식에 모두 사용할 수 있다. 동양인의 모발은 Caucasian에 비해 굵고 밀도가 조밀하지 않아 주로 모발이식기를 사용한다. 가는 1모, 1모, 2모, 3모용으로 4가지가 있으며, 직경이 모두 다르다(그림 7-7).

모발이식기의 needle 부위 직경은 가는 1모용이 0.6 ㎜로 두피 모발이식에도 사용하지만 주로 눈썹과 속눈썹이식을 할 때 사용한다. 1모용은 0.8 ㎜로 22G needle과 직경이 비슷하다. 2모용은 1.0 ㎜로 20G, 3모용은 1.2 ㎜로 18G와 비슷하다.

1모용은 4개, 2모용은 5개, 3모용은 4개 정도 있으면 이식하는데 불편이 없다. 겉 케이스는 재사용이 가능하나 이식침은 일회용이다. 가끔 이식침을 페이퍼에 갈아서 재사용하기도 하나 감염의 위험이 있어 의료법 위반이다(그림 7-8).

모발이식기의 바늘 길이는 몸통을 돌려서 조절할 수 있다. 모낭으로부터 상피까지의 길이가 다양하므로 조절하여 사용한다. 이 조절을 하지 않으면 너무 깊이 이식되거나 너무 얇

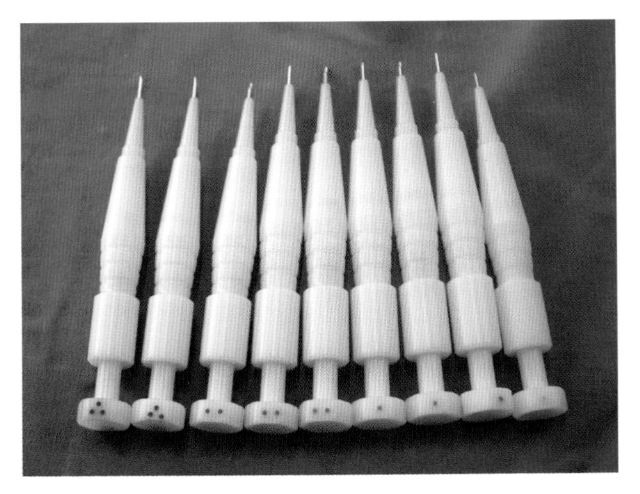

그림 7-7 모발이식기(식모기)

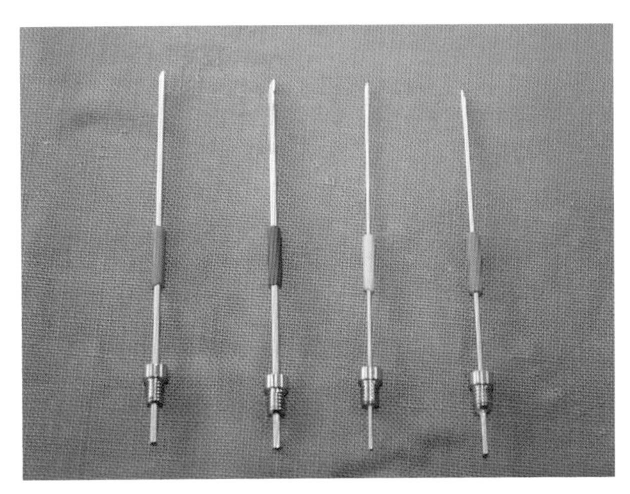

그림 7-8 모발이식기의 일회용 침

게 이식될 수 있으므로 이식하기 전에 꼭 조절하여 사용해야 한다.

이식기는 Choi's hair implanter가 있으며, 이를 기반으로 조금씩 성능이 개선된 KNU (국립경북대학교) hair implanter, Lead M사의 hair implanter, 한스바이오메드(주)의 Lion hair implanter, J&C corporation의 Smart hair implanter, 인큐램의 hair implanter 등이 있다.

2) 슬릿(slit) 기구

이식부에 절개 또는 구멍을 내고 핀셋으로 집어넣은 방법이 사용되기도 한다. 절편채취 모발이식이나 펀치채취 모발이식에 이용할 수 있다.

슬릿을 내는 기구는 크게 needle과 blade로 나누어 지며, 다양한 모양과 형태를 가지고 있다(표 7-1). 어떤 것이 좋다고 할 수는 없으며, 의사의 선호와 숙련도에 달려있다.

표 7-1	슬릿(slit)를 만드는 기구들

1. needle
2. hypodermic needle: regular, bent
3. solid wire needle
4. flat blade
5. chiseled(rectangular) blade
6. angled(sharppoint, minde, cur razor) blade
7. spearpoint

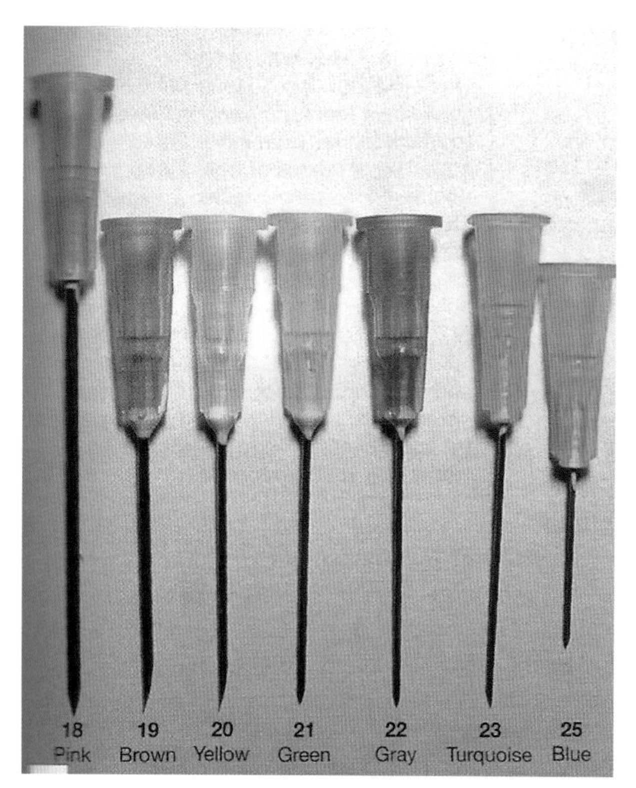

그림 7-9 Hypodermic needle의 종류와 컬러별 구분 (출처 Hair transplantation, Robert s Haber and Dowling B Stough)

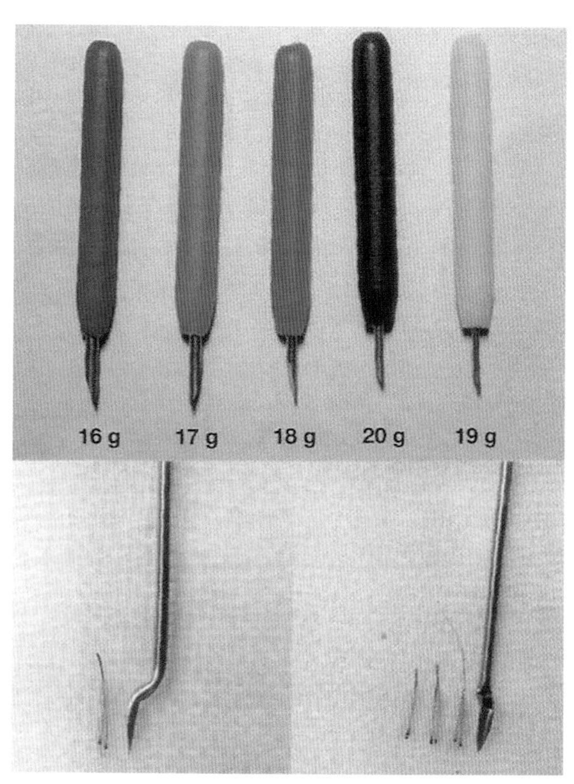

그림 7-10 Solid wire needle and Shoehorn modification of hypodermic needles (출처 Hair transplantation, Robert s Haber and Dowling B Stough)

needle은 22, 20, 18 gauge needle이 사용되며, 22 gauge는 단일모용, 20 gauge는 2모용, 18 gauge는 3-4모용으로 사용된다. 이를 변형하여 solid wire needle이 있으며, 깊이를 조절할 수 있는 Shoehorn needle이 있다(그림 7-9, 7-10).

Blade는 No. 11 blade를 사용하나 좀 더 날카롭고, 조직손상을 줄이기 위한 다양한 모양의 blade가 있다. SpearPoint blade는 양쪽에 날이 있으며, angled, scalpel shaped, chiseled(rectangular) shaped가 있다. MinDe(minimal depth) blade와 chisel blade, Beaver blade 등이 있다(그림 7-11).

3) 포셉

슬릿을 만들고 집어넣은 포셉들도 다양하며, 어떤 것이 좋다고 할 수는 없으며, 의사의 선호와 숙련도에 달려있다(그림 7-12).

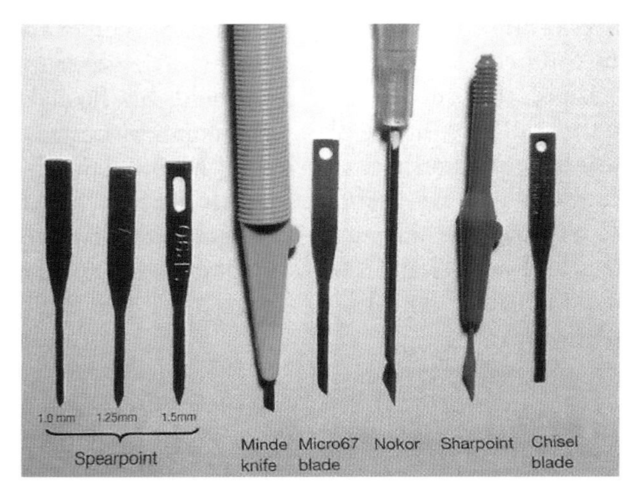

그림 7-11 슬릿을 만드는 기기(spearpoint, minde knife, micro 67 blade, nokor, sharpoint, chisel blade)(출처 Hair transplantation, Robert s Haber and Dowling B Stough)

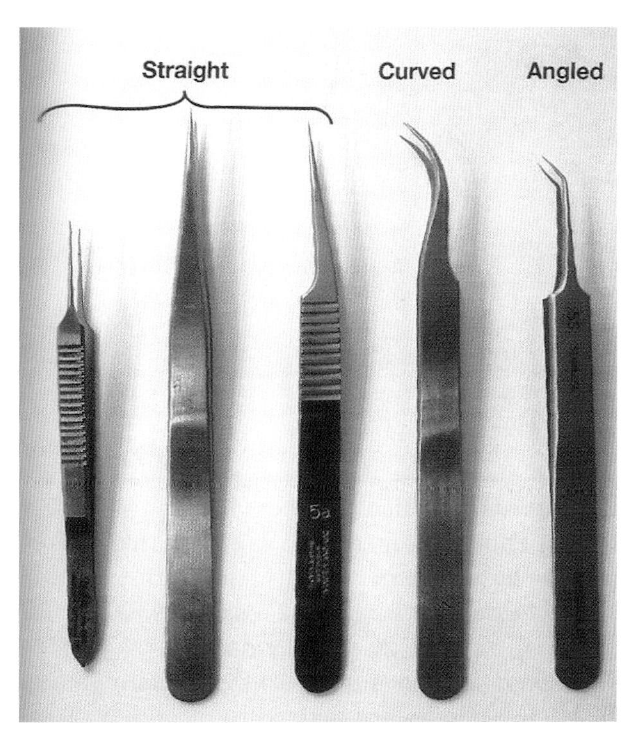

그림 7-12 슬릿에 분리한 모낭을 끼워 넣기 위한 다양한 포셉(출처 Hair transplantation, Robert s Haber and Dowling B Stough)

4) Cooling bowel

분리한 모발을 냉각시키면서 수분을 공급하는 조그만 냉장고로 생각하면 된다. 이 기기가 없다면 모발을 담아 놓은 샤르 밑에 얼음을 충분히 두면 된다.

5) 이식모발 수량 집계기(hair counter)

이식할 때마다 발로 밟아서 계산하는 방법이다. 총 이식한 모낭단위 이식수로 계산되며, 모발수를 계산하려면 1.8을 곱하면 된다.

4 모낭분리(follicular unit dissection) 기구

절편채취 모발이식술을 선택하면 모낭분리가 필요하다. 모낭분리는 보통 모낭분리 기사가 담당한다. 펀치채취 모발이식술도 상피세포 제거와 모낭을 정리하기 위하여 모낭분리가 필요한 경우가 있다.

1) 모낭분리 판과 모낭분리용 메스

모낭분리는 모낭분리 판과 모낭분리용 메스 등이 필요하다.

2) 확대경

모낭분리는 육안분리(naked eye)와 Loupes 등을 이용한 확대분리, 현미경 분리, 디지털 영상현미경 분리로 구분된다.

(1) 육안분리(naked eye dissection)

동양인은 육안분리가 가능하지만 코카시안 등의 가늘고 밀도가 높은 모발은 현미경이나 디지털 영상현미경 분리가 좋다.

(2) Loupe magnification

2.5-5배 확대 Loupe를 주로 사용한다.

(3) Stereoscopic microscope

모낭분리 전용 현미경으로 보통 10-20배 확대한다. 최근에는 디지털 영상현미경 분리를 주로 사용한다.

(4) 디지털 영상현미경 분리(LCD monitor with video microscope)

다양한 디지털 영상현미경 분리 기구들이 제품화되어 나오고 있다. Caucasian에서 현미경이나 디지털 영상현미경 분리는 육안 분리에 비하여 연모와 흰머리의 모발 분리가 보다 용이하며, 휴지기 모발 분리가 어느 정도 가능하여 육안분리에 비하여 20%이상의 모낭을 확보할 수 있다고 한다. 동양인의 모발도 현미경이나 디지털 영상현미경 분리가 약 10% 정도 더 많은 모낭을 확보할 수 있다고 한다.

한국인이나 아시아인의 모발은 굵고 밀도가 낮으므로 숙련된 분리기사라고 한다면 별 차이가 나지 않는다고 하나 향후 영상 현미경분리가 필요할 것이다. 육안분리를 할 수 밖에 없는 상황이라면 최소한 2.5–5배 Loupes를 사용하여 분리해야 한다.

이상 내용을 정리하면 모발이식에 필요한 필수적인 기구 들은 표 7–2와 같다.

표 7–2 모발이식에 필요한 필수적 기구

구분	기기		
진료실	사진기		1,000만 화소 이상
	두피진단기		두피상태, 탈모정도, 모발밀도, 굵기 측정
수술실	절편채취 모발이식술	메스	15, 20번
		전기소작기	
		skin stapler 또는 나일론 4/0, 5/0	
		모닝분리핀	
		확대경(Loupes), 또는 현미경, 디지털 영상현미경	
		모발이식기 또는 슬릿 기구와 핀셋	4종류 3–5개씩
	펀치채취 모발이식술	수동식, 전동식, 로봇펀치	
		모발이식기 또는 슬릿 기구와 핀셋	4종류 3–5개씩
	공통	구급장비	
	공통	안연고, EGF gel 등	
수술 후 머리감기	샴푸대		
	샴푸 등 세정제, 드라이기		
	안연고, EGF gel, EGF spray 등		

3) 구급 장비

모든 수술과 마찬가지로 모발이식 수술에도 필요한 구급장비를 갖추어야 한다. 기본적인 장비는 표 7-3과 같다.

표 7-3	모발이식에 필요한 구급장비

1. IV set과 진정, 안정제
2. 산소 공급 기기
3. 산소포화도 또는 이산화탄소 측정기
4. intubation set
5. 응급처치 주사제(epinephrine 등)
6. 심장 재세동기(심장 전기 충격기)

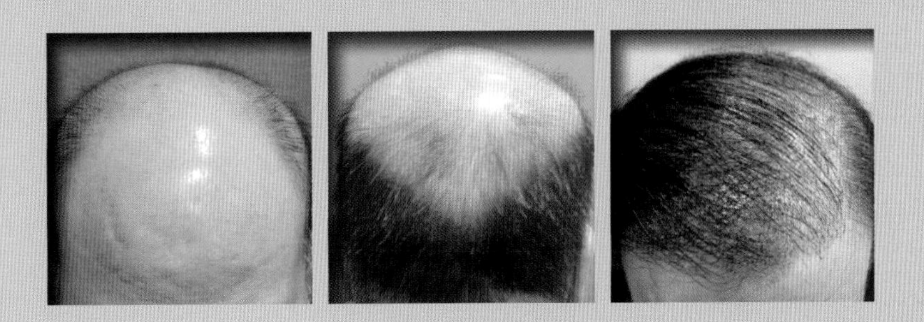

Chapter 8

수술 준비 및 수술 동의서

1. 수술 준비
2. 수술 동의서

표 8-1 모발이식 수술 전 안내문

1. 수술 전

1) 이발: 절편채취 모발이식인 경우 뒷머리가 최소 1 ㎝ 이상 되어야 하므로 가능한 이발하지 마세요.
2) 염색과 퍼머: 절편채취 모발이식은 새치가 있거나 흰 머리가 있으면 수술 3-5일 전에 염색을 하세요. 펀치채취 모발이식은 염색과 퍼머를 하지 마세요.
3) 출혈 경향의 약물 복용 중단 : 출혈을 일으키는 약물을 수술 7-10일 전에 중단하여야 합니다. 출혈 경향이 있는 약물은 아스피린과 비스테로이드성 항염증제, Vitamin E, 종합비타민과 오메가 3, 알로에, 허브제품 등의 영양제와 건강보조제, 한약제, 발기부전 치료제, 혈액순환개선제 등의 약제입니다. 잘 모르시면 병원으로 문의하세요.
4) 고혈압과 당뇨 약 등: 계속 드셔야 합니다. 잘 모르시면 병원으로 문의하세요.
5) 탈모치료 약물의 복용: 피나스테라이드는 계속 복용해도 되나 미녹시딜은 혈관확장 기능으로 출혈이 가능하므로 수술 7일 전에 중단하는 것이 좋습니다.

2. 수술 당일

1) 샴푸로 머리를 깨끗하게 여러 번 감습니다. 젤이나 스프레이 등은 하지 마세요.
2) 이식한 부위가 눌리지 않도록 큰 모자나 스카프를 준비합니다.
3) 수면마취를 할 수도 있으므로 수술 8시간 전부터 금식하세요.
4) 병원에서 복용하라는 약이 있으면 복용하세요.

1 수술 준비

1) 수술 전 준비 사항

모발이식 수술을 결정하였다면 준비에 들어간다. 준비과정과 주의할 점, 수술과정, 합병증 등을 인쇄하여 환자에게 미리 주어 대처하도록 하면 편리하다(표 8-1).

(1) 이발

절편채취 모발이식을 한다면 가능한 이발은 하지 않는 것이 좋다. 공여부의 봉합자리도 가리고, 이식부위의 피딱지와 부기도 가릴 수 있기 때문이다. 뒷머리 모발 길이는 최소한 1 ㎝ 이상이어야 분리한 모낭을 모발이식기에 꽂을 때 편리하다.

(2) 염색과 파마

절편채취 모발이식을 한다면 수술 3-5일 전에 염색하는 것이 좋다. 새치 모발이 흰색이기 때문에 잘 보이지 않아 모낭을 분리할 때와 모발이식기에 꽂을 때, 이식할 때 밀도와 이

중이식을 확인하기가 어렵기 때문이다. 또한 이식한 모발이 풍부해 보이기도 한다. 이식 후에는 2주가 지나야 염색이 가능하다. 펀치채취 모발이식을 한다면 흰머리를 펀치하지 않기 위해서 염색을 하지 않는 것이 좋다.

(3) 출혈 경향의 약물 복용 중단

모발이식은 출혈로 시술할 수 없거나 연기, 중단할 정도는 아니라고 하여도 가능한 출혈을 일으키는 약물을 중단하는 것이 좋다. 뒷머리에서 모발을 채취할 때와 이식할 때 출혈을 일으켜 수술이 어렵기 때문이다. 또한 이식할 때 이미 이식한 모발이 빠지는 pop up 현상이 증가한다.

아스피린과 비스테로이드성 항염증제, Vitamin E는 10일 전에 중단하고, 항응고제는 7일 전에 중단하는 것이 좋다. 종합비타민과 오메가 3, 알로에, 허브제품 등의 영양제와 건강보조제, 한약제를 복용하는 경우가 많은데, 대부분 피를 맑게 한다거나 피의 노폐물을 제거한다거나, 피의 응고를 막아 뇌출혈이 예방된다는 등의 약제는 출혈경향을 일으키는 성분이 보통 포함되어 있으므로 수술 10일 전에 중단하는 것이 좋다. 발기부전치료제(비아그라 등)도 수술 7일 전에 중단하는 것이 좋다.

(4) 수술 전 투약

탈모치료 약물인 피나스테라이드는 계속 복용해도 되나 미녹시딜은 혈관확장 기능으로 출혈이 가능하므로 수술 7일 전에 중단하는 것이 좋다. 보통 모발이식을 할 때 예방적 항생제는 사용하지 않는다. 단, 감염의 위험성이 높은 심장과 신장, 간에 이상이 있는 환자는 예방적 항생제를 복용한다. 보통 2일 전부터 투약한다.

출혈이 수술에 어려움을 줄 정도로 가능하다면 Vitamin K를 수술 7일 전부터 복용하는 것이 좋다. 하루에 3회 5㎎을 복용하도록 한다.

(5) 검사

일반적 수술할 때 검사와 동일하다. CBC, LFT, VDRL, hepatitis B and C, HIV, 흉부 방사선검사와 심전도 검사 등이다.

그러나 대부분의 병원에서 일반적으로 모발이식하기 위해 자세한 검사는 하지 않고 간단한 검사를 하고 시술하는 것이 보통이나 의료시비를 줄이고 환자와 시술자를 보호해야 하므로 모든 검사를 하고 시술하는 것이 원칙이다.

(6) 수술 전날의 준비

특별한 것은 없다. 예민한 성격이라면 진정제 정도 투약한다.

2) 수술 당일 날의 준비

(1) 두피 세정

아침에 샴푸로 머리를 깨끗하게 여러 번 감도록 한다.

(2) 준비물

수술 후에 수술부위를 감추기 위하여 이식한 부위가 눌리지 않도록 큰 모자나 스카프를 준비한다.

(3) 수술 전 투약

수술 전에 진정제인 다이아제팜 등을 투여하기도 하고 주사로 주기도 한다. 부기를 예방하기 위해 스테로이드를 주사사거나 복용하도록 한다.

수술 2시간 전에 1세대 세팔로스포린 계통을 주사하거나 아목사실린 500 ㎎ 정도를 투약한다. 보통 수술을 준비하면서 항생제를 주사하게 된다.

혈압약과 당뇨약 등은 복용하고, 출혈 경향이 있는 약들은 의사의 지시에 따르도록 한다.

2 수술 동의서

상담을 할 때 수술에 대한 설명을 자세하게 하였지만 수술하기 전에 다시 한 번 더 설명을 하는 것이 좋으며, 반드시 설명에 대한 기록을 남겨야 한다. 수술동의서를 이용하여 설명하거나 동의서 뒷면이나 차트에 기록한다. 환자는 불만이 있으면 설명을 듣지 못했다고 하는 경우가 많아 꼭 남겨야 한다. 수술 동의서는 모든 설명을 말로 할 수 없기 때문에 반드시 받아야 한다(표 8-2, 8-3, 8-4, 8-5, 8-6).

표 8-2 모발이식과 헤어라인 교정 수술 동의서의 예

1. 수술하기 전 공지

알레르기 등의 특이 체질과 켈로이드 피부로 수술 부위 피부가 붉게 부풀어 오르는 체질, 수술 경험, 마취 경험 등이 있으면 알려주시기 바랍니다.

2. 수술 방법

수술 방법에 대하여 의사로부터 상담하였지만 수술 중에 새로운 문제점이나 처음 설명과 다른 문제점이 발견되어 부득이 계획된 수술방법을 변경(절편채취와 펀치채취 방법의 변경 등)할 수 있으며, 이러한 수술방법의 선택 권한을 의사에게 일임합니다.

3. 마취 방법

수술 중 고통의 완화를 위하여 마취제의 사용을 요청하며, 마취방법에 대하여 의사로부터 상담하였지만 수술 중 환자의 상태에 따라 바뀔 수 있다는 점에 대하여 동의합니다.

4. 수술 후 결과

모발이식이 탈모증을 완치할 수 있는 방법은 아니라는 것을 알고 있습니다. 이식은 정상 밀도의 1/2-1/4 정도 이식할 수 있다는 한계점도 이해하며, 이식 후에 탈모치료가 필요하다는 것과 기대치보다 결과가 만족하지 못할 수도 있으며, 본인이 원하는 결과가 안 될 수도 있다는 것을 알고 있습니다.

5. 수술 후 경과

1) 모발이식 부위 : 모발이식한 부위와 채취한 부위에 부기와 멍, 혈종이 있을 수 있으며, 보통 7일 정도 피딱지가 있으며, 매우 드물지만 염증이 발생할 수 있으며, 이식한 부위는 2주-2달 사이에 빠졌다가 다시 나기 때문에 효과는 4-6개월 후에 나타나고, 모발이식 결과는 최소한 1년이 경과해야 판단할 수 있으며, 이식한 모발의 생존율을 높이기 위해 탈모치료와 본인의 관리가 필요하며, 본인의 체질이나 질환에 따라 불가항력적으로 낮을 수 있다는 것을 알고 있습니다.

2) 뒷머리 모발 채취 부위 : 절개한 부위에 흉터가 남으며, 시간이 지나면서 다소 흐려지고, 펀치채취 모발이식술도 채취한 부위에 작은 흉터가 남을 수 있으며, 약간의 피부 함몰도 가능하며, 감각의 이상과 통증이 있을 수 있으나 보통 3개월 이내에 호전되며, 흉터가 심한 경우 교정 수술이 필요할 수도 있다는 것을 알고 있습니다.

3) 재수술 또는 2차 이식 : 이식할 범위가 넓어 1차 이식으로 만족하지 못하거나 생존율이 감소하여 재차 수술이 필요한 경우는 최소한 1년이 경과한 후에 할 수 있다는 것과 이식결과와 모발상태를 확인하기 위하여 6개월에 1회는 방문해야 한다는 것을 알고 있습니다.

6. 합병증 및 후유증

모든 수술에서와 마찬가지로 염증, 감염, 출혈, 알레르기 반응, 켈로이드 형성 등이 발생할 수 있으며, 절개부위의 흉터는 영구적으로 남는데 체질적으로 심한 분도 있는데 시간이 지나면서 흐려지고, 이식한 부위에 모발이 다시 나면서 염증이 생길 수 있는데 심하면 치료를 받아야 하고, 가끔 이식한 모발이 탈모가 될 수 있으며, 1년이 지나도 자라나지 않는 경우가 있는데 이는 개인의 체질과 피부상태, 건강상태(질병, 피곤, 진통제 등의 장기 약물 복용, 호르몬 질환, 갱년기 장해, 암 등의 질환 등)에 의해 영향이 있다는 것도 알고 있습니다.

7. 재수술 또는 2차 이식의 수술 비용

본인의 체질과 예측할 수 없는 결과와 관련된 교정 수술은 실비를 부담해야 하며, 2차 이식은 1차 이식과 동일한 비용을 지불해야 한다는 것을 알고 있습니다.

본인은 상담 및 수술동의서를 자율적인 판단과 방해할 만한 요소가 없는 상태에서, 수술 전후 주의사항에 대하여 충분히 이해하고, 이에 대한 이의를 제기하지 않을 것을 약속하면서 수술에 동의합니다.

년 월 일

환자(대리인) ______________(인)

표 8-3 눈썹이식 수술 동의서의 예

1. 수술하기 전 공지

알레르기 등의 특이 체질과 켈로이드 피부로 수술 부위 피부가 붉게 부풀어 오르는 체질, 수술 경험, 마취 경험 등이 있으면 알려주시기 바랍니다.

2. 수술 방법

수술 방법에 대하여 의사로부터 상담하였지만 수술 중에 새로운 문제점이나 처음 설명과 다른 문제점이 발견되어 부득이 계획된 수술방법을 변경할 수 있으며(절편채취와 펀치채취 방법의 변경 등), 이러한 수술방법의 선택 권한을 의사에게 일임합니다.

3. 마취 방법

수술 중 고통의 완화를 위하여 마취제의 사용을 요청하며, 마취방법에 대하여 의사로부터 상담하였지만 수술 중 환자의 상태에 따라 바뀔 수 있다는 점에 대하여 동의합니다.

4. 수술 후 결과

눈썹이식은 정상인의 눈썹처럼 될 수 없으며, 현재 눈썹의 탈모를 개선하고, 모양을 보완하는 방법이라는 것과 정상 눈썹의 밀도의 1/2-1/4 정도 이식할 수 있다는 한계점도 이해하며, 기대치보다 결과가 만족하지 못할 수도 있으며, 본인이 원하는 결과가 안 될 수도 있다는 것을 알고 있습니다.

5. 수술 후 경과

1) 눈썹이식 부위 : 모발이식한 부위와 채취한 부위에 부기와 멍, 혈종이 있을 수 있으며, 보통 7일 정도 피딱지가 있으며, 매우 드물지만 염증이 발생할 수 있고, 이식한 부위는 2주-2달 사이에 빠졌다가 다시 나기 때문에 효과는 4-6개월 후에 나타나며, 눈썹이식 결과는 최소한 1년이 경과해야 판단할 수 있으며, 이식한 모발은 계속 자라나기 때문에 잘라주어야 하며, 생존율은 본인의 체질이나 질환에 따라 불가항력적으로 낮을 수 있다는 것을 알고 있습니다.

2) 뒷머리 모발 채취 부위 : 절개한 부위에 흉터가 남으며, 시간이 지나면서 다소 흐려지고, 펀치채취 모발이식술도 채취한 부위에 작은 흉터가 남을 수 있으며, 약간의 피부 함몰도 가능하고, 감각의 이상과 통증이 있을 수 있으나 보통 3개월 이내에 호전되며, 흉터가 심한 경우 교정 수술이 필요할 수도 있다는 것을 알고 있습니다.

3) 재수술 또는 2차 이식 : 1차 이식으로 만족하지 못하거나 생존율이 감소하여 재차 수술이 필요한 경우는 최소한 1년이 경과한 후에 할 수 있으며, 이식결과와 모발상태를 확인하기 위하여 6개월에 1회는 방문해야 한다는 것을 알고 있습니다.

6. 합병증 및 후유증

모든 수술에서와 마찬가지로 염증, 감염, 출혈, 알레르기 반응, 켈로이드 형성 등이 발생할 수 있으며, 절개부위의 흉터는 영구적으로 남는데 체질적으로 심한 분도 있는데 시간이 지나면서 흐려진다는 것과 이식한 부위에 모발이 다시 나면서 염증이 생길 수 있는데 심하면 치료를 받아야 하며, 가끔 이식한 모발이 탈모가 될 수 있으며, 1년이 지나도 자라나지 않는 경우가 있는데 이는 개인의 체질과 피부상태, 건강상태(질병, 피곤, 진통제 등의 장기 약물 복용, 호르몬 질환, 갱년기 장해, 암 등의 질환 등)에 의해 영향이 있다는 것을 알고 있습니다.

7. 재수술 또는 2차 이식의 수술 비용

본인의 체질과 예측할 수 없는 결과와 관련된 교정 수술은 실비를 부담해야 하며, 2차 이식은 1차 이식과 동일한 비용을 지불해야 한다는 것을 알고 있습니다.

본인은 상담 및 수술동의서를 자율적인 판단과 방해할 만한 요소가 없는 상태에서, 수술 전후 주의사항에 대하여 충분히 이해하고, 이에 대한 이의를 제기하지 않을 것을 약속하면서 수술에 동의합니다.

년 월 일

환자(대리인) ____________________(인)

표 8-4 속눈썹이식 수술 동의서의 예

1. 수술하기 전 공지

알레르기 등의 특이 체질과 켈로이드 피부로 수술 부위 피부가 붉게 부풀어 오르는 체질, 수술 경험, 마취 경험 등이 있으면 알려주시기 바랍니다.

2. 수술 방법

수술 방법에 대하여 의사로부터 상담하였지만 수술 중에 새로운 문제점이나 처음 설명과 다른 문제점이 발견되어 부득이 계획된 수술방법을 변경할 수 있으며(절편채취와 펀치채취 방법의 변경 등), 이러한 수술방법의 선택 권한을 의사에게 일임합니다.

3. 마취 방법

수술 중 고통의 완화를 위하여 마취제의 사용을 요청하며, 마취방법에 대하여 의사로부터 상담하였지만 수술 중 환자의 상태에 따라 바뀔 수 있다는 점에 대하여 동의합니다.

4. 수술 후 결과

속눈썹이식은 정상인의 눈썹처럼 될 수 없으며, 현재 속눈썹의 탈모를 개선하고, 모양을 보완하는 방법이라는 것과 정상 속눈썹은 한쪽에 150-250개이나 50-70개 정도 이식할 수 있다는 한계점도 이해하며, 기대치보다 결과가 만족하지 못할 수도 있으며, 본인이 원하는 결과가 안 될 수도 있다는 것을 알고 있습니다.

5. 수술 후 경과

1) 속눈썹이식 부위 : 이식한 부위와 채취한 부위에 부기와 멍, 혈종이 있을 수 있으며, 보통 7일 정도 피딱지가 있으며, 매우 드물지만 염증이 발생할 수 있고, 이식한 부위는 2주- 2달 사이에 빠졌다가 다시 나기 때문에 효과는 4-6개월 후에 나타나게 되고, 속눈썹이식 결과는 최소한 1년이 경과해야 판단할 수 있으며, 이식한 모발은 계속 자라나기 때문에 잘라주어야 하고, 붙임 속눈썹처럼 일정하지 않으며, 자라는 방향도 아래를 향하고, 불규칙적이라는 것도 알고 있어, 지속적인 파마나 뷰어가 필요하며, 생존율은 본인의 체질이나 질환에 따라 불가항력적으로 낮을 수 있다는 것을 알고 있습니다.

2) 뒷머리 모발 채취 부위 : 절개한 부위에 흉터가 남으며, 시간이 지나면서 다소 흐려지고, 펀치채취 모발이식술도 채취한 부위에 작은 흉터가 남을 수 있으며, 약간의 피부 함몰도 가능하며, 감각의 이상과 통증이 있을 수 있으나 보통 3개월 이내에 호전됩니다. 흉터가 심한 경우 교정 수술이 필요할 수도 있다는 것을 알고 있습니다.

3) 재수술 또는 2차 이식 : 1차 이식으로 만족하지 못하거나 생존율이 감소하여 재차 수술이 필요한 경우는 최소한 1년이 경과한 후에 할 수 있으며, 이식결과와 모발상태를 확인하기 위하여 6개월에 1회는 방문해야 한다는 것을 알고 있습니다.

6. 합병증 및 후유증

모든 수술에서와 마찬가지로 염증, 감염, 출혈, 알레르기 반응, 켈로이드 형성 등이 발생할 수 있으며, 절개부위의 흉터는 영구적으로 남는데 체질적으로 심한 분도 있는데 시간이 지나면서 흐려지고, 이식한 부위에 모발이 다시 나면서 염증이 생길 수 있는데 심하면 치료를 받아야 하고, 가끔 이식한 모발이 탈모가 될 수 있으며, 1년이 지나도 자라나지 않는 경우가 있는데 이는 개인의 체질과 피부상태, 건강상태(질병, 피곤, 진통제 등의 장기 약물 복용, 호르몬 질환, 갱년기 장해, 암 등의 질환 등)에 의해 영향이 있다는 것을 알고 있습니다.

7. 재수술 또는 2차 이식의 수술 비용

본인의 체질과 예측할 수 없는 결과와 관련된 교정 수술은 실비를 부담해야 하며, 2차 이식은 1차 이식과 동일한 비용을 지불해야 한다는 것을 알고 있습니다.

본인은 상담 및 수술동의서를 자율적인 판단과 방해할 만한 요소가 없는 상태에서, 수술 전후 주의사항에 대하여 충분히 이해하고, 이에 대한 이의를 제기하지 않을 것을 약속하면서 수술에 동의합니다.

년 월 일

환자(대리인) ____________________(인)

표 8-5 음모이식 수술 동의서의 예

1. 수술하기 전 공지

알레르기 등의 특이 체질과 켈로이드 피부로 수술 부위 피부가 붉게 부풀어 오르는 체질, 수술 경험, 마취 경험 등이 있으면 알려주시기 바랍니다.

2. 수술 방법

수술 방법에 대하여 의사로부터 상담하였지만 수술 중에 새로운 문제점이나 처음 설명과 다른 문제점이 발견되어 부득이 계획된 수술방법을 변경할 수 있으며(절편채취와 펀치채취 방법의 변경 등), 이러한 수술방법의 선택 권한을 의사에게 일임합니다.

3. 마취 방법

수술 중 고통의 완화를 위하여 마취제의 사용을 요청하며, 마취방법에 대하여 의사로부터 상담하였지만 수술 중 환자의 상태에 따라 바뀔 수 있다는 점에 대하여 동의합니다.

4. 수술 후 결과

음모이식이 무모증이나 빈모증을 완치할 수 있는 방법은 아니라는 것을 알고 있습니다. 이식은 정상 밀도의 1/2–1/3 정도 이식할 수 있다는 한계점도 이해하며, 기대치보다 결과가 만족하지 못할 수도 있으며, 본인이 원하는 결과가 안 될 수도 있다는 것을 알고 있습니다.

5. 수술 후 경과

1) 모발이식 부위 : 모발이식한 부위와 채취한 부위에 부기와 멍, 혈종이 있을 수 있으며, 보통 7일 정도 피딱지가 있으며, 매우 드물지만 염증이 발생할 수 있으며, 이식한 부위는 2주–2달 사이에 빠졌다가 다시 나기 때문에 효과는 4–6개월 후에 나타나고, 모발이식 결과는 최소한 1년이 경과해야 판단할 수 있으며, 계속 자라나기 때문에 주기적으로 잘라주어야 하고, 이식한 모발의 생존율을 높이기 위해 탈모치료와 본인의 관리가 필요하며, 본인의 체질이나 질환에 따라 불가항력적으로 낮을 수 있다는 것을 알고 있습니다.

2) 뒷머리 모발 채취 부위 : 절개한 부위에 흉터가 남으며, 시간이 지나면서 다소 흐려지고, 펀치채취 모발이식술도 채취한 부위에 작은 흉터가 남을 수 있으며, 약간의 피부 함몰도 가능하며, 감각의 이상과 통증이 있을 수 있으나 보통 3개월 이내에 호전되며, 흉터가 심한 경우 교정 수술이 필요할 수도 있다는 것을 알고 있습니다.

3) 재수술 또는 2차 이식 : 이식할 범위가 넓어 1차 이식으로 만족하지 못하거나 생존율이 감소하여 재차 수술이 필요한 경우는 최소한 1년이 경과한 후에 할 수 있다는 것과 이식결과와 모발상태를 확인하기 위하여 6개월에 1회는 방문해야 한다는 것을 알고 있습니다.

6. 합병증 및 후유증

모든 수술에서와 마찬가지로 염증, 감염, 출혈, 알레르기 반응, 켈로이드 형성 등이 발생할 수 있으며, 절개부위의 흉터는 영구적으로 남는데 체질적으로 심한 분도 있는데 시간이 지나면서 흐려지고, 이식한 부위에 모발이 다시 나면서 염증이 생길 수 있는데 심하면 치료를 받아야 하고, 가끔 이식한 모발이 탈모가 될 수 있으며, 1년이 지나도 자라나지 않는 경우가 있는데 이는 개인의 체질과 피부상태, 건강상태(질병, 피곤, 진통제 등의 장기 약물 복용, 호르몬 질환, 갱년기 장해, 암 등의 질환 등)에 의해 영향이 있다는 것도 알고 있습니다.

7. 재수술 또는 2차 이식의 수술 비용

본인의 체질과 예측할 수 없는 결과와 관련된 교정 수술은 실비를 부담해야 하며, 2차 이식은 1차 이식과 동일한 비용을 지불해야 한다는 것을 알고 있습니다.

본인은 상담 및 수술동의서를 자율적인 판단과 방해할 만한 요소가 없는 상태에서, 수술 전후 주의사항에 대하여 충분히 이해하고, 이에 대한 이의를 제기하지 않을 것을 약속하면서 수술에 동의합니다.

년 월 일

환자(대리인) ________________(인)

표 8-6 흉터의 모발이식 수술 동의서의 예

1. 수술하기 전 공지

알레르기 등의 특이 체질과 켈로이드 피부로 수술 부위 피부가 붉게 부풀어 오르는 체질, 수술 경험, 마취 경험 등이 있으면 알려주시기 바랍니다.

2. 수술 방법

수술 방법에 대하여 의사로부터 상담하였지만 수술 중에 새로운 문제점이나 처음 설명과 다른 문제점이 발견되어 부득이 계획된 수술방법을 변경할 수 있으며(절편채취와 펀치채취 방법의 변경 등), 이러한 수술방법의 선택 권한을 의사에게 일임합니다.

3. 마취 방법

수술 중 고통의 완화를 위하여 마취제의 사용을 요청하며, 마취방법에 대하여 의사로부터 상담하였지만 수술 중 환자의 상태에 따라 바뀔 수 있다는 점에 대하여 동의합니다.

4. 수술 후 결과

흉터의 모발이식은 생존율이 낮기 때문에 2-4회 이식이 필요하다는 것을 알고 있습니다. 흉터의 상태에 따라 생존율이 모두 다르다는 것도 알고 있습니다. 따라서 기대치보다 결과가 만족하지 못할 수도 있으며, 본인이 원하는 결과가 안 될 수도 있다는 것을 알고 있습니다.

5. 수술 후 경과

1) 모발이식 부위 : 모발이식한 부위와 채취한 부위에 부기와 멍, 혈종이 있을 수 있으며, 보통 7일 정도 피딱지가 있으며, 매우 드물지만 염증이 발생할 수 있으며, 이식한 부위는 2주-2달 사이에 빠졌다가 다시 나기 때문에 효과는 4-6개월 후에 나타나고, 모발이식 결과는 최소한 1년이 경과해야 판단할 수 있다는 것을 알고 있습니다. 이식한 모발의 생존율을 높이기 위해 탈모치료와 본인의 관리가 필요하며, 본인의 체질이나 질환에 따라 불가항력적으로 낮을 수 있다는 것을 알고 있습니다.

2) 뒷머리 모발 채취 부위 : 절개한 부위에 흉터가 남으며, 시간이 지나면서 다소 흐려지고, 비절개로 채취한 부위에 작은 흉터가 남을 수 있으며, 약간의 피부 함몰도 가능하다는 것을 알고 있습니다. 이식 후에는 감각의 이상과 통증이 있을 수 있으나 보통 3개월 이내에 호전되며, 흉터가 심한 경우 교정 수술이 필요할 수도 있다는 것을 알고 있습니다.

3) 재수술 또는 2차 이식 : 이식할 범위가 넓어 1차 이식으로 만족하지 못하거나 생존율이 감소하여 재차 수술이 필요한 경우는 최소한 1년이 경과한 후에 할 수 있다는 것과 이식결과와 모발상태를 확인하기 위하여 6개월에 1회는 방문해야 한다는 것을 알고 있습니다.

6. 합병증 및 후유증

모든 수술에서와 마찬가지로 염증, 감염, 출혈, 알레르기 반응, 켈로이드 형성 등이 발생할 수 있으며, 절개 부위의 흉터는 영구적으로 남는데 체질적으로 심한 분도 있는데 시간이 지나면서 흐려지고, 이식한 부위에 모발이 다시 나면서 염증이 생길 수 있는데 심하면 치료를 받아야 하고, 가끔 이식한 모발이 탈모가 될 수 있으며, 1년이 지나도 자라나지 않는 경우가 있는데 이는 개인의 체질과 피부상태, 건강상태(질병, 피곤, 진통제 등의 장기 약물 복용, 호르몬 질환, 갱년기 장해, 암 등의 질환 등)에 의해 영향이 있다는 것도 알고 있습니다.

7. 재수술 또는 2차 이식의 수술 비용

본인의 체질과 예측할 수 없는 결과와 관련된 교정 수술은 실비를 부담해야 하며, 2차 이식은 1차 이식과 동일한 비용을 지불해야 한다는 것을 알고 있습니다.

본인은 상담 및 수술동의서를 자율적인 판단과 방해할 만한 요소가 없는 상태에서, 수술 전후 주의사항에 대하여 충분히 이해하고, 이에 대한 이의를 제기하지 않을 것을 약속하면서 수술에 동의합니다.

년 월 일

환자(대리인) ____________(인)

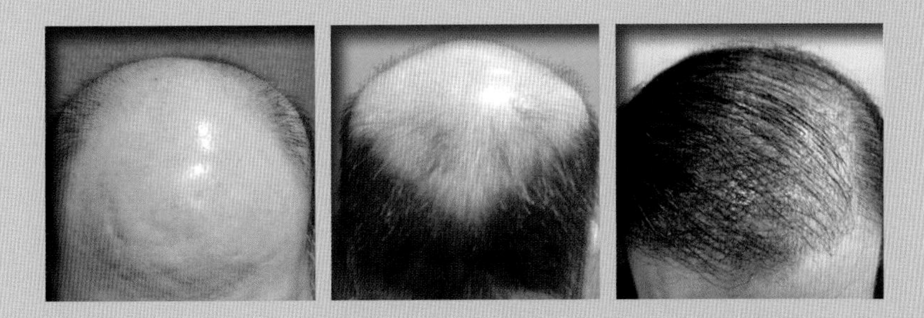

Chapter 9

모발이식의 디자인

Hair Transplantation

모발이식은 자연스럽게 보이도록 이식하는 것이 중요하다. 자연스럽게 이식하기 위해서는 헤어라인의 디자인과 밀도가 가장 중요하다.

헤어라인은 앞머리(전두부) 헤어라인(frontal hairline)과 전측두 삼각 헤어라인(fronto-temporal triangle, M자 모양), 측두점(temporal apex)을 중심으로 상하 옆머리(측두) 헤어라인(supratemporal, infratemporal hairline), 구레나룻(sideburn)까지를 광범위하게 말한다.

보통 헤어라인이라고 하면 앞머리 헤어라인을 말하게 되므로 옆머리 헤어라인과 구레나룻을 분리하여 설명하였다.

1 앞머리 헤어라인의 디자인

1) 헤어라인 높이의 결정

앞머리 헤어라인에서 중요한 것은 자연스런 디자인과 밀도이다. 자연스런 디자인이라고 하면 이마의 넓이와 수술한 티가 나지 않도록 디자인하는 것이다.

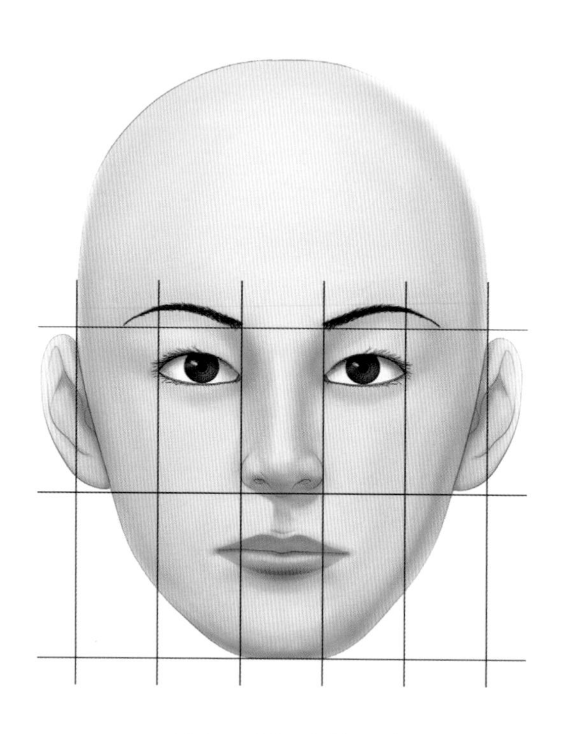

그림 9-1 얼굴의 황금분할

얼굴의 황금분할(rule of thirds)은 헤어라인부터 미간(눈썹을 연결한 선)까지, 미간부터 코끝까지, 코끝에서 턱까지 거리가 1:1:1로 같은 거리가 아름다운 얼굴이다(그림 9-1). 좀 더 정확하게 얼굴의 황금비율을 따지면 (hairline에서 미간까지의 거리)^2 = (hairline에서 턱끝까지 거리) × (미간에서 턱끝까지의 거리)에 해당되며, hairline에서 미간까지의 거리 : hairline에서 턱끝까지 거리 = 1:1.6184이다. 레오나르도 다빈치의 모든 동상은 이 황금분할이 잘 지키기로 유명하다.

일반적으로 동양인에서는 황금분할이 지켜지는 얼굴은 많지 않다. 대부분의 사람은 미간에서 코끝까지 거리가 코끝에서 턱까지 길이보다 짧다. 따라서 헤어라인의 높이는 미간에서 코끝까지의 거리와 동일한 위치에 정하게 되며, 보통 6.5–8.0 ㎝이다. 최근 헤어라인의 높이는 젊게 보이게 하기 위해서 코끝에서 턱 끝까지 거리보다 약간 넓게 잡는 경향이 있어 1:1:0.9로 하는 경우도 있다.

보통 미간은 눈썹을 연결한 선으로 정하나 남자에서 이미가 좀 더 넓은 것이 시원한 인상을 주므로 눈썹의 위 부분을 연결한 선이 좋다. 헤어라인은 사람마다 다르며, 얼굴이 길거나 넓은 모양에 따라 어울리는 형태가 있다. 남성은 약간의 M자형이고, 여성은 반달형이 대부분이다.

헤어라인은 다음과 같은 특징이 있으며, 이런 형태로 디자인하는 것이 가장 자연스럽다(표 9-1, 그림 9-2, 9-3).

탈모가 온 헤어라인의 높이는 미간에서 코끝거리보다 좁게 디자인하지 말아야 한다. 하지만 탈모가 아니고 선천적으로 넓은 이마를 좁히기 위한 헤어라인이라면 좀 더 좁게 디자인 할 수도 있다.

나이가 많을수록 이마가 넓을수록 중후해 보이고 시원한 인상을 주며, 성격이 좋아보이므로 이 라인보다 높이는 것이 좋다. 젊은 나이에 탈모가 온 환자도 후에 탈모가 빠르게 진

표 9-1	헤어라인의 특징
1. 정상인의 헤어라인은 매우 불규칙하며, 일직선이 없다.	
2. 개인마다 불규칙한 정도의 차이가 다양하다.	
3. 헤어라인의 시작부위는 모발이 가늘고 밀도가 낮으며, 1–2 ㎝ 위부터는 굵고 밀도도 높다.	

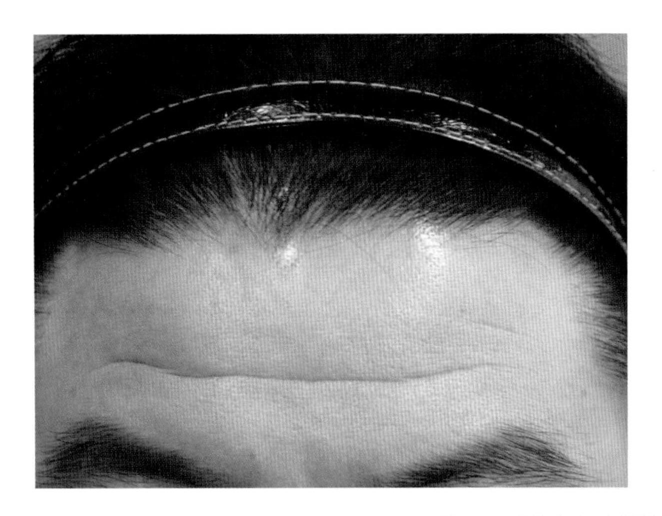
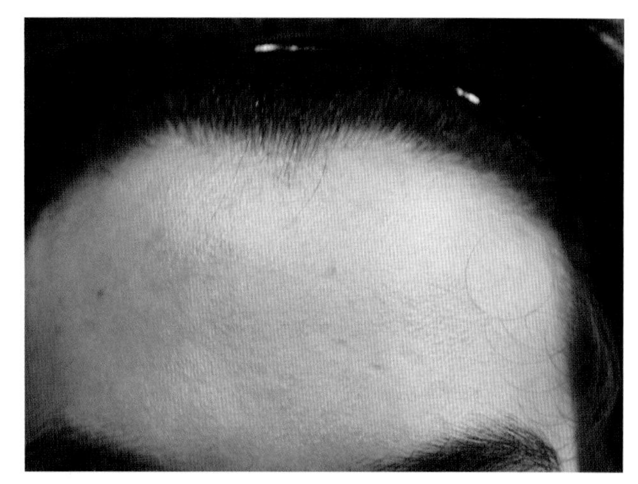

그림 9-2 남자의 다양한 헤어라인(일직선은 없다)

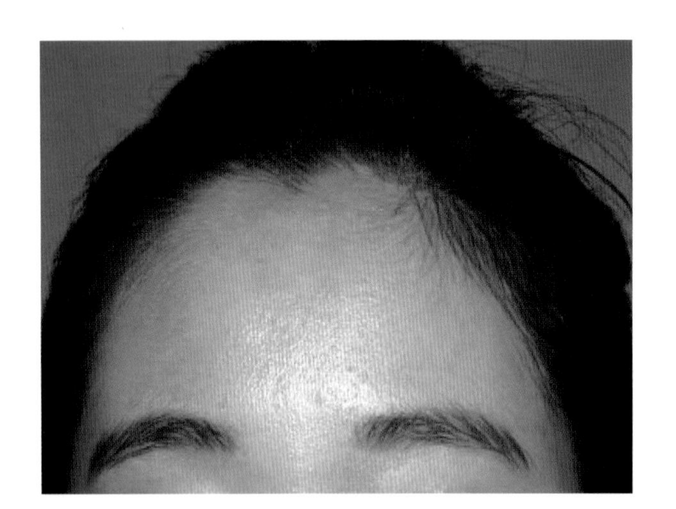
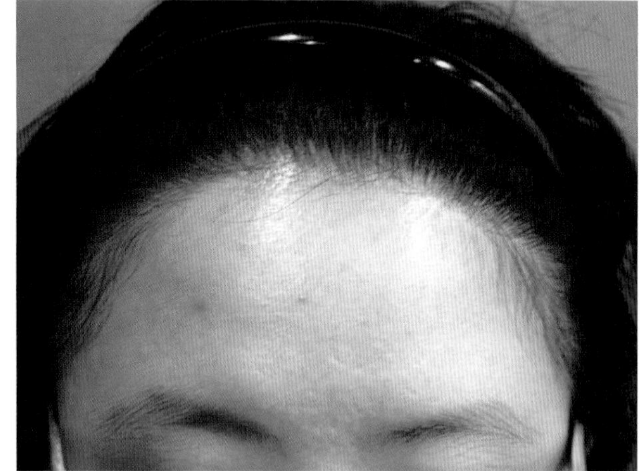

그림 9-3 여자의 다양한 헤어라인(일직선은 없다)

행될 것을 예측하여 공여부의 모발을 아끼기 위해 라인을 높여야 한다. 탈모는 나이를 먹으면서 더욱 진행될 것이고, 보통 헤어라인을 1 ㎝ 낮추는데 1,000-1,500모가 필요하기 때문에 나중을 위해서 보전하는 것도 필요하기 때문이다.

헤어라인의 높이가 정해지면 전두 중앙점(mid-frontal point)을 잡고 좌우 외측 전두 헤어라인(left, right lateral frontal hairline)을 정한다. 좌우 외측 전두 헤어라인은 눈썹산에서 수직선상에 있는 점으로 미간으로부터 헤어라인까지의 거리와 동일한 거리에 있는 점을 정한다(그림 9-4, 9-5).

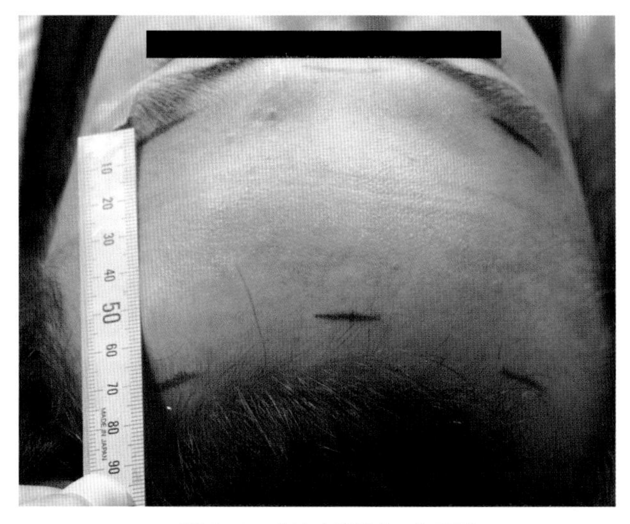

그림 9-4 헤어라인의 높이 결정

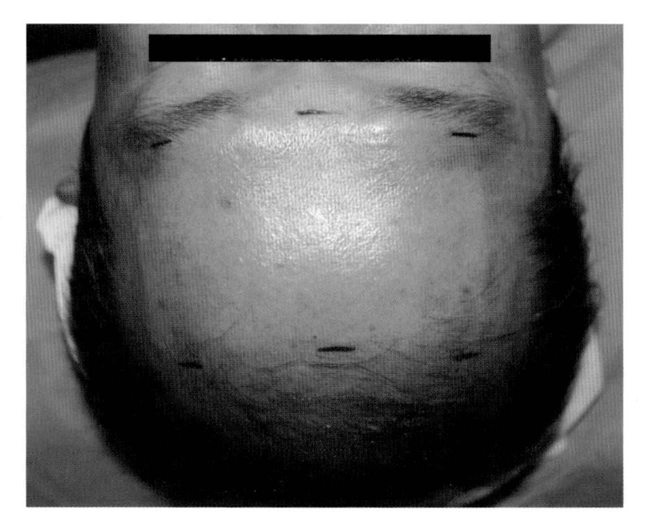

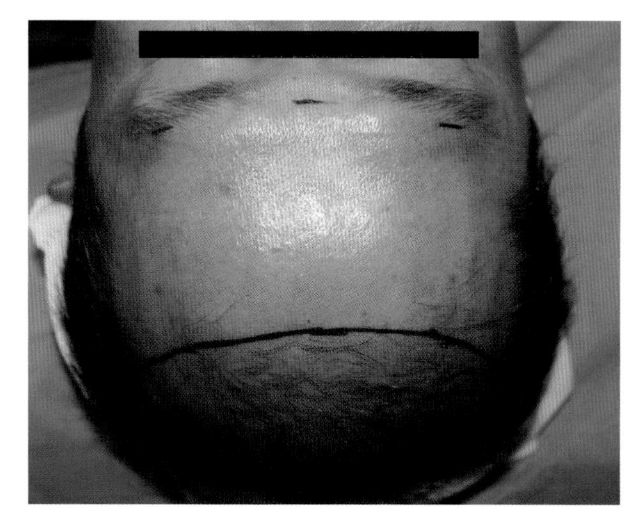

그림 9-5 헤어라인의 3점 결정과 자연스런 연결

2) 헤어라인의 연결

전두 중앙점과 좌우 외측 전두 헤어라인을 자연스럽게 연결한다(그림 9-6).

3) 전측두 삼각(fronto-temporal triangle, M자 모양)의 디자인

전측두 삼각은 남자에서 소위 M자 부위를 말한다. 전측두 삼각은 이마의 모양을 결정하기 때문에 헤어라인의 높이와 함께 중요한 디자인이다.

동양인과 서양인의 디자인은 달라져야 한다. 그 이유는 동양인은 이마가 둥글고 넓으나 서양인은 좁으면서 긴 형태이기 때문이다.

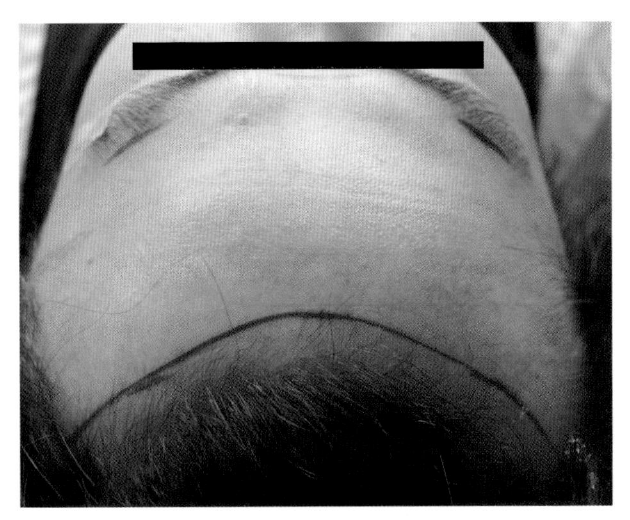

그림 9-6 3점을 연결한 선

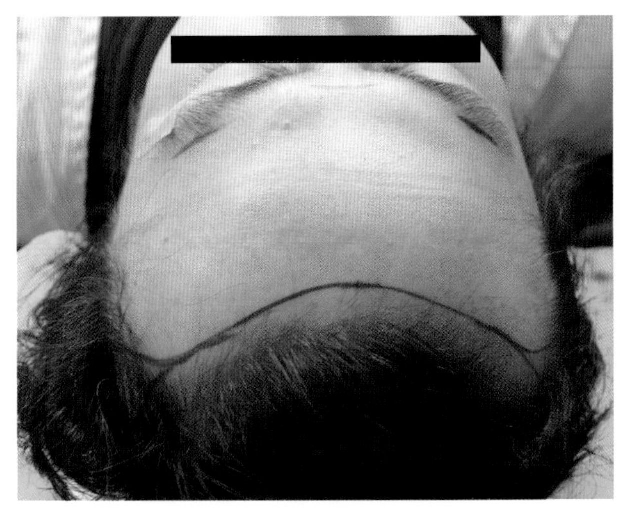

그림 9-7 전측두 삼각의 디자인

3점을 연결한 선에서 어디부터 곡선으로 디자인할 것인가를 정해야 하고, 이 곡선의 점이 전측두 교차점(fronto-temporal point, fronto-temporal junction)이 된다(그림 9-7).

이 점은 서양인과 동양인의 얼굴 모양이 다르기 때문에 차이가 있어야 한다. 서양인은 눈꼬리(lateral orbital rim, lateral canthus point)에서 수직선을 그어 헤어라인과 만나는 점부터 곡선으로 디자인하나 동양인은 lateral cantus에서 lateral 쪽으로 0.5-1 ㎝ 떨어져서 수직으로 그은 선과 헤어라인이 만나는 점부터 곡선 형태로 디자인해야 자연스럽다. 서양인에서도 측두 돌출부에 탈모가 있으나 이식하지 않는다면 이 기준으로 헤어라인을 정하는 것이 좋다(그림 9-8, 9-9).

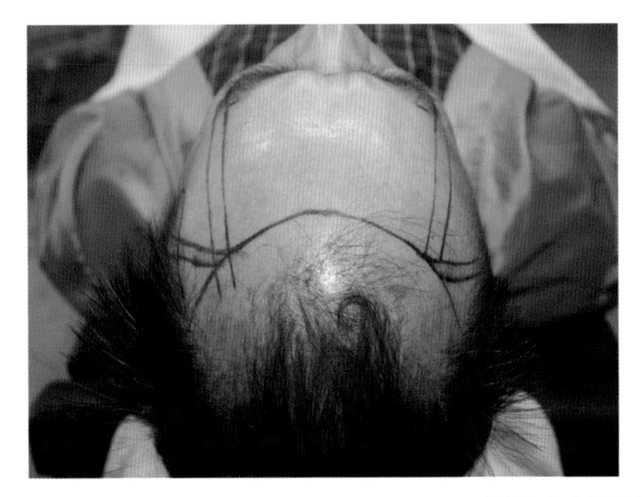

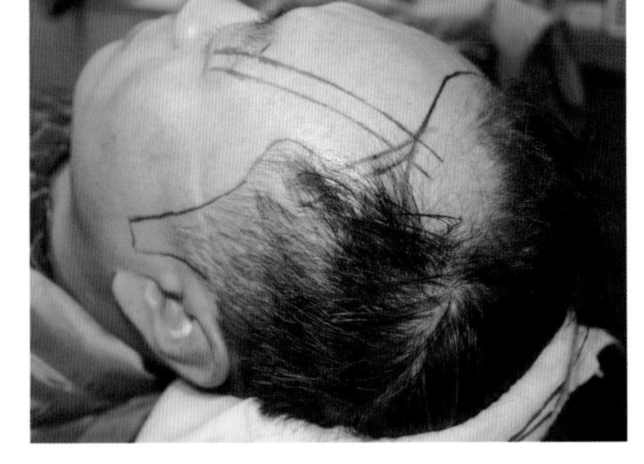

그림 9-8 동양인의 전측두 점의 결정

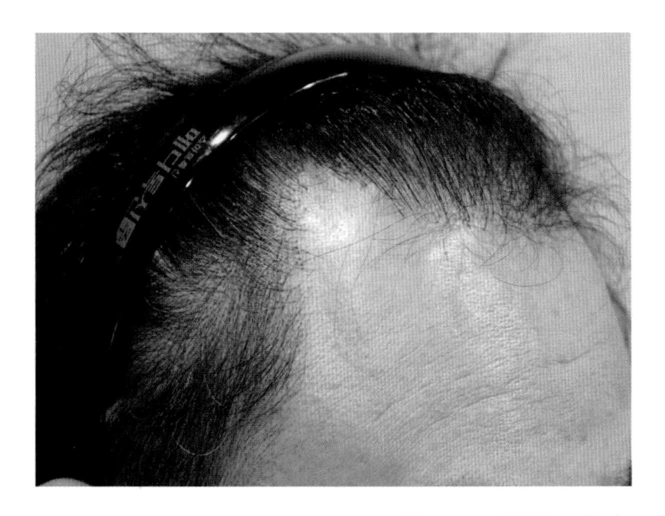
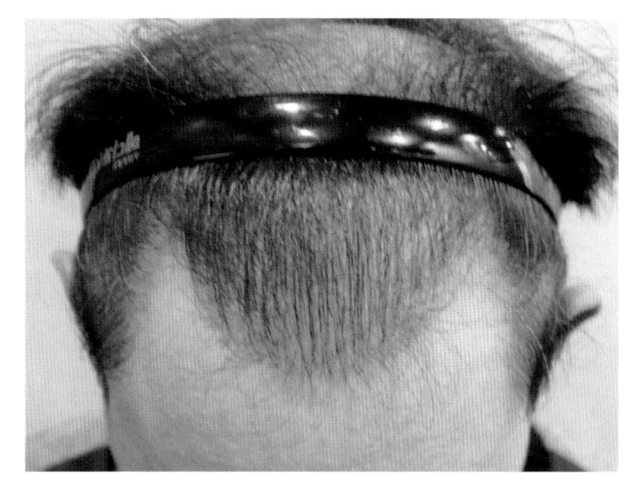

그림 9-9 서양인의 형태로 모발이식하여 부자연스런 모습

표 9-2	전측두 교차점(fronto-temporal junction)의 중요성

1. 이마가 넓거나 좁거나를 판단하는 기준 점이다.
2. 자연스런 모발이식을 위한 디자인의 기본이 되는 점이다.
3. 이 점을 중심으로 전두부와 측두부가 나누어지며, 이식할 모발의 방향이 달라진다.
4. M자형 탈모인지 아닌지 구별되는 점으로 자연스런 모발이식의 판단 기준이 되는 점이다. 너무 깊숙하고 높으며, 예각으로 이식되면 탈모처럼 보인다.
5. 가르마를 만든다면 이선을 중심으로 나누는 것이 가장 자연스럽다.

이 점은 디자인에서 매우 중요한 점이다. 그 이유는 표 9-2와 같다.

이 곡선이 없는 디자인은 서양인의 이마 형태를 보여 동양인에서는 부자연스럽고 모발이식을 한 후에도 M자 모양의 탈모처럼 보인다(그림 9-9).

여성은 전측두 교차점이 없으며, M자 모양이 없는 둥근형(round type) 또는 계란형(oval type)으로 디자인하는 것이 무난하나 여성에 따라서는 약간의 M자 모양(rectangular type)을 원하는 경우도 있다.

이보다 더 중요한 사실은 그 환자의 얼굴 형태에 따라 디자인이 달라져야 어울리고 자연스런 디자인이 될 수 있다는 것이다. 이를 위하여 저자는 왼손으로 헤어라인의 높이와 전측두 삼각을 다양하게 만들어 보여주면서 환자와 상담하고 있다(그림 9-10).

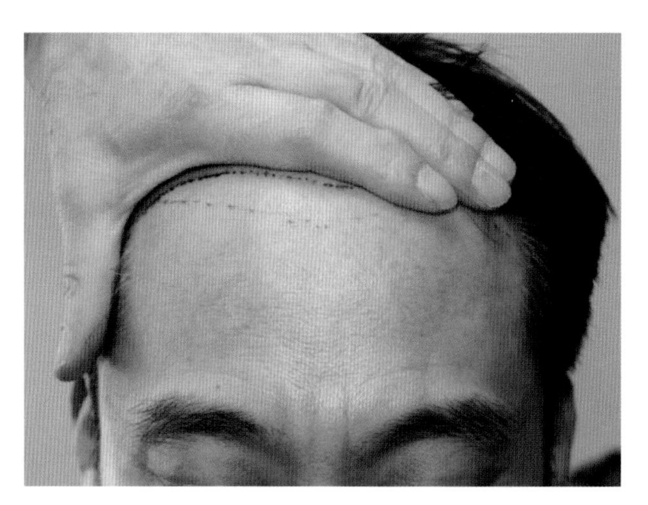

그림 9-10 왼손을 이용하여 헤어라인 디자인과 전측두 삼각을 만들어 상담하는 방법

4) 불규칙한 헤어라인의 디자인

헤어라인이 결정되면 이 라인을 중심으로 3점을 연결하여 자연스러운 앞라인을 디자인한다. 높이나 좌우 모양은 동일해야 하나 헤어라인을 일직선으로 이식하면 이식한 표가 나고 자연스럽지 않기 때문에 불규칙한 헤어라인 디자인이 필요하다(그림 9-11).

전두부의 앞머리뿐만 아니라 측두부, 눈썹, 콧수염, 턱수염, 음모 이식에도 크기와 모양의 차이가 있을 뿐 헤어라인은 불규칙하게 디자인해야 자연스럽다. 헤어라인을 불규칙하게 디자인하는 방법은 크게 3가지로 나눈다(표 9-3).

대돌출부(large irregularities, macro mound peak)는 환자의 얼굴 특성에 따라 파고와 파장이 결정되며, 보통 한쪽 헤어라인에 3-4개 정도 만들게 된다(그림 9-12). 파고와 파장도 일정한 형태로 동일하게 디자인해서는 안 된다. 최대한 irregularity를 주어야 한

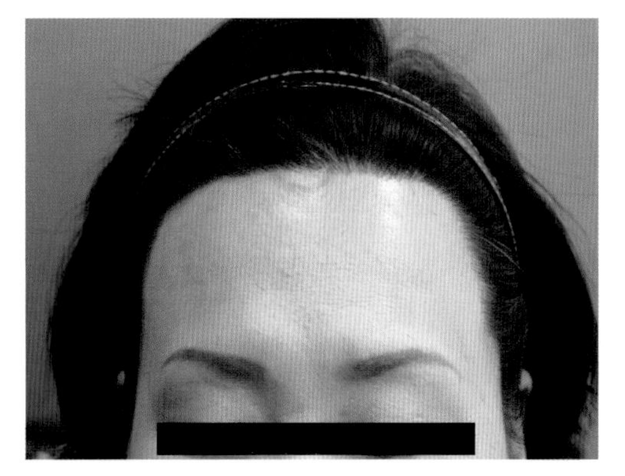

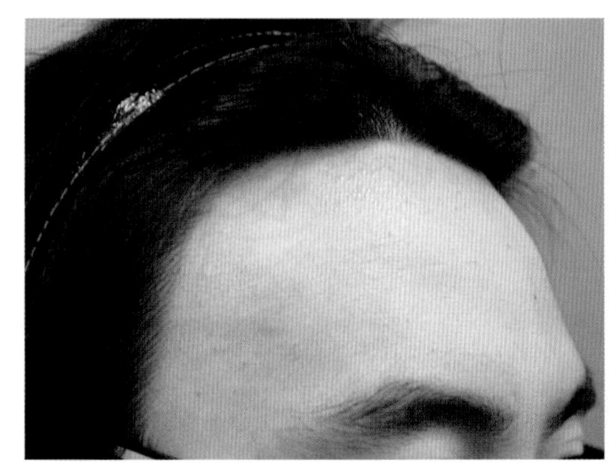

그림 9-11 모발이식 후 헤어라인과 옆머리의 일직선으로 부자연스러움

표 9-3 헤어라인을 불규칙하게 디자인 방법

	동일한 표현	적용 부위
대돌출부(large irregularities)	macro mound peak, Zig-Zag, snail tract,	전두부 헤어라인
소돌출부(small irregularities)	micro-irregularities, cluster, linear streams, gabs	모든 헤어라인
무작위 모발(random hairs)	island single hair, sentinel hair	모든 헤어라인
중앙돌출부와 좌우 측면 돌출부 (widow's peak, Lt, Rt lateral peak)		동양인에서는 거의 필요 없음

표 9-4 얼굴의 형태에 따른 헤어라인의 대돌출부(large irregularities) 디자인(㎝)

	남자		여자	
	파장	파고	파장	파고
얼굴이 넓고 두상이 큰 환자	2.0-2.5	0.5-1.0	1.0-1.5	0.3-0.5
얼굴이 작고 두상이 작은 환자	1.5-2.0	0.5-1.0	0.5-1.0	0.3-0.5

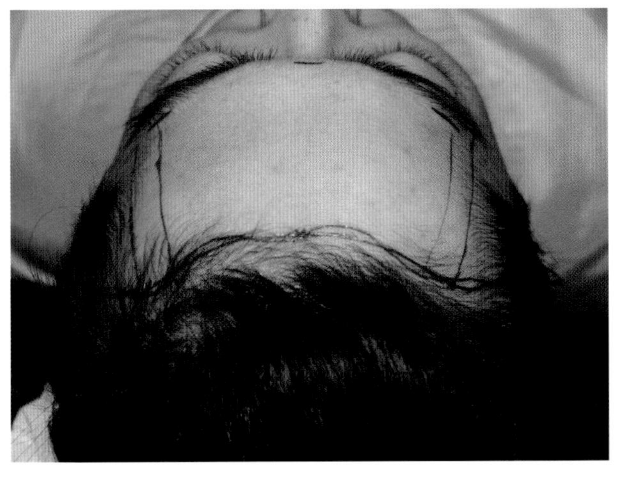

그림 9-12 3점의 연결과 대돌출부(large irregularity)의 디자인

다(표 9-4).

더욱 자연스런 라인을 만들기 위해 이보다 작은 삼각형의 소돌출부(small irregularities, micro-irregularities, cluster, linear streams, gabs)를 만들어 불규칙성을 증가시키게 된다. 보통 헤어라인 좌우에 5-10개 정도의 소 돌출부를 만든다(그림 9-13).

또한 소 돌출부의 앞쪽으로도 40여 무작위 모낭(random hair)을 이식하여 더욱 자연스

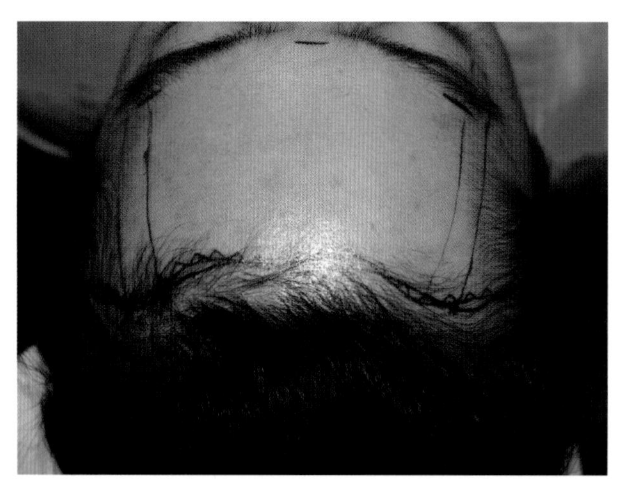

그림 9-13 3-6 ㎜의 소돌출부(small irregularities) 디자인

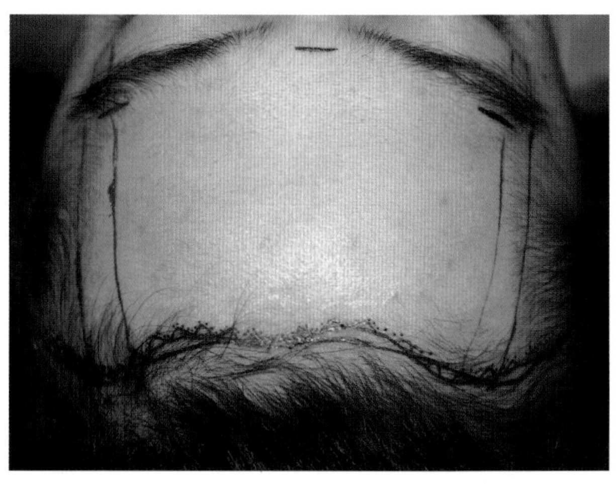

그림 9-14 40-50개의 무작위 모발(random hair)의 디자인

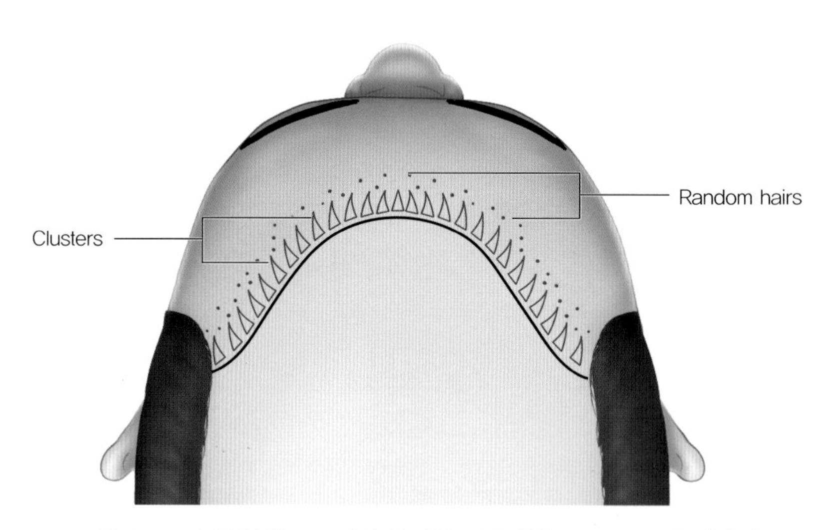

그림 9-15 소돌출부(cluster)와 무작위 모낭이식(random hair) 디자인

럽게 한다(그림 9-14, 9-15).

Caucasian에서는 중앙돌출부(central peak, widow's peak, V자형 hairline)와 좌우 외측 돌출부(left, right lateral frontal peak)를 만드나 동양인에게는 어울리지 않아 저자는 중앙돌출부와 좌우 외측 돌출부를 만들지 않고 지그재그 디자인만 하고 있다(그림 9-16).

헤어라인이 결정되면 환자를 앉혀서 거울을 보여주면서 동의를 얻어야 한다. 환자에게 보여주는 것이 아니라 환자의 동의를 구하고, 환자가 동의하면 이대로 이식한다는 것을 알려야 한다.

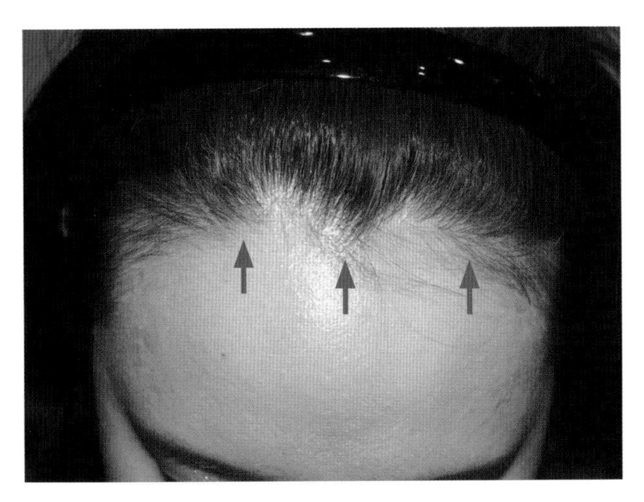

그림 9-16 **중앙돌출부(central peak, widow's peak, V자형 hairline)와 좌우 외측 돌출부(left, right lateral frontal peak)**

환자의 동의를 구하지 않으면 이식 후에 이마가 좁다거나 넓다거나 마음에 들지 않는다는 등 시시비비가 많아지므로 반드시 동의를 구하는 과정이 있어야 한다. 물론 상담할 때도 헤어라인에 대한 높이를 설명하지만 수술할 때 한 번 더 확인하는 것이 중요하다.

2 옆머리 헤어라인의 디자인

1) 옆머리(측두) 돌출부(temporal peak, temporal triangle)와 측두점 (temporal point)의 디자인

여성에서 얼굴을 좁아 보이기 위해서 측두부에 모발이식을 하나 남성에서는 이 부위가 탈모가 와서 심하게 퇴축된 경우를 제외하고는 거의 하지 않는다(그림 9-17).

이 부분은 원칙적으로 모발이식을 하지 않는 부위다. 시간이 지나면서 기존 모발은 탈모가 되고 이식한 모발은 남아서 마치 섬(isolated island)처럼 보일 가능성이 있기 때문이다. 탈모가 되었을 때 섬처럼 보이지 않는다는 가정 하에 이식해야 한다. 가끔 남성에서 퇴축이 심하지 않아도 측두 돌출부(temporal peak) 이식을 원하는 경우가 있는데 과거의 자신 모습으로 돌아가고자 하는 심정이 있기 때문이다.

측두부도 마찬가지이지만 모든 모발선은 직선이 아니고 대돌출부(large irregularity)는

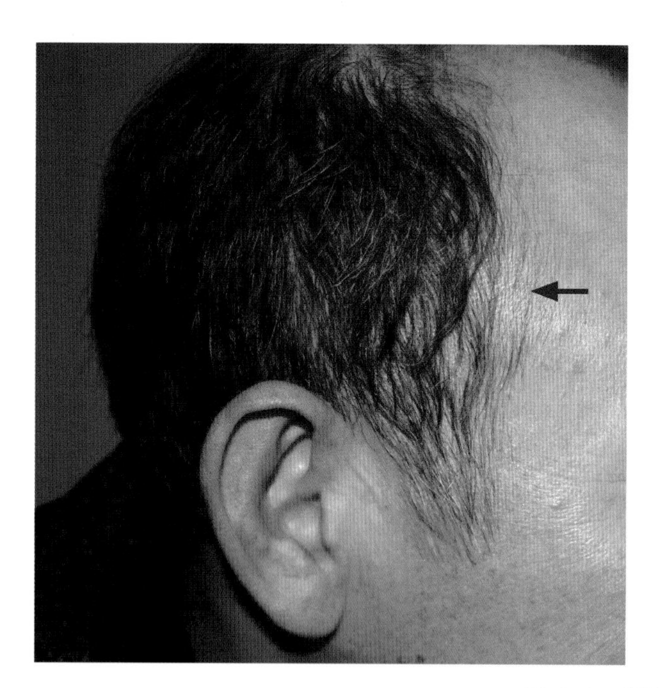
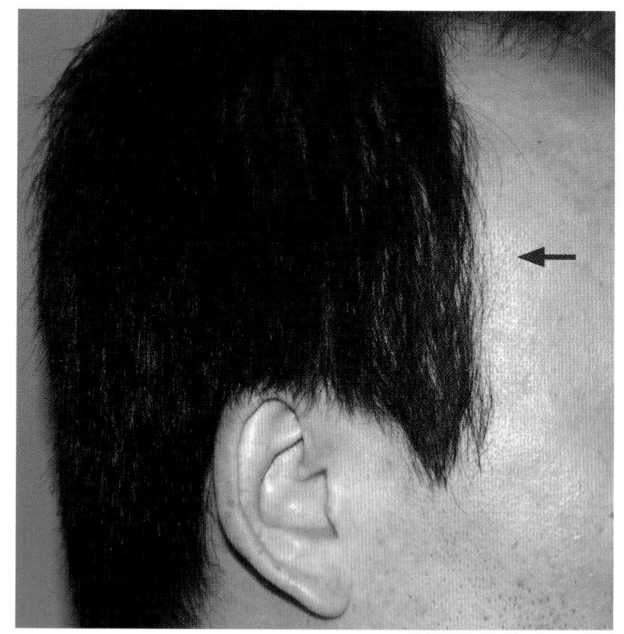

그림 9-17 측두 돌출부의 탈모

필요 없으나 최소한 소돌출부(small irregularity)는 있어야 한다.

측두 돌출부를 이식해야 하는 상황이라면 외측 안와 연(lateral orbital rim)에서 수직으로 연결한 선보다 반드시 뒤쪽에 있도록 디자인 한다. 측두 돌출부가 앞쪽으로 나오면 이마가 너무 좁아 보여 자연스럽지 못하고, 마치 원숭이 얼굴 모양이 되어 어색해진다(그림 9-18).

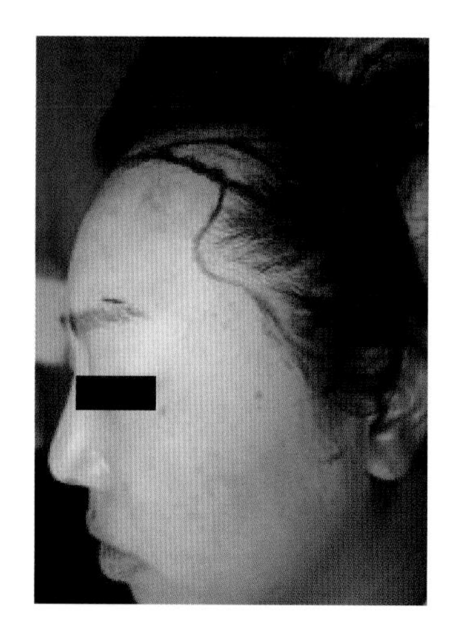
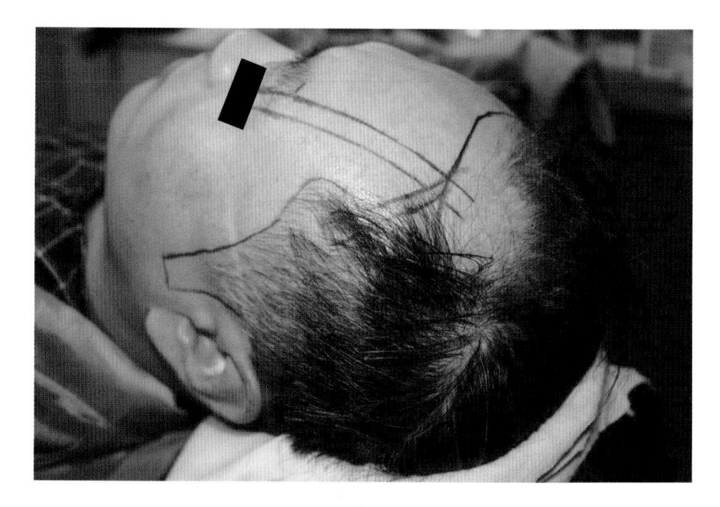

그림 9-18 측두부 모발이식의 디자인

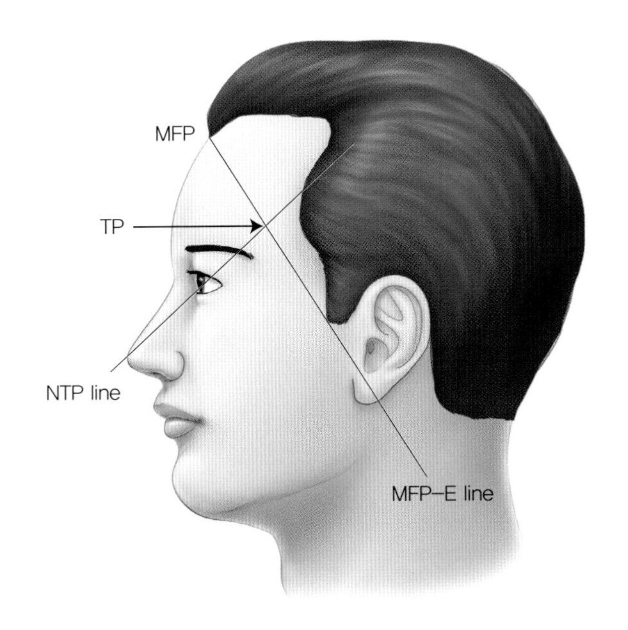

그림 9–19 **측두 돌출부의 위치**

좀 더 정확한 측두점은 측두 돌출부의 위치는 측면에서 보았을 때 귓바퀴에서 헤어라인의 전두 중앙점을 연결하였을 때 이 선과 코끝에서 동공을 연결한 선이 만나는 점에 위치하도록 디자인 한다. 이 점보다 약간 뒤쪽에 위치하는 것이 자연스런 경우가 많다(그림 9–19).

MFP: mid frontal point
MFP–E line : mid frontal point–earlobe line(전두 중앙점–귓바퀴 연결선)
TP : temporal point(측두점)
NTP line : nose tip–pupil line(코끝–동공 연결선)

2) 옆머리(측두) 후퇴부(temporal recession)의 디자인

측두 돌출부의 상부와 하부는 자연스런 모발선이 되도록 디자인하는데 상측두 후퇴부(supra temporal recession)와 하측두 후퇴부(infra temporal recession)를 만들어 모발선이 들어가 보이도록 디자인 한다. 여성에서는 더욱 부드럽고 자연스런 곡선형태인 'S'라인의 디자인이 좋다.

3 구레나룻의 디자인

여성은 얼굴이 작아보이기 위해서, 남성은 멋을 위해서 구레나룻(sideburn)을 이식하기도 한다.

zygomatic arch 윗부분까지 또는 귓불이 끝나는 지점까지만 이식하는 것이 좋다. 이보다 낮게도 이식할 수 있지만 부자연스럽고 부조화가 될 수 있으므로 가능한 적은 양을 이식하는 것이 좋다. 즉, 폭이 좁게 길이는 가능한 짧게 이식하는 것이 좋다. 하부 측두부 헤어라인과 자연스럽게 연결되도록 디자인하며 귀의 tragus에서 최소한 2 ㎝은 뛰어서 디자인한다. 남자는 구레나룻의 끝이 사각형 모양으로 끝나나 여성은 삼각형 모양으로 끝나는 것이 자연스럽다.

구레나룻의 앞쪽이나 뒤쪽 부위도 탈모가 진행되어 후퇴된 경우 이식을 요구하는 경우가 있다. 그러나 이 부분은 모발이식에 원칙적으로 해당되지 않는다. 시간이 지나면서 기존 모발은 탈모가 되고 이식한 모발은 남아서 마치 섬(isolated island)처럼 보일 가능성이 있기 때문이다. 탈모가 되었을 때 섬처럼 보이지 않는다는 가정 하에 이식해야 한다.

환자에게 원하는 구레나룻을 디자인해보라고 하고, 전문가적 조언을 더하여 디자인하는 것이 가장 현명하다.

4 두정부와 정수리의 디자인

정수리는 특별한 디자인이 필요치는 않으나 가마(whorl)를 먼저 확인하는 것이 필요하다. 탈모로 인하여 가마가 보이지 않는다면 가상의 가마를 정한다.

2개 이상의 가마가 있을 때에는 뚜렷한 한 개의 가마만 살리고 다른 하나의 가마는 무시하고 자연스런 모발 방향으로 이식한다.

정수리 부위의 모발이식은 밀도와 방향이 중요하다. 가능한 미용학적 밀도를 준수하면서 이식하는 것이 좋다.

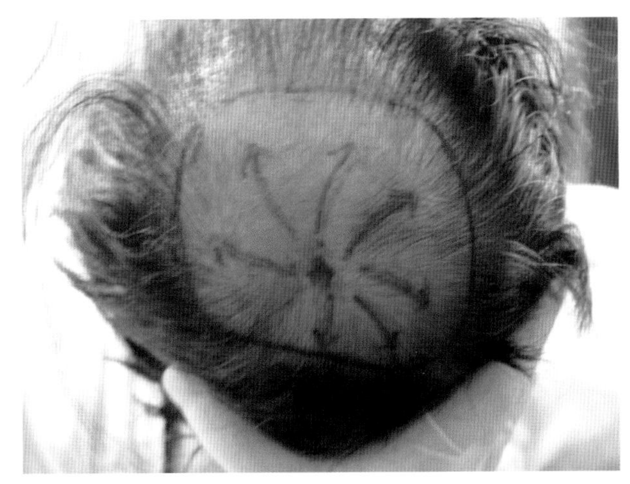

그림 9-20 정수리와 두정부의 모발 방향

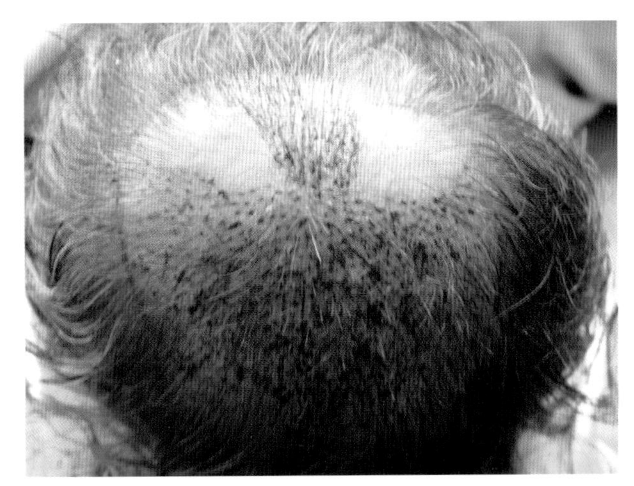

그림 9-21 정수리와 두정부의 모발방향에 따라 이식

가마 부위는 이식하기가 어려운 부위중 하나다. 모발 방향이 시계방향으로 돌아가면서 자라므로 이 방향을 맞추어서 이식해야 한다(그림 9-20, 9-21). 가마부위의 이식은 많이 이식해도 밀도가 낮아 보인다. 따라서 3모나 모낭 집단분리로 이식하는 것이 더 풍성해 보인다. Caucasian에서는 가마 부위의 밀도보다 주위 밀도를 높여 이식하라고 권고하는데 동양인은 가마부위의 밀도가 낮아 보이면 탈모처럼 보인다고 불만하므로 가마부위의 어느 정도 밀도를 높이는 것이 필요하다.

또한 가마 부위보다 후두부 모발선 부위를 좀 더 조밀하게 이식해야 어색하지 않다. 가마 부위는 조밀하나 후두부 모발선 부위가 밀도가 낮으면 어색해지고 마치 섬(island)처럼 보인다.

이식할 모발이 부족하다면 가르마를 탈 부위를 먼저 이식한다. 이식하지 못한 부분은 이식한 모발로 넘겨서 감추는 방법이 좋다(그림 9-22, 9-23).

탈모의 경계로부터 탈모가 아직 진행되지 않은 1-2 ㎝를 포함하여 이식하는 것이 좋다. 후에 탈모가 진행되어 섬(island)처럼 보이지 않기 위함이다. 일부 의사들은 이 부위 이식은 35-45세가 넘어서 하라고 권고하는데 이는 탈모가 진행되어 섬처럼 보이는 것을 우려하기 때문이다.

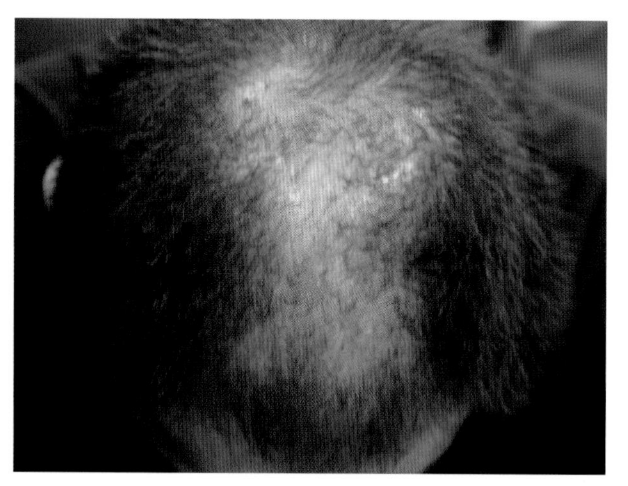

그림 9-22 두정부 모발이식 전

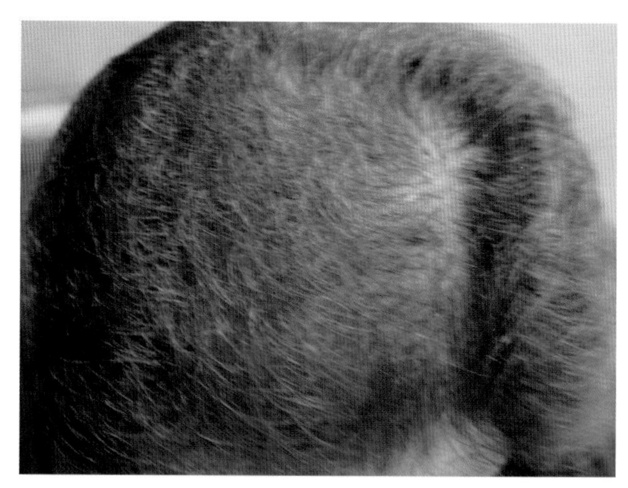

그림 9-23 1회 모발이식으로 개선하였으나 가르마 부위의 밀도가 더 높으면 좋을 예

5 디자인 할 때 고려사항

지금까지의 디자인에 대한 설명은 원칙적인 제안에 불과하며, 나이와 개인의 두상 차이, 모발의 특성 차이, 개인의 선호도가 다르므로 이러한 특징을 고려한다(표 9-5).

1) 나이

젊은 남자는 앞머리가 M자 모양보다는 둥근 형태가 많으나 중년이 넘으면 이마가 넓어지고 M자 형태를 나타낸다. 중년이 되면 이마가 조금 넓어야 시원한 인상이 된다.

특히 젊은 남성에서 원래의 헤어라인을 고집하는 경우가 많은데 젊어서 탈모가 진행되었다면 중년이 되면 심한 탈모가 가능하므로 환자가 원하는 대로 헤어라인을 너무 낮게 잡지 않도록 한다. 오히려 헤어라인의 예정선보다 1-2 ㎝ 위를 정하는 것이 좋다. 낮게 잡아 이식하면

표 9-5	디자인 할 때 고려사항
1. 나이	
2. 두상의 특징	
3. 얼굴의 형태	
4. 이마 모양	
5. 기존 헤어라인의 모양	
6. 현재 탈모의 정도	
7. 공여부의 상태 및 필요한 모발 수	
8. 환자의 요구	

다음에 이식할 량이 부족하게 되고 중년이 되어서도 이마가 좁아 보이는 단점이 있다.

2) 두상의 특징

두상이 크고 넓다면 M자 부위를 조금 더 내리고 둥글게 디자인하는 것이 이마가 좁아 보이는 효과가 있다. 서양인처럼 두상이 좁고 긴 편이라면 이마 중심부의 앞머리를 좀 더 M자 부위를 조금 더 올려서 디자인한다.

3) 얼굴의 형태

길고 가름한 얼굴은 이마가 넓어보이므로 헤어라인을 낮추어 이마가 좁게 보이게 하는 것이 좋으며, 둥글고 큰 얼굴은 이마를 시원하게 보이기 위해 헤어라인을 좀 높게 잡고 측두 돌출부의 옆머리에 모발이식을 하면 좁아 보인다.

4) 이마의 모양

넓은 이마는 M자를 둥글게 하고, 좁은 이마는 약간 M자가 넓게 보이도록 디자인한다.

5) 기존 헤어라인의 모양

기존 헤어라인의 모양대로 이식하는 것이 가장 좋은 방법이나 현실적으로 불가능한 경우가 많다. 기존 헤어라인을 확인하는 방법으로는 피부를 밀어 올려서 피부에 주름이 잡히는 부위는 털이 없던 피부이고, 주름이 안 잡히는 부위는 탈모로 인하여 털이 없는 부위로 구분할 수 있다.

6) 현재 탈모의 정도

뒷머리의 공여부에서 채취할 모발은 제한적이므로 이식할 부위가 넓다면 헤어라인을 높이고 밀도를 낮추는 방법을 쓸 수밖에 없다. 절편채취 모발이식술인 경우 더욱 제한적이며, 많이 채취할 수 있는 편치채취 모발이식술은 다소 덜 제한적이다.

헤어라인을 낮추어 이식할 량이 많아지면 밀도가 떨어질 수밖에 없는데 이는 환자의 불만이 될 수 밖에 없다. 오히려 헤어라인을 높이고 적당한 밀도를 유지하는 것이 좋다.

7) 공여부의 상태 및 필요한 모발 수

공여부의 모발상태가 가늘고 이미 탈모가 온 상태라면 이식해도 생존율이 낮고 더욱 가늘어질 가능성이 높으므로 헤어라인을 높게 잡아야 한다.

곱슬머리도 헤어라인을 높게 잡는 것이 좋으며, 낮게 잡으면 이마가 좁아 보이고 답답한 느낌이 든다.

8) 환자의 요구

환자의 요구를 가능하다면 들어주는 것이 만족도를 높이는 방법이다. 너무 비현실적인 요구를 하는 경우 모발이식은 재고되어야 한다.

특히 너무 좁은 이마를 원하거나 뒷머리나 기존의 모발 밀도를 고집한다면 이식을 하지 않는 것이 좋다. 이 환자는 이식 후에도 불만과 불만족이 계속된다.

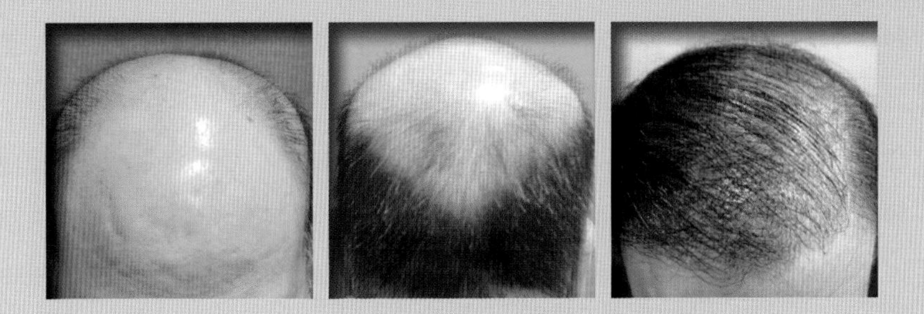

Chapter 10

모낭분리와 보관

1. 모낭분리 방법
2. 생존율을 높이기 위한 모낭분리 방법
3. 분리한 모낭의 보관
4. 절단된 모발의 재생과 생존율

Hair Transplantation

모낭분리(follicular dissection, follicular unit dissection)는 모낭분리 기사가 담당하지만 모발의 생존율과 버려지는 모발수와 직결되기 때문에 신중해야 하고, 경험이 필요하다.

절편채취 모발이식술은 모발분리 기사는 꼭 필요하며, 펀치채취 모발이식술에서도 가끔 상피세포를 제거하는 경우가 있는데 이때는 훈련된 간호사나 또는 분리기사가 필요하다.

모낭분리 기사는 자격증이 필요한 것은 아니며, 대부분 간호사나 간호보조사다. 추후 모발분리에 대한 법적인 문제를 위해서 간호사나 간호보조사가 분리하는 것이 좋다.

1 모낭분리 방법

1) 1단계와 2단계의 절편 분리(first and second strip slivering)

공여부에서 채취한 두피 절편을 1×1 ㎝ 정도로 자르고(1단계 절편분리, first slivering) 다시 5–6개의 작은 절편으로 자른다(2단계 절편분리, second slivering)(그림 10–1).

1단계 절편분리는 고도의 기술이 필요하다. 경험이 부족하면 모낭 손상이 쉽게 일어나고 버려지는 모발이 많기 때문이다.

보통 20번 메스를 이용하여 분리한다. 이때 25G needle로 한쪽을 고정하고 핀셋으로 당

그림 10–1 1단계 절편분리(first slivering)과 2단계 절편분리(second slivering)

기면서 분리해야 손상이 적다.

과거에는 박달나무 판 위에 놓고 분리하였으나 최근에는 투명한 PVC 판 속에 조명(back light)이 있어 잘 보이게 하여 모낭 손상을 줄이는 방법을 쓰고 있다.

완전히 분리가 끝날 때까지 2분마다 차가운 생리식염수(4℃가 좋음)를 지속적으로 뿌려 주어야 한다. 분리하지 않는 이식편도 차가운 생리식염수를 충분히 적신 거즈 위에 올려놓거나 차가운 생리식염수 또는 저장용액(hypothermic tissue storage media), 세포배양액(culture media)에 보관하여 건조화(desiccation)가 되지 않도록 한다.

2) 모낭단위 분리(follicular unit dissection)와 분류

한 개의 모공단위당(모낭단위당) 모발 수는 1-3개가 보통이며, 앞머리와 정수리, 후두부의 분포가 다르다고 5장에서 설명하였다(그림 10-2). 동양인에서는 대부분 모낭단위 분리를 하고 있으며, 모낭군 분리(follicular group(family) dissection)는 거의 하지 않는다. 풍부하게 보이기 위해 모낭군 분리를 가끔 할 때가 있다. 밀도가 높은 서양인에서는 모낭군 분리가 필요할 수도 있으나 동양인에서는 2개 또는 3개의 모낭단위를 한 개의 이식편으로 만드는 모낭 재조합분리(follicular pairing, recombinant technique)가 편리하다.

모발을 분리하면 동일한 부위임에도 불구하고 피부에서 모낭까지의 길이가 다르다. 심지어 3 ㎜까지 차이가 난다. 이식할 때도 1모(1 hair FU), 2모(2 hair FU), 3모(3 hair FU)로 분류하고 모발 길이에 따라 재분류하여 이식해야 혈관손상을 줄이고, 깊이를 정확하게

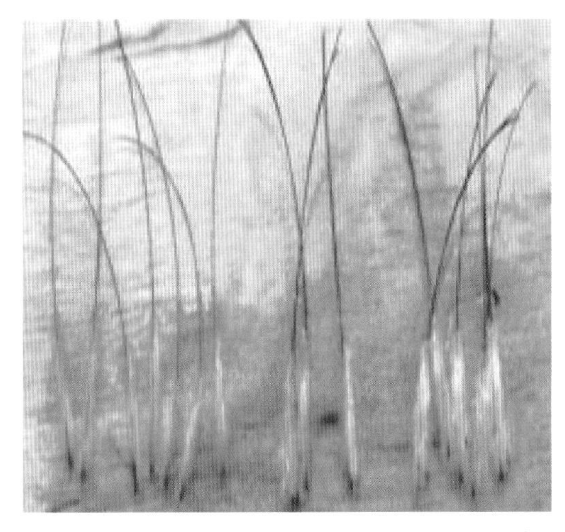

그림 10-2 **모낭단위별 모낭분리(1모, 2모, 3모)**

하여 생존율을 높이고, 모낭염(folliculitis)과 낭종(cyst) 형성을 예방할 수 있다.

더욱 자세한 분류와 이식이 생존율을 높이고 정확한 위치에 삽입할 수 있으나 현실적으로 어렵다. 보통 모발이식기로 이식한다면 1, 2, 3모로 분류하고 다시 길이에 따라 long과 shot으로 분류하며, demis(잘린 모낭 또는 손상 모낭)로 7가지로 분류한다(표 10-1).

슬릿 방법을 사용한다면 슬릿 구멍에 꼭 맞게 이식해야 하므로 좀 더 자세한 분류가 필요하다. 가는 1모와 모낭끼리 떨어져 있는 2모, 모낭끼리 떨어져 있는 3모를 분류하고 다시 long과 shot으로 분류한다. Caucasian이라면 좀 더 자세하게 분류하여 이식하나 실제적으로는 시간이 많이 걸리고 일이 많아지므로 어렵다(표 10-2).

절편분리(slivering)은 디지털 영상 현미경을 사용하고 모낭분리는 2.5-5배 확대 loupes를 이용하는 것이 가장 현실적인 조합이나 향후 모니터를 이용한 영상현미경분리가 대다수일 것으로 판단된다.

표 10-1 모발이식기로 이식하는 경우 모낭의 길이에 따라 7개 군으로 분류

1모	long
	shot
2모	long
	shot
3모	long
	shot
demis(잘린 모낭, 손상 모낭, hair가 잘린 모낭)	

표 10-2 슬릿 방법으로 이식하는 경우 모낭의 길이에 따라 13개 군으로 분류

1모	가는 1모(fine 1s)	shot, long
	1모(1s)	shot, long
2모	2모(2s)	shot, long
	모낭이 떨어져 있는 2모(parallel 2s)	shot, long
3모	3s	shot, long
	모낭이 떨어져 있는 3모(parallel 3s)	shot, long
demis(잘린 모낭, 손상 모낭, hair가 잘린 모낭)		

3) 모 단위 분리(follicular splitting)

일반적으로 모낭단위 분리가 대부분이지만 자연스러움을 강조하기 위해 단일모가 필요한 경우가 종종 있다. 이럴 때는 모공단위당 2모나 3모를 단일모로 분리하는 것을 모 단위 분리라고 하며, 모낭이 손상당하지 않도록 조심한다.

눈썹의 이식이나 속눈썹, 헤어라인, 음모이식, 얼굴부위의 구레나룻이나 수염은 단일모로 이식하기 때문에 2모나 3모를 분리하여 단일모로 만들어 이식한다.

4) 모낭 재조합 분리(follicular pairing, recombinant technique)

보통은 모낭단위로 분리하지만 이식한 모발을 풍부하게 보이기 위해서 2모나 3모를 1개의 모낭단위처럼 합해서 분리하는 경우가 있다. 이를 모낭 재조합분리라고 한다.

주로 두정부의 모발이식에 사용하며, 공여부의 모발이 가늘어서 모낭단위 분리로는 풍부함을 얻을 수 없는 경우에 시행한다.

2 생존율을 높이기 위한 모낭분리 방법

잘 분리된 모발은 생존율과 직결되기 때문에 중요하다. 모낭분리는 분리기사가 담당하고 있지만 의사는 제대로 분리가 되었는지 확인해야 한다.

모낭분리 할 때 중요한 점은 다음과 같다. 잘 분리된 모낭은 마치 서양배 모양이며, 가늘게 보다는 통통한 모습이고, 충분한 수분을 갖고 있어 윤기나면서 탱탱한 모양이다(그림 10-3, 10-4, 표 10-3).

상피가 제거되지 않으면 깊이 이식되면 모낭염이 발생하기 쉽고, 두피 표면보다 튀어나오면 상피조직이 영구적으로 사라지지 않아 마치 비듬처럼 보인다.
분리된 모낭 부위에 지방 조직 등이 많이 붙어야 하는 이유는 이식 후에 혈액이 충분히 공급되기 전에 영양분을 사용되기 때문이다.

지방이나 연부조직이 거의 없이 얇게 분리된 모발과 지방이나 조직이 많이 붙어있는 통통한 모발은 생존율에 차이가 있다. 통통하게 분리된 모발이 생존율이 높다(표 10-4).

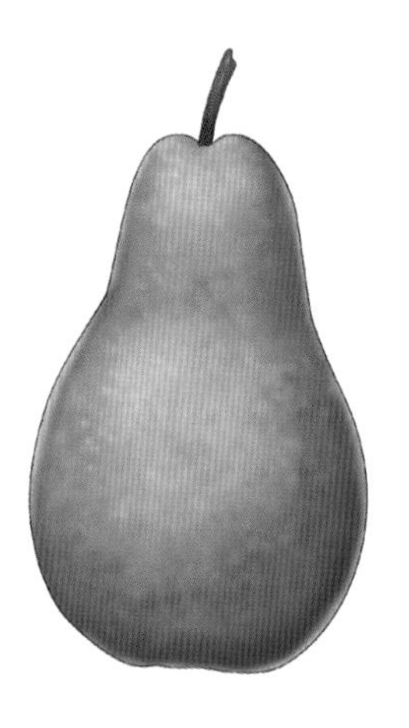

그림 10-3 서양배 모양

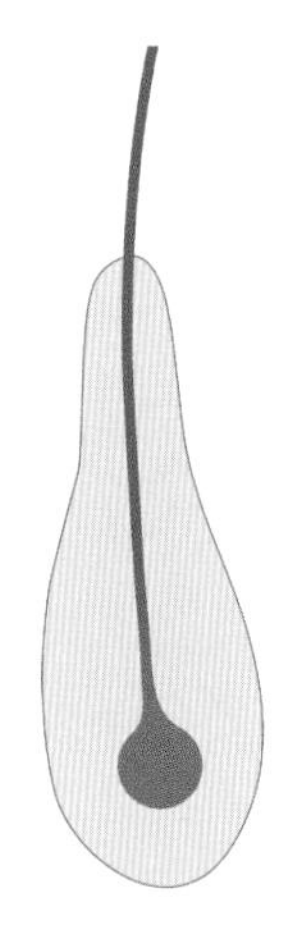

그림 10-4 잘 분리된 모낭의 모양

표 10-3 모발분리를 할 때 중요한 점

1. 상피는 가능한 제거해야 한다.
2. 진피와 피하지방은 가능한 많이 붙어 있어야 한다.
3. 피지샘이 가능한 많이 붙어 있어야 한다.
4. stem cell이 많이 있는 bulge area와 outer sheath area의 손상이 없어야 하고 조직이 많이 붙어 있어야 한다.
5. 모낭의 중심인 dermal papilla 부위에 지방과 조직이 많이 붙어 있어야 한다.

표 10-4 통통한 분리와 가느다란 분리의 이식 6개월 후 생존율 비교

	Seager(1997)	Beehner(1998)
통통한 분리(chubby)	113%	133%
가느다란 분리(skinny)	89%	103%

윗 표에서 이식할 때보다 6개월 후에 모발이 증가한 것은 휴지기에 있는 모발이 포함되지 못했다가 자라났기 때문이라고 한다.

잘 분리된 모낭을 이식한 경우 이식 후에 2주-2달 사이에 자연 탈락되지 않고 계속 자란다는 보고도 있어 모낭분리가 중요하다.

펀치채취 모발이식을 할 때 펀치하고 포셉으로 잡아당겨 뽑을 때 지방이나 연부조직이 없이 채취되는 모낭(skeletonized FU, naked FU)이 많아 생존율 감소를 우려하게 된다.

3 분리한 모낭의 보관

분리한 모발은 즉시 이식하는 것이 생존율이 가장 좋으나 현실적으로 불가능한 경우가 많다.

분리한 모발은 4℃에서 보관하는 것이 가장 좋다. 0℃는 오히려 조직에 손상을 줄 수 있고, 세포막의 변성과 삼투압의 차이로 생존율이 낮아진다.

Limmer는 차갑게 보관한 후 이식까지 걸린 시간의 경과에 따라 생존율을 조사하였다. 최소한 6시간 이내에 이식하는 것이 추천된다(표 10-5).

분리한 모발은 차가운 생리식염수에 충분히 젖은 거즈에 올려놓는다. 마르지 않도록 생리식염수를 2분마다 지속적으로 뿌려주어야 하고, 4℃ 정도에서 보관해야 한다.

황성주 등이 연구에 따르면 분리한 모발의 보관온도에 따라 다양한 생존율을 보이고 있다(표 10-6).

수술 전날 저녁에 생리식염수 2리터 정도를 냉장고에 넣어 사용하면 편리하다. 시판하고 있는 Cooling bowel을 이용하면 편리하며, Cooling bowel이 없다면 얼음 팩 등을 모발분리 용기(샤르) 밑에 두어 차갑게 유지한다.

표 10-5 분리 후 이식까지 걸린 시간별 생존율 비교(22주 후 생존율)

시간	2	4	6	8	24	48
생존율	95	90	86	88	79	54

표 10-6 분리한 모발의 보관온도에 따른 생존율(시간, %)

	시간			
	0	6	24	48
4℃	96	94	76	50
실온(15℃)	95	92	40	34

6시간 이내에 이식이 끝난다면 굳이 생리식염수 대신에 저장용액(저온 조직 보존 용액, hypothermic tissue storage media)이나 세포배양액(culture media)은 필요하지 않다. 6시간 이상 걸린다면 저장용액이나 세포배양액을 사용한다.

최근 세포의 분자생물학적 반응을 최소화하기 위하여 'HypoThermosol'이란 제품이 시판되고 있다. 이 용액에는 antioxidant인 glutathione과 vitamin E를 포함하고 있어 온도 변화에 따른 모낭의 스트레스를 완화시켜 주는 것으로 알려져 있다. 특히 장시간 이식하기 어려운 상황에서 도움이 될 것으로 보인다.

PRP(platelet rich plasma)나 줄기세포, 성장호르몬, IGF, EGF 등을 사용한다면 차갑게 해서 생리식염수 대신에 지속적으로 뿌려준다. PRP나 줄기세포는 문제가 없지만 뿌려주는 약제가 주사용 의약품인지 확인해야 한다. 화장품이나 의약외품은 모발이식에 사용할 수 없다. 대부분의 화장품이나 의약외품은 소독되어 있다고 하여도 안정성이 인정되지 않는 경우가 많다.

4 절단된 모발의 재생과 생존율

절단이나 손상된 모발은 생존율이 감소하나 무조건 버려서는 안 된다. 특히 모발 수가 부족한 경우에는 손상된 모발도 이식하는 것이 좋다.

Beerhner는 이식한 후에 12개월이 지나서 생존율을 조사한 결과 정상으로 분리된 모발은 86% 생존율을 보인 반면 절단된 모발은 45%였다. 김정철 등의 연구에서 상하 1/2 모발을 이식하면 40%와 27%가 생존한다고 하였다. 또한 Limmer는 7%와 21% 재생된다고 하여 상반된 의견이었으나 Mayer는 63%와 70%가 생존한다고 하였다. Swinehart는 46%와 47% 생존율을 보고하고 있어 절단된 모낭도 이식하는 것이 필요하다. 절단된 모발이라고 하여 무조건 버리면 안 된다.

김정철 등의 연구에서 절단된 모발을 이식하면 다음과 같은 특징이 있다(표 10-7). 줄기세포가 있는 팽대부(bulge)가 포함된 부분은 재생하지만 팽대부가 없는 부분은 사라지므로 줄기세포가 재생에 매우 중요한 역할을 한다(그림 10-5, 10-6, 10-7, 10-8).

표 10-7	절단된 모발 이식의 특징(김정철 등의 연구 결과)

1. 모낭의 1/2이 남은 하부 모발과 하부 2/3가 남은 모발을 이식하면 27%와 83%에서 완전한 모발로 성장한다. 굵기는 정상이다.
2. 모낭의 1/2이 남은 상부 모발과 모낭의 상부 2/3가 남은 모발을 이식하면 40%와 65%에서 완전한 모발로 성장한다. 먼저 모구를 형성하고 다음에 모발이 재생된다. 모낭의 상부 1/2이 남은 모발을 이식하면 가는 모발이 재생된다.
3. 모낭의 상부 1/3과 하부 1/3이 남은 모발을 이식하면 재생되지 않는다. 이러한 특징은 모낭 줄기세포와 멜라닌세포가 중요한 역할을 한다.

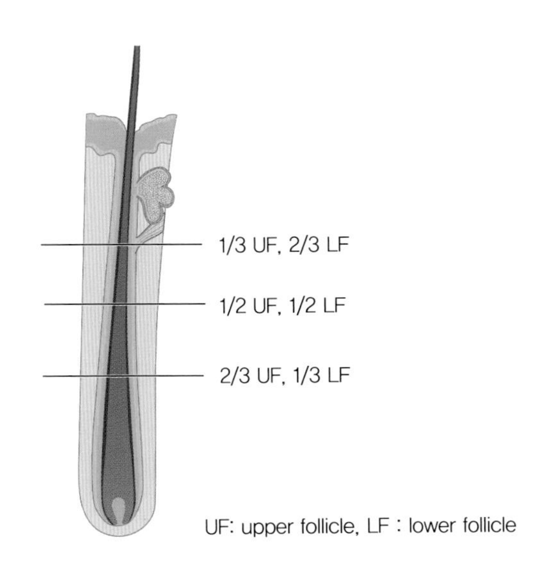

그림 10-5 모낭단위별 모낭분리(1모, 2모, 3모)

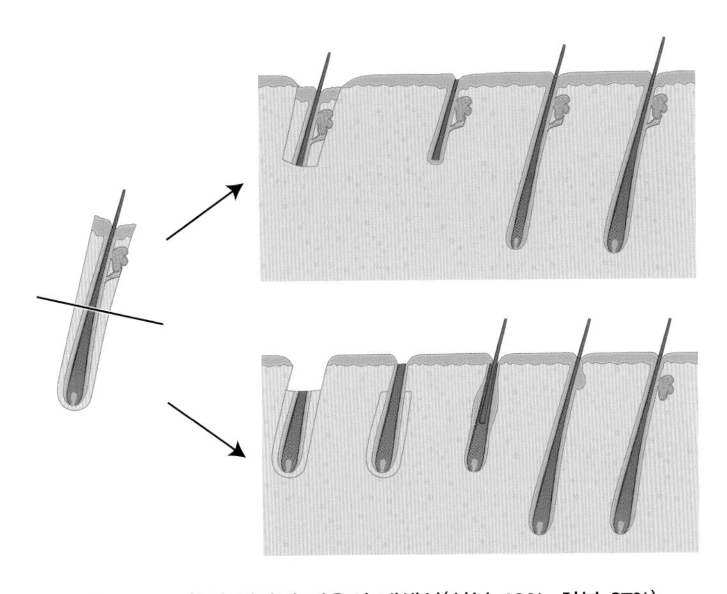

그림 10-6 1/2이 절단된 경우의 재생성(상부 40%, 하부 27%)

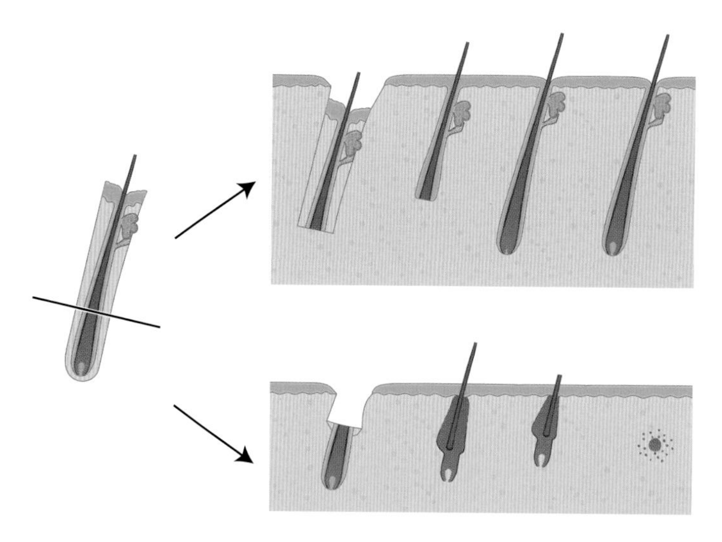

그림 10-7 하부 1/3이 절단된 경우의 재생성(상부 65%, 하부 0%)

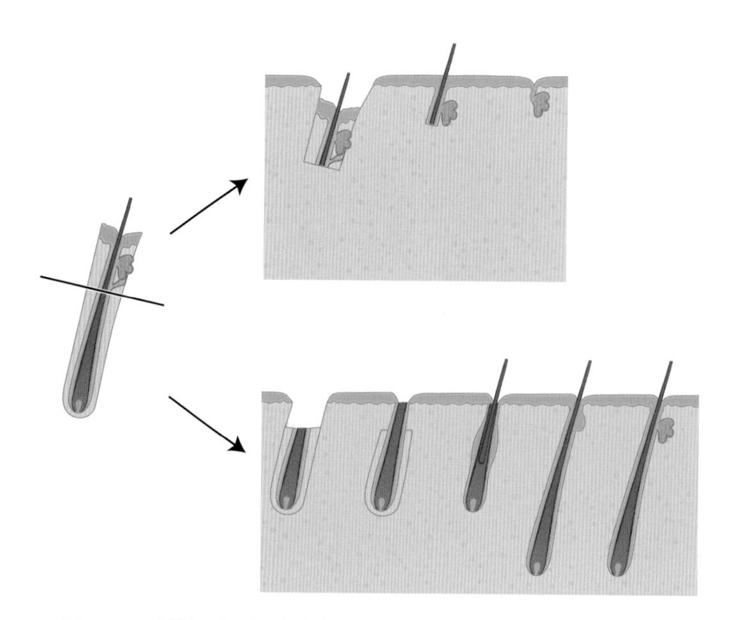

그림 10-8 상부 1/3이 절단된 경우의 재생성(상부 0%, 하부 83%)

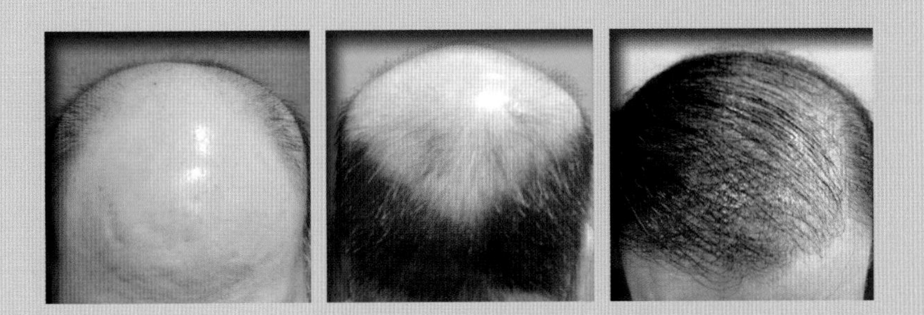

Chapter 11

절편채취 모발이식술(FUSS)

1. 공여부 모발의 절편채취
2. 절편채취의 모낭단위 이식
3. 앞머리 헤어라인의 이식
4. 가르마와 소 핥은 머리, 앞가마의 이식
5. 옆머리와 구레나룻의 이식
6. 두정부와 정수리의 이식

Hair Transplantation

1 공여부 모발의 절편채취

공여부에서 모발을 채취하는 방법(donor hair harvesting)은 2가지 방법으로 절편채취술(절개)와 펀치채취술(비절개)이 있다.

절편채취술(follicular unit strip surgery, FUSS): 공여부인 뒷머리나 신체 부위에서 두피나 피부를 절개하여 모발을 채취하는 방법이다.

펀치채취술(follicular unit Extraction, FUE, 모낭(모공)단위 적출술): 모낭단위 또는 모공단위로 펀치를 이용하여 구멍을 뚫고, 핀셋으로 뽑거나 음압을 이용하여 자동으로 뽑아내는 방법이다. 최근에는 전동식과 로봇을 이용한 자동화 기기가 많이 소개되고 있으며, 이 방법이 대중화되고 있는 추세다.

1) 채취 부위

공여부는 대부분 후두부인 뒷머리(occipital area) 부위다. 대머리가 심해도 뒷머리의 모발은 남아있는 경우가 대부분이다. 뒷머리는 탈모가 잘 오지 않기 때문에 모발이 굵고 건강하다는 것과 이식한 모발도 탈모가 덜 오기 때문이다. 흉터도 잘 보이지 않기 때문에 뒷머리에서 모발을 채취하게 된다.

수염이나 구레나룻, 겨드랑이, 가슴 털 등을 채취하여 이식하기도 하나 두피의 모발과 특성이 다르기 때문에 잘 사용하지는 않으며, 흉터가 남기 때문에 대부분 펀치채취술을 이용한다.

뒷머리에서 채취하는 부위는 절편채취술이나 펀치채취술이 거의 동일하다. 그러나 펀치채취술이 좀 더 넓은 부위에서 채취가 가능하므로 많은 모발 수를 얻을 수 있다.

절편채취술은 주로 occipital bone이 튀어나온 곳(occipital protuberance)을 중심으로 절개하여 채취한다. 이 부위는 보통 두피가 5층(skin–subcutaneous tissue–galea–subgaleal layer–pericranium)으로 이루어져 있고, 최소장력선(Langer's line)이 수평방향이어서 폭을 가장 넓게 채취할 수 있는 부위다(그림 11–1). 절개 부위가 아래로 내려오면 절개선의 아래 단면은 3–4층(skin–subcutaneous tissue–pericranium, skin–subcu–

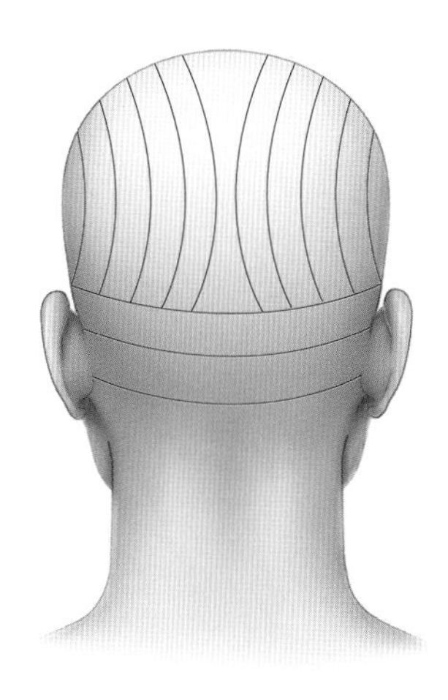

그림 11-1 **두피의 최소장력선(Langer's line)**

taneous tissue–muscle–pericranium) 구조일 수도 있다. loose areolar tissue(subgaleal layer)는 두피를 움직이는데 가장 중요한 층이므로 절개 폭을 최대한 넓게 할 수 있는 부위이므로 가능한 5층으로 구성된 부위에서 절편채취를 하는 것이 좋다.

나이가 들어 최대한 탈모가 된 상태에서도 흉터가 보이지 않을 부위여야 한다. 보통 Norwood–Hamilton 분류에서 type VII를 생각하여 탈모가 오지 않는 부위에서 채취해야 한다. 또한 채취 부위가 너무 낮으면 목덜미 부근의 탈모가 올 때 흉터가 보일 수 있으므로 너무 낮은 부위에서 채취해서도 안 된다.

귀 윗부분의 채취부위는 흉터가 보이지 않도록 모발 경계선에서 최소한 2 ㎝를 띄우고 채취한다.

젊은 사람의 이식은 이 기준선보다 아래 부위에서 모발 채취가 필요하다. 젊어서 탈모가 시작되었다면 나이를 먹으면 후두부까지 탈모가 가능하므로 흉터를 보이지 않기 위해서다. 보통 45세가 넘으면 탈모의 진행이 느리기 때문에 절개선을 젊은 사람처럼 아래 부위로 낮출 필요는 없다.

흉터가 보이지 않는다고 해서 이 부위보다 더 높은 곳에서 채취하면 흉터가 심하게 보일 수 있고, 이 부위에 탈모가 오면 이식한 모발도 탈모가 진행된다. 물론 이 부위는 loose areolar tissue가 잘 늘어나는 특징이 있고, 두피의 탄력도가 좋으나 최소 장력선이 수직 방향이다.

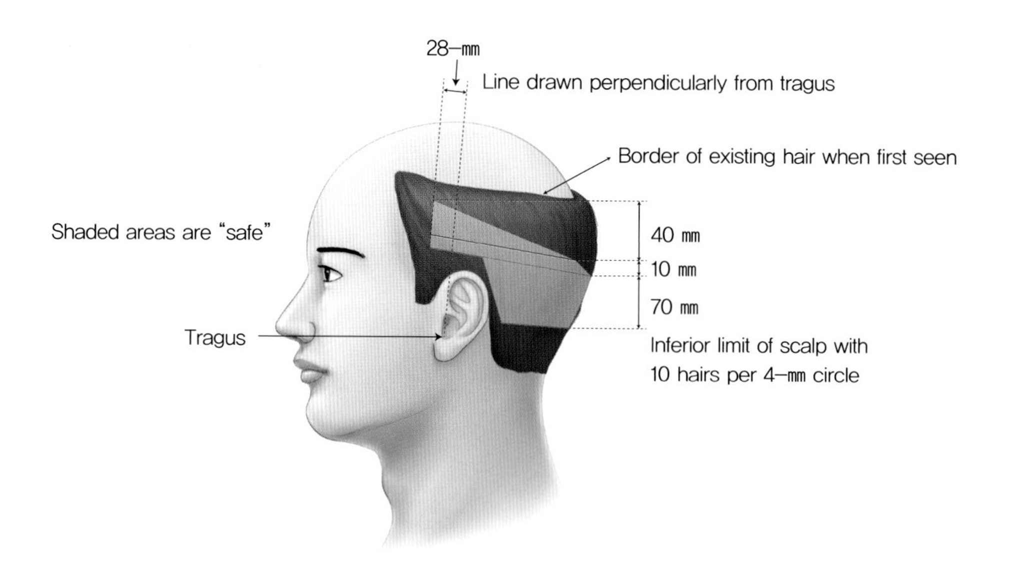

그림 11-2 Unger가 제시한 안전한 채취 부위(안전영역)

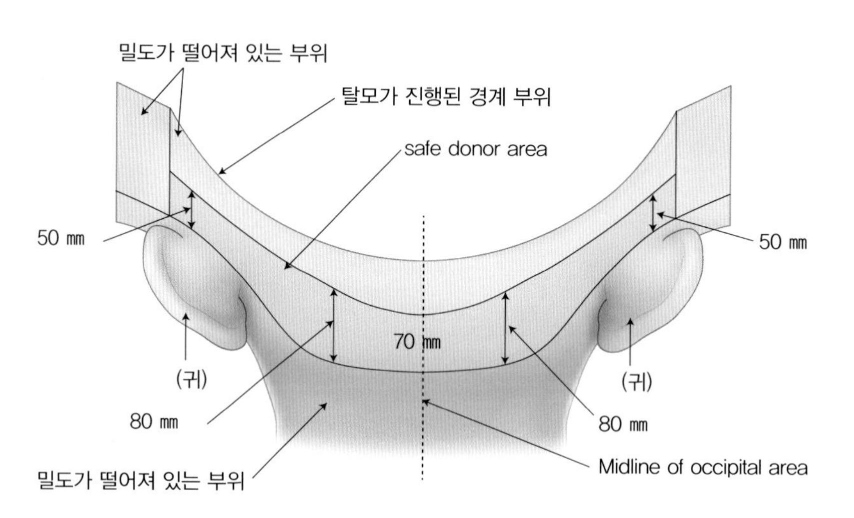

그림 11-3 Unger가 제시한 안전한 채취 부위(안전영역)

이러한 조건을 만족시키는 채취 부위를 Alt와 Unger 등은 안전영역(safety zone)을 제시하였는데 귀 윗부분은 4-5 ㎝, 측두부는 8 ㎝, 후두부는 7 ㎝이다. 동양인에서는 머리가 서양인에 비해 작기 때문에 이 보다 조금 작을 것으로 판단된다(그림 11-2, 11-3).

2) 폭의 결정

모발이식을 하는 의사의 입장에서 제일 중요한 것이 폭의 결정이다. 폭이 넓어 봉합할 수 없거나 봉합의 긴장도가 강하다면 흉터와 동반탈락, 피부 괴사, 영구적 탈모 등이 가능하다.

절편채취 모발이식술에서 공여부의 흉터는 머리카락으로 감출 수 있다고 하지만 이발이

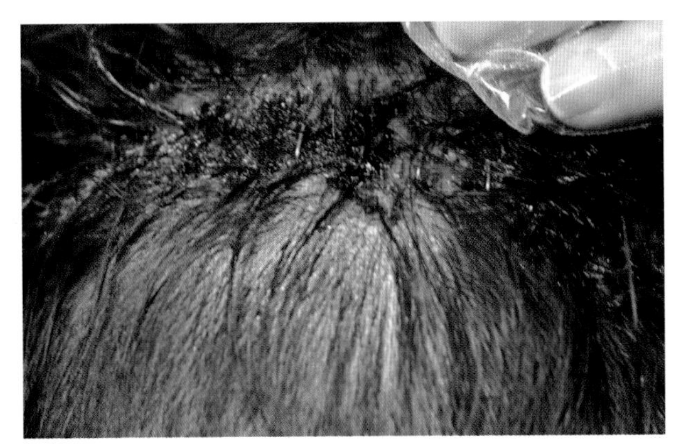
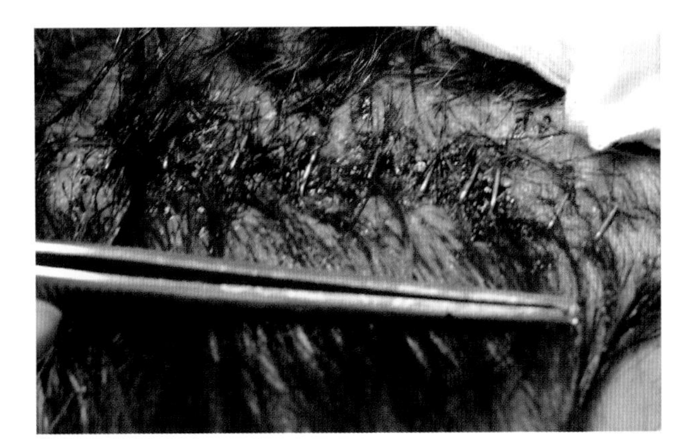

그림 11-4 공여부의 조직의 괴사

나 미장원에서 머리를 자르거나 손질할 때 한마디씩 듣게 되면 결국 의사에게 불만이 돌아온다. 봉합한 주위의 정상 모발이 빠지는 동반 탈락 때문에 의사에게는 스트레스가 된다. 동반 탈락은 보통 봉합선을 중심으로 1–5 ㎝까지 탈모가 온다. 6개월이 지나면 다시 재생되는 경우가 대부분이지만 일부는 영구적으로 탈모가 되어 흉터가 심하게 남을 수 있다.

두피 조직의 괴사나 영구적 탈모가 온다면 모발이식 수술은 당연히 하지 말았어야 한다고 생각하게 된다. 복구가 어렵고 시간도 많이 걸리며, 완벽한 복원이 어렵기 때문이다(그림 11–4).

따라서 폭의 결정은 경험이 필요하며, 두피는 피부와 같이 잘 늘어나지 않는다는 것을 꼭 기억해야 한다. 생각보다 두피는 늘어나지 않으므로 측정을 잘 해야 한다(그림 11–5).

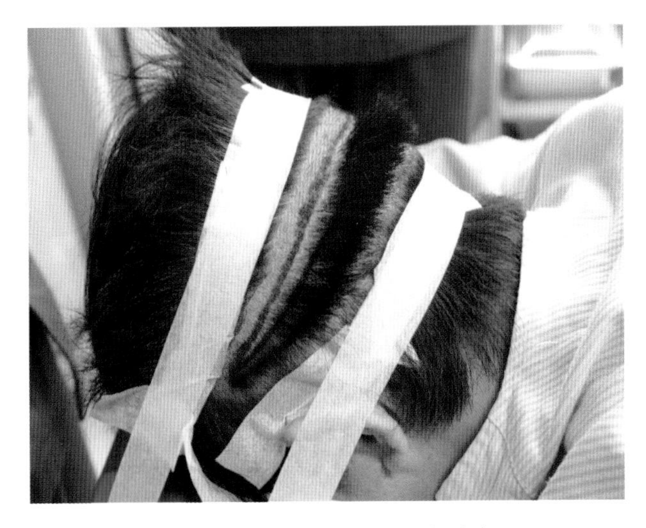

그림 11–5 공여부에서 폭의 결정

폭은 정상적인 두피 탄력(normal scalp elasticity)이 1.5 ㎝ 정도이므로 1.5 ㎝를 초과하지 않는 것이 좋으며, 피부가 딱딱하여 늘어나지 않는 두피(tight scalp, less scalp elasticity)로 봉합에 어려움이 있을 것 같으면 1.0 ㎝을 추천한다. 두피의 이완력이 아주 좋은 환자에서는 2.5 ㎝도 가능하여 봉합이 쉬울 수 있으나 신장복원력(stretch-back phenomenon) 때문에 오히려 흉터가 더 커질 수 있으므로 조심해야 한다.

Mastoid 위쪽의 두피는 피부 탄력성이 감소하는 부위이므로 약 20% 정도 폭을 좁게 하고(Alt와 Unger 등은 5 ㎜ 제시), Central occipital 부위도 피부 탄력이 감소하는 부위이므로 약간 좁게 하는 것이 좋다(Alt와 Unger 등은 7 ㎜ 제시).

여성에서는 두피가 잘 늘어나(hyperelastic scalp) 2.5 ㎝도 가능하나 무리하지 않는 것이 좋다. 두피의 유연성이 클수록 수술 후에 흉터가 더 심해지는 현상(stretch-back)이 있기 때문이다.

사람마다 개인차가 많으므로 엄지와 검지로 피부를 잡아 당겨서 봉합이 가능한지 확인하는 pinch test나 기구를 이용하여 측정한다. 폭을 결정하는 방법은 표 11-1과 같다.

(1) Pinch test

엄지와 검지를 이용하여 두피를 상하로 움직여 보면서 봉합이 가능한가를 측정하는 방법이다. 경험이 필요하고 측정한 폭보다 가능한 좁히는 것이 좋다. 저자는 아직도 절개하기 전에 3회 이상 확인하고 또 확인한다.

(2) 두피이완검사(scalp laxity test, scalp movement test)

Pinch test보다 정확한 방법은 두피에 점을 찍고 자의 눈금을 0에다 맞춘 다음 피부를 최대한 위나 아래로 압력을 주면서 밀어서 몇 ㎝ 이동하는지 검사하는 방법이다(그림 11-6). 경험이 필요하겠지만 저자가 자주 쓰는 방법이다.

표 11-1	공여부 절개 폭을 측정하는 방법
1. Pinch test	
2. Scalp laxity or movement test	
3. Laxometer	

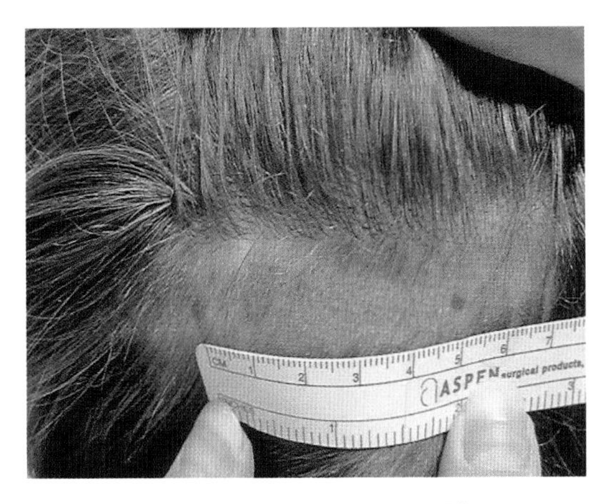

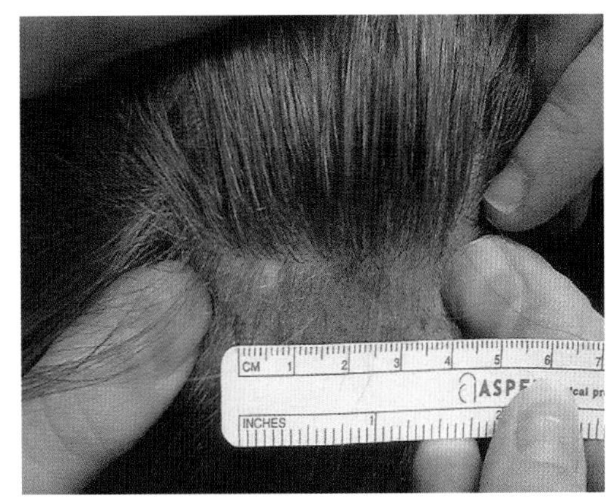

그림 11-6 Scalp movement test

(3) 두피이완측정기(laxometer)

scalp movement test하는 방법을 좀 더 정확하게 측정하는 간단한 기구이다.

더 많은 모발 채취를 원한다면 폭을 늘리는 것보다 길이를 늘리거나, 펀치채취 모발이식 방법으로 더 많이 채취하거나 2차 수술을 권한다.

폭을 늘리기 위해 두피이완운동(scalp laxity exercise)이 있는데 공여부 두피를 손가락으로 상하로 심하게 움직이는 운동으로 하루에 5-10분 동안 10회를 2-3개월 지속하면 3-5 ㎜ 정도의 폭을 늘릴 수 있으며, 약 20% 정도 더 채취가 가능하다고 한다.

3) 길이의 결정

공여부의 절편은 길이가 보통 20 ㎝이며, 최대한 길이는 30 ㎝ 정도 된다. 많은 모발이 필요하다고 하면 폭을 늘리는 것보다 길이를 늘리는 것을 추천한다.

Alt와 Unger 등이 제시한 안전영역에서 절편채취의 길이는 귀의 tragus 직선 상방에서 얼굴쪽으로 2.8 ㎝부터 채취할 수 있다. 그러나 일반적으로 흉터가 보이는 염려 때문에 tragus의 직선 상방을 넘지 않는 것이 추천된다. tragus의 직선 상방을 넘어서 측두부까지 절개하면 측두부 모발도 탈모가 되기 때문에 흉터가 보일 수 있고, 공여부에서 탈모가 올 모발을 이식하면 또 이식부의 모발도 탈모가 진행되기 때문이다.

1,000-2,000모 정도 이식할 때는 뒷머리의 밀도가 100개/㎠(보통은 130개/㎠)라면 길

이가 약 10-15 ㎝이고 폭이 1 ㎝ 정도이므로 두피의 좌측이나 우측 한쪽만 채취하고 다른 편은 2차 시술을 위하여 남겨 놓는다. 그 이상이라면 좌측과 우측을 모두 연결하는 채취방법이 필요하다.

4) 마취

모발을 채취할 때 마취방법은 2가지다. 수면마취와 부분마취를 동시에 하는 방법과 부분마취만으로 채취하는 방법이다. 대부분 부분마취만하고 채취하는 경우가 대부분이다. 펀치채취술은 움직이면 모발의 절단이 일어날 가능성이 높아 부분마취만 하게 된다.

부분마취는 고리마취와 신경차단 마취가 있으며, 신경차단 마취를 잘하면 매우 유익한 방법이나 절편채취 할 때는 주로 사용하지 않으나 이식할 때는 주로 사용한다(그림 11-7).

절편채취술에서 부분마취는 통증을 감소시키기 위해 3단계로 진행한다.

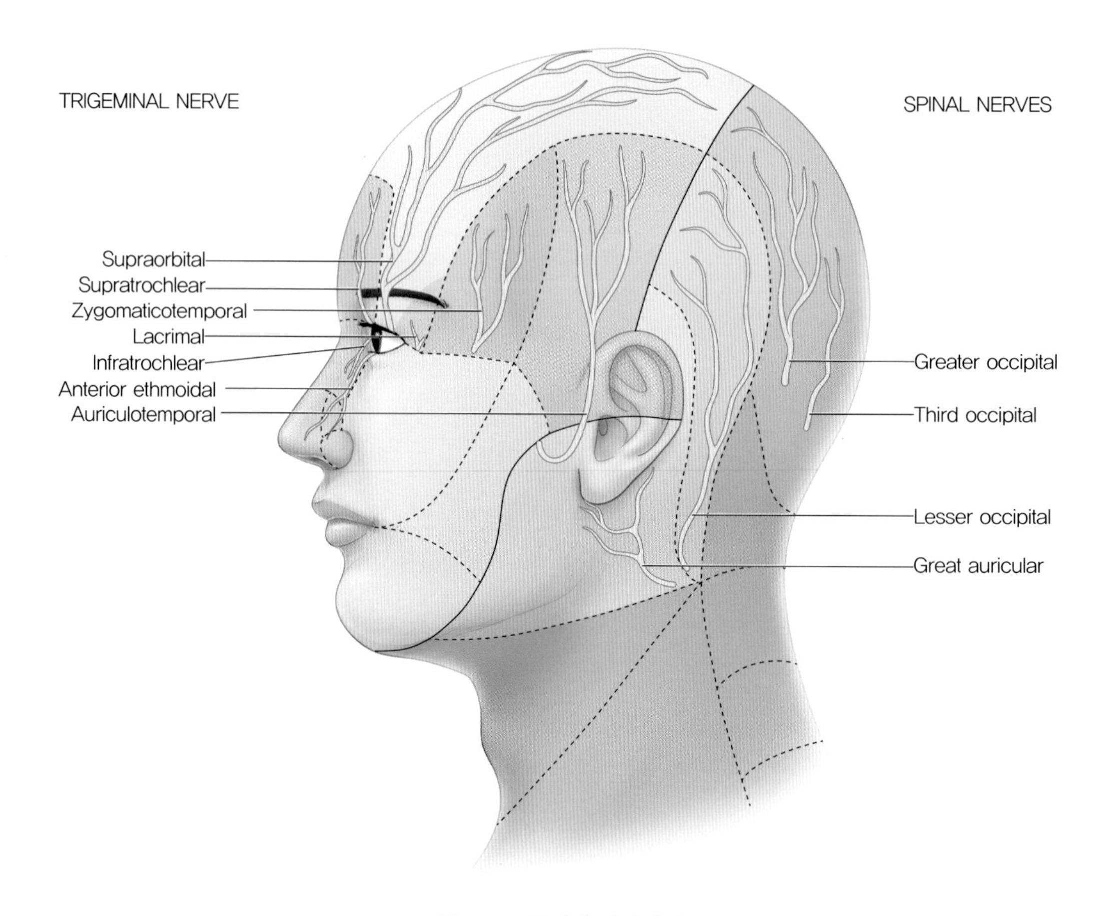

그림 11-7 두피의 감각신경

(1) 1단계 절개부위의 라인 마취(고리 마취, ring block)

통증을 줄이기 위한 방법으로 1-2% 리도카인으로 절개부위 라인을 따라 총 3-4 ㎖ 정도로 약간씩만 주사한다. 주입 깊이는 상부 피하지방층이다. 치과용 마취주사기를 사용하거나 10 ㎖ 주사기에 26G long 바늘을 이용하면 통증이 많이 감소한다.

리도카인은 epinephrine이 반드시 혼합되어야 하며, 두피는 출혈이 심한 곳이므로 1: 50,000이 좋다. 리도카인 한 병이 보통 20 ㎖이므로 epinephrine 0.4 ㎖를 혼합하면 된다. 간호사들이 epinephrine을 섞지 않아 출혈로 고생하는 경우가 종종 있으므로 리도카인을 개봉하면 무조건 epinephrine을 섞는 것을 습관화 시키는 것이 좋다.

신경차단 마취는 보통 고리형 마취 전에 할 수 있으며, 신경의 경로가 다양하여 효과가 적을 때도 있어 절편채취를 할 때는 자주 사용하지는 않는다. 신경마취를 하는 신경은 Great occipital nerve, lessor occipital nerve, Great auricular nerve다(그림 11-8).

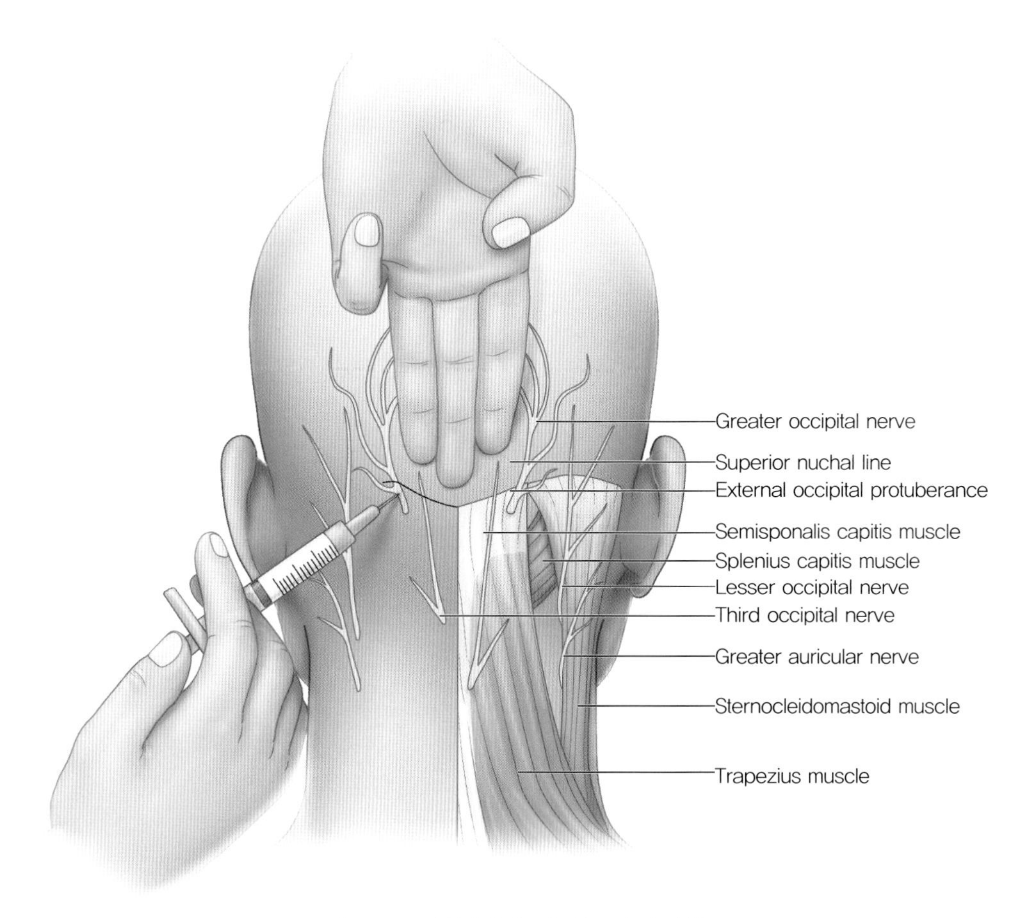

그림 11-8 절편채취 할 때 신경차단 마취

(2) 2단계 국소마취

라인마취를 한 후 약 3-5분 후에 epinephrine이 섞인 리도카인 10-15 ㎖ 정도를 절개 부위를 따라 고리형 마취를 다시 주사한다. 다소 통증이 느껴지지만 처음보다 심하지 않다.

국소마취는 에피네프린이 섞인 리도카인만으로도 마취를 할 수 있다. 그러나 수술 시간이 많이 걸리고(1시간 이상) 리도카인 마취약이 최대용량을 초과할 수 있다면 리도카인과 부피바카인을 50:50으로 혼합하여 사용한다. 보통 모발채취는 15-40분 정도 걸리므로 리도카인을 단독으로 사용하는 것을 추천한다(표 11-2, 11-3).

그러나 대부분의 의사들은 일일 최대용량을 초과해서 사용해도 독성이 나타나지 않는다는 사실을 알고 있기 때문에 초과해서 사용하기도 한다.

저자도 모발을 채취 할 때 2% 리도카인을 10-15 ㎖, 이식할 때도 10-15 ㎖, 국소팽창마취에도 약간 섞여 있기 때문에 하루 최대용량을 초과해서 사용하고 있다.

환자의 건강상태와 몸무게, 수술시간, 재차 마취제를 주입하는 시간, epinephrine의 농도와 용량, 기타 다른 마취제인 미다졸람이나 프로포플 등을 고려하여 사용한다. 그러나 연구가 없기 때문에 정확한 근거를 제시할 수는 없다.

표 11-2 리도카인의 마취시간 및 최대 사용량(체중 60 kg 기준)

종류	보통농도	마취에 걸리는 시간	평균지속시간		최대사용량(70 kg)	
			에피네프린 없음	에피네프린 혼합	에피네프린 없음	에피네프린 혼합
리도카인	1-2(%)	1-5(분)	30-60(분)	120(분)	300 ㎎	500 ㎎

표 11-3 리도카인의 사용 방법

1. 리도카인은 20 ㎖ 한병에 1%는 200 ㎎, 2%는 400 ㎎이다. 에피네프린이 혼합되지 않으면 하루 최대용량(TDD)이 4.5 ㎎/kg로 최대용량이 300 ㎎이므로 1%는 1.5병, 2%는 0.75병이다.
2. 에피네프린이 혼합되면 하루 최대용량이 7 ㎎/kg로 최대용량이 500 ㎎이므로 1%는 2.5병, 2%는 1.25병이다.
3. 1% 리도카인은 모발채취 할 때, 2% 리도카인은 모발이식 할 때 적당하다고 하나 굳이 구분할 필요는 없다.
4. 리도카인의 반감기는 1.8-2.2시간이다. 따라서 2시간이 경과하면 최대용량의 1/2 정도를 추가로 주사할 수 있다. 그러나 혈중 리도카인의 량은 증가하기 때문에 적게 사용하는 것이 좋다.

표 11-4	국소팽창 마취 용액(tumescent)을 사용하는 이유

1. 절개하고 박리하기가 편리하다.
2. galea와 muscle, nerve, 모낭, 조직손상을 줄여준다.
3. 마취약제인 리도카인의 량을 줄일 수 있다.
4. 출혈이 감소한다.
5. 모발을 분리할 때 모낭 손상을 줄이고 쉽게 분리할 수 있다.

(3) 3단계 국소팽창 마취 용액(확장 용액, tumescent) 주입

리도카인으로 고리마취를 하고 약 3-5분 후에 국소팽창 마취 용액을 절개부위를 포함하여 박리할 부분까지 전체적으로 주입한다. 주입 깊이는 피하지방층이다. 보통 20-40 mℓ를 주입하며, 두피가 충분히 부풀어 오르도록 한다(표 11-4).

국소팽창 마취 용액은 epinephrine이 혼합된 리도카인 1-2 mℓ에 normal saline이나 주사용 증류수 8-9 mℓ를 혼합하여 만든다.

그 후 약 5-10분 후에 절개를 시작한다. 출혈을 최대한 줄이고자 한다면 20분 후에 시작한다.

일부 의사들은 국소팽창 마취 사용이 오히려 모발을 분리할 때 부어 있고, 휘어진 상태이므로 손상을 많게 한다는 견해도 있다. 그러나 동양인은 서양인에 비해 모발이 굵고 밀도가 낮기 때문에 국소팽창 마취 사용을 권장한다.

(4) 국소마취에 의한 부작용

국소마취를 하다 보면 마취를 하자마자 아주 응급사항처럼 보이는 기절과 실신을 아주 드물게 경험하게 된다. 마취약제의 독성보다는 신경성으로 기절과 실신이 발생한다. 가끔 리도카인에 의한 anaphylactic shock으로 혼동하는 경우가 있으나 신경성이 대부분이므로 응급조치를 하면 대부분 회복된다.

① 혈관미주신경 반응(반사)(vasovagal reaction) – 기절(fainting), 실신(syncope), 가성실신(near syncope)

리도카인 마취를 하자마자 발생하는 경우가 대부분으로 경험이 부족한 의사는 놀라게 되고 황당하게 만든다. 젊고 불안감이 많으면서 예민하고, 통증을 잘 참지 못하는 환자에서 주로 발생한다. 뒷머리에서 모발을 채취할 때 리도카인 주사를 하자마자 주로 발생한다.

표 11-5	혈관 미주신경 반응의 예방과 치료 방법

예방 방법

1. 상담시 미주신경 반응의 과거력이 있는지 파악한다. 과거력이 있다면 재발할 가능성이 크다.
2. 통증에 대한 참을성 정도를 확인하다.
3. 수술 전에 iv root를 확보한다.
4. 수술 전에 다이아제팜을 경구로 복용하거나 수면마취를 한다.
5. 안정감을 주고 겁먹지 않도록 한다.

치료 방법

1. 자세를 눕히고 안정시킨다.
2. Trendelenburg 자세를 취한다.(다리를 높이고 머리를 낮추는 자세)
3. 안정감을 주고 곧 회복된다고 알려주고, 신경반응에 의해 종종 발생할 수 있다고 설명한다.
4. iv root를 확보하고, 미다졸람이나 다이아제팜을 주사한다. 단, 다른 증상(심장성 부정맥이나 심근허혈인 협심증과 심근경색 등)일수도 있으므로 과다한 투여는 삼간다.
5. 산소를 공급하고 안정을 취한다.

초기증상은 허약감과 발한, 창백, 오심이 나타난다. 이어서 실신하면서 저혈압, 빈맥 등이 발생한다. 이러한 증상은 미주신경반응으로 자율신경계 현상이다(표 11-5).

리도카인에 의한 anaphylactic shock으로 혼동하게 되는데 증상은 비슷하지만 알레르기(allergic reaction) 피부증상이 동반되지 않는 것으로 쉽게 구분할 수 있다. 경련이 동반될 수 있는데 간질과 혼동하지 말아야 한다.

이러한 처치에도 좋아지지 않는다면 다른 원인(심장성 부정맥이나 심근허혈인 협심증과 심근경색, 리도카인에 의한 anaphylactic shock 등)을 고려해야 한다.

② 리도카인의 독성반응

모발채취나 이식을 할 때 리도카인이나 부피바카인에 의한 독성반응은 거의 나타나지 않는다.

최대허용용량을 초과해서 사용해도 독성은 거의 없다. 경험상으로 볼 때 거의 2배를 사용해도 정상적으로 건강한 환자라면 독성은 거의 나타나지 않는다. 그러나 체질에 따라 건강상태에 따라 다양하게 나타나므로 조심은 해야 한다.

독성반응은 신경억제 작용이 먼저 나타나고 이어서 호흡기계와 심혈관계 작용이 나타난다(표 11-6).

표 11-6	리도카인의 독성 반응
plasma level(μg/㎖)	symptoms
3 이하	nausea and vomiting, mild drowsiness, headache 다른 원인일 가능성도 높음
3 - 4	circumoral and tongue numbness
4 - 4.5	lightheadedness, tinitus, dizziness
6 - 6.5	visual disturbances, euphoria, nervousness, blurriness
7.2 - 8.2	muscular twitching
10 - 10.5	convulsions
11.5 - 12	unconsciousness
15 - 16	coma
19 - 20	respiratory arrest
23 - 25	cardiac depression

독성 농도는 혈액에서 6 μg/㎖ 이상을 말하고, 리도카인의 혈중 최고 농도는 피하지방이나 근육에 주사한 경우 보통 1-2시간 이후에 나타난다.

오심과 구토는 수술 전 투약과 불안, 초조, 수술 중 스트레스 등으로도 나타나므로 리도카인 독성보다 다른 이유가 많다. 오심과 구토가 있다면 크게 걱정할 단계는 아니다. 오히려 다른 마취제나 수술 스트레스, 정신적 원인을 찾아보는 것이 좋다.

신경억제 작용은 신경이 흥분되면서 나타나는 증상으로 안절 부절과 현기증, 가벼운 두통, 혀와 입 주위의 저림, 시각과 청각, 미각의 감각이상이 나타난다.

신경억제 증상은 심혈관계 증상을 유도하게 되므로 중요한 증상이다. 적극적인 치료를 준비해야 하고 적극적인 치료를 시작해야 한다(표 11-7).

이어서 졸림과 말이 느려지고, 오심, 구토, 창백, 식은 땀 등의 증상이 나타난다. 더 진행이 되면 근육의 떨림과 경련과 발작이 온다.

여기서 더 심해지면 심혈관계 증상인 저혈압, 빈맥, 말초혈관의 확장, 부정맥, 의식불명 상태가 진행된다. 심하면 호흡부전과 심장마비가 올 수 있다.

표 11-7	리도카인 독성의 예방과 치료 방법

예방 방법

1. 국소마취 약제의 사용을 줄인다.
2. 리도카인과 부피바카인을 혼합하여 한 가지 약제가 많이 주입되지 않도록 한다.
3. 수면마취와 국소팽창마취 용액을 적절히 사용하여 마취약제 사용을 줄인다.
4. 미다졸람을 경구로 수술 전에 복용하거나 수면마취를 한다.
5. 수술 전에 Ⅳ root를 확보한다.
6. 국소 마취제가 많이 주입되었다고 하면 최소한 12시간 병원에 입원하여 관찰한 다음에 퇴원시킨다.

치료 방법

1. 자세를 눕이고 조명을 약간 어둡게 하여 안정시킨다.
2. Trendelenburg 자세를 취한다(다리를 높이고 머리를 낮추는 자세).
3. Ⅳ하고 수액제를 투여한다.
4. 기도를 확보하고 산소를 공급한다.
5. 경련이나 발작이 나타나면 미다졸람 주사가 최우선이다. 단, 다른 증상(심장성 부정맥이나 심근허혈인 협심증과 심근경색 등)일수도 있으므로 과다한 투여는 삼간다.
6. 다이아제팜은 cytochome P450 3A4를 억제하여 독성이 강해지므로 사용하지 않는다.
7. 경련발작이 오래 지속되고 의식불명으로 진행되면 기도를 확보하고, 기관 내 삽관을 한다. ICU가 가능한 병원으로 신속히 전원한다.

③ 과호흡 증후군

불안감이 심한 환자를 마취하고 나서나 수술도중에 가슴이 답답하게 느껴지면서 호흡을 과도하게 자주하는 환자가 있다. 과호흡을 하면 체내에 이산화탄소 분압이 낮아져 가슴이 답답함과 사지의 감각이상, 어지러움, 호흡곤란을 호소할 수 있다. 심한 문제를 일으키지는 않으므로 걱정할 것은 없다(표 11-8).

표 11-8	과호흡증후군의 예방과 치료 방법

예방 방법

1. 과거력이 있다면 재발할 가능성이 있다.
2. 수술 전에 안정감을 주고 겁먹지 않도록 한다.
3. 수술 전에 다이아제팜을 경구로 복용하거나 수면마취를 한다.

치료 방법

1. 안정을 취하고, 천천히 깊게 숨을 쉬도록 한다.
2. 불안에서 오는 것으로 곧 안정될 것이라고 위안을 준다.
3. 비닐봉지 등으로 코와 입에 대고 호흡한 공기를 재호흡하도록 한다.
4. 산소를 공급하면 악화되므로 주지 않는다.

④ 기타 독성 반응

피부의 알레르기 반응과 호흡할 때 천명 등의 알레르기 반응이 동반되나 매우 적다. 심장 질환으로 심장성 부정맥, 협심증과 심근경색 등의 심근허혈, 저혈압이 가능하나 매우 적다. anaphylactic, anaphylactoid reaction으로 가벼운 증상이 나타나기도 하며, 두드러기와 가려움을 동반한 발적이 있고, 심하면 기관지 경련과 청명음, 호흡음의 감소 등이 있으며, 중증으로는 저혈압과 shock 등이 있다.

5) 채취 방법(donor harvesting)

(1) 모발 자르기

공여부에서 이식할 모발은 약 1-2 ㎝ 정도로 자른 후 절개하는 것이 편하다. 이보다 짧게 자르면 이식기에 삽입하기가 불편하다.

(2) 절개

보통 모낭의 깊이는 4-6 ㎜에 존재하므로 처음에는 너무 깊이 절개하지 말고 10번 메스로 1.5-2.5 ㎜ 깊이로 절개한다. 그 다음에 확장기(spreader)나 skin hook, 손으로 벌려서 모낭 손상을 확인하고, 15번 메스를 이용하여 모낭의 깊이까지 좀 더 깊게 절개한다. 메스는 본인의 선호에 따라 사용하면 된다(표 11-9).

공여부에서 절편채취로 모발을 채취할 때 occipital protuberance를 중심으로 폭 1-2 ㎝를 절개하였다면 lower margin은 후두부에 occipital muscle과 측두부에 auricular muscle이 보인다. 모상건막은 근육이 없는 곳에서는 보일 수도 있으나 근육이 있는 곳은 보이지 않는다. 모상건막이 근육 밑에 존재하기 때문이다. upper margin은 모상건막이 보

표 11-9 공여부 절개할 때 조심해야할 사항

1. 메스의 방향은 모발이 절단되지 않도록 평행하게 절개 되어야 한다. 따라서 피부표면과 약 45도 각도로 기울여서 절개한다. 서양인은 모발과 평행하게 또는 직각으로 절개하기도 하지만 동양인은 모발이 굵고 밀도가 낮으므로 모발과 평행하게 절개해야 손상이 적다.
2. skin hook이나 spreader, 손으로 벌려서 모낭의 손상이 없도록 하면서 피하지방층의 모낭부위까지만 절개한다. 메스가 깊이 들어가지 않도록 stopper를 부착하면 편하다. stopper는 집게나 IV 관을 잘라 끼워서 이용할 수 있다.
3. 공여부의 안전영역에서 채취할 때 측두부의 temporal muscle과 후두부의 occipital muscle이 손상이 없도록 절개한다. galea는 muscle 층 하부에 존재하므로 잘 보이지 않는 경우가 있다.
4. galea가 손상되면 신경손상과 비교적 큰 혈관을 절단할 위험이 있기 때문에 조심한다.
5. 큰 혈관을 확인하면서 절개한다. 큰 혈관이 손상당하면 출혈이 문제되는 것보다 동반하는 신경손상과 혈류 감소로 인한 수술 후 동반탈락의 가능성이 있기 때문이다.

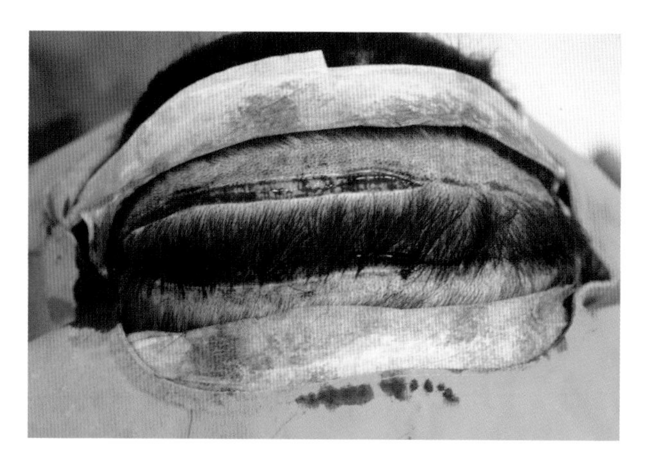

그림 11-9 전체 절개 길이의 1/2씩 절개

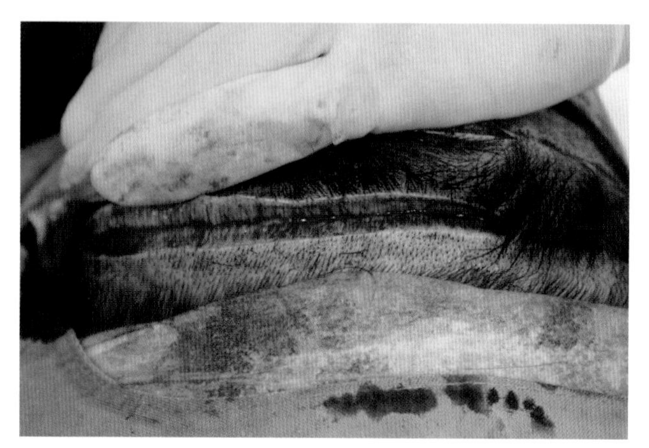

그림 11-10 절단되지 않은 모발

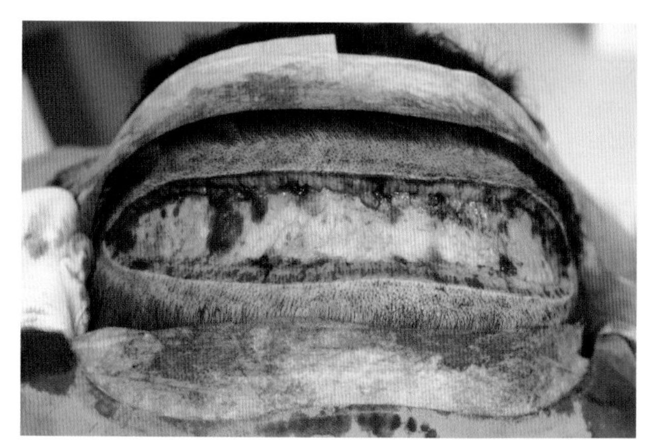

그림 11-11 galea와 근육, 동맥혈관이 손상되지 않은 절개(흰 부분은 subcutaneous layer와 galea layer 사이의 fibrous septum이다)

이거나 occipital muscle과 auricular muscle이 보일 수 있다. 정상적인 채취라면 피하지방층의 중간을 박리하므로 근육이나 모상건막이 보이지 않는다.

전체 길이의 1/2씩 절개하여 박리하고, 지혈한 후에 봉합한다. 남은 1/2을 다시 절개하여 박리한 후 봉합한다. 두피는 출혈이 많은 부위이므로 1/3씩 절개하는 방법도 좋은 방법이다(그림 11-9, 11-10, 11-11).

(3) 박리와 떼어내기

절개한 후에 메스로 박리하는 방법은 2가지다.

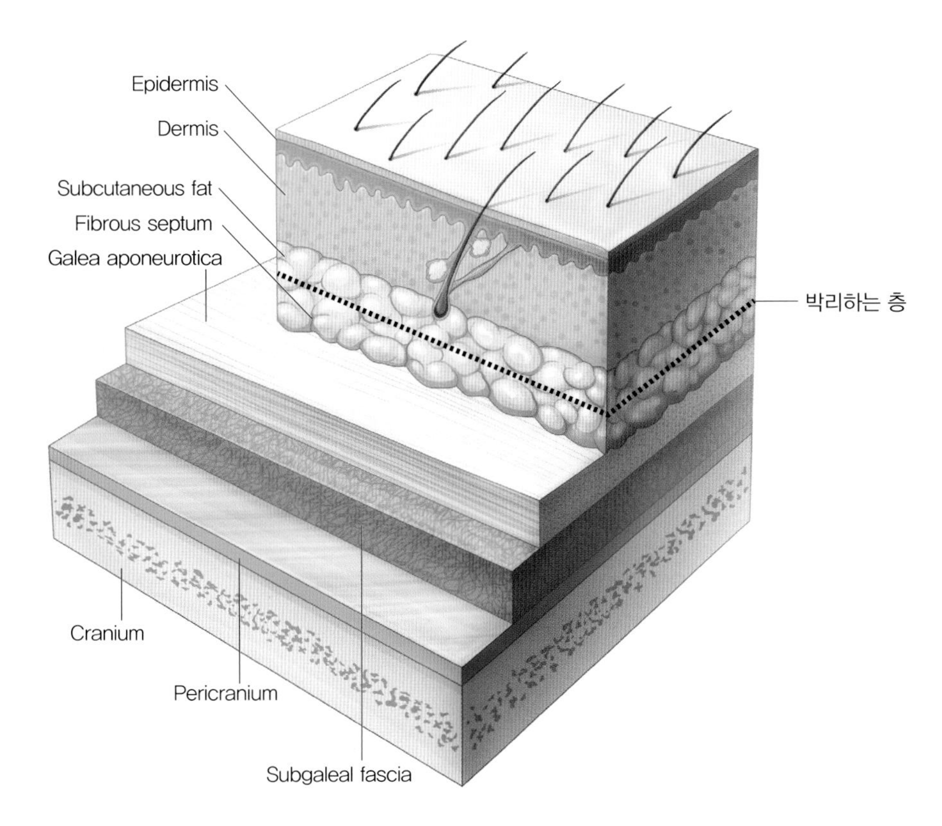

그림 11-12 피하지방층의 중간층을 박리하는 방법

① 피하지방층의 중간층을 박리하는 방법

모낭이 손상되지 않게 하면서 피하지방층을 메스로 박리하는 방법이 이상적이다(그림 11-2). 가끔 깊이 들어가 근육이나 galea를 손상시키는 경우가 있고, 모낭을 자르는 경우가 있기 때문에 조심해야 한다.

② Pull & Split 방법

저자가 하는 방법으로 절개한 후에 채취절편을 타올 클립 등으로 잡아서 강하게 잡아당기면서 메스로 가볍게 똑똑 치면서 박리하는 방법이다. 피하지방층의 하층부를 박리하는 것으로 쉽게 박리할 수 있고, 빠르게 박리하면서도 오히려 galea의 손상이 적다(그림 11-13, 11-14, 11-15).

피하지방층 하층부로 혈관과 신경, 임파선이 지난다고 하여 이 방법이 이들을 손상시키지 않을까 우려하지만 피하지방층 박리와 별 다른 것이 없다. 주로 피하지방층의 하부와 모상건막의 상부 사이에 있는 fibrosis septum이 박리되므로 희게 보인다. 이 시술은 국소확장 마취 용액을 충분히 주입한 후에 시행하는 것이 좋다.

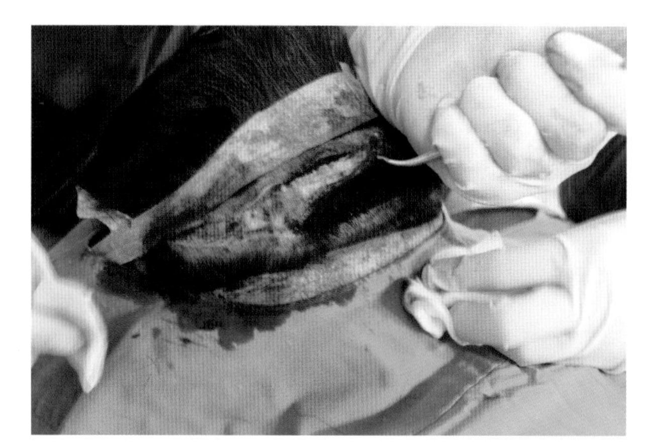

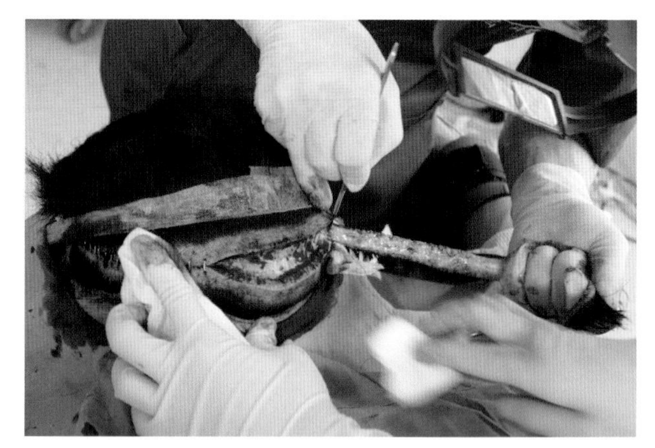

그림 11-13 Pull & Split 방법

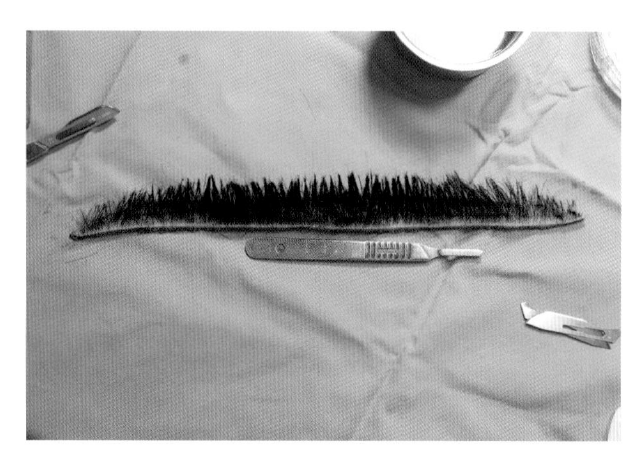

그림 11-14 Pull & Split 방법으로 채취한 절편

그림 11-15 피하지방층 하부에 일부 fibrosis septum이 붙어 있다.

2차 이식 등으로 흉터를 포함하여 채취할 때는 이 방법이 어려울 때가 많으므로 피하지방층을 메스로 박리하는 방법을 택한다.

③ 조직확장기(tissue spreader) 사용 방법

절개 후에 조직확장기를 넣고 벌려서 박리하는 방법이다(그림 11-16). Pull & Split 방법으로 채취한 부위와 비슷하다. 모낭의 깊이가 불규칙한 경우에 유용하며, 메스로 박리하는 방법보다 편리하고 모낭 절단율을 낮춘다. 특히 흑인에서 더 유용하다.

큰 혈관은 가능한 전기소작기를 사용하지 말고 hemostat로 잡아 놓거나 녹는 실로 묶는 방법으로 지혈하는 것이 좋다. 묶는 방법의 이유는 다음과 같다.

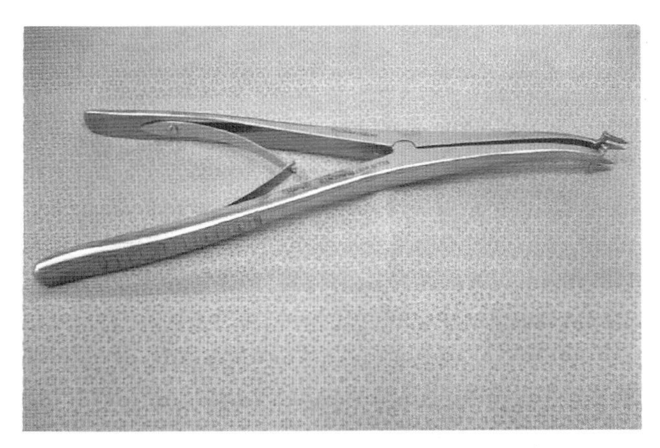

그림 11-16 조직 확장기(tissue spreader)

1) 큰 혈관은 신경과 림프관을 동반하여 주행하므로 신경이나 림프관의 손상은 지혈보다 더 큰 문제를 야기하기 때문이다.
2) 또한 모낭 손상이나 두피의 혈액순환을 나쁘게 하여 동반탈락이나 흉터가 크게 남을 수 있기 때문이다.

(4) 봉합

① 단순 단단 봉합(simple interrupted suture)

봉합은 단순한 단단 봉합을 0.3-0.5 ㎝ 간격으로 시행한다. 두피는 감염의 위험이 적고 대충 봉합해도 잘 회복된다.

두피의 봉합은 microvascular의 손상을 피하고, 모낭의 손상을 주어서는 안 된다. 즉, wound edge가 간신히 맞는 정도가 되도록 봉합한다. 필자는 약 1-2 ㎜ 정도의 틈을 두도록 느슨하게 봉합하고 있는데 마취액과 국소팽창마취 용액, 부종이 감소하면 wound edge는 잘 맞는다. 단단하게 봉합하고 봉합실을 제거하면 겹치는 경우나 계단식 봉합이 되어 있는 경우가 종종 발생한다.

또한 stem cell이 위치하고 있는 hair bulge의 위쪽인 dermis에서 시행되어야 한다. 따라서 약 3 ㎜ 깊이에서 봉합이 되어야 하고, 너무나 촘촘한 봉합은 오히려 혈류를 감소시켜 동반탈락이나 조직괴사, 모낭의 영구적 손상을 일으킨다. 사강(dead space)이 있다면 피하지방층 봉합하는 subcutaneous suture를 한다.

보통 4/0 또는 5/0 나일론실을 이용하지만 skin stapler가 더 쉽고 빠르게 할 수 있다

그림 11-17 skin stapler 봉합

(그림 11-17). 또한 봉합부위에 혈액순환이 나일론실 봉합보다 좋아 동반탈락이나 흉터의 가능성이 적다. 또한 깊이 봉합되지 않기 때문에 모낭의 손상 위험이 거의 없다. 단점으로는 over rapping이 잘 되기 때문에 조심하고, 환자가 취침할 때 불편하다.

저자는 skin stapler와 나일론 봉합을 동시에 사용하는 것을 선호한다. 또한 skin stapler로 대충 봉합하고 다시 나일론 실로 봉합하고 난 후 skin stapler를 제거하기도 하고 남겨놓기도 한다. 나일론실을 이용하는 이유는 환자의 불편함이나 이물감을 감소시켜주기 위한 배려다.

② 계단식 봉합(trichophytic closure)

흉터를 줄이기 위한 방법으로 계단식 봉합이 있다. 흉터를 줄이는데 효과적이기 때문에 가능한 시행한다.

절개한 아랫면(inferior border)에서 상피와 진피의 상부를 깊이 0.3-0.5 ㎜, 폭 1.5-2 ㎜ 제거하고 봉합하는 방법이다(그림 11-18). 아래 절단면을 제거하는 것이 좋다고 알려져 있으나 위 절단면(superior border)을 제거하는 경우도 많다.

스킨 후크나 핀셋으로 절단면을 팽팽하게 당긴 후 작고 날카로운 가위나 면도날, blade 등을 이용하여 제거한다. 제거한 후에 진피를 중복되게 봉합하는 방법이다.

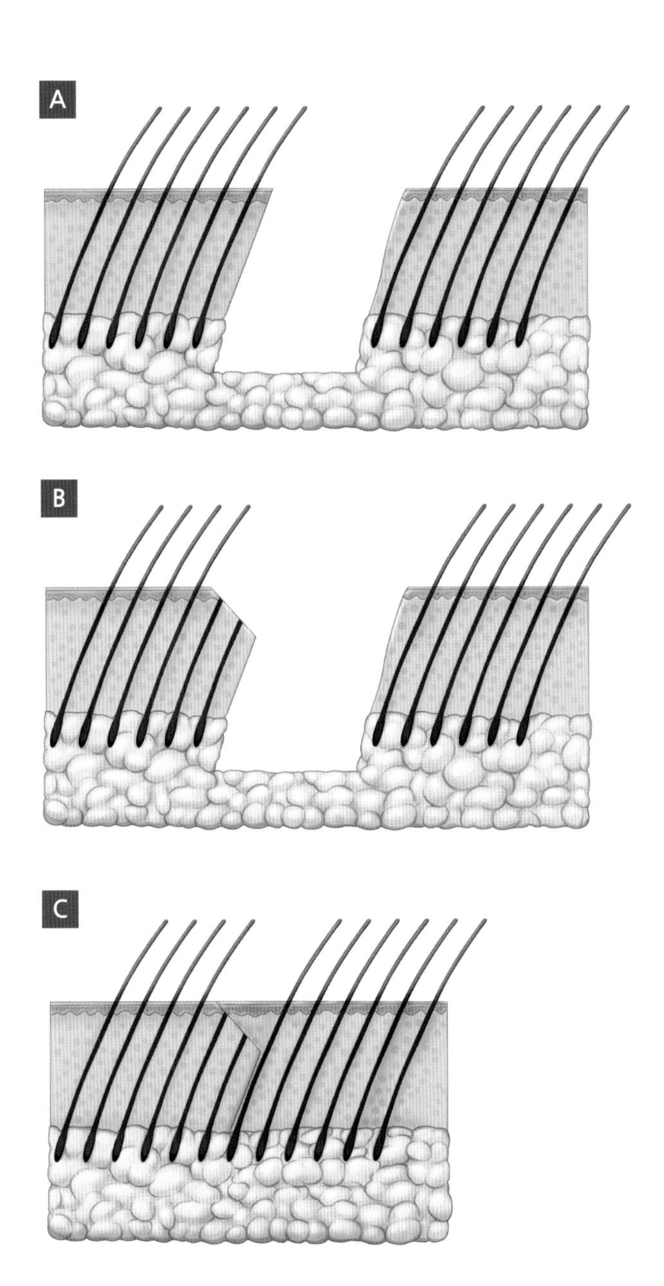

그림 11-18 계단식 봉합(trichophytic closure)(위 절단면(superior border) 또는 아래 절단면 (inferior border)의 상피와 진피 일부를 제거한다)

이 계단식 봉합은 모발들이 흉터 조직을 뚫고 나와서 자라기 때문에 흉터가 작아 보이게 하는 효과가 있다.

절단면을 제거할 때 피지샘(sebaceous gland)은 보존되어야 한다. 손상하면 피지샘으로부터 분비되는 피지가 막혀서 염증이나 농포를 형성하기 때문이다. 피지샘은 보통 피부로부터 0.5-2.0 ㎜ 깊이에 위치해 있으므로 절개의 깊이가 0.5 ㎜를 초과하지 않도록 한다.

표 11-10	흉터를 최소화하는 방법

1. 절개 폭을 적절히 하여 봉합의 긴장도(장력)를 줄인다.
2. 긴장도가 심하다면 undermining과 피하봉합으로 2중 봉합을 한다.
3. 혈관과 신경, 림프관의 손상을 최대한 줄인다.
4. 부종을 최대한 줄인다.
5. 계단식 봉합(trichophytic closure)를 한다.
6. RIDI(Re-grafting In Donor Incision site)를 한다.
7. 이식 후에 심한 목운동을 2-3개월간 중지한다.

또한 이보다 넓게 절개하면 봉합할 때 염증반응과 염증반응으로 인한 긴장도가 증가하여 효과가 감소한다. 공여부의 절개 폭이 1.5-2 ㎝를 넘으면 의미가 없다고 하나 모든 절개채취 모발이식 환자에서 시행하는 것이 좋다.

그러나 이 방법보다는 피부의 긴장도가 없게 봉합하는 방법과 혈액순환에 지장이 없는 범위에서 봉합하는 방법이 더욱 중요하다. 계단식 봉합보다 중요한 것은 전통적인 흉터를 최소화하는 방법이다(표 11-10).

RIDI(Re-grafting in donor Incision site)란 절개 후 봉합한 곳에 이식하고 남은 분리된 모낭을 끼워 넣어주는 방법이다. 생존율은 낮을 것이나 흉터를 감소시키는데 이용할 수 있는 방법이다.

③ 피하지방층의 봉합(subcutaneous suture)

피하지방층 봉합(2중 봉합, 2 layer suture)은 대부분 시행하지 않는다. 그러나 봉합부위의 긴장도가 많거나 절개 폭이 넓어 봉합이 어려운 경우, 두피 이완력이 매우 좋은(hyperelastic scalp) 경우 특히 젊은 사람에서 신장복원력(stretch-back)에 의한 흉터가 커짐을 예방하기 위해서 가끔 사용한다(표 11-11).

보통 3/0-4/0 vicryl이나 monocryl을 사용하며, 큰 혈관을 확인하면서 1.5-2.5 ㎝ 간

표 11-11	피하지방층을 봉합(subcutaneous suture)을 하는 경우

1. 절개 폭이 넓어 봉합이 어려운 경우
2. undermining을 한 경우
3. 사강(dead space)가 우려되는 경우
4. 두피 이완력이 매우 좋아 신장복원력이 우려되는 경우

격으로 모낭의 손상이 없도록 피하지방층의 하부(deep subcutaneous fat layer)를 단단 봉합하거나 running subcutaneous suture를 한다. 가끔 흡수사에 의한 염증반응이 발생하는 경우가 있어 저자는 nylon 실로 봉합한다.

피하지방층을 봉합할 때는 모낭의 손상이 없도록, 혈액순환이 방해되어 공여부 주위탈락(post-surgical effluvium of donor area)이 오지 않도록 조심한다. 모상건막층은 가능한 봉합하지 않는데 큰 혈관과 신경이 있기 때문이다. 피하지방층을 봉합하였으나 두피봉합이 어렵다면 모상건막층을 봉합할 수도 있다. 이때는 큰 혈관과 신경을 피하여 봉합한다.

④ 흡수사를 이용한 피부 봉합

흡수사를 이용하여 피부를 봉합하면 이물반응에 의한 염증이나 조직반응으로 감염의 위험이 증가하고, 흉터가 커질 수 있기 때문에 nylon을 이용하는 것이 좋다. 봉합사를 제거할 수 없는 상황이라면 어쩔 수 없으나 가능한 봉합사를 제거하는 방법이 좋다.

흡수사를 이용하여 봉합사를 제거하지 않아도 자연적 사라질 수 있다는 장점이 있으나 환자는 봉합사가 사라질 때까지 불편을 감수해야 하고, 염증을 일으켜 흉터가 더욱 커질 수 있다는 것도 고려해야 한다.

(5) 봉합 후의 처치

봉합이 끝나면 모발이식을 시작하기 전까지 봉합 부위에 거즈를 대고 탄력붕대로 감아놓는다. 지혈과 부종을 감소시키기 위한 방법이다. 귀와 눈은 노출시킨다(그림 11-19).

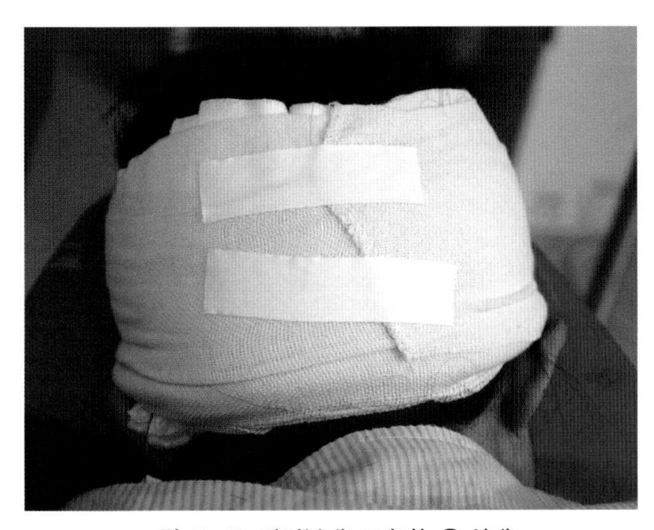

그림 11-19 탄력붕대로 감아놓은 상태

(6) 봉합이 불가능한 경우의 처치

① 심하지 않은 경우

약간만 당겨지면 봉합이 가능한 경우(가볍게 당겼을 때 틈새가 약 3 ㎜ 이하)는 피하지방층의 봉합(subcutaneous suture)을 하거나 모발이식이 끝난 후에 봉합하면 쉽게 할 수 있다. 거즈를 대고 4인치 탄력붕대로 감은채로 모발이식을 하고 난 후 봉합을 시도한다. 마취제와 국소팽창마취 용액이 흡수되어 부기가 빠졌기 때문에 가능하다. hyaluronidase를 피하지방층의 하부에 주사하고 20여분이 지나면 봉합이 쉬워지기도 한다는 보고도 있다.

② 심한 경우

모발이식이 끝나고 나서도 봉합이 불가능하다면 피하지방층 봉합을 한다. 이로도 불충분하다면 모상건막층을 봉합할 수도 있다. 보통 혈관과 신경은 같이 붙어서 주행하므로 혈관을 피해서 봉합한다. 1-1.5 ㎝ 간격으로 3/0-4/0 vicryl 등으로 봉합한다.

피하지방층을 봉합하거나 galea층을 봉합하여도 피부 봉합이 불가능하다면 피하지방층 박리(undermining)를 할 수도 있는데 가능하면 박리는 하지 않는 것이 좋다. 두피의 특성상 많은 부위를 박리해도 당겨지지 않아 곤란한 경우가 많다. 박리를 한다면 상하 1-3 ㎝ 정도 해야 한다. 그이상 하면 섬유화에 따른 봉합면의 긴장도가 증가하고, 혈류의 감소로 인한 동반탈락의 증가, 수술로 인한 모낭손상 등이 발생할 수 있다.

박리하는 부위는 피하지방층 또는 유륜상 조직층(subgalea)이다. 피하지방층은 약간만 박리해야한다. 많은 박리는 혈관과 신경손상, 공여부 주위탁락이 우려되기 때문이다. 유륜상 조직층은 박리가 잘되고 출혈도 거의 없는 층으로 혈관과 신경 손상이 적은 부위이다. 보통 상하 3 ㎝ 정도는 박리해야 봉합이 가능한 경우가 많다. 박리 후에는 모상건막층 봉합 또는 피하지방층의 봉합(subcutaneous suture)을 한다.

박리와 피하지방층 또는 galea를 봉합하였음에도 불구하고 봉합이 되지 않으면 타월클립으로 최대한 당겨서 봉합을 시도한다. 공여부 주위탈락은 피할 수 없다. 그래도 봉합이 불가능한 부위는 그대로 두고 육아조직이 차오를 때까지 기다리고 최소한 6개월 후에 흉터제거술을 시행한다.

③ 공여부 주위탈락(post-surgical effluvium of donor area)의 발생

심한 긴장도가 있는 봉합은 흉터와 공여부 주위탈락이 거의 발생하므로 수술 중이라도 환자에게 6주 정도 지나서 동반탈락의 가능성이 있으며, 6개월 후에 대부분 재생된다고 알려주어야 한다. 6개월이 지나서 흉터 재건의 가능성에 대하여 설명해주어야 한다. 동반탈락한 모발은 영구적으로 자라지 않는 경우도 있다.

(7) 조직괴사가 있는 경우의 처치

긴장도가 심한 봉합은 조직괴사와 동반탈락이 발생하는 경우가 종종 있다.

① 단기간 처치

조직괴사가 있으면 단 시일 내에 괴사조직을 제거하고 봉합이 불가능하다. 박리를 하여도 피부가 잘 늘어나지 않기 때문이다.

괴사가 발생하면 봉합한 상태를 그대로 두고 소독과 항생제 치료를 한다. saline soaking과 EGF, 줄기세포, PRP를 해주면 도움이 된다고 한다. 14일 정도에 봉합사를 제거한다. 2-3주가 지나면 조직 괴사 딱지가 떨어지면서 육아조직이 차 올라오게 된다.

② 흉터 제거술

육아조직이 차 올라오면 6-9개월 후에 조금씩 여러 번에 걸쳐 흉터 제거 수술을 한다. 작은 흉터라면 모발이식으로도 해결되나 여러 번 해야 하기 때문에 흉터 제거술을 먼저 고려한다. 자세한 내용은 22장의 흉터제거술을 참고한다.

③ 모발이식

흉터 제거 수술을 시행하고도 남은 흉터에 대한 불만이 있으면 모발이식을 해야 한다. 생존율이 떨어지므로 여러 번 모발이식을 해야 하는 경우가 많다. 자세한 내용은 21장 흉터의 모발이식편을 참조한다.

④ 의학적 두피 문신(scalp medical tattoo, SMT)

흉터 제거술이나 모발이식이 어려울 때는 의학적 두피 문신으로 가리는 방법도 고려된다. 자세한 내용은 23장 의학적 두피 문신을 참조한다.

(8) 흉터의 벌어짐

봉합 부위가 과긴장 상태로 봉합한 경우가 가장 많으나 과긴장이 없음에도 불구하고 봉합사를 제거할 때 벌어지는 경우가 있다. 감염이 가장 많으며, 다음으로는 혈종, 혈종과 감염, 혈관의 절단에 따른 조직 허혈, 만성 부신피질 호르몬제의 사용, 당뇨 등 전신질환이다.

2 절편채취의 모낭단위 이식

모발분리가 어느 정도 이루어지면 모낭단위 모발이식을 시작한다. 물론 분리와 동시에 이식하는 것이 가장 좋다. 생존율이 높아지기 때문이다.

1) 이식부의 마취

모발이식을 위한 이식부 마취 방법은 몇 가지로 나눌 수 있다.

1. 국소(부분)마취(에피네프린이 포함된 리도카인)
2. 국소(부분)마취 + 신경차단 마취(nerve block)
3. 국소(부분)마취 + 신경차단 마취 + 수면 마취

가끔 무서워하거나 고통을 잘 참지 못하는 환자는 수면마취 상태에서 신경차단 마취와 국소마취를 한다.

(1) 신경차단 마취(nerve block)

① supraorbital nerve와 supratrochler nerve의 신경차단 마취

신경차단 마취는 M자 모양 이마를 포함한 앞이마 이식과 정수리 부위 이식에 좋은 방법이다. 일반적으로 supraorbital nerve와 supratrochler nerve를 신경차단 마취를 한 후에 이어서 국소적인 부분마취를 한다(그림 11-20, 11-21).

supraorbital nerve와 supratrochler nerve block은 정수리까지 마취가 된다. 이 신경은 두정부의 가마부위까지 지배하기 때문이다.

1:50,000 epinephrine이 섞인 lidocaine 또는 lidocaine에 bupivacaine을 섞어서 좌우 4군데에 0.2 ㎖씩 주사한다. 먼저 약간 마취하는 것은 통증을 감소하기 위함이다. nerve에 직접 주사하기 보다는 피하지방층에 주사한다.

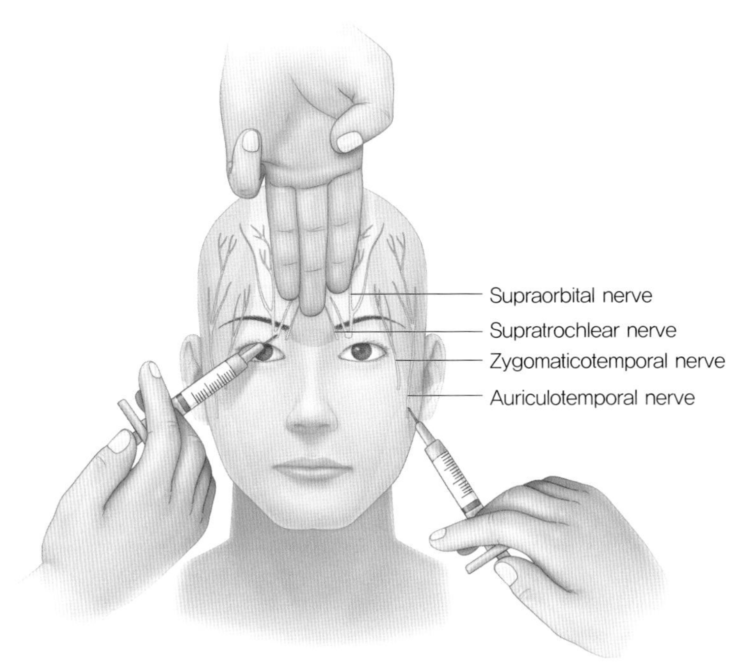

그림 11-20 신경차단 마취(nerve block)

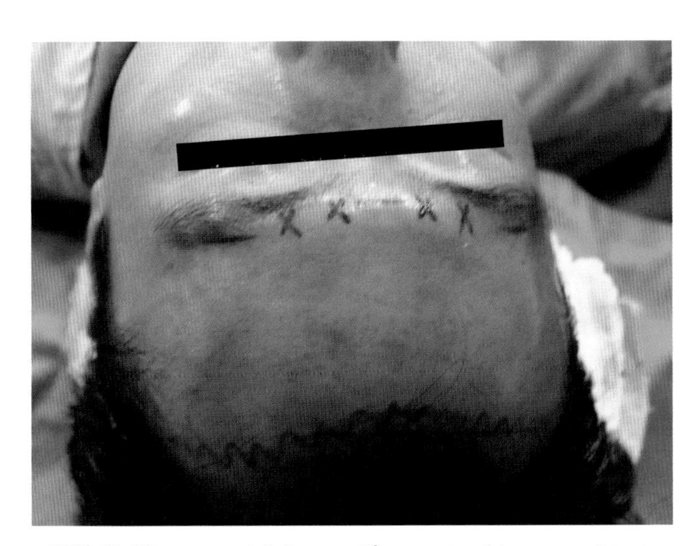

그림 11-21 supraorbital nerve와 supratrochler nerve block

약 3-5분 후에 각 4군데에 에피네프린이 섞인 리도카인 또는 리도카인과 부피바카인의 혼합 마취제를 1 ㎖씩 추가 주사한다.

이식 도중에 통증을 호소하면 이식부위에 리도카인으로 국소마취를 할 수도 있으나 nerve block이 더 효과적이다.

② zygomaticotemporal nerve와 auriculotemporal nerve의 신경차단 마취

앞이마 부위는 nerve block만으로도 마취가 되나 측두부는 nerve block으로 마취가 잘 되지 않는다. 측두부는 zygomaticotemporal nerve와 auriculotemporal nerve의 신경지배를 받기 때문이다.

이 신경은 nerve block이 쉽지 않다. 또한 이 신경은 주행방향이 일정하지 않아 사람마다 변화가 많고, facial nerve의 temporal branch가 지나고 있어 손상 위험이 있기 때문이다.

(2) 국소마취

신경차단 미취를 하고나서 약 3–5분 후에 에피네프린 1:50,000이 혼합된 2% 또는 2% 리도카인을 normal saline과 50:50으로 혼합하여 1% 리도카인으로(0.5% 리도카인도 가능) 이식하고자 하는 헤어라인을 따라 고리차단(ring block) 마취를 한 번 더 한다. 약 10 – 15 ㎖ 정도 주사한다(그림 11–22).

국소마취는 에피네프린이 섞인 리도카인만으로도 마취를 할 수 있다. 그러나 수술 시간이 많이 걸리고(1 시간 이상) 리도카인 마취약이 최대용량을 초과할 수 있다면 리도카인과 부피바카인을 50:50으로 혼합하여 사용하기도 한다.

보통 모발이식은 시간이 많이 걸리므로 리도카인과 부피바카인을 혼합하여 사용기도 하나 부피바카인의 독성이 강하므로 리도카인만 사용할 것을 추천한다(표 11–12, 11–13). 부

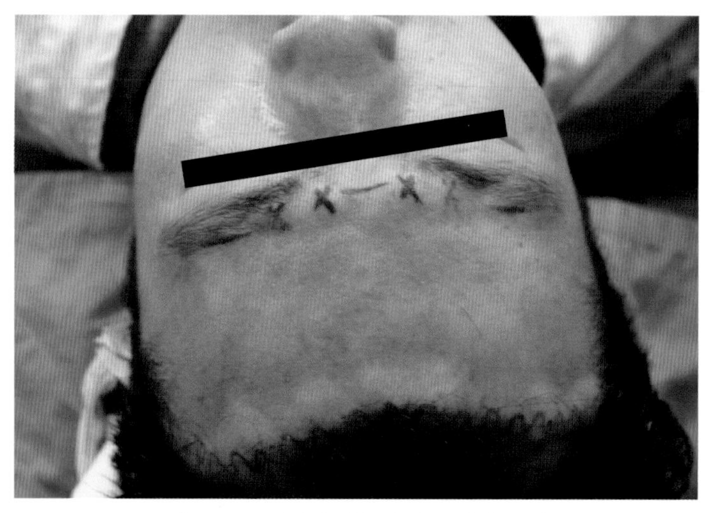

그림 11–22 헤어라인을 따라 고리차단 마취

표 11-12 리도카인과 부피바카인의 마취시간 및 최대 사용량

종류	농도	마취에 걸리는 시간	평균지속시간(분)		최대사용량(70 kg, ㎎)	
			에피네프린 없음	에피네프린 혼합	에피네프린 없음	에피네프린 혼합
리도카인	1-2(%)	1-5(분)	30-60(분)	120(분)	300 ㎎	500 ㎎
부피바카인	0.25-0.50(%)	5-10(분)	120-240(분)	180-240(분)	175 ㎎	200 ㎎

표 11-13 부피바카인의 사용 방법(체중 60 kg 기준)

1. 부피바카인은 20 ㎖ 한병에 0.25%는 50 ㎎, 0.5%는 100 ㎎이다. 에피네프린이 혼합되지 않으면 하루 최대용량(TDD)이 175 ㎎이므로 0.25%는 3.5병, 0.5%는 1.75병이다.
2. 에피네프린이 혼합되면 하루 최대용량이 200 ㎎이므로 0.25%는 4병, 0.5%는 2병이다. 부피바카인 200 ㎎은 1회 최대량이며, 3시간 이후에 추가 주사가 가능하나 1일 최대 400 ㎎ 이하를 사용할 것을 권장하고 있다.
3. 부피바카인은 리도카인에 비하여 독성이 강하고, 심장독성이 있어서 적극적인 사용을 권하지 않는다.
4. 부피바카인 0.25%는 수술할 때, 0.5%는 신경차단에 적당하다고 하나 굳이 구분할 필요는 없다.

피바카인은 리도카인 중독 증상에다가 중추신경 억제 반응이 강하게 나타난다. 또한 심장독성이 있으므로 가능한 사용량을 줄이는 것이 좋다. 보통 이식을 할 때 사용하는 부피바카인 양으로는 독성에 이르지 못하기 때문에 걱정할 필요는 없다.

(3) 국소팽창 마취(tumescent anesthesia)

국소마취를 한 후 약 2-3분 후에 국소팽창 마취를 하는데 리도카인에 에피네프린이 혼합된 마취약과 normal saline을 1:8-1:9로 혼합하여 이식할 부위에 주사한다. 보통 1회에 10 ㎖씩 여러 번 주입하게 되는데 이식하기 10-20분 전에 주입하는 것이 효과적이므로 이식하는 동안 여러 차례 국소팽창 마취를 하게 된다. 수술시간이 길어지면 리도카인 국소마취와 국소팽창 마취를 적절히 번갈아 가면서 마취를 하고 이식하게 된다.

저자는 3,000모를 이식한다면 총 약 40 ㎖의 국소팽창 마취 용액을 사용한다. 특히 국소팽창 마취 용액이 40 ㎖ 이상 투여되면 2-3일 후에 이마와 눈두덩이 부위에 눈을 뜨기 힘들 정도로 부종이 올 수 있기 때문에 조심한다.

이식할 때 국소팽창 마취 용액을 사용하면 부종이 심해지므로 공여부 모발 채취할 때는 사용하고, 이식할 때는 사용하지 않는다는 의사도 있으나 저자는 사용하는 것이 더 효과적이라고 판단한다.

표 11-14 국소팽창 마취(Tumescent anesthesia)의 장단점

장점
1. 혈관이나 신경 손상이 적다. 2. 피부가 부풀어 오르기 때문에 식모기를 삽입할 때 부드럽게 들어간다. 3. 출혈이 적어 수술 시야확보가 좋다. 4. 표면이 넓어져 더 많은 모낭을 이식할 수 있다. 5. 리도카인 등의 마취약제가 적게 들어가면서 마취 시간은 연장된다. 6. 이식한 모발의 옆에 삽입할 때 이미 이식한 모발이 튀어 오르는 현상(pop up)이 적다. 7. 식모기의 침이 뼈에 닿아 마모되는 현상이 적다.
단점
1. 부종이 심해질 수 있다. 2. 이식한 모발이 튀어오르는 현상이 환자에 따라 심해질 수 있다. 3. 양과 방법에 따라 펀치채취술(FUE) 때 절단(follicular cut)이 많아 질수 있고 적을 수도 있다.

국소팽창 마취는 단점보다 장점이 많으므로 잘 활용하면 이식에 많은 도움을 준다(표 11-14).

국소팽창 마취 용액을 너무 많이 하면 팝업(pop up phenomenon, 이식한 모발이 튀어 올라오는) 현상이 오히려 많아질 수 있으므로 적당량 사용하는 것이 좋다. 국소팽창 마취 후에도 출혈이 많다면 1:50,000 에피네프린을 0.5 ㎖씩 5 ㎖까지 주사하여 병행할 수 있다.

(4) 마취가 잘 안 되는 환자의 마취

마취가 잘 안 되는 경우는 환자의 통증에 대한 역치(threshold)가 낮은 경우가 가장 흔하고, 수술에 대한 공포감이 심한 환자에서 주로 발생한다. 이외에도 환자의 특성에 따라 다양하다.

통증에 대한 역치가 낮거나 공포감이 심한 환자는 수술 전에 진정제와 진통제를 복용하거나 미다졸람이나 포플 등의 수면마취제를 사용하면서 신경차단마취와 국소마취를 병합한다. 수면마취가 약하면 오히려 통증을 더 심하게 느끼게 되므로 어느 정도는 깊은 마취가 필요한 경우가 종종 있다.

수면마취를 하지 않는다면 신경차단마취와 국소마취를 할 때 통증을 적게 느끼도록 노력해야 한다. 얼음팩이나 진동기, 흡입력을 이용한 주사기, 가는 바늘을 사용하고 천천히 주사하는 방법 등이 사용된다.

표 11-15	마취가 잘 안 되는 환자의 마취

통증을 심하게 느끼는 환자의 마취

1. 진경제와 진통제의 수술 전 복용과 국소도포마취를 먼저 시행
2. 1%보다 2% 리도카인 사용하고 부피바카인과 50:50 혼합 사용
3. 국소마취 때 통증을 줄이는 방법(냉팩, 진동, 가는 바늘 등) 사용
4. 국소마취 때 천천히 주입
5. 수면마취와 병행

마취가 쉽게 풀리는 환자의 마취

1. 1%보다 2% 리도카인 사용하고 부피바카인과 50:50 혼합 사용
2. 충분한 국소팽창마취와 리도카인의 희석 용량 증가
3. 출혈이 많다면 1:50,000-1:100,000 에피네프린을 추가 주사
4. 20-30분간만 이식할 부위에 국소마취와 국소팽창마취를 병행

마취는 잘 되나 쉽게 풀리는 경우나 지속시간이 짧은 경우는 1% 보다 2% 리도카인을 사용하고, 부피바카인과 혼합하여 사용한다(표 11-15). 국소팽창마취도 리도카인의 량을 높이고, 출혈이 많다면 마취가 쉽게 풀리기 때문에 출혈을 줄이기 위해 1:50,000 에피네프린을 추가로 주사한다. 10-20분 전에 20-30분간 이식할 부위에 국소마취와 국소팽창마취를 병행하여 여러 번 자주 마취를 하면서 이식한다.

가끔 마취는 쉽게 되나 지속시간이 짧은 환자도 있는데 고혈압, 항응고제를 복용하는 경우에서 흔하고 이식할 때 출혈이 있다면 마취는 더욱 빨리 풀리게 된다.

2) 이식 방법의 선택

이식하는 방법은 크게 3가지 방법으로 구분할 수 있으며, 모발이식기(식모기, Hair implanter)를 이용하는 방법과 슬릿(slit)을 만들어 이식하는 방법, 바늘이나 작은 blade로 슬릿을 만들고 모발이식기로 삽입하는 방법(no touch technique)이 있다(표 11-16).

각 방법마다 장단점이 있기 때문에 어떤 방법이 좋다고 할 수는 없으며, 의사가 가장 숙달된 방법을 사용하면 된다. 동양인에서는 모발이 굵고 밀도가 낮기 때문에 모발이식기 사

표 11-16	이식 방법의 선택

1. 모발이식기(식모기, hair implanter technique)
2. 슬릿 방법(슬릿 technique)
3. no touch technique

표 11-17 이식 방법의 선택에서 고려되어야 할 점들

1. 생존율을 증가시킬 수 있는 방법
2. 고밀도 삽입(high density insertion)이 가능성
3. 모낭 깊이 조절의 편리성
4. 모발의 각도와 방향의 예측성
5. 혈관 손상(특히 동맥)의 감소
6. 이식 시간, 피로감, 인력의 최소화

용이 가장 보편화 되어 있다.

이식 방법의 선택에서 고려되어야 할 점은 어떤 방법이 손상을 적게 주어 생존율을 높일 것인가 이고, 다음으로는 고밀도 삽입(high density insertion)이 가능하냐와 모낭을 삽입할 때 깊이 조절이 편리한가다. 넷째는 미용학적 문제로 모발의 각도와 방향을 편리하게 조절할 수 있느냐다. 다음으로 혈관손상, 특히 동맥의 손상을 어떻게 줄일 것이냐가 관건이다. 이식 시간과 피로감, 인력의 최소화 등도 고려되어야 한다(표 11-17).

(1) 모발이식기를 이용하는 방법

동양인은 모발이 굵고 밀도가 낮으면서 단일모가 많으므로 주로 모발이식기를 이용하여 이식하게 된다. 또한 절편채취 모발이식술은 이식기에 삽입하기가 편리하기 때문이다.

동양인은 모발이 굵고 밀도가 낮기 때문에 서양인에서 사용하는 슬릿 방법을 추천하지 않는다. 모발이식기를 이용한 이식이 슬릿 방법보다 조밀하게 이식할 수 있으며, 생존율을 높인다고 판단된다(표 11-18).

표 11-18 동양인과 서양인의 모발차이 및 이식방법의 차이

	동양인	서양인(caucasian)
모양	검고 굵음	회색 또는 흰색이고 가늘음
밀도	낮음	높음
자라는 방향	직상방	사선 방향
모낭단위별 모발 수	2-3개 모발 수가 많음	단일모가 많음
흉터 발생	잘 됨	잘 안 됨
상피에서 모낭 길이	5.5 ㎜	4.5 ㎜
선호하는 채취 방법	절편채취	FUE
선호하는 이식 방법	모발이식기 이용	슬릿 방법

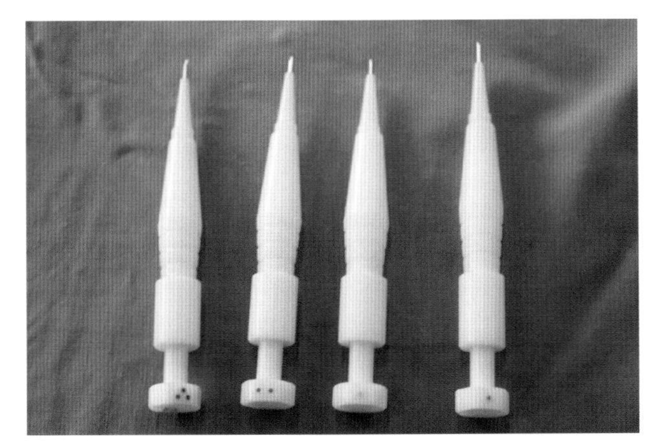

그림 11-23 1모와 2모, 3모용 식모기

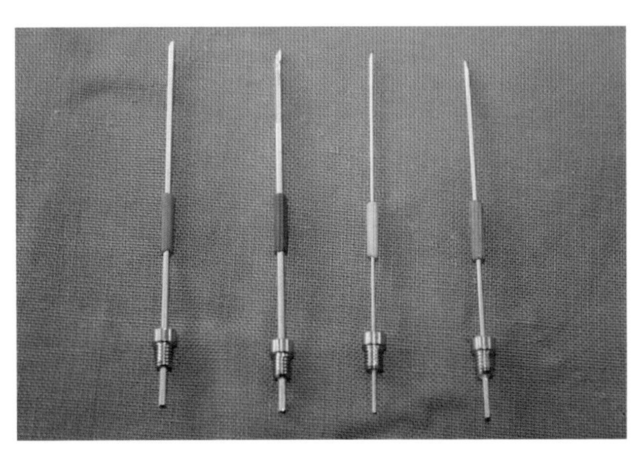

그림 11-24 모발이식기의 일회용 침

이식기는 가는(fine) 1모용과 일반적 1모용, 2모용, 3모용이 있으며, 바늘의 직경이 다르다. 1모용은 가는 1모용인 0.6 ㎜와 일반적 1모용인 0.8 ㎜가 있으며, 22G 바늘과 직경이 비슷하다. 2모용은 1.0 ㎜로 20G, 3모용은 1.2 ㎜로 18G와 비슷하다. 가는 1모용은 눈썹과 속눈썹이식을 할 때 주로 사용한다(그림 11-23, 11-24).

동일한 뒷머리에서 채취한 모발을 분리해보면 상피로부터 모낭까지 거리가 일정하지 않다. 따라서 모발이식기의 바늘 부위 길이는 모발이식기의 몸통을 돌려서 조절할 수 있다. 저자는 이식하기 전에 제일 먼저 하는 일이 이식기의 길이 조절이다.

모발이식기에 분리한 모낭을 끼울 때 bevel 부위에서 모낭부위가 보이면 안 되고 바늘 윗부분에서 상피세포가 튀어나와도 안 된다. 바늘 아래 부분에 모낭이 보이면 이식할 때 구부러져서 이식되어 생존율이 낮아지고, 또한 질리는 현상이 빌생한다(그림 11-25).

상피가 튀어나오면 얇게 이식되어 모공주위 융기(tenting) 현상이 발생하고, 바늘 길이가 모낭 길이보다 길으면 깊이 이식되어 모공주위 함몰(pitting) 현상으로 모낭염이나 낭종의 발생 위험이 증가한다.

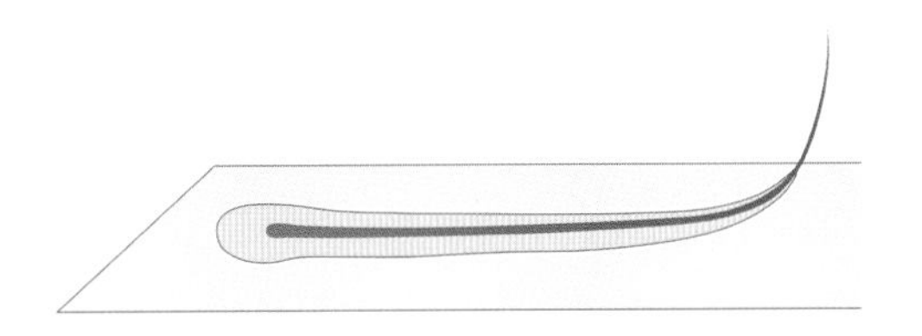

그림 11-25 모발이식기에 모낭을 삽입하는 방법

표 11-19 이식기의 bevel 방향에 따른 장단점

bevel이 위를 향하도록 삽입할 때의 장단점
장점 : 삽입된 모발이 정확한지 눈으로 확인이 가능하다는 장점이 있다. 단점 : 식모기에 모낭이 보이면 두피를 뚫고 들어갈 때 꺽어지거나 잘린다. 깊숙이 들어가므로 혈관이나 조식손상, 뼈에 끝이 닿으면 침의 마모가 발생한다.
bevel 방향이 아래(두피)쪽으로 삽입할 때의 장단점
장점 : 식모기에 모낭이 조금 보여도 밀고 들어가 꺽이는 현상이 적다. 혈관이나 조식손상이 적고 침의 마모가 적다. 단점 : 식모기에 모발이 제대로 삽입했는지 확인할 수가 없다.

모발이식기를 삽입할 때 이식기의 bevel 방향이 보이도록 하는 방법과 피부 쪽으로 보이지 않도록 이식하는 방법이 있다.

모발이식기는 원래 bevel이 위로 향하여 삽입하도록 고안되어 있다. 삽입된 모발을 확인하기 위해서이다(표 11-19).

이식기의 바늘이 마모되면 피부조직의 손상과 출혈, 팝업 현상이 증가한다. 이식기에 따라 바늘의 금속 강도가 다르지만 보통 1,000-1,500 모낭단위를 이식하면 교체하는 것이 좋다. 일회용 바늘만 교체하면 되고, 바늘의 길이를 조절하여 모낭이 원하는 위치에 삽입되도록 한다.

우리나라에서는 모발이식기를 이용한 모발이식은 의사만이 할 수 있다. 간호사와 간호조무사, 분리사 등이 이식하는 것은 불법이다.

(2) 슬릿을 이용한는 방법(slit method)

blade나 바늘 등을 이용하여 구멍을 내고 포셉으로 모낭을 끼워 넣는 방법이다. 동양인의 모발은 서양인과 다르게 굵고 밀도도 낮고, 절편채취 모발이식술에서는 굳이 슬릿 방법으로 할 필요가 없다. 모발이식기를 사용하거나 no touch technique 방법이 선호되고 있으나 펀치채취 모발이식술에서는 슬릿방법이 자주 사용되고 있다.

슬릿방법이 모발이식기를 이용하는 방법보다 밀도를 높여 이식할 수는 없다. 단지 과거의 슬릿 방법에 비하여 기술이 발전하여 많이 이식할 수 있는 것은 사실이다.

슬릿 방법에서 중요한 점은 슬릿 구멍을 내는 방법과 모낭을 끼워 넣은 방법이다.

① 슬릿을 만드는 방법

슬릿 구멍의 크기가 모낭의 크기와 꼭 맞게 뚫어야 한다. 따라서 단일모와 2, 3모의 모낭 단위는 메스나 바늘의 모양과 굵기가 달라져야 한다. 또한 메스의 끝이 뾰쪽한 것보다 뭉툭한 것이 좋다. 바늘은 끝이 뾰쪽하면 혈관과 신경 손상이 우려되므로 슬릿용 뭉툭한 메스를 사용하게 된다.

슬릿은 피부조직의 손상을 최대한 줄여야 하고, 조밀하게 이식할 수 있어야 하기 때문에 다양한 슬릿 기구들이 개발되었다. 최근에는 동양인의 모발이식에서는 슬릿을 만드는 방법도 16-20 gauge 바늘이 많이 사용되고 있다. 슬릿을 내는 방법도 굳이 서양처럼 다양한 슬릿 기구가 필요하지 않고 20G와 18G 바늘을 이용해서 1모, 2모, 3모를 이식하면 편리하다. 단, 바늘을 사용할 때 혈관손상의 위험성이 높아지므로 끝이 무딘 바늘 사용이 요구된다.

슬릿를 내는 blade는 1모인 경우 0.6-0.7 ㎜, 2모 FU는 0.8-1.0 ㎜, 3모 이상은 1.1-1.3 ㎜의 microblade를 사용한다. 또한 구멍을 낼 때 혈관이나 신경이 다치지 않도록 깊이와 각도도 중요하다. 국소 팽창 마취 용액을 충분히 주입하여 두피가 두꺼워지면 손상당할 확률이 낮아진다.

슬릿을 만드는 방법은 모발이 자라나는 방향과 수직(정면에서 보았을 때 가로 방향)으로 만들거나(가로슬릿, 가로절개 슬릿, coronal incision, 관상절개) 평행하게(세로슬릿, 세로설개 슬릿, sagittal incision, 시상질개) 만들 수 있다. 가로 절개를 만드는 방법과 이식까지 과정을 가로방향이식술(coronal angled graft, CAG)라고 하고 세로절개로 이식하는 과정을 세로방향이식술(sagittal angled graft, SAG)라고 불린다.

또한 수직슬릿(perpendicular(lateral) slit)과 평행슬릿(parallel slit)이 있는데 모발이 자라나는 방향과 perpendicular 또는 parallel하게 슬릿을 내는 방법이다.

가로슬릿의 장점은 세로 절개 슬릿에 비해서 많다. 최근에는 가로슬릿을 대부분의 의사들이 하고 있다. 그 이유는 절개의 깊이가 세로슬릿보다 깊지 않아 혈관손상이 적으며, 절개길이가 짧다는 것이다(표 11-20).

표 11-20 가로절개 슬릿(coronal incision)의 장단점

장점

1. 이식한 모발이 더 풍부하게 보인다.
2. 절개 깊이가 얇아서 혈관 손상이 적고, 수술 시야 확보가 좀 더 좋다.
3. 절개 구멍이 작아 조직 손상이 적다.
4. 자라나는 방향을 좀 더 정확하게 이식할 수 있다.
5. 흉터가 작다.
6. 결(curl, wave) 방향을 나타내기가 쉽다.

단점

1. 국소팽창 마취나 stopper(깊이 조절 장치)를 사용하지 않으면 출혈이 많아 질 수 있다.
2. 기존 모발의 손상이 많다.
3. 이식하기가 어렵다.

슬릿을 만들 때 기존 모발을 삭발하거나 긴 머리카락의 상태에서도 가능하다. 삭발할 때는 완전 삭발하지 말고 약 2 ㎜ 정도로 잘라서 모양과 방향을 예측하여 슬릿을 만들고 이식한다.

저자는 충분한 국소팽창 마취 용액을 팽팽하게 주입한 후 10-20분이 지나서 20 또는 18 gauge 바늘에 IV용 수액관을 잘라서 끼워 stopper를 만들어 모낭의 길이보다 약 0.5 ㎜ 얇게 슬릿을 내는 방법을 선호한다. 때로는 바늘을 구부려서 더 깊이 슬릿을 만들지 않도록 한다.

② 모낭을 삽입하는 방법

슬릿을 내고 핀셋으로 분리한 모낭을 끼워 넣는 방법(slit and forcep technique, S&F technique)은 2가지로 구분된다. 첫째는 슬릿을 내자마자 끼워 넣는 방법(슬릿동시 삽입술, stick and place, S&P)과 슬릿을 먼저 많이 만들고 난 후에 끼워 넣는 방법(슬릿후 삽입술, making all the incisions first(MIF) and later replacement)이 있다.

슬릿 방법은 모발이식기를 이용하는 방법보다 단점이 많다. 첫째로 분리한 모낭을 핀셋으로 잡아서 삽입할 때 손상이 발생한다는 것과 시간이 많이 걸리고, 모발 기둥이 구부러지게 삽입될 수 있으며, 이로 인하여 이식한 모발이 곱슬거린다는 것과, 한 구멍에 실수로 여러 번 모발을 삽입하는 이중삽입(piggybacking)이 가능하고, 삽입하는 방향이 잘못되어서 모발이 자라나는 방향이 일정하지 않을 수 있다(표 11-21).

슬릿 방법을 선택하였다면 MIF 방법보다는 가능한 구멍을 내자마자 이식하는 S&P 방법

표 11-21	S&F(slit and forcep) technique의 단점

1. 분리한 모발을 삽입할 때 핀셋으로 모낭을 잡아서 발생하는 손상
2. 삽입 깊이 조절이 어려움
3. 한 슬릿에 여러 번 삽입이 가능(piggy back)
4. 슬릿한 구멍에 삽입하지 않음
5. 구부려져 삽입됨
6. 튀어나옴(popping)이 모발이식기 방법에 비해서 많음
7. 삽입 방향이 일정치 않음
8. 수술 시간이 이식기 방법에 비하여 오래 걸림

을 추천한다. 이 방법은 구멍의 크기에 따른 알맞은 모낭의 선택과 구멍에 빠뜨리지 않고 삽입할 수 있는 방법으로 S&F technique의 단점을 많이 감소시킬 수 있다. 또한 소량이식에 편리하고, 생존율이 MIF 방법보다 다소 높다. 또한 시야 확보가 좋고, 슬릿의 크기 조절이 쉽고, 모낭의 손상이 적다는 등의 장점이 있다. 그러나 의사가 슬릿를 내고 보조자가 삽입해야 하므로 시간당 700-900 FU를 이식하게되고, 시간이 많이 소요된다.

MIF 방법은 일반적으로 편리상 사용되고 있다. 의사가 슬릿을 내고 난 후 보조자 한명은 벌리고 다른 보조자는 삽입(동시슬릿 삽입법, spread & insertion)하는 방법이다. 2명이 벌리고 삽입하는 방법을 2인 1조 technique(buddy technique)이라고 한다. 그러나 서양에서는 삽입할 때 의사가 하지 않아도 된다는 점 때문에 선호하게 된다.

모낭의 지방 부위를 핀셋으로 잡고 집어넣어 모낭부위의 손상을 줄여야 한다. 모낭의 길이에 따라 깊이 조절을 잘하여 모공주위 융기(tenting) 현상이나 모공주위 함몰(pitting) 현싱을 예빙해야 한다.

또한 모낭이 굽어지게 삽입하여 곱슬머리가 되지 않도록 한다. 한 구멍에 2개의 모낭단위를 중복 삽입하여 낭종이 발생하는 이중삽입(piggybacking) 현상을 예방해야 한다.

분리된 모낭은 모발이식기를 사용할 때와 동일하게 건조하지 않도록 충분히 젖은 거즈에 올려놓고, 가능한 4℃가 되도록 유지하면서, 차가운 생리식염수를 2분마다 뿌려주는 것은 동일하다. 0℃가 가장 이상적이나 현실적으로 어렵고 세포에 물리적 손상이 가능하다.

서양인들(주로 caucasian)은 모발이 가늘고, 밀도가 높으며, 2모와 3모, 4모가 많으므로 슬릿 방법을 선호한다. 풍부하게 이식하기 위해서 단일모도 2모를 함께 분리하여 이식

한다면 슬릿방법도 고려할 만 하다. 또한 미국 등은 슬릿 방법을 이용할 때 모발분리 기사나 간호사 등이 이식하므로 의사의 고생이 줄어든다는 장점이 있다. 우리나라에서는 슬릿 방법도 의사가 심어야 의료법 위반의 시시비비가 없다.

③ no touch technique

no touch technique이란 1모는 20 gauge 바늘, 2모나 3모는 18 또는 16 gauge 바늘로 먼저 이식할 부위에 슬릿을 내고 1모, 2모, 3모용 이식기를 이용하여 이식하는 방법이다.

no touch technique이란 핀셋으로 모낭을 잡고 끼워 넣는 S&P나 MIF 방법에 비하여 모발이식기를 사용하면 모낭에 어떤 조작을 가하지 않으므로 손상이 없으면서 부드럽게 삽입하기 때문에 붙여진 이름이다.

모발이식기를 이용하는 방법보다 no touch method가 선호되는 이유는 여러 가지 장점이 있기 때문이다. 흉터 등에 이식을 할 때 이식기로만 이식하면 모낭이 부기 때문에 압박이 되면서 생존율이 떨어지고, 슬릿을 내지 않고 이식기로 이식하는 경우 이식기의 바늘이 피부를 통과할 때 저항이 증가하여 이식한 모발이 튀어나오는 현상(pop up)이 증가하고, 이미 이식한 모발의 모낭위치가 변하게 되며, 출혈과 피부의 손상과 이에 따른 섬유화, 혈관손상으로 인한 생존율의 감소, 흉터가 더 심하게 남게 되는 것을 어느 정도는 예방이 가능하기 때문이다.

따라서 흉터나 섬유화가 심한 조직에 이식하는 경우와 이식한 모발이 튀어나오는 현상이(pop up) 심하거나, 혈관이나 신경손상이 우려되는 경우에 흔히 사용하는 방법이다. 또한 눈썹이나 음모이식 등에도 유용하게 사용할 수 있는 방법이다. 최근에는 모든 부위의 이식에 사용되는 방법이다.

또한 펀치채취로 채취한 모낭은 상피위로 튀어나온 모발 부위가 짧기 때문에 이식기에 끼우기도 쉽지 않으나 포셉으로 손상없이 잡아 이식하기가 쉽지 않다. 이식할 때도 이식한 모발이 튀어나오는 현상이 절편채취에 비하여 많다. 이러한 문제를 해결하기 위해서 no touch method가 편리하다.

시간이 많이 경과하면 뚫어 놓은 구멍이 잘 보이지 않고, 또한 마취와 국소팽창마취 주입으로 부기가 심해지면 의미가 없는 경우가 종종 있다. 가능한 구멍을 내고 바로 이식하는 방법이 좋다.

3) 모낭단위 이식(follicular unit transplantation)

모발이식의 최대 목적은 자연스럽게 이식하는 것이므로 이식 부위별 모발 굵기와 이식편(graft)의 선택, 이식할 모낭의 구획별 배치와 부위별 밀도의 차이, 이식 모발의 밀도와 방향, 모낭의 깊이와 위치, 두피와 모발 방향이 이루는 각도 등이 고려되어야 한다(표 11-22).

(1) 이식 부위별 모발 굵기와 이식편(graft)의 선택

정상적 모발은 헤어라인의 앞쪽은 가늘고, 밀도가 낮으며, 정수리 방향으로 갈수록 모발이 굵고 밀도도 높아진다. 모발이식도 자연스럽게 이식하기 위해 부위별 모발의 굵기를 선택해야 하고, 단일모와 1모, 2모, 3모를 혼합하여 이식할 부위를 선택해야 한다.

두피뿐만 아니라 눈썹이나 음모 이식에서도 헤어라인의 경계부는 단일모로 가능한 가는 모발을 선택하여 이식하는 것이 자연스럽다. 중앙의 모발 밀집부위는 2모나 3모를 혼합하여 이식하면 풍부하고 자연스럽다.

(2) 이식할 모낭의 구획별 배치와 부위별 이식 밀도의 차이 (different density, gradient density)

이식 부위가 결정되면 구획을 정하고, 분리한 모발을 적정하게 분포를 배치해보는 것이다. 가끔 분리한 모발이 모자라서 예정부위를 이식하지 못하거나 이식한 모발을 다시 뽑아서 재배치하는 경우가 종종 있기 때문이다. 모발이식기에 모낭을 삽입하는 보조자에게 전체의 50%, 80%, 90%가 이식되있을 때 반드시 보고하도록 하여 분포를 적절히 맞추는 방법을 사용하면 편리하다.

모발이 겹치는 부위는 밀도를 낮게, 겹치지 않는 부위는 밀도를 높게 이식하는 방법이다.

표 11-22 모낭단위 이식에서 중요한 점

1. 이식 부위별 모발 굵기와 이식편(graft)의 선택
2. 이식할 모낭의 구획별 배치와 부위별 밀도의 차이
3. 밀도
4. 모발의 방향
5. 모발의 각도
6. 모낭의 깊이와 위치
7. 팝업(pop-up)의 예방

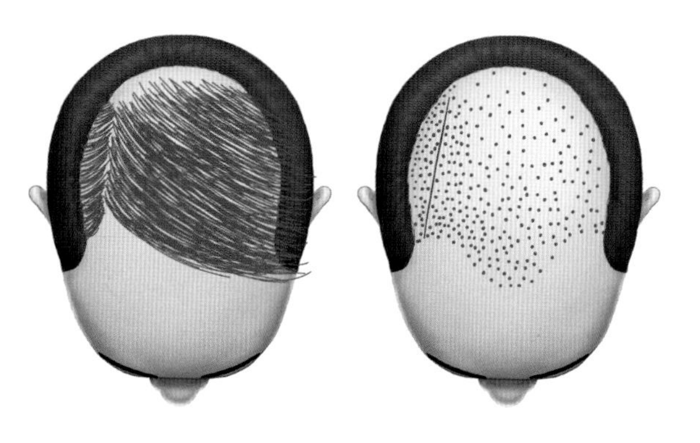

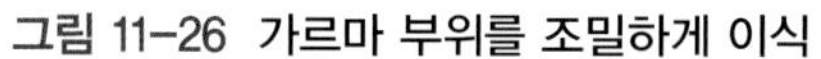

그림 11-26 가르마 부위를 조밀하게 이식

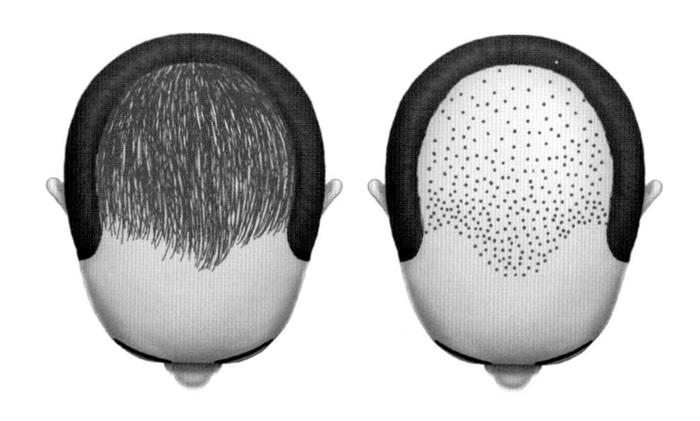

그림 11-27 올백스타일은 헤어라인을 조밀하게 이식

이식할 부위가 많지 않고 뒷머리에서 모발채취가 충분하다고 하면 밀도차이를 고려하지 않고 최대로 이식하는 방법이 좋다. 그러나 이식할 부위는 넓고, 뒷머리에서 채취할 모발이 적다면 최대한 자연스럽고 풍부하게 보이기 위해 부위마다 밀도차이를 두게 된다.

가르마를 타게 되면 가르마부위는 두피가 잘 보이고, 적게 이식하면 훤하게 보이므로 밀도를 높인다. 올백을 한다면 앞쪽 이마 부위를 조밀하게 이식해야 두피가 훤하게 보이지 않는다. 반대로 이마로 내리는 스타일은 두정부 부위를 많이 이식해야 자연스럽고, 풍부해 보인다(그림 11-26, 11-27).

너무 넓어서 한 번에 이식할 수 없다면 이식 부위와 기존 모발의 연결 부분은 밀도를 점차 낮게 이식해서 경계부위가 너무 뚜렷하게 차이가 나지 않도록 한다. 또한 자연스러움을 중요시한다면 단일모가 효과적이나 풍부해보이기를 원한다면 1모와 2모, 3모를 혼합하여 이식하는 것도 고려되어야 한다.

(3) 밀도(density)

이식하였는데도 탈모처럼 듬성듬성 보인다면 환자의 만족도는 떨어진다. 따라서 밀도는 환자의 만족도에 중요한 요인이다. 물론 만족도는 밀도도 중요하지만 환자의 모발 굵기, 모발의 특성, 곱슬거리는 정도, 색깔, 디자인 등에도 많은 영향을 받는다.

유재학 등의 연구에 의하면 공여부인 후두부 밀도는 서양인과 동양인간에 차이가 많다. 서양인이 우리나라 사람보다 약 2배의 밀도를 갖고 있으며, 전체 모발 수도 거의 2배의 차이가 있을 것으로 추정된다(표 11-23).

표 11-23 한국인과 서양인의 후두부 밀도 비교(개/㎠)

	남자	여자
우리나라	120-130	120-136
서양인	311(다른 연구 260)	271(다른 연구 300)

① 최대 밀도(maximum density)

이식 밀도를 높이면 높일수록 환자 만족도는 증가한다. 즉, 자연스러움의 증가와 좀 더 좋은 미용적 모양과 환자 만족도가 증가한다. 최근에는 최대이식을 선호하는 경향이 많다. 그러나 밀도가 높으면 높을수록 생존율이 낮아진다.

동양인에서 최대 밀도는 보통 50 모낭단위(FU)/㎠이고, 고밀도 이식은 30 모낭단위/㎠ 이상을 말한다. 서양인에서 고밀도 이식이라고 하면 40-50 모낭단위/㎠이다.

물론 서양인처럼 가늘고 밀도가 높다면 70 모낭단위/㎠ 이상도 가능하다. 그러나 동양인은 모발이 굵고 서양인에 비해 밀도가 낮기 때문에 70 모낭단위/㎠ 이상은 거의 불가능하다.

헤어라인은 단일모로 이식하므로 모낭단위와 모발수가 동일하여 50 모/㎠이 되겠지만 1모와 2모, 3모를 혼합하여 이식하는 부위는 약 90 모(50×1.8평균모발수, 서양인은 ×2.2)/㎠가 된다. 정상적인 두피의 모발수는 120-130/㎠이므로 상당히 밀도가 높다. 헤어라인의 단일모 이식은 60-70 모/㎠이 최대 이식이라고 판단된다(표 11-24).

이식밀도에 따라 생존율도 달라진다. 한국인을 대상으로 한 연구(Lee WJ 등)에서 1 ㎠당 20, 30, 40, 50개의 단일모를 KNU 식모기로 이식하여 10개월째 생존율을 확인한 결과 95.1%, 90.8%, 80.8%, 76.5%로 30개 모발을 이식하는 것이 최적의 생존율을 기대할 수 있고 이보다 밀도가 높으면 생존율은 감소한다.

표 11-24 최대 밀도

	모낭단위(FU)	모(hair, graft)
1,2,3모 혼합	50	90
단일모	60-70	60-70

Mayer의 연구에서도 10, 20, 30, 40개의 2 hair FU를 이식하여 8개월 후의 생존율이 97.5%, 92.5%, 72.5%, 78.1%로 20-30개 FU를 이식하는 것이 생존율을 높인다고 하였다.

헤어라인은 단일모로 이식하기 때문에 1모와 2모, 3모를 혼합하여 이식하는 앞머리나 두정부에 비하여 밀도가 높아 조밀하게 보이면서 자연스럽다. 앞머리나 두정부는 1모와 2모, 3모를 혼합하여 이식하므로 듬성거려 보이기는 해도 풍부해 보인다. 즉, 단일모로 이식하면 자연스러워 보이나 풍부하거나 빽빽해 보이지는 않는다. 2모와 3모를 혼합하여 이식하면 밀도는 낮아 보이나 단일모에 비해 풍부해 보인다.

고밀도 이식은 혈관손상과 피부의 부분적 괴사가 문제가 된다. 혈관손상이 심하다면 생존율이 낮이져 오히려 적당한 밀도 이식보다 나쁜 결과가 올 수 있다. 피부괴사는 granulation이 형성되고, 힌색 반점이 되며, 섬유화가 심해지고, 이식한 모발은 거의 자라지 않는다. 또한 나이가 먹으면서 이식한 부위만 조밀하고 주위의 기존 모발이 탈모되어 부자연스러울 수 있으므로, 고밀도 이식은 미래까지 생각해야 한다.

② 미용학적 밀도(cosmetic density, cosmetic appearance)

미용적 밀도란 탈모로 여겨지지 않는 밀도를 말한다. 즉, 육안으로 1 m 정도 떨어져서 볼 때 탈모라는 느낌이 들지 않는 것으로 이식모 사이사이를 보면 정상에 비해 밀도는 낮다. 보통 모발의 양으로 판단해서 50%가 감소하면 타인이 보았을 때 탈모라고 한다. 두피가 보이지 않을 정도이거나 햇빛이 차단될 정도라면 미용학적 밀도보다 높아야 한다.

공여부에서 채취할 모발이 충분하다면 고밀도로 이식면 환자의 만족도는 높아진다. 채취할 모발이 부족하고 이식할 부위가 넓다면 미용학적 밀도를 유지하면서 넓은 범위를 이식하는 것이 합리적일 것이다. 또한 밀도가 낮다면 환자의 만족도는 떨어지므로 미용학적 밀도가 중요하다.

미용학적 밀도는 모발의 굵기와 모양(곱슬거림 등), 모발의 색깔, 주변머리의 밀도 등에 따라 달라지므로 정확하게 몇 모낭단위/㎠이라고 단정하기 어렵다. 또한 부위마다 미용학적 밀도는 달라진다.

보통 정상의 모발 굵기라면 동양인에서 두정부는 30 모낭단위/㎠(54모/㎠) 정도이고, 서양인에서는 35 모낭단위/㎠(63모/㎠)이다. 동양인에서 정상인의 밀도가 120-130모/㎠이

표 11-25 정상적 모발 굵기일 때의 미용학적 밀도(평균, 범위)

	모낭단위(FU)	모(hair)
1,2,3모 혼합	30(25-35)	54(45-63)
단일모	50(40-60)	50(40-60)

표 11-26 정상적인 모발 굵기일 때 부위별 미용학적 밀도(평균, 범위)

	이식편	모낭단위(FU)	모(hair)
헤어라인	단일모	50(40-60)	50(40-60)
두정부, 정수리	1,2,3모	30(25-35)	54(45-63)
가마	3모	15(10-20)	35(30-60)
가르마	2, 3모	35(30-40)	70(65-90)
측두부	단일모	25(20-30)	25(20-30)
구레나룻	단일모	20(15-25)	20(15-25)

므로 45-39%에 해당된다. 즉, 공여부 면적의 약 2.5배 면적을 이식하게 되면 미용학적 밀도가 된다(표 11-25).

헤어라인과 측두부, 구레나룻 부위는 단일모로 이식하므로 30 모낭단위/㎠은 30 모/㎠이므로 밀도가 낮다. 따라서 이 부위는 밀도를 높여야 한다. 헤어라인은 40-50 모낭단위/㎠ 정도가 미용학적 밀도이나 모발이 가늘다면 이보다 조밀하게 이식해야 한다(표 11-26).

Walter P Unger도 그의 저서에서 굵기와 밀도가 적정하다면 25-30 모낭단위/㎠가 만족한다고 하였다. 동양인은 모발이 굵기 때문에 이보다 낮아도 만족한다고 판단된다.

Keene의 연구에 따르면 남성 탈모환자의 밀도는 hair line은 38-78 모낭단위/㎠, 두정부는 55-60 모낭단위/㎠, 측두부는 24-59 모낭단위/㎠, 후두부는 69-85 모낭단위/㎠라고 하였다. 30 모낭단위/㎠의 밀도로 이식하면 후두부를 제외하고 대부분의 부위에서 50% 이상의 밀도를 갖게 된다고 한다.

③ Rule of Threefold

저자는 2009-2012년간에 모발이식을 한 남자 환자 중에서 공여부의 모발이 정상 굵기와 밀도를 갖고 있으면서 이식 후 1년이 경과한 환자 326명에 대하여 만족도에 대한 설문조사를 하였다. 설문조사에 응한 환자는 141명이었으며 그 결과 미용학적 밀도는 25-29

표 11-27 미용학적 밀도를 추정하기 위한 만족도 조사, N(%)

FU	hairs	매우 만족	만족	보통	불만족
14-19	25-34	2(6.0)	3(9.0)	12(34.0)	18(51.0)
20-24	36-43	6(8.0)	20(28.0)	23(32.0)	22(31.0)
25-29	45-52	12(46.0)	12(46.0)	1(4.0)	1(4.0)
30 이상	54-	1(11.0)	5(56.0)	3(33.0)	0(0.0)

모낭단위/㎠로 45-52모/㎠라는 결론을 얻었다(표 11-27). 물론 고밀도 이식을 하면 만족도는 높아진다. 그러나 채취 모발 수가 한계가 있을 때를 고려하여 어느 정도 이상이면 만족할 것이냐를 판단기준으로 삼았다.

정상인의 밀도가 120-130모/㎠이므로 공여부 면적의 3배를 이식하면 40-43.3모/㎠(22-24 FU/㎠)가 되므로 미용학적 밀도인 54모/㎠보다 약간 낮다. 그러나 부위마다 밀도의 차이가 있게 이식해야 하고, 단일모 이식부위가 있기 때문에 공여부의 3배 면적을 이식하면 미용학적 밀도에 적합하다고 결론을 내렸다(그림 11-28, 11-29, 11-30, 11-31).

④ 이식 모발의 방향(direction)

이식하는 방향은 원래 모발의 방향과 일치하는 것이 좋다. 확인할 수 없다면 정수리의 가마를 중심으로 방사선 방향으로 이식한다. 즉, 모발이 자라는 방향은 가마로부터 방사선 방향으로 자라도록 이식한다(그림 11-32).

헤어스타일에 따라 이식하는 방향을 달리할 수 있는데 가르마를 중심으로 방향을 다르게 이식할 수 있다. 그러나 자연적 방향에서 약간만 방향을 다르게 하는 것이 좋다. 마치 태어날 때부터 가르마 방향으로 모발이 자라나는 것처럼 오해하여 이 방향으로 이식하는 경우가 있는데, 저자는 가르마가 있다고 하더라도 자연적인 방향으로 이식한다. 물론 가르마의 형태에 따라 약간 방향을 달리하기도 한다.

가마 방향으로 이식하는 이유는 두피 속 모발의 방향은 원래 방향인 가마방향을 갖고 있는 경우가 많으며, 기존 모발의 손상을 예방하고, 모발이 자라난 후 빗으로 자주 빗게 되면 원하는 방향으로 가게 되며, 풍부해 보이기 때문이다. 또한 오른쪽 방향으로 가르마를 타는 사람은 약간 왼쪽 방향으로 자라도록 이식하면 좀 더 풍성해 보이기도 한다.

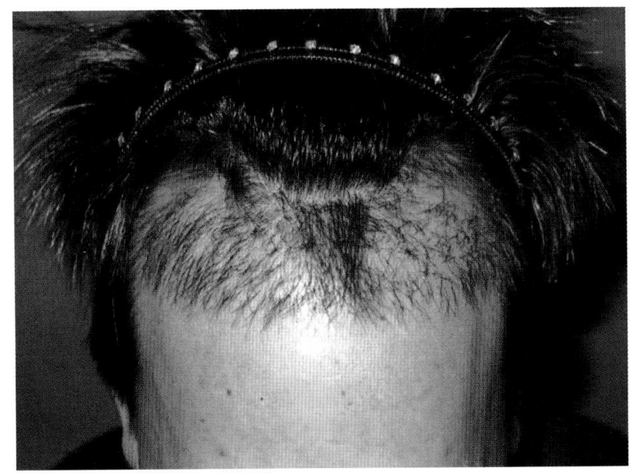

그림 11-28 낮은 밀도로 이식된 상태

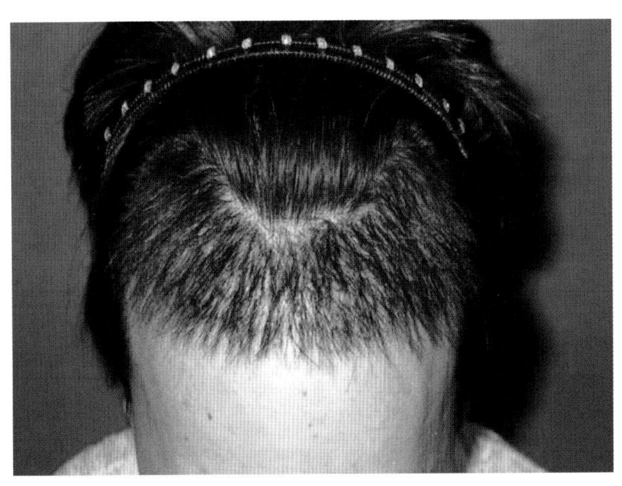

그림 11-29 미용학적 밀도로 수정한 상태

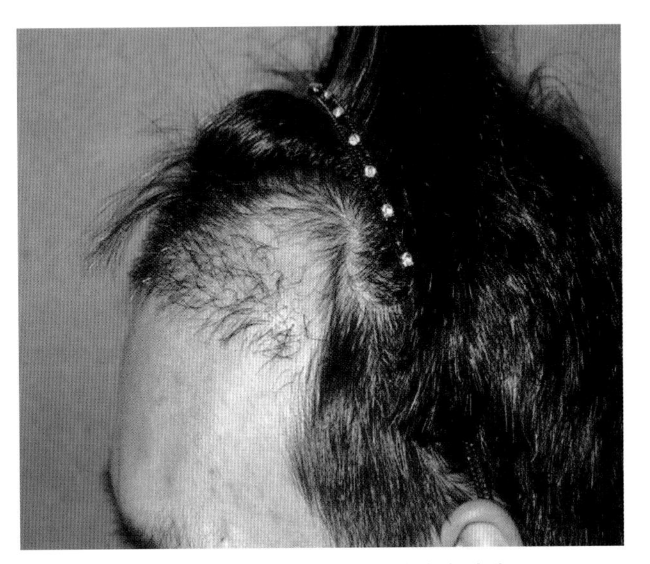

그림 11-30 낮은 밀도로 이식된 상태

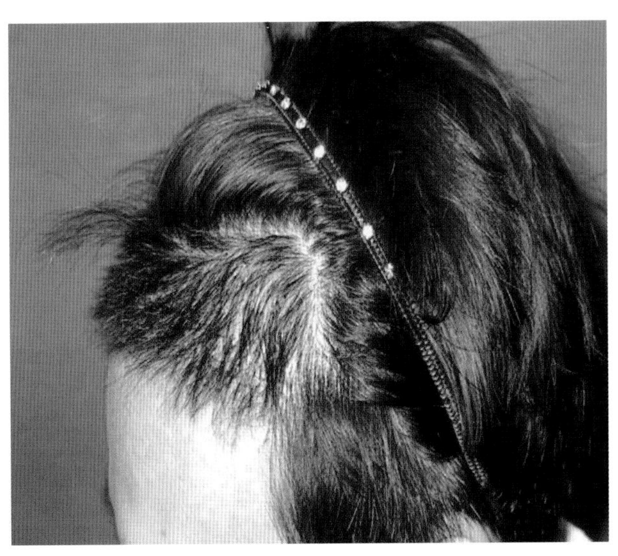

그림 11-31 미용학적 밀도로 수정한 상태

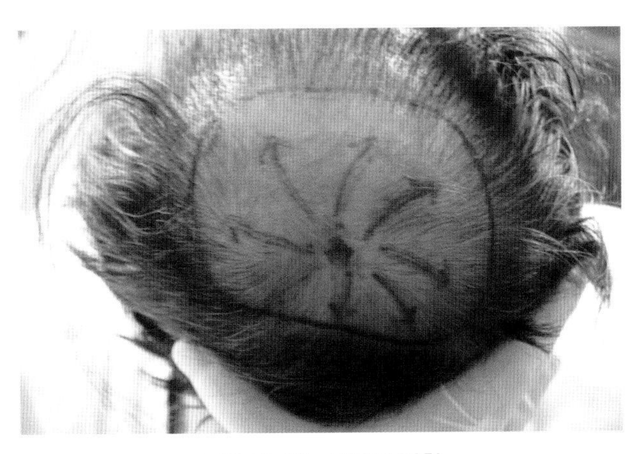

그림 11-32 모발의 방향

가마 부위는 마치 달팽이 모양처럼 모발이 자라므로 이 방향에 따라서 이식해야 하며, 앉아서 이식하는 방법이나 엎드리게 해서 이식하는 방법이 좋다.

측두부나 구레나룻은 원래 모발의 방향대로 이식하는 것이 가장 좋다. 주로 아랫방향을 향하거나 약간 후두부 방향이다.

⑤ 이식 모발의 각도(angle)

모발이식의 각도라 함은 이식한 모발이 자라나는 방향과 두피 표면과의 각도를 말한다. 이식하는 각도는 환자의 원래 모발이 자라는 각도와 일치하는 것이 가장 좋다. 그러나 대머리가 되었다면 그 각도를 알 수가 없는 경우가 많다.

정상적인 모발이 자라나는 각도는 부위에 따라 차이가 있으며, 사람마다 차이가 있기 때문에 이식각도를 일률적으로 정할 수는 없다. 또한 헤어스타일에 따라 각도를 달리하고, 가르마의 위치와 형태에 따라 달라진다.

일반적으로 헤어라인 부위는 피부표면과 모발이 자라나는 방향과 약 45도 각도를 이루므로 40-50도 각도로 이식하고, 두정부는 50-60도, 정수리는 약 60-70도, 가마부위는 70-80도, 측두부는 15-20도, 구레나룻 10-15도 정도다. 이 각도를 고려하여 이식한다(표 11-28, 그림 11-33).

⑥ 이식 모발의 깊이와 위치

모낭의 정상적인 해부학적 위치는 진피 아래 피하지방 상층부이다. 이식한 모발도 모낭이 여기에 위치해야만 생존율이 높고, 모낭염이나 낭종이 발생하지 않는다(그림 11-34).

뒷머리의 두피가 두껍다면 이식할 모발도 상피에서 모낭까지의 거리가 길다. 따라서 얇은 피부에 이식할 때는 최대한 눕혀서 모낭이 해부학적 위치에 위치하도록 이식해야 한다.

특히 음모이식을 할 때 피부가 얇고 피하지방이 두꺼우므로 모낭이 진피 아래 피하지방 상층부에 위치해야 한다. 피하지방의 깊은 부위에 모낭이 위치하면 살지 않아 생존율이 낮다고 판단하거나 모낭염과 낭종이 발생하여 고생하게 되고, 결국 모낭을 없애야만 치료되는 경우를 흔하게 본다.

표 11-28	이식 각도(angle)
헤어라인	40-50
두정부, 정수리	50-60
정수리(가마 주변)	60-70
가마	70-80
측두부	15-20
구레나룻	10-15

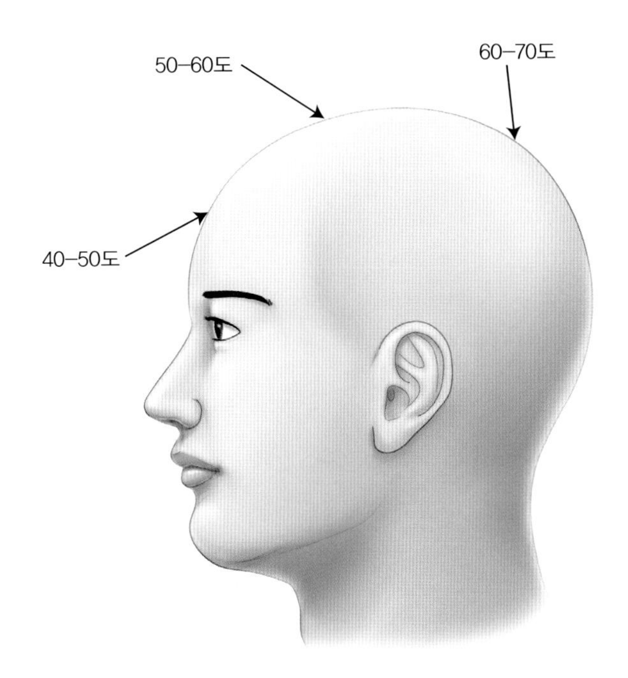

그림 11-33 부위별 이식 각도(전두부 헤어라인은 40-50도, 두정부는 50-60도, 정수리는 약 60-70도)

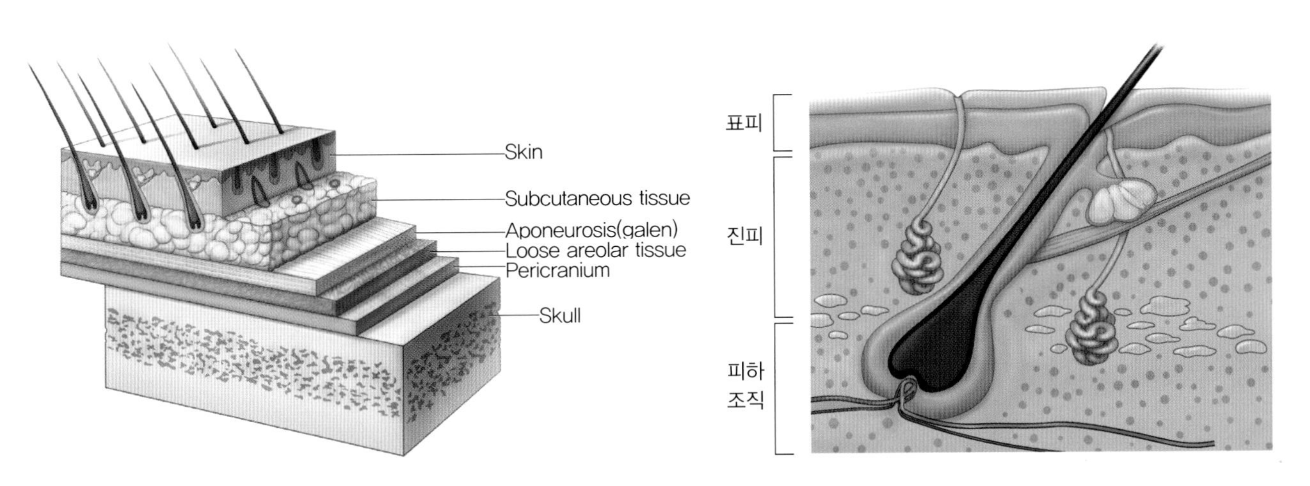

그림 11-34 모낭의 깊이와 위치

표 11-29 팝업(pop up)을 줄이는 방법

1. 출혈을 줄인다. epinephrine를 추가 주사할 수도 있다.
2. 이식하기 10분 전에 국소팽창 마취를 충분히 한다.
3. 모발이식기와 슬릿 기구의 직경이 이식편의 직경보다 크지 않는 것을 사용한다.
4. 마모된 모발이식기의 바늘과 슬릿를 교체한다.
5. 이식 주위 피부를 압박하고, 두피 피부를 밀어 올리면서 이식한다.
6. 힘을 주지 말고, 순간적으로 snap를 주어 두피에 삽입한다.
7. 한 부위에 집중적으로 이식하지 말고 이동하면서 이식한다.

⑦ 팝업(pop-up)의 예방

이식 할 때 팝업은 수술시간이 오래 걸리고, 생존율이 감소하기 때문에 최대한 줄여야 한다. 환자의 피부 상태에 따라서 팝업 정도는 달라진다. 팝업을 줄이는 방법은 표 11-29와 같다.

3 앞머리 헤어라인의 이식

헤어라인의 이식은 시작 선에서 0.5-1 ㎝까지는(헤어라인의 이행부, transition zone이라 부른다) 단일모로 이식하며, 단일모 중에서도 가능한 가는 모발로 이식하는 것이 자연스럽다.

헤어라인은 다소 밀도가 낮아야 자연스럽고, 0.5-1 ㎝ 위에서부터는(define zone이라 부른다) 1모와 2모, 3모를 혼합하여 이행부보다는 조밀하게 이식한다. 두정부 쪽으로 갈수록 밀도는 낮으나 1모와 2모, 3모를 혼합하여 이식하게 되므로 풍성하게 보인다(그림 11-35, 11-36, 11-37).

대돌출부(large irregularities)와 소돌출부(small irregularities line)에 따라 이식하지만 일직선이 되지 않도록 불규칙하게 이식한다. 또한 소돌출부 앞쪽으로 약 1-3 ㎜ 정도 떨어져서 단일모로 약 40여 모(random hair)를 불규칙하게 이식하여 더욱 자연스럽게 보이도록 이식한다. 여성의 헤어라인의 이식은 남성과 동일하나 디자인만 다르다. 여성의 헤어라인 모발이식은 16장을 참고한다.

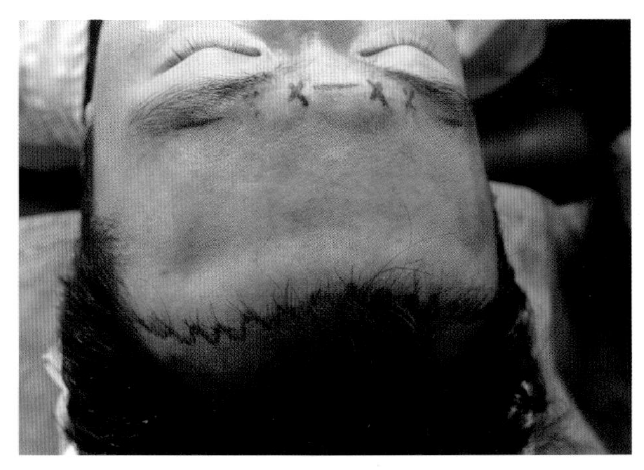

그림 11-35 헤어라인의 단일모 이식

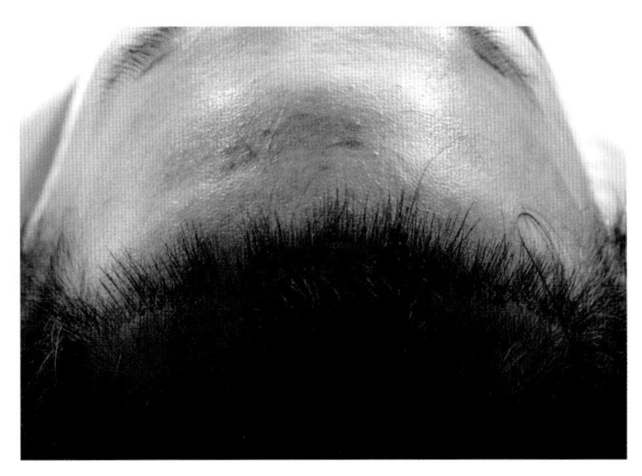

그림 11-36 헤어라인에서 0.5-1 ㎝까지 단일모 이식

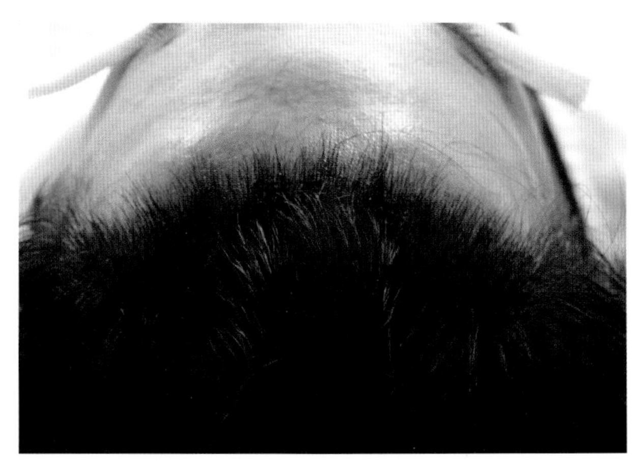

그림 11-37 1모와 2모, 3모의 혼합이식

헤어라인은 좀 더 가는 모발로 이식하면 자연스러우나 밀도가 낫으면 불만요인이 되므로 좁은 면적이라도 충분한 밀도를 이식하는 것이 더 바람직하다.

보통 헤어라인에서 남성은 0.5 ㎝이나 여성은 1 ㎝까지는 단일모 중에서도 가는 모발로 불규칙한 라인을 따라 40-60 모낭단위/㎠로 이식한다. 그 이상 부위는 1모와 2모, 3모 모낭으로 25-35 모낭단위/㎠로 이식한다. 가능하면 정수리 부위는 3모로 이식하며, 10-20 모낭단위/㎠로 이식한다.

경계부위(fringe zone)는 기존의 모발과 1 ㎝ 정도는 중복(중복효과, layering effect, over rapping)하여 이식해야만 자연스러우며, 경계가 명확하게 보이지 않도록 한다.

4 가르마와 소 핥은 머리(cowlick), 앞가마(frontal whorl)의 이식

가르마는 보통 헤어라인의 좌측에 있으며, 모발의 방향이 시계방향이기 때문에 좌측이 자연스럽다. 가르마 선를 따라서 헤어라인 부위는 단일모로 그 이상은 혼합하여 이식한다. 중복효과가 없는 부위이기 때문에 헤어라인보다 조밀하게 이식하여 좌우로 나누어지도록 한다. 밀도가 낮으면 탈모처럼 보인다.

소 핥은 머리(cowlick)와 앞가마의 이식은 2가지 방법으로 이식할 수 있는데 소 핥은 머리 모양이나 앞가마의 모양이 강하다면 현재의 모발 방향으로 이식하여 보강하거나 약하다면 완전히 무시하고 자연적인 방향으로 이식한다.

자연적인 방향으로 이식한다면 어느 정도 기존 모발의 손상을 감수해야 한다. 기존 모발이 자라는 방향과 반대이므로 밀도가 떨어져 보인다. 따라서 이 부위는 가능한 밀도를 높이고, 가능한 이식 폭을 좁히는 것이 바람직하다. 어느 정도의 부자연스러움은 감수해야 한다.

5 옆머리와 구레나룻의 이식

측두부의 측두 돌출부(temporal peak)와 상하 측두 후퇴부(supra, Infra temporal recession)는 원칙적으로 모발이식을 하는 부위가 아니다. 모발의 굵기와 특징이 다르기 때문에 자연스럽게 이식하기가 어렵다. 따라서 이식한 티가 나고, 이 부위에 탈모가 진행되거나 노화가 되면 모발선이 후퇴하여 이식한 모발이 독립된 섬(isolated island)이 될 가능성이 있기 때문이다.

그러나 남성에서는 원래의 모습으로 돌아가고 싶은 욕망과 이마가 넓어 보이면서 부자연스럽기 때문에 이식하기를 원한다. 여성에서는 얼굴이 커 보이거나 이마가 넓고, 옆 얼굴이 넓어 보이거나 광대가 튀어나와 보인다면 옆머리(측두부)와 구레나룻까지 이식을 고려한다. 여성의 측두부 모발이식은 16장을 참고한다.

옆머리의 모발이식은 더 예각으로 이식해야 피부와 평행하게 자라게 된다. 보통 이식기의 각도는 피부 표면과 15-20도를 유지하면서 이식한다. 방향은 하방이거나 약간 후방이다. 각도는 피부와 평행하게 자라도록 이식하는 양각기법(double angle technique)과 tip up technique을 이용한다.

양각기법은 피부에 모발이식기를 삽입할 때는 피부 표면과 20-25도 각도로 삽입하여 피하조직에서는 피부 표면과 거의 수평을 유지하면서 삽입하여 이식하는 방법이다. tip up technique은 모발이식기에 분리한 모낭을 삽입할 때 모발의 결(curl, wave)을 살펴서 bevel 방향으로 삽입하고 이식할 때는 180도 회전하여 bevel이 피부방향으로 향하도록 이식하여 피부와 평행하게 자라도록 하는 방법이다.

측두부는 밀도를 낮게 이식하는 것과 가는 단일모를 사용하는 것이 자연스럽다. 소돌출부(small irreqularity) 디자인으로 불규칙한 라인을 따라 20-30 모낭단위/㎠로 이식한다. 밀도를 너무 높이면 어색하므로 가능한 밀도를 낮게 하여 자연스럽게 이식한다. 헤어라인과 마찬가지로 기존의 모발과 1 ㎝ 정도는 중복(중복효과, layering effect)하여 이식해야만 자연스러우며, 경계가 명확하게 보이지 않도록 한다.

구레나룻의 이식은 약 600-1,000 모낭단위가 필요하며, 단일모 중에서도 가는 단일모를 사용한다. 밀도는 15-20 모낭단위/㎠ 정도이며, 밀도를 너무 높이면 어색하므로 가능한 밀도를 낮게 하여 자연스럽게 이식한다. 방향은 하방을 향하도록 한다. 피부가 두피보다 얇고, 피부와 평행하게 자라야 하므로 약 15-20도가 되어야 하고, 이식하는 방법은 양각기법(double angle technique)와 tip up technique 두 가지 방법이 있다. 구레나룻의 모발이식은 18장을 참고힌다.

6 두정부와 정수리의 이식

두정부(mid-scalp)와 정수리(vertex) 부위는 1모, 2모, 3모를 혼합하여 이식한다. 풍부하게 보이기 위해서는 3모를 주로 이식한다. 두정부와 정수리 부위에 이미 기존 모발이 있다면 기본 모발이 다치지 않도록 방향과 각도가 중요하다. 기존의 얇은 모발(연모)는 무시하고 이식해도 된다. 그러나 성모나 털의 구실을 할 수 있는 모발은 손상당하지 않도록 조심해야 한다.

두정부는 각도가 50-60도이나 정수리는 두피와 모발의 각도가 60-70도를 이루는 것이 보통이며, 모발의 방향은 시계 회전 방향이나 헤어라인 부근에서는 직진하는 모양이다. 가마 부위는 70-80도를 이루고, 시계 회전 방향에 따라 이식한다. 여성의 두정부 모발이식은 16장을 참고한다.

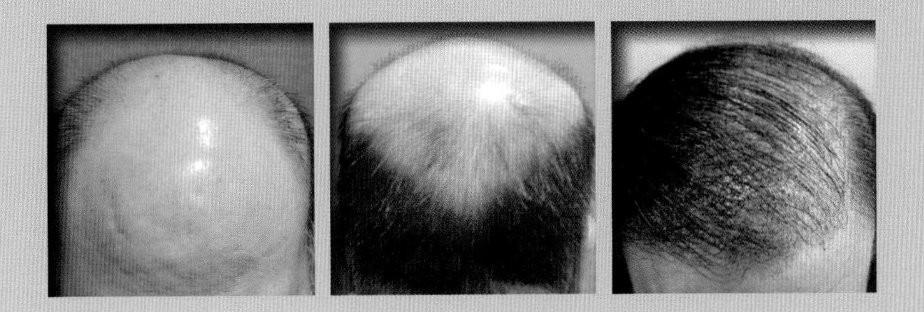

Chapter 12

펀치채취 모발이식술(FUE)

1. 공여부 모발의 펀치채취
2. 펀치채취의 모낭단위 이식
3. 절편채취와 펀치채취의 혼합 모발이식

1 공여부 모발의 펀치채취

편치채취술은 모낭단위 적출술, follicular unit extraction, FUE, FOX(follicular unit exraction) 비절개술이라고도 불린다. 펀치채취 모발이식과 절편채취 모발이식은 모낭을 채취하는 방법이 다를 뿐이고 이식하는 방법은 동일하다.

최근에는 펀치채취 모발이식술이 많이 활용되고 있다. 펀치채취 모발이식을 하는 이유는 여러 가지가 있으나 환자를 잘 선택한다면 절편채취 모발이식보다 장점이 많고 단점은 적다. 최근에는 전동식 펀치와 자동 로봇 펀치 등이 개발되면서 다양하게 이용하고 있다.

펀치채취 모발이식의 가장 큰 장점은 환자의 입장에서 볼 때 수술이 간단하다고 생각하는 것과 수술에 대한 두려움이 적다는 것, 흉터를 남기지 않는다는 것이다(표 12-1).

의사의 입장에서 보면 절편채취 모발이식으로 인한 공여부의 여러 가지 문제점(흉터, 동반탈락, 염증 등)에서 자유로울 수 있다. 공여부의 모발 밀도가 낮은 경우에도 채취가 가능하고, 절편채취 모발이식은 한 번에 5,000모 이상 이식이 어려우나 10,000모 이상도 가능하다. 이식 후에 생존율이 낮은 부위나 흉터 등 적은 량이 필요한 경우 유용하며, 특히 모발분리사가 없이도 소량의 이식에서 대량이식까지 가능하다. 또한 뒷머리 이외의 신체 부위인 가슴이나 구레나룻, 겨드랑이 등의 모발을 채취할 때 흉터 없이 채취가 가능하다.

표 12-1 펀치채취 모발이식의 장점

환자 입장

1. 간단한 수술로 생각하기 때문에 두려움과 수술에 대한 공포가 적다.
2. 흉터가 남지 않는다. 그러나 FUE punch 직경이 1.0 ㎜ 이상는 작은 반점같은 흉터가 남는 경우도 있다.
3. 회복이 빠르고 생활복귀가 빠르다.
4. 한번에 많은 양을 이식할 수 있다.

의사 입장

1. 공여부의 절편채취로 인한 문제점인 흉터와 동반탈락, 감염 등의 우려가 적다.
2. 원하는 단일모나 2모, 3모를 선택적으로 채취할 수 있다.
3. 모낭분리 기사가 필요 없기 때문에 언제나 이식을 할 수가 있다. 그러나 상피부분의 제거는 필요하다.
4. 절편채취 모발이식에 비하여 후두부의 넓은 범위에서 채취하므로 많은 모낭을 얻을 수 있다.
5. 구레나룻이나 턱수염, 가슴, 팔과 다리 등에서도 채취가 가능하다.
6. 여러 번의 절편채취 모발이식을 하여 수술이 불가능한 경우에도 일부 모발을 채취할 수 있다.
7. 신경손상이나 혈관손상이 절편채취 모발이식에 비해 적다.

표 12-2	펀치채취 모발이식의 단점

환자 입장

1. 채취하는데 장시간이 소요되므로 참을성이 있어야 한다.
2. 하루에 많은 양을 이식할 수 없기 때문에 대량 이식을 며칠간 계속해야 한다.
3. 삭발한 경우 사회복귀가 늦어진다.
4. 비용이 절편채취에 비하여 비싸다.

의사 입장

1. 모든 환자를 펀치채취 방법으로 할 수 없다.
2. 수동식 펀치나 전동식 펀치를 이용하면 채취하는데 시간이 많이 소요된다.
3. 의사의 노동이 심하다. 모낭단위 한 개 한 개 매우 조심스럽게 채취하기 때문에 눈의 피로와 자세의 불편 등 장시간 채취하는데 어려움이 있다.
4. 너무 많이 채취하면 피부가 얇아져 절편채취 모발이식에 의한 흉터보다 심각할 수 있고, 1.0 ㎜ 이상 펀치를 사용하면 작고 하얀 흉터가 남을 수 있다.
5. 절편채취 모발이식에 비하여 절단에 의한 손실율이 높다. 특히 곱슬머리나 가는 모발일수록 심하다.
6. 보통 모발을 1-2 ㎜ 정도로 삭발하고 채취하기 때문에 절편채취 모발이식에 비해 이식기에 삽입하기가 어려우며 팝업 현상이 많다.
7. 눈썹이식과 속눈썹 이식 등 모발의 방향과 각도가 중요한 이식에서는 절편채취 모발이식이 더 효과적이다.
8. 생존율이 절편채취 모발이식에 비하여 감소할 수 있다. 모낭 주위에 지방조직 등이 적고 채취할 때 손상이 가능하기 때문이다.

또한 단점으로는 환자 입장에서 보면 시간이 많이 걸리기 때문에 참을성이 적거나 수술방법을 이해하지 못하면 짜증을 낼 수 있으며, 때로는 삭발해야하기 때문에 일상생활로 돌아가는 시간이 많이 걸릴 수 있다(표 12-2).

의사의 입장에서 보면 채취할 때 시간이 많이 걸린다는 것과 채취가 쉽지 않고, 이식할 때 절편채취 모발이식보다 시간이 많이 걸리고, 이식 방향과 각도를 예측하기 어렵기 때문에 아직도 절편채취 모발이식이 많이 이용되고 있다. 특히 눈썹이나 속눈썹 등의 이식에서는 모발이 자라나는 방향이 중요하므로 주로 절편채취에 의한 모발이식이 시행되고 있다.

1) 펀치채취 모발이식의 indication

펀치채취 모발이식은 절편채취 모발이식과 달리 환자 선택이 매우 중요하다. 펀치채취 모발이식의 대상이 되지 않으면 절편채취 모발이식으로 수술해야 하며, 모든 이식수술을 펀치채취 모발이식으로만 한다는 것은 무리다.

Rassman과 Bernstein 등은 모발이식 환자의 60% 정도만 해당된다고 하였다. 기술의 발달로 더 많은 환자가 펀치채취 모발이식으로 가능해 졌다고 하더라도 모든 환자를 펀치채취 모발이식으로 해결할 수는 없다.

표 12-3 펀치채취 모발이식의 indication

1. 절편채취 모발이식으로 이식이 어려울 때
2. 소량의 모발이식이 필요할 때(흉터, 눈썹, 속눈썹, 수염의 일부 등)
3. 5,000모 이상 대량의 모발이식이 한 번에 필요할 때
4. 흉터를 원치 않을 때
5. 대량이식에서 절편채취 모발이식으로 부족량을 추가 할 때
6. 뒷머리 이외 부위(가슴, 턱, 구레나룻 등)에서 모발을 채취하고자 할 때
7. Keloid 체질이거나 hypertrophic scar가 걱정 될 때
8. 뒷머리의 모발이 적어 절편채취 모발이식으로 채취가 어려울 때
9. 빠른 회복과 사회복귀 시간이 없을 때

표 12-3과 같은 경우에 유용하다.

2) 펀치채취 모발이식의 contra-indication

대부분 환자에서 펀치채취 모발이식술을 할 수 있지만 추천하지 않는 경우도 있다. 채취가 어렵고, 절단율이 높으며, 이식하여도 생존율이 낮기 때문에 절편채취 모발이식술보다 이득이 없는 경우이다. 모발이 굵고 직모라면 좋은 대상이 되나 공여부가 섬유화가 심하거나, 가늘고, 곱슬거리면서 약하다면 채취하는데 어려움이 있다. 로봇을 이용한 자동화기기를 이용하여 채취한다고 하여도 이런 경우는 어렵다(표 12-4).

후두부 섬유화를 제외하면 상담할 때 환자를 선택할 수 있으나 모낭의 길이가 긴 경우와 후두부 섬유화만은 수술할 때만이 확인이 가능하다. 따라서 펀치채취 모발이식술로 계획을 잡았더라도 수술실에서 채취가 불가능한 경우는 절편채취술로 변경할 수 있다는 것을 환자에게 미리 설명해야 한다. 공여부가 딱딱하다면 더욱 의심해야 한다.

모발이 너무 가늘거나 밀도가 너무 낮은 경우 금기 정도는 아니지만 막상 수술을 해보면

표 12-4 펀치채취 모발이식술을 추천하지 않는 경우

1. 모발이 너무 가는 경우
2. 모발이 너무 곱슬거리는 경우
3. 공여부 밀도가 너무 낮은 경우
4. 모낭이 상피부터 모유두까지 너무 긴 경우
5. 후두부 섬유화(occipital posterior fibrosis)가 있는 경우
6. 피부가 너무 희어 흉터가 잘 보이는 경우
7. 심한 Keloid 체질인 경우
8. 오랜 시간동안 자세를 유지하기 어렵거나 참을성이 없는 경우

절편채취 모발이식술이 더 낳을 것 같다는 경우도 종종 있다. 모발이 곱슬거리는 경우 펀치를 하면 절단율이 너무 높아 채취가 어려운 경우가 종종 있다. 모낭부터 sheath의 길이가 길면 펀치채취가 어렵다. 절단율도 증가하지만 모두분리(capping, topping)라하여 모낭은 뽑혀 나오지 않고 모발만 뽑히거나, 모낭주위에 조직이 붙어 나오지 못하고 모낭만 뽑혀 나오게 되므로(skeletonized, naked FU) 생존율이 낮아지기 때문이다.

피부가 희거나 모발이 가늘고 밀도가 낮으면 1.0 ㎜ 이하 직경의 펀치로 절편채취 모발이식술을 해도 흉터가 보이고, 펀치채취 모발이식술도 흉터가 남는 경우가 흔하다. 그러나 펀치채취술이 흉터가 덜 보인다고 해도 펀치채취술은 흉터가 없는 것으로 알고 있는 경우가 많아 시시비비가 생길 수 있다.

심한 켈로이드 체질이라면 펀치채취라고 해도 흉터가 심해지거나 악화될 수 있어 신중해야 한다. 여드름이 심한 경우는 조심해야할 체질이다.

3) 채취 부위의 결정

펀치채취 모발이식은 흉터를 남기지 않으므로 이론적으로 두피나 신체 어디서나 채취가 가능하다고 볼 수 있다. 그러나 3가지를 고민해야 한다. 하나는 정말 흉터가 없느냐 이고 두 번째는 이식한 모발이 탈모가 오지 않고 반영구적으로 살아남느냐이다. 세 번째는 자연스러울 것이냐이다.

펀치채취도 흉터가 없는 것이 아니고 실제적으로 작은 백색의 점(white spot)으로 보이는 흉터가 남을 수 있다. 두피에서는 1.0 ㎜ 이상의 펀치를 사용하는 경우 발생하는 것으로 알려져 있고 신체의 다른 부위에서는 더 잘 흉터가 남으나 환자마다 다르다. 특히 피부색이 검은 경우 백색의 작은 점은 잘 보이게 되고, 켈로이드 체질인 경우 흉터는 피할 수 없는 경우가 종종 있다. 탈모가 진행될 부위의 모발을 채취하여 이식하면 결국 가늘어지거나 탈모가 발생한다.

이러한 점을 고려하면 보통 절편채취 모발이식과 동일한 부위인 후두부(occipital area)에서 채취하는 것이 안전하다. 또한 3-4개 모발 중에서 1개의 모발을 채취하게 되므로 절편채취 보다 넓은 면적이 필요하게 된다.

따라서 절편채취 모발이식에서 Alt와 Unger 등이 제시한 안전한 모발 채취 부위는 귀 위

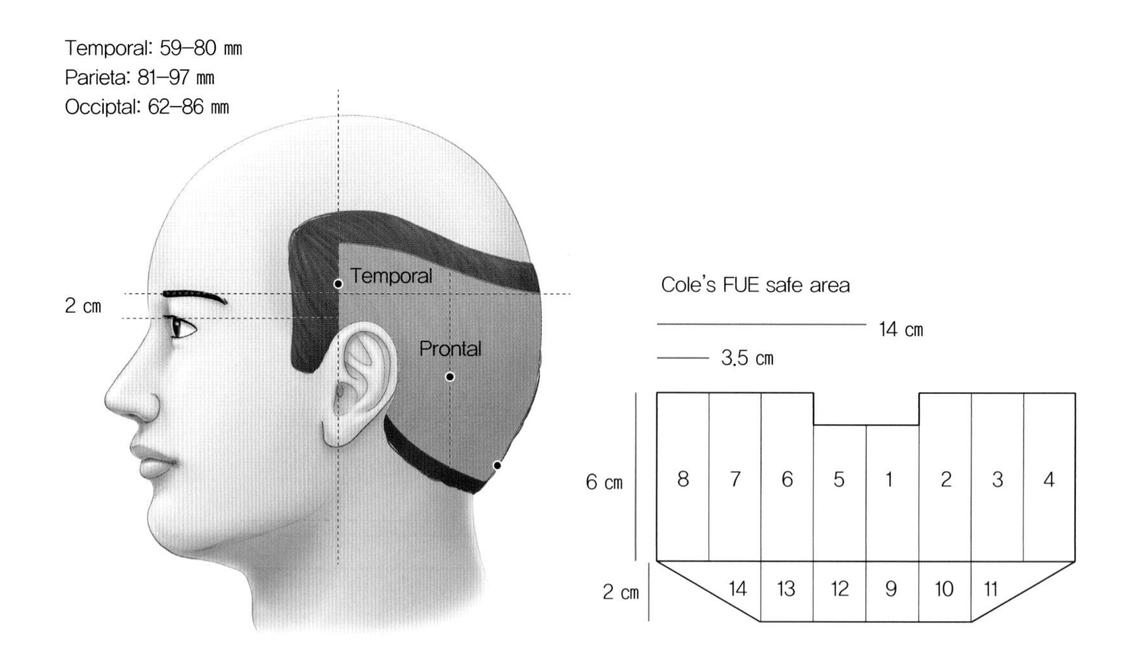

그림 12-1 Cole가 제시한 펀치채취 모발이식(FUE)의 안전 영역

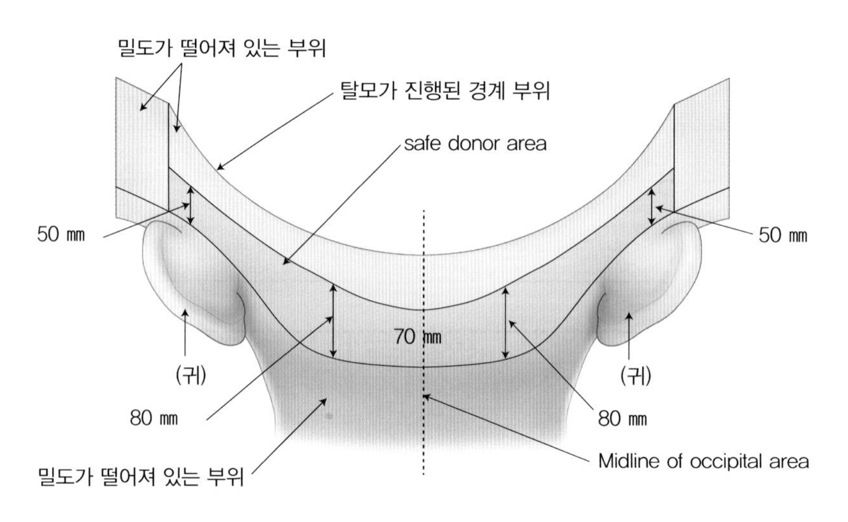

그림 12-2 Uger가 제시한 절편채취 모발이식의 안전 영역

쪽에서 5 ㎝, 측두부에서 8 ㎝, 후두부에서 7 ㎝라고 제시하고 있는 반면 펀치채취 모발이식의 안전영역은 Cole가 제시한 결과를 많이 이용하고 있는데, 폭이 6 ㎝, 길이 28 ㎝이다(그림 12–1, 12–2).

Cole는 안전영역에서 동양인에서 펀치채취술로 가능한 모낭단위 수는 약 16,000개로 모수로 하면 약 28,800모이며, Caucasian은 약 17,000 모낭단위로 30,600모라고 하였다.

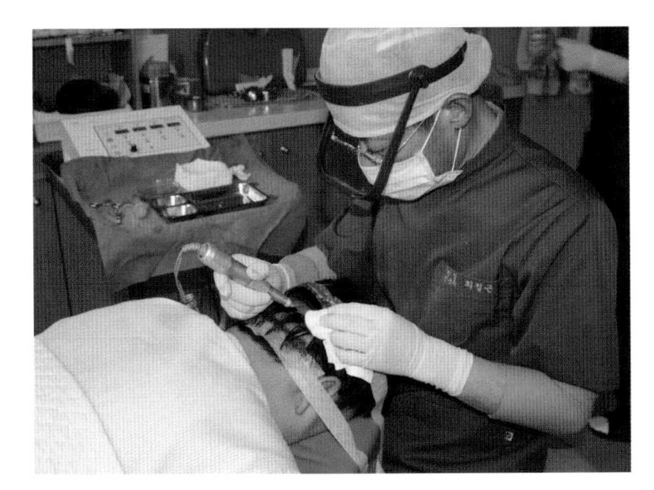

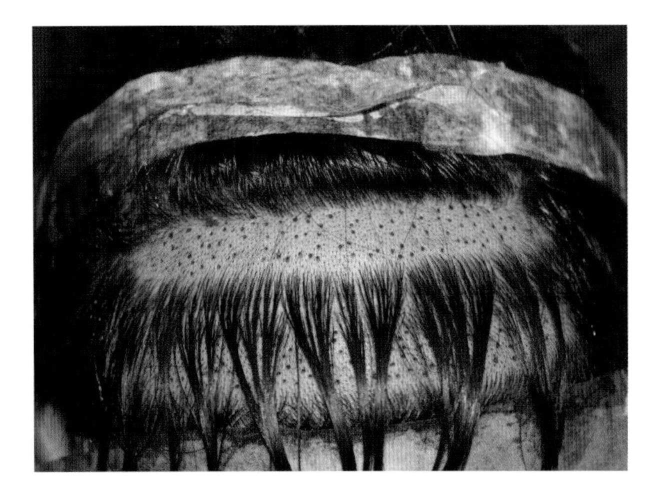

그림 12-3 부분삭발로 전동식 펀치를 이용하여 채취하는 모습과 시술 후 모습

Bernstein과 Rassman은 공여부에서 50%의 모발을 채취해도 공여부 밀도가 감소해 보이지 않는다고 하였다. 또한 이들은 두피의 안전영역은 25% 정도에 해당된다.

측두부(parietal area, 귀의 옆과 윗부분)의 모발은 두피내에서 휘어져 있어 채취할 때 모발의 절단(cutting, transection)이 후두부(occipital area)에 비해 많다. 많은 양을 채취할 때 이외는 잘 사용하지 않는 부위다. 우선 후두부에서 채취하고 부족분을 측두부에서 채취하는 방법을 이용한다.

펀치채취술은 공여부의 모발을 짧게 자르고 채취해야 하기 때문에 삭발하는 방법에 따라 2가지 방법으로 채취할 수 있다.

1. 공여부 모발의 부분적인 삭발과 채취 방법 : 채취할 부위의 폭을 1-2 ㎝ 정도로 잡고 모발을 1-2 ㎜ 정도로 짧게 자른다. 다시 1 ㎝ 정도 모발을 남기고 다시 1-2 ㎝ 정도를 짧게 자르는 것을 반복한다. 이 방법은 적은 양을 채취하거나 채취 후에 남은 모발로 가려서 흉하게 보이지 않기 위한 배려이다(그림 12-3).
2. 공여부의 뒷머리 전체를 삭발하고 채취하는 방법 : 수개월간은 짧은 머리로 지내야 하는 불편이 있으나 한 번에 많이 채취하고자 할 때 사용한다.

4) 마취

신경차단 마취(nerve block anesthesis)는 어려운 경우가 많아 고리차단 마취(ring block)와 국소팽창 마취(tumescent)가 주로 사용된다.

신경은 목부터 두정부로 올라가므로 채취하고자 하는 제일 아랫부분부터 마취를 하는 것이 좋다. 고리차단 마취를 먼저 하는데 채취 부위를 따라 1:50,000 epinephrine이 혼합된 1-2% 리도카인을 약 3-4cc로 채취부위 하단에 약간씩만 주입하여 고리마취를 한다.

절편채취 모발이식으로 채취하는 방법과 마찬가지로 약 5분 후에 10-15cc 정도를 채취부위 하단에 고리차단 마취를 다시 한다. 리도카인 허용용량을 초과하거나 채취시간이 많이 걸린다면 부피바카인을 5:5로 섞어서 사용하여 한 가지 마취약물이 허용용량을 초과하지 않도록 한다.

국소팽창 마취는 팽창 용액을 충분하게 주입하는 방법이 좋다. 혈관손상과 신경손상을 줄이고, 출혈을 줄이고, 리도카인 량을 줄일 수 있으며, 절단율(transection rate, TR)을 줄일 수 있는 방법이다. 그러나 일부 의사들은 팽창 용액이 모발을 휘어지게 만들어 오히려 절단율을 높이므로 반대하는 경우도 있으나 장점이 많다.

팽창 용액은 보통 5-10분이 지나면 흡수되어 효과가 감소하므로 채취할 부위만 5-10분 전에 주입한다. 따라서 여러 번 주입이 필요하다. 출혈이 많다면 에피네프린을 약간 추가 사용할 수 있다. 진피나 진피 바로 하층 부위에 주사한다.

5) 채취 방법

펀치채취 모발이식은 절편채취 모발이식에 비하여 시간이 많이 소요된다. 따라서 환자의 자세와 의사의 자세가 중요하다. 의사가 채취해야 하며, 간호사나 보조자가 채취하면 의료법 위반 가능성이 높다.

(1) 환자의 자세

환자는 앉아서 고개를 숙인 자세(sitting position)를 취하거나 엎드린 자세(prone position) 상태에서 채취한다. 가끔 측두 모발을 채취할 때 옆으로 누운 자세(decubitus position)을 취하기도 한다. 어떤 자세가 특별히 좋다고 할 수는 없으며, 수술자가 결정하면 된다.

장시간 채취하게 되므로 환자의 자세가 불편하면 채취하기가 어렵고 이마를 잘 고정해야 한다.

(2) 의사의 자세

의사도 자세가 중요하다. 특히 절단율(transection rate)를 줄이고 피로가 오지 않는 자세(ergonomic posture)가 중요하다. 수동식이나 전동식 펀치로 채취할 때 시간이 많이 걸리고 눈의 피로감, 목과 허리의 통증 등이 심하기 때문이다. 로봇 펀치를 이용한다면 이런 문제는 많이 사라질 것이다.

채취기기를 손으로 너무 꽉 잡지 말고 부드럽게 잡으면서 흔들리거나 떨리지 않는 자세로 채취한다. 수술자의 숙련도가 중요하다. 펀치채취를 할 때 roupe나 고정된 확대경을 이용하는 것이 좋다. 배율은 의사에 따라 다르나 보통 5-10배 확대를 선호한다.

(3) 채취 기구

수동식 펀치와 전동식 펀치, 로봇을 이용한 채취 방법의 선택은 의사 결정에 따른다. 모두 장단점이 있기 때문에 어느 것이 좋다고 단정하기는 어렵다. 로봇 펀치가 여러 가지 장점이 있으나 고가이므로 수술비도 고가이기 때문에 제한점이 있다.

시간당 채취할 수 있는 모낭 수는 의사의 숙련도와 사용하는 기기에 따라 많이 달라진다. 숙련된 의사라면 시간당 채취할 수 있는 평균적인 모발 수는 표 12-5와 같다.

표 12-5 모낭단위 적출술에서 기기에 따른 시간당 모낭 수

로봇 펀치(Altas사)	700-1,200
전동식 펀치	700- 800
수동식 펀치	600- 700

(4) 채취 방법

① 채취 순서

보통 채취하고자 하는 부위 중에서 제일 아래 부분인 목덜미 부위부터 채취하여 정수리 쪽으로 올라간다. 마취 약제를 줄이기 위한 방법이고, 출혈에 의한 시야가림을 예방할 수 있다.

② 폭스 검사(FOX test, follicular unit extraction test, 시험적 채취 검사)

폭스 검사는 2가지 이유에서 시행된다. 우선 펀치채취 모발이식술이 가능한지 평가적 시험 채취와 본격적으로 채취하기 위한 모발의 특성 파악이다.

수술 가능성 평가를 위한 시험적 채취는 공여부의 섬유화 정도를 파악하여 수술 가능 여부를 판단하는 것이고, 다음으로는 모낭의 깊이와 모발의 특성을 판단하여 채취가 가능할 것인가를 판단하는 것이다. 후두부 섬유화가 심하거나 모낭 깊이가 길고, 절단율이 높을 것으로 판단되면 펀치채취 모발이식은 어렵기 때문에 절편채취 모발이식으로 전환하는 것이 좋다.

본격적인 채취를 위한 시험적 폭스검사는 채취 부위를 정하고 그 부위의 모낭 깊이와 방향, 모발이 휘어진 정도를 확인하여 펀치의 깊이와 각도를 조금씩 달리하면서 채취하기 위한 방법이다. 보통 10여 군데를 검사한다. 후두부와 측두부에 따라 모발의 깊이와 방향이 달라지므로 시행착오를 한다는 생각으로 검사한다.

③ 채취 정도

Bernstein과 Rassman은 공여부에서 50%의 모발이 채취하여도 밀도가 감소하여 보이지 않는다고 하였다. 그러나 서양인과 동양인은 모발의 굵기와 모발 색깔, 곱슬 정도, 두피의 색깔과 모발 색깔의 대비 등에 의해 차이가 있다. 따라서 채취 부위의 모발 중에서 25-33%인 4-3개 중에서 1개만 채취하는 것이 현명하다.

그 이상 채취하면 밀도 감소로 인하여 탈모처럼 보일 수 있고, 두피 피부의 함몰이 올 수 있으며, 흉터가 보일 수 있다.

④ 펀치의 삽입 깊이와 각도

절단율을 줄이기 위해 펀치의 삽입 깊이와 각도는 중요하다. 사람마다 부위마다 다르기 때문에 폭스검사와 채취하면서 채취된 모낭의 형태를 파악하고, 보조자로부터 절단율에 대하여 보고를 받으면서 수정하는 것이 좋다.

보통 남자에서 상피부터 모낭까지의 거리는 4-5 ㎜ 정도 되므로 수동식이나 전동식 펀치 깊이는 남자에서 3-3.5 ㎜, 여자에서는 2-2.5 ㎜ 정도가 적당하다. 서양인에서는 보통 남자에서 2.8 ㎜ 정도라고 하나 동양인은 모낭이 더 깊이 위치하기 때문이다. 이보다 깊게 펀치하면 절단율이 높아진다.

정확한 위치까지 도달하면 입모근이 잘리면서 채취하고자 하는 모발의 상피가 두피 표면보다 올라온다. 이 특징이 깊이 조절의 중요한 단서가 되며, 핀셋으로 뽑아보면서 깊이를 조정한다. 속도를 높이기 위해 수동식인 경우 펀치 깊이를 고정하는 stoper를 사용하면 편하다. 전동식은 펀치 깊이를 조절할 수 있도록 되어있다.

보통 삽입 각도는 45도 정도라고 하나 사람마다, 부위마다 일정치 않으므로 폭스검사와 채취한 절편을 확인하고 보조자에게 보고를 받으면서 수정하여 채취하게 된다.

⑤ 채취 기술

수동식이나 전동식 펀치는 사용하는 펀치 종류와 수술자의 취향에 따라 기술이 다소 차이가 있으나 힘을 주지 말고 부드럽게 삽입해야 한다. 삽입할 때 힘을 주면 두피 내에서 모발이 휘어지면서 절단이 일어난다.

펀치가 진피를 통과되면서 입모근이 절단되면 피하지방층으로 쑥 들어가는 느낌이 나는데 이때 중지해야 한다. 피하지방층을 깊이 들어가면 절단이 잘 일어나고, 모낭 주위조직이 거의 없이 모낭(skeletonized, naked FU)만 채취되기 때문이다.

좀 더 정확하게 기술하면 피지샘 하층부까지만 들어가고 멈추는 방법이다. 이 기술은 경험이 필요하므로 많이 해서 숙달되도록 한다. 후두부 섬유화가 있는 경우에는 이러한 느낌이 없으며, 펀치 후에 핀셋으로 잡아 뽑아도 잘 나오지 않고 모두분리(capping, topping)가 일어난다.

단일모를 채취하고자 할 때는 0.8 ㎜ 직경의 펀치를 사용하고, 2모는 1.0 ㎜, 3모는 1.2 ㎜ 펀치를 사용한다. 1.0 ㎜ 이상의 펀치를 사용하면 작은 하얀 흉터가 남을 수 있다. 보통 1.0 ㎜ 펀치로 2모나 3모를 먼저 뽑고 후에 0.8 ㎜ needle로 단일모를 뽑는다.

수동식 펀치는 회전하지 않고 직접 삽입하는 방법(coring method)과 단방향 회전 (rotating extraction) 또는 양방향 회전(oscillating extraction) 방법이 있으며, 펀치 종류와 수술자의 취향에 따라 달라진다. 전동식 펀치는 한 방향으로 회전하는 것보다 270도나 360도가 역회전하는 방법이 추천된다. 한 방향으로 회전하면 피부속 에서 조직과 모발이 틀어지면서 절단율을 높이기 때문이다. 이러한 점에서 수동식 펀치를 사용할 때도 어느 정도 회전을 주는 것이 효과적이나 시간이 많이 걸린다는 단점이 있다.

펀치의 삽입 방향은 모낭과 평행하게 피부 속으로 들어가도록 해야 하며, 피부 속에서 모발이 휘어져 있는 경우는 절단이 불가피하다. 또한 한 모낭단위라고 하더라도 모낭들이 떨

표 12-6	펀치채취술의 문제점

1. 절단율의 증가
2. 한 모낭단위에서 모낭끼리 벌어져 있는 경우 절단율 증가
3. 채취한 모낭이 지방이나 주위조직 부족으로 생존율 감소와 곱슬거림 발생
4. 매몰이식편(buried or imbedded hair, graft)에 의한 낭종 등 형성
5. 포셉으로 뽑을 때 모두 분리(capping, topping)

어져 있다면(follicular spray) 절단율은 높아진다.

공여부 두피를 당겨서 팽팽하게 하고, 모발의 shaft를 세우면 채취하는데 도움이 된다.

⑥ 3단계 채취 방법(3 step procedure)

수동식이나 전동식은 펀치하고 나서 포셉으로 뽑는 2단계 채취 방법이 사용되고 있다. 이러한 펀치채취술의 문제는 절단율을 감소와 모낭단위에서 모낭끼리 벌어져 있는 경우 절단이 없이 채취하는 방법과 모낭주위 조직을 붙여서 온전하게 채취하느냐가 관건이다(표 12-6).

이는 생존율 저하와 모발이 가늘어지고 곱슬거림의 원인이 되기 때문이다. 또한 절단된 모발이 두피 속에 남아 있는 모발(buried or imbedded hair, graft)이 발생하여 낭종을 형성할 수도 있고, 포셉으로 뽑을 때 모낭이 뽑히지 않고 모발의 끝 부분만 잘려 나오는 현상(모두 분리, capping, topping)이 있다.

이러한 문제를 최소화하고자 3단계 채취 방법(3 step procedure)이 사용되고 있다. 첫째 단계는 날카로운 펀치(날선 펀치, sharp punch)로 뚫고, 둘째 단계는 무딘 펀치로 피하조직층을 더 깊이 뚫는 방법이다. 세 번째 단계는 핀셋으로 뽑거나 음압을 가하면서 자동으로 뽑아내는 방법이다.

1 단계는 상피와 진피 상부까지 날카로운 펀치로 보통 0.3-0.5 ㎜ 정도 펀치한다. 2단계는 무딘 펀치로 피하조직 층의 상층부인 모낭 위치까지 벌리면서 파고 들어간다. 보통 아시아 남자에서는 모구까지의 거리가 보통 4-5 ㎜가 되므로 3-3.5 ㎜ 정도 깊이로 삽입하게 된다. 3단계는 핀셋으로 뽑아내는 단계이다(그림 12-4).

보통 날카로운 펀치의 외경보다 무딘 펀치의 외경이 조금 큰 펀치를 사용하고 있으며,

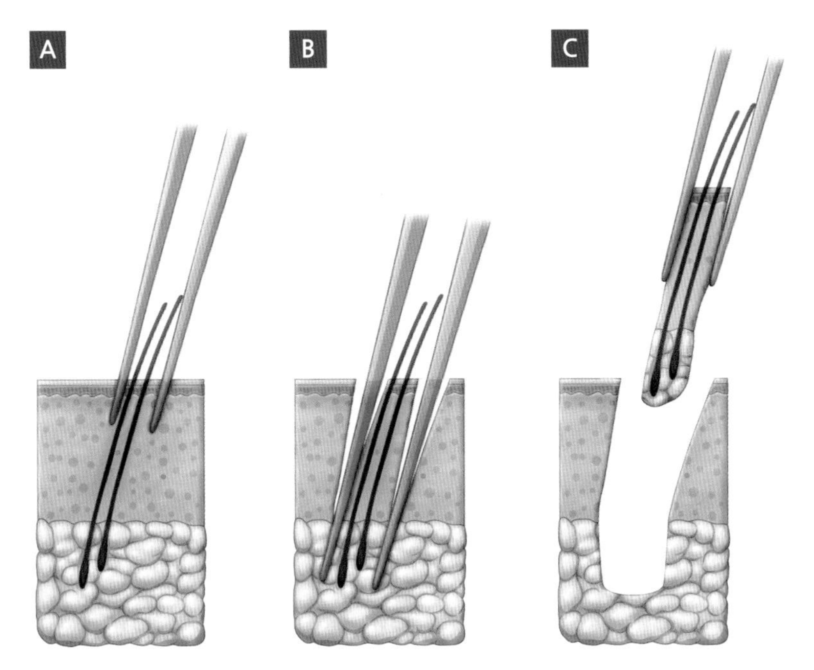

그림 12-4 3단계 펀치 채취술(A; 일단계로 sharp punch로 0.3-0.5 ㎜ 정도 펀치한다.
B: 무딘(dull, blunt) dissecting 펀치로 모낭 깊이까지 삽입한다. 보통 3-3.5 ㎜ 정도이다.
C: forcep으로 뽑는다.)

2-3모의 채취에 펀치 외경은 1.0 ㎜, 무딘 펀치의 외경은 1.3 ㎜를 사용한다.

이 방법은 Harris 등이 SAFE(surgically advanced follicular extraction) system을 제안하게 되었고, Altas 사의 로봇 채취도 이 방법을 이용하고 있다.

⑦ 펀치의 교환 시기

수농식이나 전동식 펀치는 날카로움이 중요하며, 펀치의 회전속도(RPM)는 그리 중요하지 않다. 따라서 보통 1,000-1,500번을 채취하면 날카로운 펀치로 교체해야 절단율을 줄일 수 있다.

⑧ 빠르게 모낭단위를 적출하는 방법

보통 한군데서 20-60 모낭을 펀치한 후에 다른 쪽을 펀치한다. 그 사이에 펀치한 부분은 보조자가 포셉으로 뽑도록 한다. 시간을 줄이기 위한 방법이다.

2개의 포셉을 이용하여 모발을 잡고 약간 당겨서 상피가 노출되도록 하고, 다른 포셉으로 상피부위를 잡아 당겨서 뽑는 방법을 사용한다. 하나의 포셉으로만 뽑을 때 모두분리가 되어 모낭은 빠지지 않는 경우를 줄일 수 있다.

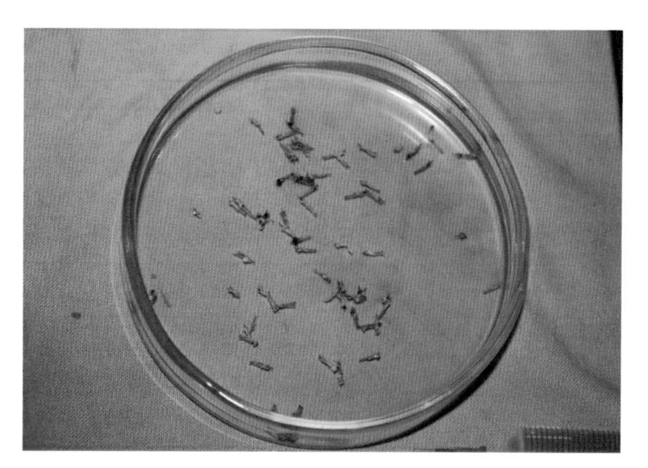

그림 12-5

표 12-7 채취 또는 이식한 모수의 추정	
펀치채취 모발이식	이식한 횟수 x 2.2-2.4
절편채취 모발이식	이식한 횟수 x 1.8

⑨ 절단율(follicular transection rate, TR)

펀치채취의 단점 중에서도 절단율은 중요하다. 술자의 경험에 따라 10-30%까지 다양하며, 숙련도 이외에도 환자의 모발 특성인 곱슬거리는 정도와 두피의 탄력성, 섬유화 정도에 따라 매우 달라진다. 로봇 펀치(ARTAS사)의 절단률이 6-10%로 알려져 있다(그림 12-5).

(5) 채취 또는 이식한 모수의 추정(획득률, acquisition rate, AR)

절편채취 모발이식과 펀치채취 모발이식에서 채취 또는 이식한 횟수(graft 수)에 따라 이식한 모발 수의 추정이 다소 차이가 있는데 펀치채취 모발이식에서는 2모와 3모를 주로 채취하기 때문이다.

1,000번 이식했다면 절편채취 모발이식으로는 1,800모, 펀치채취 모발이식은 2,200-2,400모를 채취 또는 이식했다고 추정할 수 있다(표 12-7).

2 펀치채취의 모낭단위 이식

수동식이나 전동식 펀치채취는 시간이 많이 소요되므로 보통 1,000 모낭단위를 채취하

표 12-8	이식 방법의 선택에서 고려되어야 할 점들

1. 생존율 증가
2. 고밀도 삽입(high density insertion)의 가능성
3. 모낭 깊이 조절의 편리성
4. 모발의 각도와 방향의 예측성
5. 혈관 손상(특히 동맥)의 감소
6. 이식 시간, 피로감, 인력의 최소화

면 이식하고, 다시 채취하는 방법이 선호되고 있다. 생존율을 높이기 위한 방법이며, 채취하자마자 이식하는 방법이 최선이나 현실적으로 어렵기 때문이다.

이식하는 방법은 절편채취 모발이식과 동일하다. 크게 3가지로 나누며, 어떤 방법이 좋다고 단정할 수는 없다. 방법에 따라 장단점이 있기 때문에 의사의 숙련도와 선호도에 따라 결정하면 된다.

펀치채취라고 하여 슬릿 방식이 반드시 좋다고 할 수 없으며, 모발이식기(식모기, hair implanter)를 이용하는 방법과 needle이나 blade로 슬릿을 만들고 삽입하는 방법(슬릿 방법, slit method), 슬릿을 만들고 모발이식기로 삽입하는 방법(no touch technique)을 모두 사용할 수 있다.

모발이식기를 이용하는 경우 짧게 모발을 자르고 채취하기 때문에 모발이식기에 모발을 삽입하기가 어렵다. 또한 다시 튀어 오르는 현상(pop up phenomenon)이 절편채취보다 많다.

이식 방법의 선택도 절편채취 모발이식술과 동일하므로 다음 사항을 고려하여 선택하면 된다(표 12-8). 자세한 사항은 11장 절편채취 모발이식편을 참고한다.

3 절편채취와 펀치채취의 혼합 모발이식

절편채취와 펀치채취를 동시에 하여 이식하는 방법이다. Extrip이라고 하며 extraction + strip을 혼합한 단어다.

편치채취 모발이식은 많은 량의 이식이 가능하기 때문에 대량 이식은 펀치채취 모발이식을 선호한다. 그러나 펀치채취 모발이식으로 대량 이식은 2-3일이 필요한 경우가 많거나 시간을 두고 몇 일간 하게 된다.

한 번에 많은 량을 이식하거나 시간적 여유가 없어 한 번에 이식하기를 원하는 경우는 절편채취 모발이식과 펀치채취 모발이식을 혼합하여 동시에 시술할 수 있다. 예를 들면 절편채취 모발이식으로 3,000모를 펀치채취 모발이식으로 2,000모를 채취하면 5,000모 이식이 가능하다.

절편채취 모발이식을 먼저 시행하고 나서 모낭을 분리하는 시간에 펀치채취 모발이식으로 채취한다. 이미 마취는 되어 있는 상태이기 때문에 곧바로 채취가 가능하다.

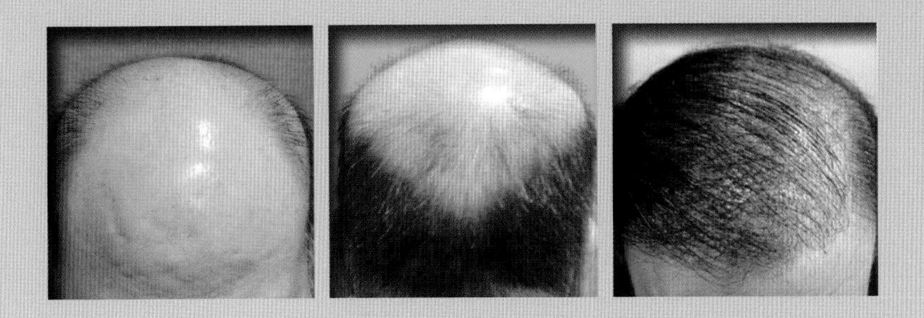

Chapter 13

모발이식 후 처치 및 경과

1. 수술 후 처치
2. 모발이식 후 경과

Hair Transplantation

1 수술 후 처치

1) 수술 당일

(1) 공여부의 처치

절편채취나 펀치채취 모발이식의 공여부나 이식부의 처치는 보습을 유지하여 딱지 형성을 최대한 예방하여 상처 치유를 촉진하고, 손상된 조직을 빨리 회복시키는 것이다.

절편채취나 펀치채취의 공여부는 안연고나 항생제 연고를 바르고 거즈를 대고 탄력붕대 또는 뇌수술 후 압박하는 방법으로 감거나 또는 개방하여 퇴원시킨다. 출혈과 부종이 가능하기 때문이다(그림 13-1).

취침 중에 채취부위에서 출혈이 가능하므로 베게에 수건을 2-3장 깔고 취침하라고 알려주고, 심하지 않으므로 걱정할 것은 없다고 알려준다.

앞이마까지 전체적으로 압박붕대로 심하게 감싸서 압박 지혈을 하면 혈액순환을 잘 되지 않아 두통과 어지러움, 메스꺼움, 구토증상 등이 발생할 수 있으므로 조심한다. 이런 증상이 발생하면 압박붕대를 풀어서 느슨하게 묶도록 알려준다.

(2) 이식부의 처치

이식이 끝나면 이식한 모발이 원래 피부보다 밖으로 튀어 나온 것(모공주위 융기, tenting)과 너무 깊숙이 이식된 것(모공주위함몰, pitting)을 확인하여 교정한다.

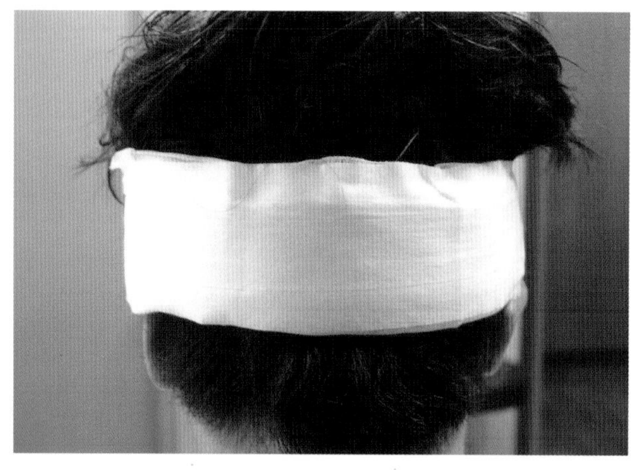

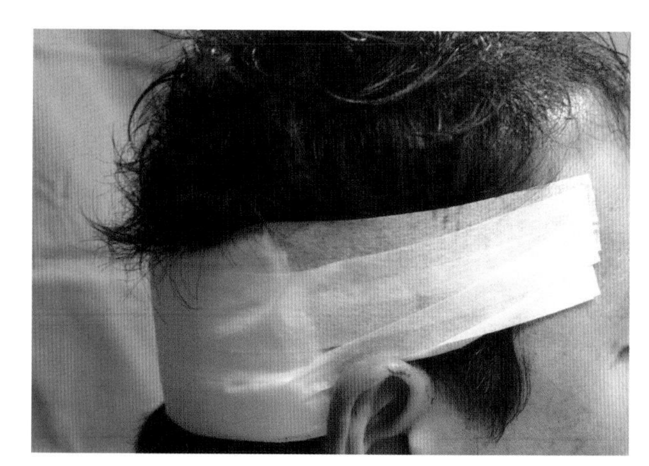

그림 13-1 퇴원할 때 공여부의 처치

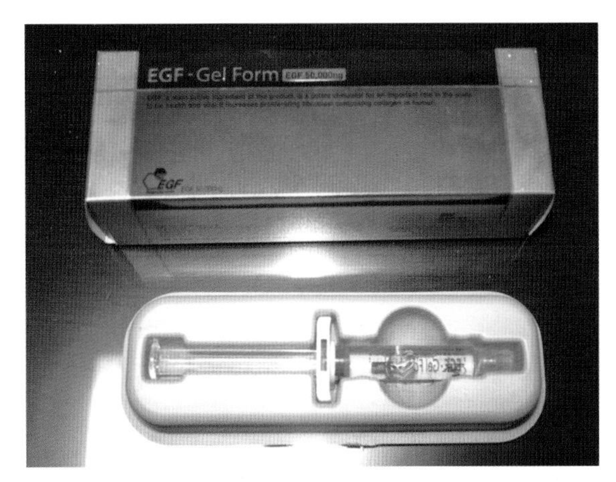

그림 13-2 EGF(epidermal growth factor) Gel

교정 후에는 거즈를 대고 압박하여 출혈이나 이식된 모발을 안정화시킨다. 이어서 normal saline 또는 과산화수소(H_2O_2)를 normal saline과 1:5 정도 희석하여 피딱지 등을 제거한다.

과산화수소의 사용에 대하여 논란의 여지가 있다. 일부 전문가들은 사용해도 무방하다고 하고, 일부 전문가는 과산화수소의 소독 자체가 산소를 발생시키기 때문에 free radical oxygen에 의한 조직손상이 불가피하므로 굳이 사용해야 하는가에 대하여 회의를 갖고 있다. 저자도 후자의 의견에 동의하기 때문에 saline 사용을 주로 하고 있다.

이식한 부위는 안연고나 EGF, IGF, FGF 겔 등을 바르고 open하거나 가볍게 압박한다. 이식부도 가볍게 거즈를 대고 탄력붕대로 압박하는 방법을 사용하기도 하는데 출혈 경향이 있거나, 이식모의 탈락 예방, 부종을 최소화 하고자 할 때 사용한다(그림 13-2).

대부분의 모발이식은 이식부를 개방하는데 하루정도 부종과 출혈을 예방하기 위하여 붕대로 압박하기도 한다.

안연고를 얇게 도포하는 이유는 이식한 모발이 빠지지 않도록 고정하고 항생효과를 도얻을 수 있다. 저자는 EGF 겔을 바르고 있는데 안연고보다 피 딱지가 덜 생기고 생착에 도움이 될 것으로 판단하기 때문이다.

이마 부위는 거즈를 대고 압박하여 이마 부종을 예방하고, 삼출액을 흡수하도록 한다. 이마부종이 우려되면 운동할 때 사용하는 headband를 3-4일간 착용하도록 한다(그림 13-3).

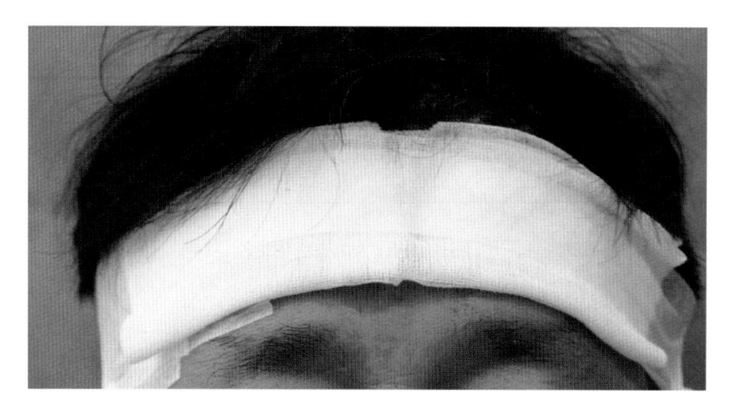

그림 13-3 퇴원시 이식부의 처치

항생제와 진통제를 3-5일간 투여한다. 염증이 우려된다면 10일간 투여한다. 수술 후 2일간 저녁에는 수면제나 신경안정제를 투여하여 안정적 수면을 취하도록 할 수도 있다.

장시간 이식하고 마취제를 사용하였으므로 수면마취를 하지 않아도 두통과 어지러움, 메스꺼움이 발생할 수 있다고 알려주고, 운전을 자제하도록 한다. 특히 수면마취를 한 경우에는 운전을 하지 않도록 한다.

퇴원할 때는 주의사항을 알려주고 유인물을 준비하면 편하다(표 13-1).

2) 이식 후 초기 관리(1-10일)

(1) 공여부의 관리

수술 다음날 내원하여 거즈를 제거하고 open한다. 가벼운 소독 정도만 하고 피딱지가 생기면 생리식염수나 희석한 과산화수소로 소독하여 제거한다. 피딱지가 오래 있으면 염증 가능성을 높이기 때문이다.

공여부나 이식부에 염증(cellulitis나 osteomyelitis)이 발생하였다면 뇌 속으로 전파가 가능하고, 조직의 괴사가 일어나기 때문에 조기에 배양하여 적절한 항생제 사용이 꼭 필요하다.

스킨 스테플러나 나일론으로 봉합한 봉합사는 보통 10일 후에 제거하나 긴장도가 있다면 14일 경에 제거한다.

봉합부위에 긴장도가 심하다면 영구적 탈모와 동반탈락의 가능성을 설명하고 향후 치료과정에 대하여 설명해준다.

표 13-1 모발이식 수술 후 주의사항

수술 당일

1. 이식한 모발이 빠지지 않도록 하고, 이식한 부위가 너무 압박되지 않도록 하세요.
2. 모자를 착용해도 되나 이식 부위가 너무 압박되지 않도록 하세요.
3. 곧바로 누워 주무셔도 됩니다.
4. 뒷머리에서 약간의 출혈이 가능하니 베게에 수건을 2-3장 대고 주무세요.
5. 부종을 줄이기 위해 머리를 약간 높이고, 냉찜질을 해주는 것이 좋습니다.
6. 약은 꼭 드시고, 통증이 심하면 진통제를 더 드셔도 됩니다.
7. 뒷머리 봉합 부위가 당기는 느낌과 머리 전체에 감각이 감소한 것은 정상입니다.

수술 다음날(1일째)

1. 병원에 내원하여 치료와 소독, 머리감기를 하세요.
2. 심한 운동은 피하시고 가벼운 보행이나 산책은 권합니다
3. 이식한 모발은 최소 3일간은 빠지지 않도록 조심해야 합니다
4. 샤워나 목욕은 수술 다음날부터 가능하나 이식한 부위는 닿지 않도록 하세요.
5. 목을 너무 심하게 움직이면 흉터가 벌어질 수 있으니 심한 목운동은 삼가주세요.
6. 약은 꼭 드십시요. 통증이 심하면 진통제를 더 드셔도 됩니다.
7. 고혈압, 당뇨병 등의 약제를 드셔도 됩니다.

수술 2-3일째

1. 이마에 부종이 발생할 수 있으며 머리를 높이고, 냉찜질을 해주면 좋습니다.
2. 이마부종이 심하면 headband를 착용하세요. 이식한 부위는 눌리지 않도록 하세요.
3. 기타는 1일째와 동일합니다.

수술 4-10일째

1. 불편이 없으면 병원에 내원하지 않아도 되며 절편채취로 공여부를 봉합하였다면 10-14일째 내원하여 실밥을 뽑으세요.
2. 약은 계속 드셔야 합니다.
3. 가벼운 샤워를 권하고, 이식한 부위는 심하게 문지르지 마세요.
4. 이식한 모발이 한두 개 빠져도 걱정하지 마세요. 뿌리(모낭)는 남아 있기 때문에 재생됩니다.

수술 후 경과

1. 2-3주에서 2-3달 사이에 이식한 모발이 탈락되며, 2-4개월 후에 재생됩니다. 따라서 이식한 후에 약 6개월이 지나야 풍성한 모발을 볼 수 있습니다.
2. 감각이 서서히 돌아오며, 6개월까지도 지속되는 경우가 있습니다.
3. 실밥을 제거하면 정상적으로 머리를 감고 정상적 생활을 합니다.
4. 심한 목운동은 흉터를 크게 할 수 있으므로 3개월간은 조심합니다.
5. 이식 후에 모낭염(작은 뾰로지)이 발생할 수 있으며, 심하면 치료를 받으십시오.
6. 모발이 재생할 때 처음에는 곱슬거리나 점차 직모로 변하게 됩니다.
7. 이식한 모발은 재생과정이 필요하므로 최종적인 결과는 1년 후에 평가합니다.

탈모치료

1. 이식한 모발은 거의 탈락되지 않으나 기존 모발이 탈모가 진행되어 휜하게 보일 수 있으므로 탈모치료를 꼭 해야 합니다.
2. 탈모치료는 보통 봉합실을 제거한 후부터 시작합니다. 탈모치료는 병원을 방문하여 상담하세요.
3. 탈모치료는 보통 3-4년 지속해야 하며, 심한 탈모는 장기간 해야 합니다.

(2) 이식부의 관리

보통 이식한 모발은 3일째 되면 정착된다. 따라서 3일간은 이식한 모발이 빠지거나 손상받지 않도록 조심해야 한다.

저자는 수술 다음날부터 3일간 Graftcyte사의 Surgical shampoo를 이용하여 머리를 감아주거나 ㈜볼빅 등의 샴푸로 감아준다. 4일째부터는 Surgical shampoo를 환자에게 주어 조심스럽게 감도록 한다. Surgical shampoo를 대신할 수 있는 (주)볼빅 등에서 두피 청결용 스프레이가 있어 물을 이용하지 않고도 샴푸가 가능하나 Surgical shampoo에는 항생제가 포함되어 있기 때문에 보다 전문치료제로 판단되고 환자도 안심하게 된다.

샴푸한 후에는 희석한 과산화수소로 모발 채취 부위와 이식한 부위를 간단하게 소독을 한다. 이식한 모발이 빠지지 않도록 하면서 피딱지와 연고는 가능한 제거하고 수술 다음날부터 7일간은 EGF 스프레이를 자주 뿌려 마르지 않도록 한다.

환자에게 이식한 모발 부위는 건드리지 말고, 긁지 말고, 압박되지 않도록 주의시킨다.

3) 이식 후 일반적 관리

(1) 이마부종

이마부종은 이식 후 2-3일부터 시작하여 약 7일간 발생한다. 수술 중에는 국소팽창마취용액을 많이 사용하면 부종이 심하므로 빨리 회복되기를 바라거나 부종이 걱정되는 환자는 적게 사용한다.

또한 이마 부종을 줄이기 위해서 수술 중에 스테로이드 제제를 이식부위에 약 1-2앰풀 주사하는 방법을 사용하기도 한다. 심한 경우는 수술 다음날부터 스테로이드와 이뇨제를 복용하기도 하고, 이마 부위를 차가운 팩을 하도록 한다.

수술 후에 압박하는 것이 부종 예방에 제일 중요하다. 이식한 모발을 너무 압박해도 혈류 순환에 장애가 발생하므로 적당한 압박이 중요하다. 이식한 부위를 붕대로 가볍게 압박하는 방법을 사용한다(표 13-2).

수술 후 이마에 headband를 착용하여 부종이 이마 쪽으로 내려오지 못하게 한다. 또한 수술 후에 약 3일간 45도 정도 상체를 높게 하여 부종이 빨리 빠지도록 한다.

표 13-2	이식 수술의 이마 부종 감소 방법
수술 중	1. 국소팽창마취 용액을 적게 사용 2. 이식 부위에 스테로이드 제제 주사
수술 후	1. 수술 직후 이마 부위의 압박 2. 이마에 headband 착용 3. 상체 거상 4. 차가운 팩 찜질 5. 스테로이드 제제와 이뇨제 복용

(2) 피딱지

보통 3-10일 동안 이식부위에 피딱지가 생긴다. 이를 불편해 하는 환자들이 있으므로 수술 전에 미리 알려야 한다.

수술 후에 피딱지가 생기지 않도록 하는 것이 중요한데 희석한 과산화수소로 깨끗이 닦고 압박하면 피딱지가 적게 생긴다. 수술 다음날부터 안연고와 EGF 스프레이, 알로에 베라와 비타민 E 오일 등을 자주 뿌려 수분을 공급해주면 피딱지가 적게 생기고, 좀 더 빨리 제거할 수 있다.

급하게 피딱지를 제거해야 하는 경우는 최소 3일이 지난 후에 가능하며, 충분히 normal saline으로 부풀린 후 조심스럽게 제거한다.

(3) 출혈과 감염

두피는 다른 조직에 비하여 혈관이 많으므로 출혈이 있을 수 있으나 정상적인 환자라면 하루가 지나면 출혈은 거의 없다.

두피는 다른 조직에 비하여 혈관이 많으므로 감염의 우려가 거의 없다. 가끔 메티실린 내성 황색 포도알구균(MRSA)의 감염 사례가 보고되므로 소독을 철저히 한다.

또한 이식한 부위나 기타 부위에 대상포진이 발생할 수 있으므로 수포와 통증, 작은 구진이 있다면 감별진단이 필요하다.

(4) 일상생활 복귀

이식부위가 노출되므로 모자를 착용할 수 있고, 이마와 얼굴 부종이 발생하므로 일상생활의 복귀는 환자가 결정하도록 한다. 보통 3-4일 후에는 일상생활을 할 수 있다.

이식한 사실을 숨겨야 하는 경우는 보통 7일이 지나면 피딱지가 사라지고 부종도 좋아지므로 일상생활을 하는데 문제가 없다.

(5) 모자와 가발의 착용

모자는 수술 당일부터 이식한 모발이 압박되지 않도록 착용할 수 있다. 가발도 이식한 모발이 압박되지 않는다면 수술 당일부터 착용이 가능하나 감염과 압박, 혈류의 장애 등의 이유 때문에 수술 후 1주간 착용을 하지 않는 것이 좋다.

(6) 목욕

가벼운 샤워는 이식한 다음날부터 할 수 있다. 공여부와 이식부는 가능한 닿지 않도록 한다. 전신 목욕은 봉합실을 제거한 후에 하도록 한다.

(7) 운동

수술 다음날부터 걷기 등 가벼운 운동은 추천한다. 체조나 수영 등은 1주일 후에 가능하고, 골프나 테니스 등의 과격한 운동은 2주 후부터 시작하는 것이 좋다.

헬스나 역기 등의 과격한 목운동 또는 고개를 앞으로 숙이는 운동은 3개월간 중지한다. 흉터가 커질 수 있기 때문이다.

(8) finasteride, dutasteride의 복용

수술 후 다음날부터 계속 복용하도록 한다.

(9) minoxidil의 사용

미녹시딜 도포는 봉합실을 제거한 후부터 시작하도록 한다. 미녹시딜 도포는 하루에 2회씩 이식한 부위를 포함하여 탈모 부위를 전체적으로 도포하도록 하고, 두피자극이나 가려움 등 알레르기 반응이 있으면 잠시 중단하거나 다른 미녹시딜 제제로 대치한다.

의사에 따라서는 미녹시딜 사용을 수술 후 다음날부터 또는 3일째부터 사용하도록 하고 있으며, 이는 혈류를 촉진하여 상처치유를 좋게 하고, 수술 후 휴지기 탈모(postoperative telogen effluvium)을 다소라도 감소시키기 위한 고려다. 피부 자극이 있거나 심한 가려움이 발생하면 중단해야 한다.

2 모발이식 후 경과

1) 이식부 모발의 경과

(1) 이식한 모발의 자연적 탈락

이식한 모발은 2주–2달 사이에 자연적으로 빠지고 4–6개월이 되면 재생된다.

공여부의 모발 중에서 퇴행기에 가까운 모발을 이식하면 2–4주 사이에 빠진다. 2–3개월이 지나면 성장기에 있는 이식한 모발도 거의 다 빠져서 원래 탈모의 상태와 비슷해진다. 약 70%가 이런 과정을 거친다. 30%는 빠지지 않고 계속 자라난다.

이식한 모발의 탈락과 재생은 한꺼번에 일어나지 않는데 각각의 모주기(hair cycle)를 따르기 때문이다. 이 기간은 모주기와 동일해서 2–4주의 퇴행기를 거쳐 2–4개월의 휴지기에 이어서 성장기로 변화하는 기간과 일치한다(표 13–3).

성장기에 있던 신생 모발을 이식하면 빠지지 않고 계속 자라나기도 하고(성장기의 지속) 그대로 있기도 한다(휴지기의 지속). 약 30%에 해당되며, 일부 연구에서는 모발분리가 잘 되면 빠지지 않고, 계속 자란다고 한다.

결국에는 이 모발도 탈락되고 모주기를 따르기 때문에 1년 후에 재생되는 경우도 있다. 이런 과정 때문에 모발이식의 최종 결과를 판정하는데 12–18개월이 소요된다.

(2) 이식한 모발의 재생

빠진 모발은 보통 3–4개월 후에 다시 자라난다. 이식한 모발은 보통 6개월이 지나야 1–3

표 13–3 모주기(hair cycle, 일생동안 10–20회 반복)

	성장기(anagen)	퇴행기(catagen)	휴지기(telogen)
기간	3–5년	2–3주	3–4개월
비율	90%	1% 이하	10%(탈모는 30%)
이식의 가능성	가능	가능	거의 불가능
이식 후 탈락 기간	2–3개월(70%)	2–4주	
이식 후 재생 기간	5–18개월	3–6개월	3–6개월

㎝ 정도 자라서 이식한 효과가 나타나기 시작한다.

이러한 과정은 두피의 모주기와 동일하다. 눈썹이나 속눈썹, 음모 등은 두피 모발의 주기와 달리 반복하는 기간이 점점 짧아지는데 이식부 영향을 받기 때문이다.

(3) 재생된 모발의 변화

피부 밖으로 나오면 처음에는 곱슬곱슬하게 보이나 자라면서 직모로 변화된다. 1-2번 이발을 하면 직모가 된다.

그러나 모든 이식한 모발이 한 번에 자라지 않기 때문에 이식한 모발이 모두 직모가 되기 위해서는 거의 1년이 걸린다. 그러나 모낭을 분리할 때 sheath 부위의 손상이나 구부려져서 이식되었다면 영구적으로 곱슬하게 될 수도 있다.

처음 재생되어 나올 때는 연모(vellus hair)이므로 효과가 없는 것처럼 느낄 수도 있으나 점차 자라면서 성모(terminal hair) 형태로 바뀌어 굵게 자라게 되므로 조급하게 결과를 판정하지 말아야 한다. 보통 연모가 성모로 변화하는데 12개월 정도 필요하다. 이식한 모발의 최종적인 결과는 1년이 지나야 한다. 때로는 1년 이상 18개월까지도 걸리기도 한다.

이식한 모발은 원래보다 더 곱슬하게 자란다. 굵은 모발일수록 더 곱슬머리처럼 보이므로 부자연스럽게 보인다. 시간이 지나면서 점차 좋아지며, 2-3년이 필요하다.

수술 후 약 3-5년이 지나면서 눈에 띄게 얇아지고 빠지기도 한다. 이식한 모발이 동시에 퇴행기와 휴지기에 빠지기 때문이며, 시간이 지나면 개별적 모발주기를 갖게 되므로 걱정할 필요는 없다.

2) 이식부 기존 모발의 변화

기존 모발이 있는 상태에서 모발 사이사이에 이식한 경우와 이식한 경계 부위에 기존 모발의 변화가 가능하다.

(1) 이식부 동반탈락(post-operative effluvium, recipient effluvium)

이식한 후에 이식 부위의 기존 모발이 탈락하는 경우다. 이식부 동반탈락이라 부르는 것으로 수술 후 약 3-6주 후에 발생한다. 이는 기존 모발의 손상 또는 절단과 혈관손상 등의 혈류 장해, 부종, 스트레스로 인한 모낭의 생리적 변화에 기인한다.

자세한 내용은 14장의 합병증을 참조한다.

(2) 이식부의 탈모 진행

모발이식이 끝나면 기존 모발과 이식한 모발을 위하여 탈모치료를 해야 한다. 탈모치료를 하지 않으면 기존 모발은 지속적으로 탈모가 진행되어 다시 휜하게 된다. 특히 이식한 모발이 섬(island)처럼 남게 되면 매우 어색하게 보인다.

3) 공여부 모발의 변화

(1) 공여부 밀도의 변화

절편채취로 뒷머리에서 1-2.5 ㎝정도 두피를 잘라 냈다고 해서 공여부의 모발 밀도가 눈에 띄게 감소되지는 않는다. 펀치채취를 하여도 3개 중 1개의 모낭단위를 채취하면 밀도가 눈에 띄게 감소되지는 않는다. 즉, 뒷머리는 6-7만개 모발이 있으며, 모낭으로는 33,000 - 39,000 모낭단위(FU)이다. 1,700 모낭단위(약 3,000모) 정도 이식하였다고 휜해지지는 않는다. Bernstein과 Rassman 연구에서 공여부의 모발이 50% 정도 감소해도 탈모처럼 보이지 않는다고 하였으나 동양인은 모발이 굵고 밀도가 낮기 때문에 50% 정도 감소하면 탈모처럼 보일 가능성이 크다.

보통 공여부가 탈모가 심하지 않고, 정상 밀도라면 절편채취 모발이식은 약 2,000모씩 최대 6번까지 가능하다. 저자의 5번 이상의 모발이식술을 여러 환자에서 시행하였으나 별 문제가 없었다.

(2) 공여부 주위탈락(post-operative effluvium)

봉합할 때 두피의 긴장도가 심하다면 봉합한 주위에 있던 정상 모발이 탈락한다. 보통 수술 후 약 6-8주 후에 발생한다. 이는 혈류의 부족 때문이다. 또한 공여부 채취 수술 중에 혈관의 절단과 손상으로 혈류가 감소하기 때문이다. 모발은 혈류가 조금만 부족해지거나 감소하면 바로 탈락되는 모발의 특징이 있기 때문이다.

자세한 내용은 14장의 합병증을 참조한다.

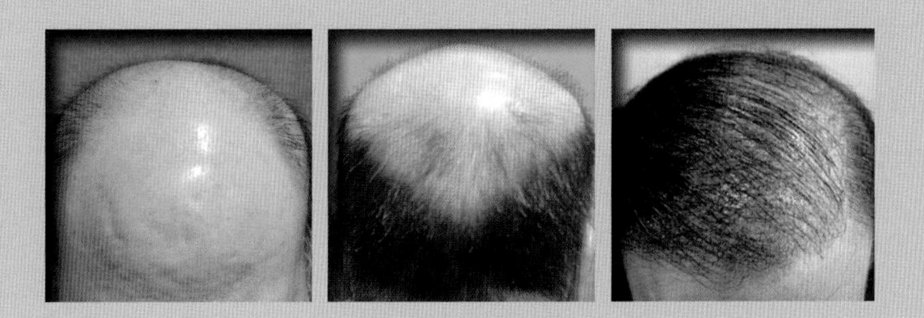

Chapter 14

합병증과 환자 불만족의 원인

1. 절편채취술의 공여부 합병증
2. 펀치채취술의 공여부 합병증
3. 이식부의 합병증
4. 환자 불만족의 원인

모발이식은 다른 미용성형수술에 비하여 합병증과 불만족이 적다. 그러나 모발이식도 합병증과 불만족이 있으므로 상담할 때부터 모발이식의 한계점과 불만족, 이식한 후의 경과를 자세히 알려준다면 불만족은 많이 감소시킬 수 있다.

1 절편채취술의 공여부 합병증

1) 흉터

절편채취 모발이식은 의사 입장에서 보면 흉터가 중요한 관건이다. 이식한 모발의 밀도가 부족하거나 자연스럽지 못하면 재차 이식하거나 제모하고 다시 이식하면 해결이 된다. 그러나 흉터가 발생하면 개선하기가 쉽지 않다.

뒷머리 두피의 유연성을 확인하는 방법을 익히고, 적절한 폭을 선택하는 방법을 알아야 한다. 보통 1-1.5 ㎝가 추천되고 있지만 두피의 유연성을 고려하지 않고 모발을 채취하면 흉터와 봉합 부위 괴사, 동반탈락, 봉합부위의 벌어짐과 감염 등으로 문제가 발생할 우려가 높아진다.

봉합부위가 과도한 긴장이 있게 봉합되었다면 흉터와 봉합 부위 괴사, 동반탈락 등이 발생할 수 있다는 것과 이에 따른 치료와 흉터제거 수술이 필요하다는 것을 모발 채취 후 곧바로 알려주어야 한다. 나중에 알려주면 환자-의사의 신뢰도에 문제가 생기고 불만과 불만족으로 이어진다.

흉터가 남았다면 최소 6개월 후에 흉터제거술을 시행하는 것이 좋으며, 9-12개월 이후가 더 좋다. 두피조직의 유연성이 증가하기 때문이다. 흉터 부위에 다시 모발이식을 해도 잘 자라지 않기 때문에 모발이식으로 해결하는데 한계가 있다. 흉터와 같이 혈류가 부족한 조직에 이식을 해도 생존율이 감소하기 때문이다. 최선의 방법은 다시 흉터를 제거하는 것이다. 22장의 모발이식 후 흉터제거술을 참고한다.

2) 조직 괴사와 봉합 부위의 벌어짐

조직 괴사와 봉합 부위가 벌어지는 것은 과긴장 상태로 봉합한 경우가 가장 많다. 다음으로는 염증 때문에 발생한다. 뒷머리의 흉터나 조직 괴사는 환자 입장에서 보면 전혀 생각해보지 않는 부작용이기 때문에 불만이 많다.

3) 공여부 주위탈락(동반탈락, postoperative, post-surgical effluvium)

봉합부위를 중심으로 상하 약 5 ㎝ 이상까지도 동반탈락이 올수 있다. 수술 후 약 2주 후부터 서서히 시작하여 4주가 되면 심해지며, 8주 정도까지도 발생한다. 대부분은 3-6개월 지나면 다시 자라나지만 긴장도가 심하다면 영구적으로 탈모가 될 수 있다.

이는 공여부 채취 중에 혈관의 절단과 손상, 신경 손상, 주위 조직의 손상으로 혈류가 감소하기 때문이다.

일시적인 혈액순환 장해가 발생하면 휴지기 모발은 수술 후 곧바로 탈락에 들어가기 때문에 2주부터 나타나고, 성장기 모발도 퇴행기를 거쳐 휴지기 모발로 이행하기 때문에 4-6주가 걸린다. 따라서 이때가 동반탈락이 가장 심하다.

예방하기 위하여 봉합시 과긴장이 없도록 하고, 지혈감자로 지혈을 너무 많이 하지 말고, 박리할 때 모낭의 바로 밑에 있는 피하지방층을 박리하여 혈관과 신경 손상에 주의하고, 채취와 이식할 때 압박이 심하지 않도록 하고, 혈액순환이 잘되도록 한다.

4) 감각 소실과 감각 이상

모발 채취 부위나 그 이상의 부위에 감각이 둔해지거나 감각이 이상해지는 것은 당연한 일이다. 보통 3개월 이내에 호전되나 12-18개월 이상 지속되는 경우도 있다.

영구적 감각 손실도 있는데 모발 채취할 때 모상건막(galea)을 심하게 손상시키지 않았다면 걱정할 필요는 없다.

5) 켈로이드와 비후성 반흔(keloid and hypertrophic scar)

공여부와 이식부에 생길 수 있으나 드물다. 켈로이드 체질이라면 모발이식의 대상이 될 수 없으나 두피는 켈로이드가 잘 발생하지 않는다. 그러나 켈로이드가 발생하면 흉터가 심해지므로 조심해야 한다.

보통 수술 후 몇 주에서 몇 달 만에 생긴다. 수년이 지나면 자연적으로 사라지거나 부드러워 진다.

보통 켈로이드는 가렵고, 솟아오르며, 붉게 변한다. 또한 창상의 범위를 넘어 확대되는 특징이 있으나 비후성 반흔은 이 범위를 넘지는 않는다.

보통 감염이나 이물질, 상처의 긴장도 증가로 인하여 비정상적인 피부 손상에 대한 정상적 반응으로 심한 콜라겐 축척이 온다.

초기에는 트리암시놀론 주사와 흉터연고, 후기에는 흉터제거수술이 필요하다. 치료는 트리암시놀론을 1:4-1:7 정도 희석하여 4-6주 간격으로 3-4회 주사하는 방법이다. 고정하여 압박하거나 보습치료를 하면 다소 호전된다.

수술적으로 제거하는 방법도 시행 되고 있으나 최소한 12개월이 지난 후에 시행한다. 비후성 반흔인 경우 효과가 좋으나 켈로이드는 재발 가능성이 있다는 것을 알려야 한다.

6) 영구적 탈모

흉터가 발생하거나 동반탈락, 조직괴사 등이 있다면 영구적 모발의 탈락을 고려해야 한다. 수술적 방법으로 탈모부위를 축소하거나 모발이식을 고려하나 최소 1년이 경과한 시점에서 시행하는 것이 좋다.

7) 통증과 신경종(neuralgia and neuroma)

절편채취에서 통증과 당기는 증상은 당연한 것이고, 보통 2일 정도 지나면 호전된다. 통증에 예민하거나 신경손상이 심하다면 불편함은 좀 더 오래간다. 가끔 예민한 환자에서 통증을 심하게 호소하는 경우가 있는데 강력한 진통제와 신경안정제가 도움이 된다.

공여부 채취할 때 auriculo-temporal nerve, greater or lesser occipital nerve의 부분적 또는 완전 절단으로 감각이상과 통증을 유발한다. 진통제 등의 약물요법과 스테로이드 제제의 국소주사 방법이 있으나 대부분 환자는 신경을 쓰지 않는다.

봉합부위가 놀랄 정도로 뜨끔하다고 느끼는 경우도 있다. 신경손상이나 비정상적 신경치유과정에서 발생하며, 대부분 1-2개월 이내에 사라진다.

매우 드물게 손상받은 신경섬유 조직에 섬유조직이 축척되어 소결절처럼 만져지는 림프소절이 생길 수 있다.

신경 손상이나 비정상적 신경 치유가 원인이며, 모발 채취할 때 모상건막(galea)을 심하게 손상시키지 않았고, 지혈을 심하게 하지 않았다면 걱정할 필요는 없다.

신경종이 발생하면 외과적 제거수술이나 잘려진 신경말단을 근육이나 뼈로 덮는 수술이 시행되기도 한다.

8) 동정맥루(arteriovenous fistula)

매우 드물게 동맥과 정맥이 직접 연결되어 맥박성 느낌이 드는 것으로 보통 6개월 이내에 자연 소실된다. 계속되거나 불편하다면 외과적 결재술을 시행할 수 있다.

2 펀치채취술의 공여부 합병증

펀치채취 모발이식은 절편채취 모발이식보다 공여부의 합병증은 적다.

1) 흉터(white dots)

펀치의 needle이 1.0 ㎜ 이상을 사용하였을 때 마치 모래를 뿌려 놓은 것처럼 작은 힌색의 흉터가 남을 수 있다. 특히 피부색이 검을수록 흉터가 잘 보인다.

한 부위에서 너무 집중적으로 채취하면 흉터가 크게 보이거나 선 모양으로 남을 수 있다.

2) 공여부의 주위탈락(동반탈락, postoperative effluvium, post-surgical effluvium)

성장기에 있던 모발이 갑자기 퇴행기를 거쳐 휴지기로 빠지면서 기존 모발이 탈락이 온다. 절편채취 모발이식의 공여부 기존 모발의 탈락과 동일하나 심하지는 않다.

3) 두피의 함몰

한 부위에서 너무 많은 양을 채취하면 두피가 얇아져서 마치 채취한 부위가 함몰되어 보인다.

4) 매몰 이식편(buried graft)

펀치할 때 물리적 손상으로 모낭이 피하조직 깊숙이 함입되어 피부 속으로 자라나 마치 cyst처럼 발생한다. 절개하여 제거하면 된다.

3 이식부의 합병증

절편채취술과 펀치채취술의 이식부 합병증은 동일하며, 이식 방법(모발이식기, 슬릿, no-touch method)에 따라 합병증이 달라질 수 있다. 그러나 합병증의 대부분은 공통된다.

1) 낮은 생존율과 지연 성장(poor growth)

이식한 모발은 보통 절편채나 펀치채취 모발이식에서 80-90%의 생존율을 보인다. 숙련된 이식 기술과 좋은 상태의 공여부 모발, 잘 관리된 모발 분리가 있을 때만이 90% 이상의 생존율이 가능하다.

이식 후에 1년이 지나도 낮은 생존율과 poor growth가 있는 경우 수술 전 과정을 검토하여 원인을 찾아야 한다. 그러나 이식한 모발이 특별한 이유도 없이 생존율이 너무 낮은 경우도 있고, 생존하였으나 자라다가 다시 탈모가 발생할 수 있다는 것을 기억해야 한다. 또한 이식한 모발이 자라다가 탈모가 되는 경우도 있다는 것을 모발이식 상담할 때 가볍게 언급하는 것이 좋다.

모발 채취할 때 혈관과 신경의 손상을 줄이고, 분리할 때 모낭의 주위 조직을 충분히 남겨서 통통하게 분리하고, 분리할 때부터 이식할 때까지 수분을 충분히 공급하고, 차게 보관하면서, 이식시간을 단축하고, 이식할 때 혈관손상을 줄이고, 부종을 줄이고, 모낭의 위치를 정확하게 하고, 이식 후에는 탈모치료를 꾸준히 하도록 한다.

공여부 모발이 탈모 상태이거나 가는 모발일 때, 환자의 건강 상태가 좋지 않을 때 낮은 생존율과 지연 성장이 문제가 되는 경우가 있다.

이식 방법에 문제가 없고, 모낭염 등이 없어도 이식한 모발이 1년여 자라지 않거나 성장이 늦은 경우가 있다. 여러 가지 원인이 있지만 환자의 건강상태나 다른 질병 등과 관련이 있다.

특히 전두부 섬유화증(frontal fibrosis syndrome)이나 탈모가 올 수 있는 갑상선 질환이나 erythematous lupus, lichen planus 등의 피부질환과고 관련이 있다.

1년이 지나도 생존율이 60% 이하이면서 이식에 문제가 없다면 X factor(알 수 없는 요인)를 고려해야 한다.

2) 이식부의 동반탈락(Recipient effluvium)

이는 기존 모발이 있는 곳에 모발이식을 하여 기존 모발의 손상 또는 절단과 혈관손상 등의 혈류 장해, 부종, 스트레스로 인한 모낭의 생리적 변화에 기인한다.

보통 휴지기에 들어가려고 하는 모발이 일찍 휴지기에 들어가고, 성장기 모발도 퇴행기를 거쳐 휴지기에 빠지게 된다. 탈모가 심하거나 두피가 얇고 가늘어진 환자에서 심하다. 특히 여성에서 심하다. 모발이식을 하고 나니 더욱 휀해 보이고 모발이 많이 빠진다고 하는데 이러한 이유 때문이다.

이식한 부위를 중심으로 기존 모발이 약 2-6주 후에 온다. 대부분 6개월 이후에 모발이 재생되지만 영구적 탈모도 가능하다. 이식할 때 혈관을 손상시키지 않도록 조심하고, 기존 모발의 모낭을 다치지 않도록 세심한 주의가 필요하다.

특히 쇠약하거나 질병이 동반된 경우와 여성 탈모증, 탈모증이 빠르게 진행되는 환자에서 발생할 가능성이 많다. Minoxidil과 탈모치료를 수술 전과 후에 치료하면 도움이 된다.

탈모치료 방법인 finasteride의 복용과 미녹시딜 도포, 고주파와 메조치료 등 탈모치료를 하면 좀 더 빨리 회복된다.

3) 모낭염과 농포, 낭포, 낭종, 뾰루지(folliculitis, pustules, cysts, pimples)

모발이식 후 가벼운 모낭염은 자주 발생한다. 모낭이 자라면서 상피에 가벼운 염증을 일으키는 것으로 모발의 재생을 알리는 신호이기도 하다. 보통 1.1-20%까지라는 보고가 있다. 이식 후 1-2달이 지나서 생기기 시작하여 6개월까지 지속된다. 다행히 3달 정도 시간이 지나면서 호전된다.

이식 후 초기에 보이다 호전되는 경우는 상피에 가벼운 염증과 피지샘의 분비물이 배출

표 14-1 모발이식 후 모낭염과 농포, 낭포, 낭종, 뾰루지의 원인

1. 이식부

1) 너무 깊이 이식하여 모낭이 피하지방층 하층에 존재할 때
2) 이중삽입(piggy-back)으로 먼저 이식한 모낭이 깊숙이 들어갈 때
3) 상피 조직이 피하지방층 깊숙이 들어갈 때
4) 잘린 모발이 깊숙이 들어갈 때
5) 피지샘의 분비물이 배출되지 않을 때

2. 공여부

1) 모낭의 위치가 변형되었거나 자라나는 방향이 반대로 향할 때

표 14-2 모낭염과 농포, 낭포, 낭종, 뾰루지 발생을 예방하는 방법

1. 모낭분리할 때 상피를 최대한 제거(de-epithelization)
2. 모낭의 길이에 따라 세분화하여 깊이 이식되지 않도록 이식기 바늘 깊이 조절
3. 이식할 모발의 길이를 일정하게 잘라서 이식 후 깊이 이식된 모발의 교정
4. 특히 슬릿 방법으로 이식할 때 이중삽입(piggy-back) 조심
5. 이식 후 심하게 압박되지 않도록 조심
6. 이식 다음날 깊이 이식된 모발의 교정
7. 피지샘이 막히지 않도록 세척 및 피딱지 제거
8. 공여부나 이식부의 묻힌 모발(buried graft) 제거와 교정

되지 못하고 피지낭포나 피지모낭이 되어 발생한 모낭염이 대부분이다. 모발이 재생할 때는 피부를 한 번에 뚫고 나오지 못하므로 마치 피부에 작은 모낭염 또는 작은 여드름처럼 보이면서 가려움과 발적이 동반되기도 한다. 이러한 작은 발적은 7-10일 정도 지속되며, 발적이 터지면서 모발이 나오게 된다(표 14-1).

계속되는 모낭염의 원인은 이식한 모발의 모낭이 깊이 위치하거나 꺽기어(bented graft) 이식되었거나, 이중삽입(piggy-back)이라 하여 이미 이식한 모발이 있는데 다시 이식하면 이미 이식한 모발이 깊숙이 들어갈 때, 이식할 때 상피 조각이 피하지방층 깊숙이 들어갔거나, 모발을 채취할 때 모낭의 위치가 변형되었거나 방향이 거꾸로 위치하여 모발이 피부 밖으로 자라지 못하고 안으로 자라면서 털 다발을 형성하거나 지속적으로 염증을 형성하는 것이다(표 14-2).

이식한 모발의 모낭이 너무 깊이 위치하면 모낭염이 생길 수 있다. 특히 여성의 음모이식에서 깊게 이식되어 모낭염이 자주 발생한다.

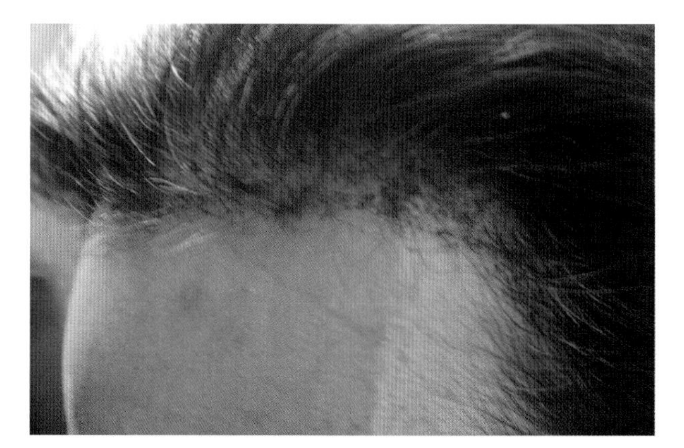
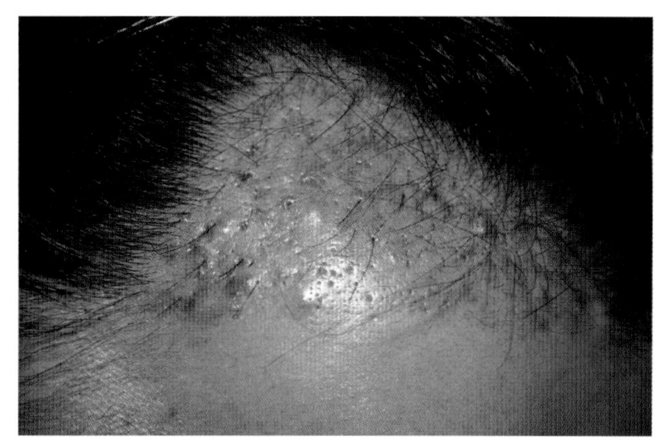
그림 14-1 이식 후 3개월의 작은 여드름 모양의 모낭염

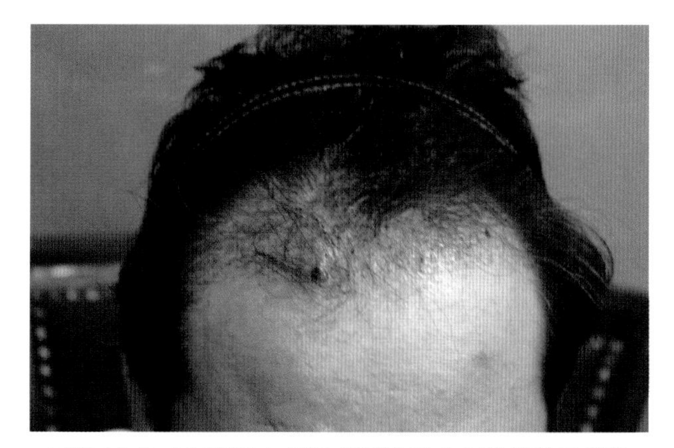
그림 14-2 모낭염이 농포로 변화하여 수술적 배출이 필요

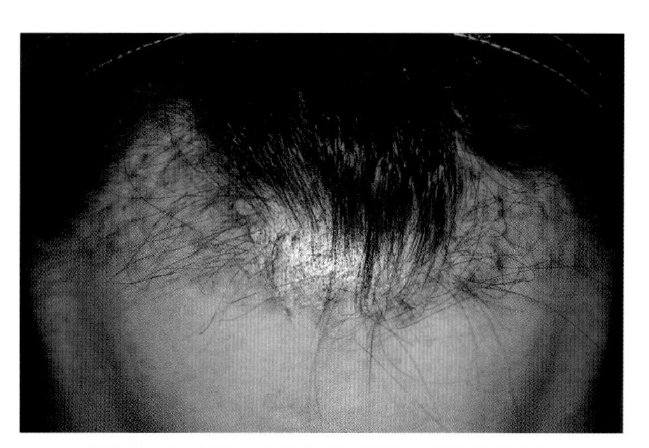
그림 14-3 심한 모낭염으로 인하여 생존율이 감소

모낭염이 심하다면 이식한 모발의 생존율은 매우 낮아질 수 있다. 초기부터 항생제 치료와 배출이 필요하다.

일시적인 치료로 항생제와 스테로이드가 도움이 되지만 지속된다면 수술방법으로 제거해야 한다(그림 14-1, 14-2, 14-3).

4) 이식부의 모공주의 함몰(pitting)과 모공주위 융기(tenting)

이식한 모발이 너무 깊게 이식되면 생존하지 않거나 cyst를 형성하기도 하지만 두피 표면에 움푹 들어간 모양(pitting)이 되어 울퉁불퉁하게 보인다.

예방 방법으로는 이식할 때 깊이 심은 모발을 당겨서 적정한 위치에 이식되었는지 확인하는 방법과 모발을 분리할 때 상피부터 자른 모발의 길이를 일정하게 하여 이식한 후에 두피 표면에서 나온 모발이 너무 짧으면 너무 깊이 이식되었는지 확인한다.

반대로 너무 얇게 심어서 이식한 모발의 표피가 두피 표면 위로 올라온 현상(tenting)이다. 올라온 상피는 영구적으로 사라지지 않고 마치 비듬처럼 보이고, 비듬처럼 날리게 되어 불편하다.

이식한 후에 점차 좋아지기는 하나 지속된다면 제모하거나 제거하고 난 후에 다시 이식해야 한다.

5) 이식한 모발의 곱슬거림

이식한 모발은 처음 재생될 때 대부분 꼬불거리나 시간이 지나면서 직모의 형태로 바뀐다. 보통 1-3년 정도 걸린다.

그러나 영구적인 곱슬머리는 공여부 모발이 원래부터 곱슬머리거나 분리할 때 모발의 sheath 부위에 손상, 이식할 때 굽어져 이식(bented graft)한 경우에도 발생한다.

6) 염증과 괴사

이식부에 염증과 괴사는 매우 드물다. 공여부도 적으나 가끔 발생할 수 있다. 두피는 혈액공급이 풍부하고, anastomosis가 잘 되어 있기 때문이다. 너무 조밀하게 이식하거나 혈관 손상이 심하거나, 압박이 심하다면 염증과 괴사는 가능하다.

이식 후에 피부의 redness와 edematous가 심하다면 혈종과 염증을 의심해야 한다. 염증과 괴사는 이식한 모발의 영구적 탈모가 온다.

4 환자 불만족의 원인

1) 기대감과 현실감의 차이

모발이식을 하면 완전히 탈모가 개선되고 옛날의 모습으로 돌아 갈수 있다고 기대하고 수술을 받는 경우가 많다.

상담할 때 수술 전후 사진을 보여주면 환자는 기대감을 갖게 된다. 결과가 좋은 경우만 보여주기 때문이다. 특히 '3,000모를 이식하면 된다'라고 의사가 설명하면 '3,000모를 이식하면 완벽하게 회복된다'는 것으로 오해하기 때문이다.

그러나 모발이식이 뒷머리 모발 채취의 한계와 밀도, 모발의 굵기 등에 따라 차이가 많으므로 상담할 때 충분한 설명이 되어야 한다. 기대감이 너무 높으면 낮추거나 수술을 포기하는 것이 현실적이다.

2) 부자연스런 디자인

헤어라인의 높이와 이식한 티가 나는 부자연스러운 디자인이다.

환자들은 정상적인 이마임에도 불구하고 항상 넓은 이마에 대한 불만이 있으므로 좀처럼 만족하지 않는다. 의사의 입장에서는 뒷머리 모발 채취의 한계와 이식범위의 한계, 2차 이식의 필요성을 고려하여 이식하나 환자는 이해를 하지 못하기 때문이다.

한마디로 앞 라인이 불규칙적인 디자인과 높은 밀도로 최대한 이식해도 과거의 모습으로 돌아갈 수는 없기 때문이다.

헤어라인은 정상적으로 매우 가는 모발이 제일 앞 선에 있어야 하나 뒷머리는 단일모라고 해도 정상적인 가는 모발이 거의 없기 때문에 부자연스럽다.

헤어라인을 디자인하고 환자의 동의를 얻는 것이 중요하다. 환자가 동의하고 그 헤어라인에 따라 이식했다면 불만족은 많이 사라진다. 물론 상담할 때 자세한 설명이 필요하다.

헤어라인의 모발이 굵어 마치 가발을 착용한 것처럼 느껴진다는 불만족도 있다. 공여부의 모발이 굵은 경우 단일모로 이식하여도 부자연스럽게 느껴진다. 가늘게 만들기 위해서 제모레이저나 IPL을 이용하여 다소 가늘게 말들 수 있으며, 제모레이저를 사용하는 경우는 화상이 잘 생기므로 낮은 에너지부터 시작해야 한다.

3) 기대 밀도와 이식 밀도의 차이

환자는 모발이식을 받으면 마치 탈모가 전혀 없는 것처럼 보일 것이라고 생각한다. 최소한 엉성하거나 듬성거림은 생각조차 하지 않는다. 그러나 정상 밀도의 1/2 – 1/3가 이식하게 되므로 실망하게 된다.

이식 후에 피딱지 등이 있어 매우 만족하여도 피딱지가 제거되고 나면 밀도에 대한 불만이 생기기 시작한다. 특히 짧은 모발을 이식하였기 때문에 밀도가 낮아 보이고, 이식부의 동반탈락이나 기존 모발이 손상되어 탈락되면 더 엉성하게 보인다.

상담할 때 충분히 설명하고, 현실적인 모발이식 전후 사진이나 밀도를 자세히 보여주어야 한다. 미용학적 밀도도 환자는 기대 이하라고 평가하는 경우가 많다. 상담할 때부터 밀도에 대한 불만이 있으면 2차 수술이 필요하다고 알려주어야 한다.

너무 넓은 부위를 이식하면 밀도를 낮게 이식한 것인지, 생존율이 낮아서인지 구분이 되지 않기 때문에 환자 만족도도 낮다. 미용학적 밀도를 고려하여 너무 낮은 밀도로 이식하지 않아야 한다. 환자가 요구하여도 설득하여 적정 밀도를 고집해야 환자도 의사도 불만이 적다.

특히 여성의 모발이식은 머릿속이 훤하게 보임(see-through phenomenon)을 개선하기 위해 이식을 하나 결과는 속이 아직도 훤하게 보인다고 불만하는 경우가 많다. 설명단계부터 속이 훤하게 보이지 않기 위해서는 2-3차례 모발이식이 필요하다는 설명을 하고, 한 번의 이식으로는 개선하는 정도라는 것을 이해시켜야 한다.

4) 합병증과 후유증의 발생

합병증이 있다면 환자 불만족은 당연히 있게 된다. 모발이식이 성공적임에도 불구하고 환자 불만족이 발생하는 경우도 종종 있다. 공여부의 흉터나 모낭염, 공여부나 이식부의 동반탈락, 통증과 감각 이상, 탈모의 진행 등이 대부분이다.

발생 가능한 합병증이나 후유증에 대하여 상담할 때 충분히 이해시키지 못한 경우가 흔하다. 합병증에 대하여 알고 있다면 불만족은 다소 감소한다.

5) 낮은 생존율

밀도가 낮은 경우 적게 이식했거나 생존율이 낮아서 그렇다고 생각하게 된다. 공여부 채취에 대한 한계를 이해하였다면 생존율이 낮기 때문이라고 믿는다.

3,000모를 이식하기로 했을 때 '3,000모 보다 적게 이식했다'거나 '생존율이 낮아서 그렇다'고 인식하므로 현실적인 설명이 필요하다.

가끔 이식한 모발이 자라지 않아서 작은 원형탈모처럼 보이는 경우도 있다. 너무 높은 밀도로 이식한 경우에 종종 발생하고, 혈관의 손상과 조직 손상이 있어서 생존율이 낮은 경우도 있다.

6) 긴 모발 재생기간

환자들은 모발이식을 하면 곧바로 모발이 있어 탈모처럼 보이지 않을 것이라고 기대한다.

그러나 이식한 모발은 한번 빠지고 재생하는데 보통 6개월이란 기간이 필요하고, 12–18개월이 지나야 최종적인 결과를 알 수 있다고 설명해줘도 조급함이 계속된다. 그 기간 동안 기다림이 지루하므로 의사에게 자주 질문을 하게 된다.

7) 모발이식 후 탈모의 진행

환자들은 모발이식을 한 후 모발이식한 모발도 탈모치료가 필요하고, 기존 모발은 탈모가 계속 진행되기 때문에 탈모치료가 꼭 필요하다고 설명해도 이해하지 못하는 경우가 많다. 모발이식하면 모든 탈모가 치료되는 것으로 이해하기 때문이다.

이식한 모발은 탈모가 잘 오지는 않으나 공여부 모발 상태에 따라 탈모가 올 수도 있으므로 탈모치료를 하지 않으면 탈모가 올 수 있으며, 탈모치료를 하면 기존 모발보다는 탈모가 늦게 진행된다는 것을 알려주어야 한다.

기존 모발의 탈모는 계속 진행되어 이식한 모발이 섬(island)처럼 될 수 있다는 것도 알려주어야 한다. 특히 측두부(temporal area)의 돌출부를 이식했을 때는 반드시 설명해야 한다.

8) 원치 않게 자라나는 모발 방향

이식할 때 자라나는 방향을 잘 못 이식한 경우도 있지만, 자라나면서 방향이 달라질 수도 있다. 아무리 방향을 잘 이식해도 20% 정도는 mal–direction이 생긴다. 특히 헤어라인 부위에 소 핥은 머리나 전두부 가마 등이 있을 때 불만족이 증가하며, 눈썹이나 속눈썹 이식할 때도 문제가 된다.

상담할 때 소 핥은 머리나 전두부 가마 등이 있다면 이식한 모발의 일부는 방향이 원치 않게 자라날 수도 있다고 알려주고, 기존 모발과 어느 정도는 부조화가 가능하다는 설명이 필요하다.

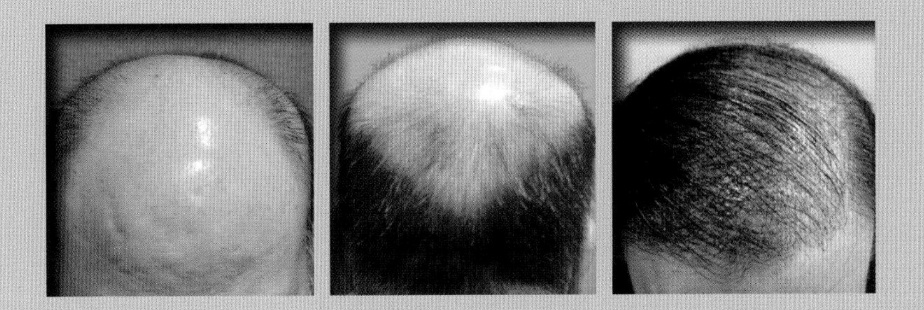

Chapter 15

모발이식의 생존율

1. 생존율에 관여하는 요인들
2. 이식한 모발의 생존율

Hair Transplantation

1 생존율에 관여하는 요인들

모발이식을 하다보면 생존율이 낮은 경우도 있고 전혀 자라지 않는 경우도 경험하게 된다. 수술 방법이 잘 못되어 생존율이 낮은 경우도 있지만 환자 요인도 있다. 이식한 모발의 생존율에 관여하는 요인은 크게 3가지로 분류한다(표 15-1).

1. 수술적 요인
2. 환자의 요인
3. 알 수 없는 요인(idiopathic, X factor)

수술적 요인은 공여부 채취부터 모낭분리 방법, 분리한 모낭의 보관 방법, 이식 방법과 채취부터 이식까지 시간, 두피조직의 손상 정도, 이식 후 처치, 탈모약물의 사용과 치료 등이다. 이 중에서도 모발의 분리와 이식 방법은 중요한 요인이다.

표 15-1	모발이식의 생존율에 관여하는 요인들
1. 수술적 요인	공여부 채취 방법
	모낭분리 방법과 숙련도
	분리한 모낭의 보관 방법
	이식 방법
	채취부터 이식까지 소요된 시간
	피부조직과 혈관, 신경의 손상 정도
	이식 후 처치
	탈모치료 여부
2. 환자 요인	공여부 모발의 건강상태 및 탈모 정도
	나이와 노화 정도, 일반적 건강상태
	당뇨병과 고혈압, 호르몬 등의 질환 여부
	스트레스와 피로 등 내부적 요인
	두피의 두께와 유연성 정도
	두피질환과 감염
	두피의 혈류 량
3. 알 수 없는 요인	

환자 요인은 공여부 모발의 건강상태와 환자의 나이와 노화정도, 일반적 건강상태와 스트레스와 피로 등의 내부적 요인, 두피의 두께와 유연성 정도, 두피질환, 두피의 혈류량 등이 관여한다.

알 수 없는 요인은 이식과정에 문제가 없었고, 환자의 건강상태나 다른 원인을 찾을 수 없었는데도 생존율이 떨어지는 경우를 가끔 경험하게 된다. 1984년 Richard Shiell은 0.5-1%의 환자에서 발생한다고 하였다.

1) 수술적 요인

(1) 공여부 채취 방법에 따른 생존율 차이

공여부의 채취 방법에 따라 생존율이 달라지는데 절편채취 모발이식이 다소 높고 펀치채취 모발이식이 다소 낮다. 수술의 다른 조건이 동일하다고 하면 채취와 모낭분리, 이식, 이식까지의 시간 등으로 객관적으로 평가하면 펀치채취 모발이식술이 낮을 수밖에 없다. 이는 펀치로 채취할 때 모낭의 절단과 모근초(sheath)의 손상, 모낭 주변의 지방 등 조직이 없기 때문이며, 포셉으로 잡아 삽입할 때 모낭의 손상, 이식까지의 소요시간 등에 기인한다.

최근에는 절편채취 모발이식과 펀치채취 모발이식 모발이식의 생존율이 비슷하다는 보고가 있으나 동일인에 대한 연구가 많지 않아 신뢰하기가 어렵다. 저자는 절편채취 모발이식으로 메스로 분리하는 방법이 생존율이 높다고 생각한다. 또한 절편채취 모발이식도 의사의 기술과 방법, 분리하는 분리사의 숙련도에 따라 펀치채취 모발이식보다 낮을 수도 있다.

또한 채취할 때 모낭의 손상을 최대한 줄여야 생존율을 높일 수 있다. 절편채취 모발이식은 채취할 때 생존율과 큰 관련은 없으나 펀치채취 모발이식은 수동식 펀치와 전동식 펀치을 이용하느냐, 자동화된 기기(로봇 채취)를 이용하느냐에 따라 생존율 차이도 있지만 의사의 숙련도도 중요한 요인이다.

(2) 모낭분리 방법에 따른 생존율 차이

절편채취 모발이식에서는 모낭분리가 생존율에 큰 영향을 미친다. 모낭분리는 숙련도가 중요하며, Unger 등이 제시한 분리 원칙을 지켜야 생존율이 높아진다. 얇게(skinnly) 분리한 것보다 통통한 분리(chubby)가 생존율이 높다.

또한 모낭분리를 할 때 육안분리와 영상 현미경 분리가 차이가 있으나 동양인은 모발이 굵고 밀도가 낮기 때문에 Roupe를 이용한 확대분리가 현실적이라고 하지만 점차 모니터를 이용한 디지털 영상 현미경분리가 생존율을 다소나마 높일 것이라고 판단되며, 분리사의 숙련도가 더욱 중요하다.

편치채취 모발이식은 모낭분리를 하지 않기 때문에 생존율과는 크게 상관이 없으나 채취할 때 모낭주위의 조직이 없는 이식편(skeletonized, naked graft)은 생존율과 상관되므로 3단계 채취방법이 추천된다.

(3) 분리한 모발의 보관 방법에 따른 생존율 차이

분리한 모발은 4℃에 보관하는 것이 좋으며, 충분한 수분 공급이 생존율을 높인다. 최근에는 생리식염수보다 저장액을 사용하는 경우가 늘고 있으며, 6시간 이내에 이식한다면 생리식염수도 무난하다는 의견이 많다. 자세한 내용은 10장 모낭분리와 보관편을 참고한다.

(4) 이식 방법에 따른 생존율 차이

이식 방법에 따른 생존율은 여러 가지 요인들에 의해 영향을 받는다.

(1) 이식 방법(모발이식기, 슬릿 방법)
(2) 마취 방법(tumescent의 사용과 량)
(3) 밀도
(4) 이식의 깊이와 위치
(5) 조직과 혈관, 신경의 손상 정도

① 이식 방법에 따른 차이

모발이식기를 이용할 것인지, 슬릿을 내고 S&P 또는 MIF 방법을 이용할 것인지, no-touch technique을 이용할 것인지에 따라 생존율이 조금은 달라진다. 이식방법의 선택보다는 술자의 경험과 숙련도가 더욱 생존율에 큰 영향을 미친다.

모발이식기를 이용한 방법이나 S&P 방법 간에 생존율의 차이는 거의 없다고 알려져 있다. 저자는 동양인의 모발 특성상 슬릿방법보다 no-touch technique이 현실적이고, 생존율에 대한 연구는 부족하나 생존율을 높일 것이라고 판단한다.
모발이식기를 이용하는 경우 bevel의 방향에 따른 차이는 없을 것으로 판단하고 있으나 needle이 무디면 조직과 혈관 손상이 증가하므로 생존율이 감소할 것이므로 1,000-1,500모를 이식할 때마다 교체가 필요하다.

슬릿 방법에서 S&P와 MIF에 따라서 생존율도 달라지는데 가능한 슬릿을 내자마자 이식하는 S&P 방법이 생존율을 높일 수 있다.

② 마취 방법에 따른 차이

국소팽창 마취(tumescent)의 사용은 생존율을 높일 수 있는 방법으로 조직과 혈관 등의 손상을 줄이기 때문이라고 판단된다.

③ 밀도

절편채취나 펀치채취 모발이식에서 고밀도 이식을 하면 생존율은 감소하고, 저밀도 이식을 하면 생존율은 높아진다. 그러나 고밀도 이식을 하면 생존율은 낮다고 하여도 많은 모발이 살아남아 풍성하게 보인다. 따라서 적정한 미용학적 밀도를 유지하면서 이식하는 것이 현명하다.

이미 11장 모낭단위 이식에서도 언급하였지만 한국인을 대상으로 한 연구(Lee WJ 등)에서 1 ㎠ 당 20, 30, 40, 50개의 단일모를 KNU 모발이식기로 이식하여 10개월째 생존율을 확인한 결과 95.1%, 90.8%, 80.8%, 76.5%로 30개 모발을 이식하는 것이 최적의 생존율을 기대할 수 있고 이보다 밀도가 높다면 생존율은 감소한다. Mayer의 연구에서도 10, 20, 30, 40개의 2모낭단위(2 hair FU, 2 hair graft)를 이식하여 8개월 후의 생존율이 97.5%, 92.5%, 72.5%, 78.1%로 20-30개 모낭단위를 이식하는 것이 생존율을 높인다고 하였다.

생존율만 높이자고 미용학적인 밀도를 포기할 수는 없다. 단, 너무 조밀한 이식으로 조직과 혈관 등의 손상으로 인한 생존율 감소는 고려해야 한다.

④ 이식의 깊이와 위치

정상적인 모낭 위치는 피하지방의 상층부이므로 이 위치에 이식하도록 노력해야 한다. 너무 깊이 이식되면 생존율이 감소하고, 너무 얇게 이식되어도 생존율이 감소한다.

특히 음모이식 등에서 너무 깊이 이식되어 생존율이 감소하고, 모낭염과 낭종의 발생이 증가하는 것을 종종 볼 수 있다. 너무 얇게 이식되면 모공주위 융기 등도 발생한다.

⑤ 조직과 혈관, 신경의 손상 정도

밀도가 높을수록, 이식기가 blunt할수록, 힘을 가하여 이식할수록 조직과 혈관, 신경, 림파계의 손상은 증가하므로 당연히 이식한 모발의 생존율은 감소한다.

혈관이 손상되면 압력에 의해 이식한 모발이 팝업(pop up)되는데 이곳에 다시 이식하면 출혈이 멈추기 때문에 재차 이식하는 경우가 있는데 이는 혈관 손상을 더욱 만들 수 있기 때문에 피하는 것이 좋다.

⑥ 채취부터 이식까지 소요된 시간

이식 시간이 길수록 분리한 모낭의 손상으로 생존율은 감소한다. 채취부터 이식까지 6시간을 넘기지 않는 것이 좋으며, 펀치채취 모발이식술도 어느 정도 채취하면 이식하고 다시 채취하는 방법이 추천된다.

부득이 6시간을 넘긴다면 분리한 모낭을 생리식염수 대신에 저장용액을 이용하고, 4℃를 유지하는 방법을 사용해야 한다.

(5) 이식 후 처치

이식 후에 염증과 감염, 부종, 압박 등이 생존율에 영향을 미친다. 특히 모낭염이나 피부 염증, 감염은 생존율에 미치는 영향이 크므로 적절한 치료가 동반되어야 한다.

(6) 탈모 치료

모발이식 후에 finasteride나 dutasteride의 복용과 minoxidil의 도포는 생존율을 높이는데 도움이 되고, 기존 모발의 탈모에도 필요하므로 지속적으로 치료하도록 한다.

2) 환자 요인

(1) 공여부 모발의 건강상태와 탈모 정도

모발이 건강하지 못하다면 이식해도 생존율은 당연히 낮을 것이며, 특히 이미 공여부에 탈모가 있다면 이식해도 생존율은 많이 낮아진다.

(2) 나이와 노화 정도

노화는 생존율과 직접적으로 영향을 미칠 것으로 판단된다. 전문가 중에서 탈모가 노화의 과정으로 이해하는 경우도 많다. 이식수술을 하면 나이가 많을수록 생존율이 낮다는 느낌을 받게 되고, 이식한 모발도 탈모가 진행된다.

(3) 환자의 건강상태와 질병

모발이식도 하나의 이식술이기 때문에 환자의 건강상태는 생존율에 많은 영향을 줄것이 당연하다. 특히 당뇨병과 혈관질환, 내분비 질환 등도 생존율을 낮추게 된다. 휴지기 탈모증과 같은 상태가 지속될 수도 있다.

(4) 두피의 상태와 질환

이식부의 두피가 질환이 있거나 섬유화, 혈류의 저하는 생존율을 감소시키고, 이식한 모발이 가늘어 지거나 휴지기 탈모증과 같은 상태가 발생하여 생존율을 감소시키게 된다.

2 이식한 모발의 생존율

이식한 모발의 생존율은 1년 또는 1.8년이 지난 후 평가하게 된다. 이때도 휴지기에 들어간 모발은 확인할 수 없다.

그동안 연구를 통하여 종합하여 볼 때 1년이 경과하였을 때 이식한 모발 중에서 80-90%가 생존하는 것으로 나타났다. 이석종 등의 연구에서 1년이 경과한 생존율은 90.4%이었으며, 다른 서양의 연구에서도 80-90%의 생존율을 보고하고 있다. 그러나 이 연구들은 연구를 위하여 최선을 다한 결과이므로 일반적으로 이식하면 이 보다 낮을 것이다.

또한 이식한 모발 중에서 생존한 모발수를 계산하는 생존율이 아닌 모발 채취부터 분리하는 과정, 이식하는 과정 등까지도 생존율에 포함한다면 1년 후 생존한 모발 수는 많이 낮아질 수 있다. 실제 모발이식을 해보면 생존율이 매우 낮은 경우도 경험하게 된다. 특히 젊은 사람에서 생존율이 낮으나 원인을 정확히 알기는 어렵다.

또한 공여부의 모발상태가 생존율에 많은 영향을 미치는데 이미 공여부가 가늘고 탈모가 진행되고 있는 상태거나 노화인 경우에는 생존율이 낮다. 특히 휴지기가 많은 공여부 모발은 이식해도 생존율이 낮다.

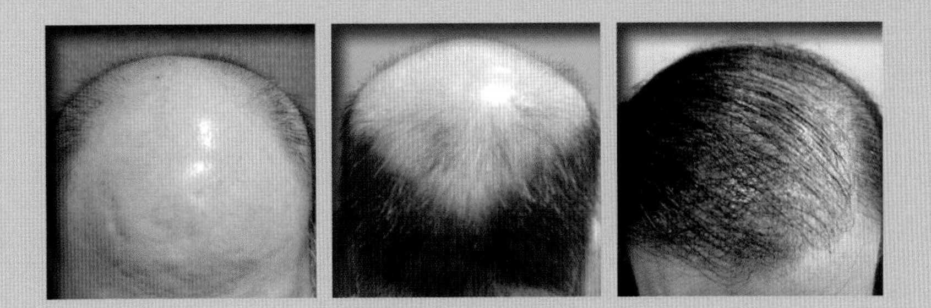

Chapter 16

여성의 헤어라인과 여성 탈모의 두정부 이식

1. 여성의 헤어라인 교정
2. 여성의 옆머리와 구레나룻의 이식
3. 여성의 모발 채취와 이식
4. 여성 탈모의 두정부와 정수리 이식

Hair Transplantation

여성의 모발이식은 넓은 이마와 넓은 볼을 교정하는 헤어라인 모발이식과 탈모로 인한 두정부나 정수리 부위 모발이식, 음모이식, 눈썹과 속눈썹이식이 대부분이다.

1 여성의 헤어라인 교정

1) 여성 헤어라인 모발이식의 특징

여성에서 헤어라인 모발이식은 탈모가 아니면서 선천적으로 이마가 넓어 보이거나 남성의 M자 모양처럼 보이는 경우가 대부분이다. 가끔 얼굴이 넓어 보이거나 헤어라인의 중앙 돌출부(Central peak, Widow's peak)에 모발이 튀어나와 마치 원숭이처럼 보이는 경우에 이식을 원한다.

여성의 헤어라인 교정은 말도 많고 탈도 많고, 요구사항도 많기 때문에 상담을 정확히 하고 본인의 요구사항이 무엇인지, 모발이식으로 가능한지 정확하게 알려주어야 한다. 여성 헤어라인의 특징은 다음과 같기 때문에 환자 선택에 주의를 기울여야 하고, 기대치가 크다면 이해시키거나 수술을 거부하는 것이 좋다(표 16-1).

2) 상담과 환자 선택

여성의 모발이식은 모발이식으로 예뻐질 것이라는 기대감이 높기 때문에 현실적이고 자세한 상담이 필요하다. 6장에서는 남성의 모발이식을 중심으로 상담 방법을 설명하였다면 이 장에서는 추가하여 여성을 중심으로 설명하였다.

헤어라인의 모발이식은 보통 젊은 여성 환자가 많으므로 이마가 넓은 여성의 대부분이 헤어라인 교정의 대상이 된다. 탈모의 유전성과 전신 질환과 탈모에 영향이 있는 상태를 확인해야 한다. 탈모 때문에 오지 않는 넓은 이마는 헤어라인의 모발이식 대상이 된다.

표 16-1 여성 헤어라인 모발이식의 특징
1. 수술전에 충분한 설명을 하였음에도 불구하고 밀도가 낮다고 불만하는 경우와 이식한 부위가 정상 모발에 비하여 훤하게 보인다고(see-through phenomenon) 불만하는 경우가 종종 있다.
2. 헤어라인의 디자인에 대한 불만과 공여부 모발이 굵어 자연스럽지 못하다고 불만하는 경우가 종종 있다.
3. 기존 모발과 자라는 방향과 결이 일치하지 않고, 곱슬거린다고 불만하는 경우가 종종 있다.
4. 이식부 동반탈락이 있거나 지연성장이 있으면 사회생활이 어렵다고 불만하는 경우가 종종 있다.
5. 오랜 기간이 지나도 감각이상과 통증, 부종 등을 예민하게 호소하는 환자가 많다.

여성에서 헤어라인 모발이식에 대한 상담은 남성보다 자세한 설명이 필요하다. 특히 실제 수술한 사례를 보여주는 것이 좋다. 너무 좋은 결과만 보여주면 이식 후에 불만의 원인이 되므로 정확한 설명이 필요하다.

정확한 설명과 이식부위에 대한 정확한 부분 표시, 밀도에 대한 정확한 결과 설명, 모발이식의 한계점과 후유증 등 모든 자료는 기록으로 남겨야 한다. 또한 밀도가 낮으면 2차 수술이 필요하다는 것도 알려야 하고, 아무리 방향과 결을 맞추어 이식해도 피부의 수축 영향으로 20% 정도의 이식 모발은 방향이 다를 수밖에 없다는 것을 설명해 주어야 한다.

'미용적으로 이마가 좁아 보이도록 하는 것이지 이식 부위의 피부가 보이지 않도록 이식하는 것은 불가능하고 뒷머리 밀도의 1/2-1/3 정도 이식하는 것으로 밀도가 조밀한 것은 아니다'라는 것을 명확하게 알려야 한다. 또한 밀도를 높이고자한다면 2차 이식이 필요하다는 것과 표시가 전혀 없도록 수술할 수는 없으며, 어느 정도의 부자연스러움과 이식한 티가 나는 것은 감수해야 한다고 명확하게 설명해야 한다.

헤어라인의 높이를 상담하거나 디자인할 때 상의하여 결정하였음에도 낮다거나 높다거나 불만족이 많으므로 기록과 사진촬영에 신경을 써야 하고 환자의 동의를 얻어야 한다. 탈모 여성의 모발이식과 동일하게 '상담 후 24시간이 경과하면 수술과정과 합병증에 대한 설명을 기억하는 환자는 거의 없다'라는 격언을 꼭 기억해야 한다.

3) 헤어라인 디자인

여성의 헤어라인은 남성보다 자연스럽게 이식하는 것이 중요하다. 자연스럽게 이식하는 방법에서 중요한 것은 헤어라인의 디자인과 이식한 모발의 밀도다. 정상 여성의 헤어라인과 밀도를 유심히 관찰해 보아야 한다.

정상 여성의 헤어라인은 매우 불규칙하다는 것과 헤어라인의 시작은 가늘고 밀도가 낮으나(transitional zone) 약 1~2 ㎝ 정도 상부는 굵고 밀도도 높다(define zone).

헤어라인이나 옆머리의 디자인에서 환자 자신이 직접 이식라인을 그려보고 의사가 조정하는 방법이 나중에 시시비비를 없게 하는 현명한 방법이다.

(1) 헤어라인의 위치 결정

남자의 헤어라인 위치를 정하는 것과 마찬가지로 얼굴의 황금분할(rule of third)에 따라 위치를 먼저 정한다. 황금분할은 헤어라인부터 미간까지, 미간부터 코끝까지, 코끝에서 턱까지 거리가 같은 것이 아름다운 얼굴이다. 여성도 이 기준에 맞추어 디자인하는 것이 좋으나 대부분의 젊은 여성은 좁은 이마를 선호한다.

최근 헤어라인을 젊게 보이게 하기 위해서 코끝에서 턱끝까지의 거리보다 약간 넓게 잡는 경향이 있어 1:1:0.9로 하는 경우도 있다.

자연스럽게 이식하기 위하여 폭을 1-1.5 ㎝ 이내에서 이식하는 것이 좋다. 그 이상 이식하면 기존 모발과의 부조화와 이식모발의 특징이 두드려져 자연스럽지 못한 경우가 흔하다.

(2) 헤어라인의 모양

여성의 헤어라인은 둥근 모양(round type)과 약간의 M자 모양 또는 약간 사각형의 모양(rectangular type)이 가장 많다. 그 외 종 모양(bell type)으로 이마의 폭은 좁으면서 헤어라인이 높은 형태와 삼각 모양(triangular)이 있다.

한국 여성의 이마 모양을 조사한 정재헌 등의 연구에 따르면 둥근 형태가 27%, 약간의 M자 모양이 28%, 약간 사각형 모양이 27%, 종 모양이 10%, 삼각 모양이 3%이었다.

가장 무난한 헤어라인은 남성과 달리 둥근 형태의 앞머리 헤어라인 모양이다. 남성처럼 M자형으로 디자인하면 남성스러워 보일 수 있다(그림 16-1).

(3) 헤어라인의 디자인

대돌출부(large irregularity, zig-zag, snail tract design)와 소돌출부(Small irregularity)의 디자인은 남성과 동일하나 파장과 파고가 작아야 자연스럽다. 여자는 두상이 큰 환자는 파장이 1.0-1.5 ㎝, 얼굴이 작고 갸름하면 0.7-1.0 ㎝가 적당하다. 파고는 두상이 큰 환자는 파장이 0.5-1.0 ㎝, 얼굴이 작고 갸름하면 0.3-0.5 ㎝가 적당하다. 자세한 것은 9장 헤어라인의 디자인편을 참고한다(그림 16-3).

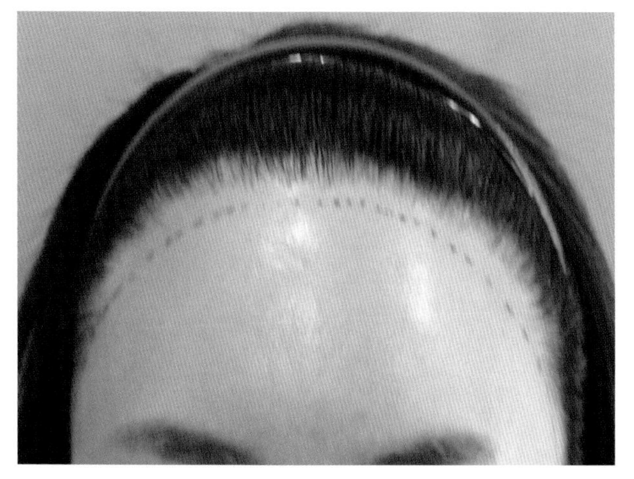

그림 16-1 헤어라인의 기본 디자인

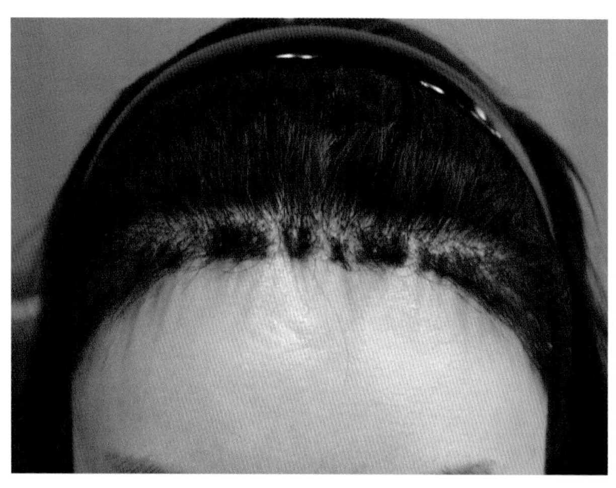

그림 16-2 이식 후 10일 째

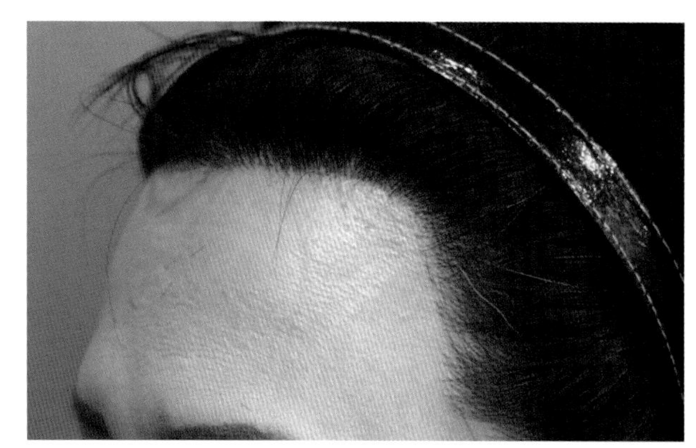

그림 16-3 헤어라인이 일직선으로 부자연스런 모습(여자)

(4) 가르마(part line) 만들기

여성의 가르마는 보통 헤어라인의 중앙에 위치하므로 디자인할 때 가르마를 어떻게 할 것인지와 어디에 할 것인지 상의되어야 한다. 환자가 원하는 모양에 따라 디자인할 수 있으나 원래 모양을 살리는 방향이 좋다.

가르마 부위는 밀도가 높아야 두피가 훤히 보이는 것을 예방할 수 있고, 이 부위에 밀도가 낮으면 자연스럽지 못하다. 따라서 가르마가 중앙에 있다면 1 ㎝ 이상 헤어라인을 낮추면 어색함이 더하고, 좌측에 있다면 1.5 ㎝ 정도 낮추는 방법이 좋다. 가르마가 여러 개 있다면 그중에서 가장 뚜렷한 것만 살리고 나머지는 무시하고 이식한다.

(5) 헤어스타일

모발이식 후에 어떤 헤어스타일을 원하는지 파악해야 한다. 앞머리를 뒤로 넘기는 소위

올백스타일은 모발이식 한 티가 나기 때문에 어렵다는 것을 알려줘야 한다.

(6) 소 핥은 머리(cowlick)와 앞가마, 중앙돌출부의 심한 돌출의 디자인

소 핥은 머리(cowlick)와 앞가마의 디자인은 소 핥은 머리 모양이나 앞가마의 모양이 강하다면 모발 방향으로 이식하여 보강하는 디자인이 필요하다. 강한 상태에서 무시하고 일반적인 방향으로 이식하면 부조화가 더 심해지기 때문이다. 그러나 약하다면 완전히 무시하고 자연적인 방향으로 이식한다. 대부분의 여성들은 무시하고 이식해주기를 바라나 결과를 예측하지 못하기 때문이므로 충분한 설명과 이해가 필요하다.

2 여성의 옆머리와 구레나룻의 이식

1) 디자인

헤어라인의 모발이식은 전체적 헤어라인 교정술이라고 하여 헤어라인뿐만이 아니라 옆머리(측두부, supra-temporal area, temporal peak(point), infra-temporal area)와 구레나룻(sideburn)까지 전체적인 교정을 하는 경우가 늘고 있다.

특히 얼굴이 커 보이거나 이마가 넓고, 옆 얼굴이 넓어 보이거나 광대가 튀어나와 보인다면 측두부와 구레나룻까지 이식을 고려한다(그림 16-4, 16-5).

여성의 옆머리의 디자인은 헤어라인에서 옆머리로 연결되는 헤어라인을 남성보다 더 자연스런 곡선이 되도록 연결하는 방법으로 디자인한다(그림 16-6, 16-7).

구레나룻이 없는 경우는 얼굴이 넓어 보이므로 구레나룻을 만들기도 한다. 구레나룻은 zygomatic arch 윗부분까지만 이식하여 기르도록 하고, 가능한 적게 이식하는 방법이 좋다. 자세한 내용은 9장 측두부 디자인편을 참고한다.

2) 옆머리 이식의 문제점

여성이나 남성이나 옆머리 모발이식의 디자인은 본인이 직접 그려 보도록 하고 전문적인 충고를 하여 결정하도록 하는 방법이 최선이다.

그러나 저자는 옆머리의 모발이식을 권하지 않는다. 이유는 이 부분에 이식하면 어색하

그림 16-4 옆 얼굴이 넓어 보임

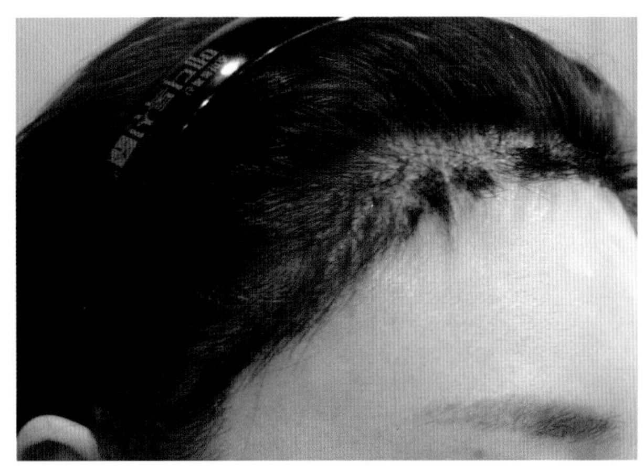

그림 16-5 모발이식 10일 후 좁아 보임

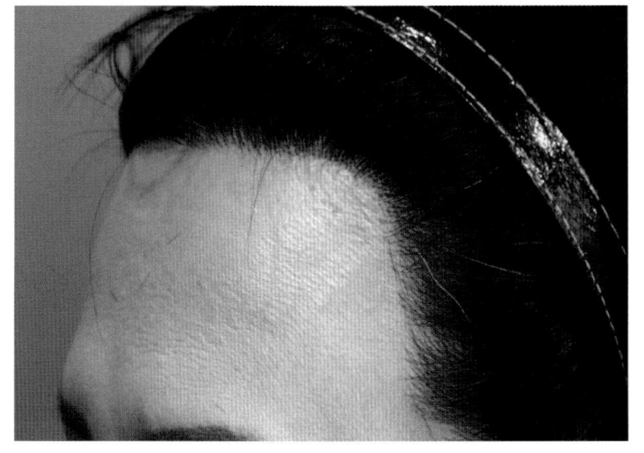

그림 16-6 옆머리 라인이 일직선으로 부자연스런 모습

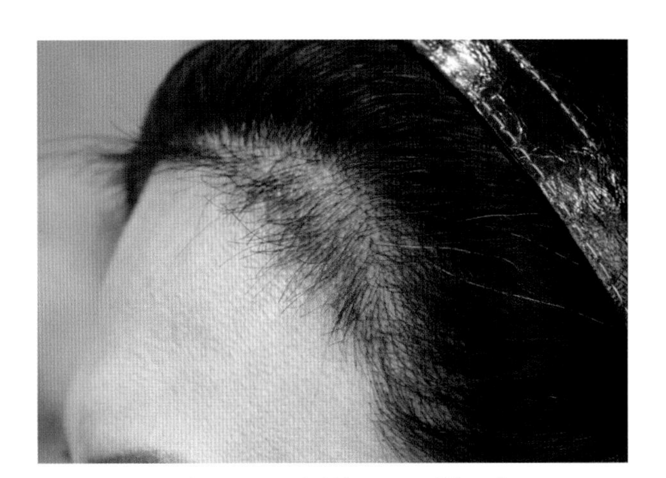

그림 16-7 모발이식으로 교정한 모습

고, 이식한 표시가 나며, 자연스럽게 이식한다는 것이 어렵기 때문이다. 모발의 모양과 굵기 등의 차이 배문이다.

또한 이 부위에 탈모가 진행되거나 노화가 되면 모발선이 후퇴하여 이식한 모발이 독립된 섬(isolated island)이 될 가능성이 있기 때문이다. 환자가 요구한 경우는 부자연스러움을 설명하고, 환자의 요구에 의해 이식하였다는 기록을 남긴다.

3 여성의 모발 채취와 이식

1) 모발 채취

남성이나 여성의 모발 채취는 동일하다. 절편채취나 펀치채취술(FUE)로 채취한다. 채취

부위는 남성과 차이는 없으나 절편채취인 경우 남성은 귀의 측두부까지 길이를 연장하지만 여성은 후두부에서만 채취하는 것이 좋다.

이식할 면적을 구하고, 단일모는 50-60 모낭단위/㎠로 계산하고, 1모와 2모, 3모의 혼합은 30-40 FU/㎠로 계산하여 채취하고자 하는 면적을 계산한다. 여성은 남성보다 밀도를 높게한다.

모발이 가늘다면 이보다 많은 면적을 채취해야 한다. 만약 하측두부와 구레나룻까지 이식한다면 더 필요하다.

2) 모낭 분리

자연스럽게 이식해야 하므로 남성보다 단일모가 많이 필요하게 된다. 이때는 2모와 3모의 모낭을 단일모로 분리하기도 하고(follicular splitting), 풍부하게 보이기 위해서는 1모나 2모를 합해서 분리하여(follicular pairing, recombinant technique) 마치 2모나 3모처럼 분리하기도 한다.

3) 모낭단위 이식

헤어라인의 이식은 남성과 동일하나 디자인만 다르다. 헤어라인은 좀 더 가는 모발로 이식하면 자연스러우나 밀도가 낮으면 불만요인이 된다. 좁은 면적이라도 충분한 밀도를 이식하는 것이 더 바람직하다. 여성은 단일모를 좀 더 많이 이식하여 남성보다 더욱 자연스럽게 이식한다(그림 16-8, 16-9).

보통 헤어라인에서 남성은 0.5-1 ㎝이나 여성은 1 ㎝까지는 단일모 중에서도 가는 모발

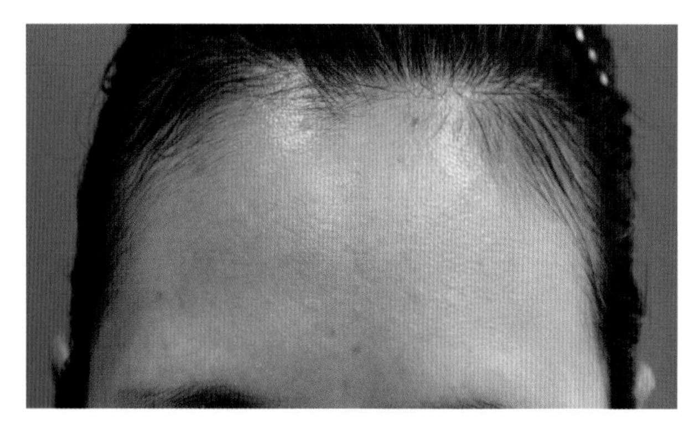

그림 16-8 헤어라인 교정 전

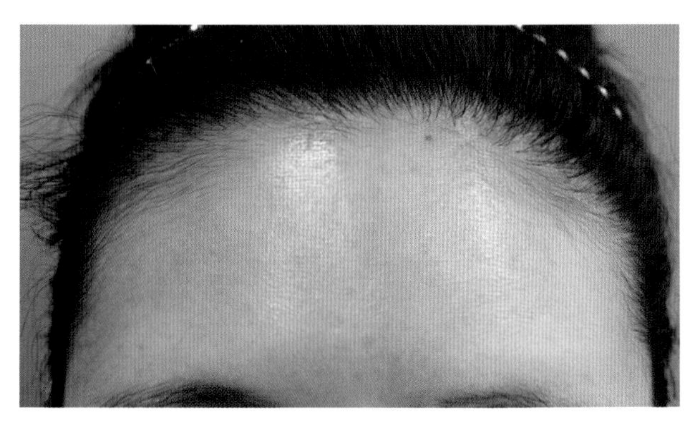

그림 16-9 헤어라인 교정 후

로 불규칙한 라인을 따라 50-60 모낭단위/㎠로 이식한다. 그 이상 부위는 1모와 2모, 3모 모낭으로 30-40 FU/㎠로 이식한다. 가능하면 가장 윗부분은 3모로 이식하면 풍부해 보인다.

기존의 모발과 1 ㎝ 정도는 겹치게(중복효과, layering effect) 이식해야만 자연스러우며, 이식한 경계가 명확하게 보이지 않는다.

가르마 부위는 모발의 중복효과가 없는 부위이기 때문에 헤어라인보다 조밀하게 이식하여 좌우로 나누어지도록 한다. 밀도가 낮으면 탈모처럼 보인다.

소 핥은 머리(cowlick)와 앞가마의 이식은 2가지 방법으로 이식할 수 있는데 소 핥은 머리 모양이나 앞가마의 모양이 강하다면 모발 방향으로 이식하여 보강하거나 약하다면 완전히 무시하고 일반적인 방향으로 이식한다. 여성들은 무시하고 이식하는 것을 선호한다.

일반적인 방향으로 이식한다면 어느 정도 기존 모발의 손상을 감수해야 한다. 기존 모발이 자라는 방향과 반대이므로 밀도가 떨어져 보인다. 따라서 이 부위는 가능한 밀도를 높이고, 가능한 이식 폭을 좁히는 것이 바람직하다. 어느 정도의 부자연스러움이 남는 다는 것을 먼저 알려야 한다.

옆머리와 구레나룻의 모발이식은 더 예각으로 이식해야 피부와 평행하게 자라게 된다. 보통 이식기의 각도는 피부 표면과 15-20도를 유지하면서 이식한다. 피부와 평행하게 자라도록 이식하는 double angle technique과 tip up technique을 이용한다. 이 방법은 11장 질편재취 모빌이식의 측두부 옆머리와 구레나룻의 이식에시 이미 언급하였디.

4) 수술 후 경과

남성과 동일하나 동반탈락이 여성에서 더 많다. 또한 자연스럽게 이식하기 위해 기존 모발 부위도 이식해야 하는데 이 과정에서 기존 모발의 손상이나 자극, 혈류의 변화로 인하여 동반탈락이 온다. 자세한 내용은 13장 모발이식 후 처치 및 경과편을 참고한다.

4 여성 탈모의 두정부와 정수리 이식

여성 탈모는 주로 두정부이므로 모발이식도 주로 두정부 부위다. 남성과 달리 여성은 헤어라인이 유지되면서 두정부 부위의 모발이 가늘어져 훤히 보이는 경우가 대부분으로 완전한 대머리는 거의 없다.

1) 모발이식 또는 탈모치료의 결정

탈모로 인한 여성 모발이식은 두정부나 정수리가 훤히 보이거나 심하게 가늘어져서 탈모치료를 해도 모발로써의 의미가 없다면 모발이식이 필요하다. 그러나 탈모의 원인이 다양하므로 모발이식보다 탈모치료가 우선인 경우가 많다.

2) 탈모로 인한 여성 모발이식의 특징

여성의 모발이식은 탈모의 원인이 다양하므로 남성보다 고려해야 할 점이 많아 신중해야 한다. 그 이유는 표 16-2와 같다.

표 16-2	탈모로 인한 여성 모발이식의 특징

1. 탈모의 원인이 다양하므로 모발이식 또는 탈모치료를 해야 할지 결정하기가 어렵다. 전형적인 여성형 탈모인 경우만 모발이식을 하는 것이 좋다.
2. 머리 전체에 탈모가 있는 경우가 많고, 공여부의 모발이 가늘어 이식효과가 떨어지는 경우가 많다.
3. 이식한 모발수와 미용적 만족도는 일치하지 않는 경우가 많다. 대부분의 여성 환자는 머리카락 사이로 두피가 보이지 않는 것을 목표로 하기 때문이다.
4. 상담할 때 결과에 대하여 자세히 설명했음에도 불구하고 의사소통의 문제와 엇갈린 기대치 때문에 불만족스런 환자가 남성에 비해 많다.
5. 이식한 모발도 다양한 원인 때문에(특히 호르몬 변화, 만성질환, 스트레스 등) 탈모가 진행될 가능성이 있으므로 신중하게 선택해야 한다.
6. 남성에 비해 휴지기 탈모와 지연성장이 많다.
7. 수술 후에 공여부나 이식부의 기존 모발이 남성보다 동반탈락하는 경우가 많다.
8. 기존 모발이 존재하는 상태에서 이식해야 하는 경우가 많아 기존 모발이 손상되지 않도록 조심해야 한다.

3) 상담 및 환자 선택

여성 환자의 모발이식은 탈모의 원인부터 확인해야 한다. 또한 감별진단을 해야 하나 어렵다. 감별진단의 가장 중요한 정보는 탈모의 시기와 탈모의 패턴, 탈모의 변화 양상, 기타 전신질환과 호르몬 질환, 장기적 약물 복용, 스트레스 등 정신과적 문제, 수술, 심경 변화 등이 감별진단에 도움이 된다.

이중에서도 감별진단이 꼭 필요한 탈모는 급성 또는 만성 휴지기 탈모증, 광범위한 원형탈모증, loose anagen hair syndrome, 전두부 섬유화 탈모증, 폐경과 동반하는 노화성 탈모증, 스트레스나 질환으로 인한 탈모증, 피임제 등의 약물복용에 의한 탈모증 등이다.

모발이식의 대상에 해당된다면 제일 먼저 생각하는 것이 '내가 이 환자를 모발이식으로 만족을 주고 기쁘게 해 줄 수 있는가'를 먼저 결정해야 한다고 한다.

여성에서 '2,000-3,000모 이식'이란 표현은 의미가 없는 경우가 많다. 모발이식을 하는 목적을 만족시키지 못한다면 이식 수는 의미가 없다. 또한 이정도 이식하면 완전히 탈모가 개선될 것이라고 판단하기 때문에 '2,000-3,000모 이식하면 완전히 탈모를 개선할 수 있다'라고 생각하기 때문이기도 하다. 또한 공여부 모발이 가늘다면 이식 수는 중요하지 않을 수 있다. 목적을 만족시켰냐가 더욱 중요하기 때문이다.

여성의 모발이식은 현실적인 기대치를 갖게 하는 것이 중요하다.'탈모된 부위가 훤히 보이는 것(see through phenomenon)이 싫어요'라고 한다면 이식은 하지 않는 것이 좋다. 훤히 보이지 않으려면 보통 고밀도로 50-60 FU/㎠(90-108모/㎠)로 이식해야 하나 실제적으로 이식이 불가능하기 때문이다. 한마디로 개선되는 것이지 본인이 원하는 대로 되는 것은 아니다.

'미용적으로 탈모가 된 부위에 밀도를 높여 다소 호전을 목적으로 하는 것이지 두피가 안 보이도록 이식은 불가능하다'라는 것을 명확하게 알려야 한다. 또한 안보이도록 하기 위해서 의학적 두피문신이나 2차 이식이 필요하다는 것을 알리는 것이 좋다. 특히 모발이식 후에 여성의 다양한 이유 때문에 탈모가 진행되었어도 생존율이 낮아서 그렇다고 주장하는 경우가 많다.

중년이 넘은 여성들의 정수리 탈모는 공여부 딜모와 동반되어 있는 경우가 많다. 따라서 뒷머리의 모발이 밀도가 낮고 가늘다면 이식을 하지 않는 것이 좋다. 일부 의사들은 연모의 비율이 20%를 초과하면 이식을 하지 않는 것이 좋다고 충고한다.

정확한 설명과 이식부위에 대한 정확한 부분 표시, 밀도에 대한 정확한 결과 설명 등 모든 자료는 기록으로 남겨야 한다. 헤어라인의 높이를 상의하여 결정하였음에도 낮다거나 높다거나 불만족이 많으므로 기록과 사진촬영에 신경을 써야 한다.

4) 디자인

일반적인 중년 이상의 여성 탈모는 대부분 두정부 부위이므로 특별한 디자인은 필요치 않다. 단지 여성은 남성과 달리 헤어스타일에 대하여 자세한 상담이 필요하다. 가르마를 어떻게 할 것인지, 어느 부위에서 머리를 넘길 것인지, 어느 부위가 가장 고민인지를 파악하고 이를 해결해줄 수 있는 디자인이 필요하다.

5) 공여부 모발 채취

채취부위는 남성과 차이는 없으나 절편채취인 경우 남성은 귀의 측두부까지 길이를 연장하지만 여성은 후두부에서만 채취하는 것이 좋다. 여성은 측두부의 모발이 가늘어지는 경우가 많아 흉터가 보일 가능성이 높기 때문이다. 여성은 머리가 작고, 모발이 가늘기 때문에 남성보다 채취할 량은 적다.

공여부인 후두부 모발이 이미 탈모가 되었다면 이식 후에 생존율이 낮고, 풍부함이 적으며, 동반탈락의 가능성이 높으므로 가능한 이식을 하지 않는 것이 현명하다. 특히 가늘어진 모발이 20% 이상이라면 모발이식의 대상이 되지 못하는 경우가 많다. 이식해도 이식한 모발이 탈모가 될 가능성이 높다.

특히 만성 미만성 탈모가 와서 모발이 가늘면 이식해도 풍부함이 떨어진다. 또한 이식한 모발도 탈모가 진행될 수 있으므로 이식의 효과는 감소한다.

6) 모낭분리

두정부 이식은 단일모가 필요치 않다. 따라서 분리할 때 2, 3개 모발의 모낭단위가 많을수록 풍부해 보인다. 공여부 모발이 가늘다면 1모를 2모로 분리하거나 1모와 2모를 합해서 분리하는 재조합(follicular pairing, re-combinant) 분리가 효과적이다.

7) 모낭단위 이식

기존의 모발이 있는 상태에서 추가적으로 이식하는 것이므로 방향과 각도가 중요하다. 기존 모발이 손상하지 않도록 이식해야 한다. 여성은 이식부 동반탈락이 잘 발생하는데 기존 모발의 손상까지 더해지면 이식 후에 더 훤해졌다는 불만이 발생한다.

여성의 모발이식은 공여부 모발이 남성에 비하여 적고, 가늘면서 이식할 면적은 넓은 경우가 대부분이기 때문에 이식 후에도 개선된 표시가 잘 나타나지 않는다. 따라서 좁은 면적이라도 충분한 밀도를 이식하는 것이 더 바람직하다.

8) 수술 후 경과

13장의 모발이식 후 처치 및 경과를 참조하며, 여성 탈모 환자에서 모발이식은 다음과 같은 특징이 있다.

남성의 모발이식 후 경과는 동일하나 여성에서는 공여부와 이식부의 동반탈락이 더 많다. 특히 공여부가 탈모가 되어있는 상태에서 이식하면 공여부 주위탈락은 더욱 심하고, 기존 모발이 있는 상태에서 사이사이에 이식하게 되므로 이식부 동반탈락은 많을 수밖에 없다.

중년 이상의 여성 모발이식 환자에서 약 40-50%는 공여부와 이식부 동반탈락이 약하거나 심하게 발생하며, 기존 모발의 10-30%가 빠지기 때문에 이식전보다 훤하게 보이는 경우가 많다. 동반탈락은 대부분 6개월 이후에 다시 자란다. 따라서 수술 전보다 이식한 후에 약 6개월 정도는 더욱 훤히 보일 수 있다.

대부분의 여성에서 나이가 많아지면서 탈모가 더욱 진행되기 때문에 이식한 모발도 탈락되는 경우가 종종 있다. 따라서 모발이식이 반영구적이란 표현은 조심해야 한다. 탈모도 하나의 노화현상이고 이식부 영향설에 따라 이식한 모발도 환자의 상태에 따라 탈모가 온다는 것을 알려야 한다.

여성에서 모발이식 후에 FDA에서 인정된 공식적인 탈모치료제는 미녹시딜 밖에 없다. 따라서 병원에서 하는 탈모치료와 노화 치료, 호르몬 치료, 영양치료 등이 동반되어야 한다. 효모나 허브제품으로 먹는 약 등(판토가® 등)도 도움이 된다. '여성 탈모는 개선하기 보다는 탈모중지가 목적이다'라는 것을 기억해야 한다.

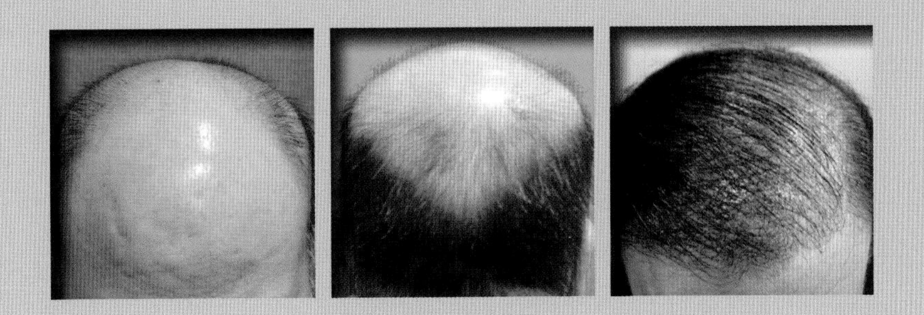

Chapter 17
음모, 눈썹, 속눈썹이식

1 음모이식

음모이식은 무모증(pubic atrichosis)과 빈모증(pubic hypotrichosis)인 경우다. 음모도 사람마다 특징이 있고, 어울리는 모양과 넓이, 밀도가 있다. 따라서 자연스런 이식을 위하여 이런 특징을 이해해야 한다.

무모증이나 빈모증은 모계의 유전성이 많으며, 그 확률은 약 25% 정도 된다고 보고하고 있다. 무모증이나 빈모증은 신체적 불편함을 주는 것이 아니고 단지 정신적 스트레스에 지날 뿐이지만 성적인 수치심을 주기 때문에 문제다.

음모는 보통 초경이 시작하는 12-14세에 나타나서 17세가 되면 완전히 자란다. 무모증이란 사춘기가 지나도 음부에 털이 나지 않는 증상을 말하는데 1982년 대한피부과학회지에 보고된 한 조사에 의하면 4.5%가 완전히 음모가 없는 무모증이었고 6.8%가 빈모증(음모가 20개 이하)이었다. 즉 우리나라 여성 10명 중 1명이 무모증이거나 빈모증이다.

1) 음모이식의 특징 및 상담

음모이식은 환자 만족도가 높다. 환자가 원하는 음모의 풍부함 정도와 이식 범위를 파악한다. 계속 자라나므로 2-3개월에 한 번씩 잘라주어야 한다. 두피에 비하여 생존율이 보통 낮으나 수술 후 관리에 따라 생존율 차이가 난다(표 17-1).

2) 환자 선택

무모증이나 빈모증이 있는 환자라면 대부분 음모이식의 대상이 된다. 생존율은 다소 낮기 때문에 충분한 상담이 필요하다. 음모가 처음부터 적은 환자는 이식의 좋은 대상이 되나 많았다가 적어진 환자라면 선택에 신경을 써야 한다(표 17-2). 환자에 따라 생존율이 나

표 17-1 음모이식의 특징

1. 계속 자라나므로 2-3개월에 한번 씩 잘라주어야 한다.
2. 모낭염과 cyst 형성이 잘 되는 부위이므로 모낭의 위치와 깊이가 정확하게 이식되어야 한다.
3. 환자에 따라서 생존율이 두피에 비하여 낮을 수 있으므로 수술 후 관리를 잘해야 한다.
4. 이식한 모발은 팬티에 눌려서 자연스럽게 꼬불거리게 되므로 자연스럽다.
5. 처음 1년간은 부자연스러워 보이지만 3년 정도의 시간이 지날수록 좀 더 자연스러워진다.
6. 가능한 절편채취가 좋은데 이식할 때 깊이와 각도, 방향을 확인하기가 좋다.

표 17-2	음모이식의 환자 선택

1. 1년 이상 음모가 없는 상태가 지속되어야 한다. 갑자기 빠졌거나 빠졌다가 다시 나기도 한다면 이식수술은 기다려야 한다.
2. 탈모가 올 수 있는 대사성 장해, 호르몬 장해, 체중감소, 신체 질환 등이 있으면 이식 후에도 탈모가 올 수 있으므로 환자 선택에 신중해야 한다.
3. 켈로이드 체질인 경우 공여부와 이식부에 피부의 비후가 생길 수 있으므로 환자 선택에 신중해야 한다.
4. 비현실적 기대와 신체추형장해는 충분히 상담하여 이해시키거나 수술을 거부해야 한다.

쁜 경우가 있고, 부분적으로 생존율이 떨어져 마치 작은 원형탈모처럼 보이기 때문에 2차 이식의 가능성을 미리 알리고 비용문제도 사전에 알려주어야 시시비비가 줄어든다.

3) 디자인

서있을 때 육안으로 보이는 부분만 이식하도록 디자인한다. 서있을 때 서혜부(inguinal region)에서 2-3 ㎝ 떨어져서 디자인 하고, 음부고랑(pubic sulcus)로부터 1-2 ㎝ 위까지 디자인한다. 대음순이나 음핵 부위에 이식하면 이물질(소변, 대변, 땀 등)이 붙어 불결하고, 한 번 빠졌다가 자라날 때 피부를 찔러 불편하다.

전체적 모양은 다이아몬드 형태이거나 마름모꼴로 디자인한다. 비키니를 입기 원하거나 젊은 여성이라면 넓이를 좁혀 비키니를 입어도 음모가 보이지 않도록 디자인한다.

이식 부위의 가장자리는 헤어라인 디자인과 마찬가지로 불규칙한 대돌출부인 지그재그 디자인(snail tract design)이 필요하다. 모발선을 따라서 소돌출부(small irregularity)를 만들어 자연스럽게 보이도록 한다(그림 17-1, 17-2, 17-3, 17-4, 17-5, 17-6, 17-7, 17-8).

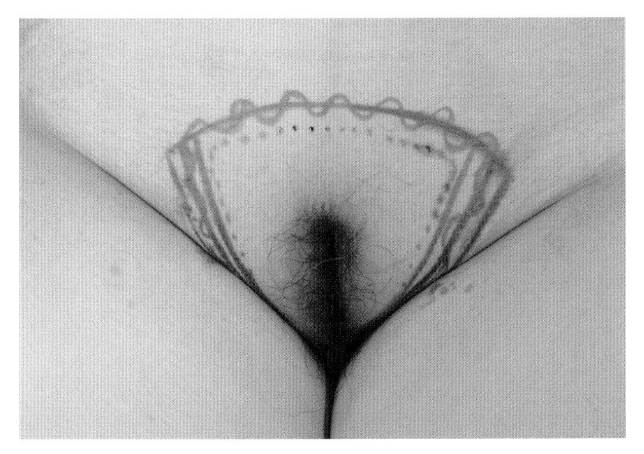
그림 17-1 snail tract 또는 지그재그 디자인

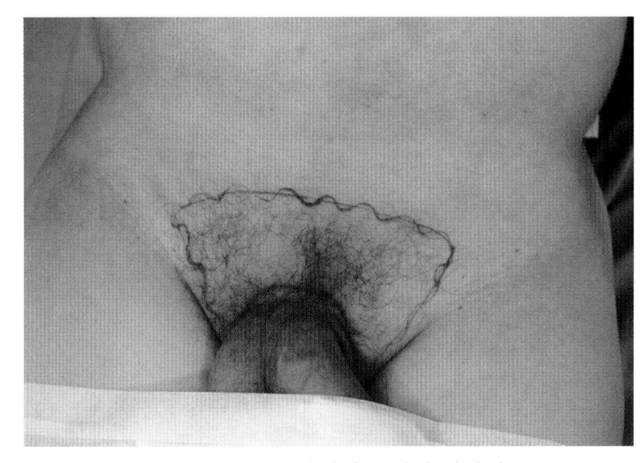
그림 17-2 남성의 음모이식 디자인

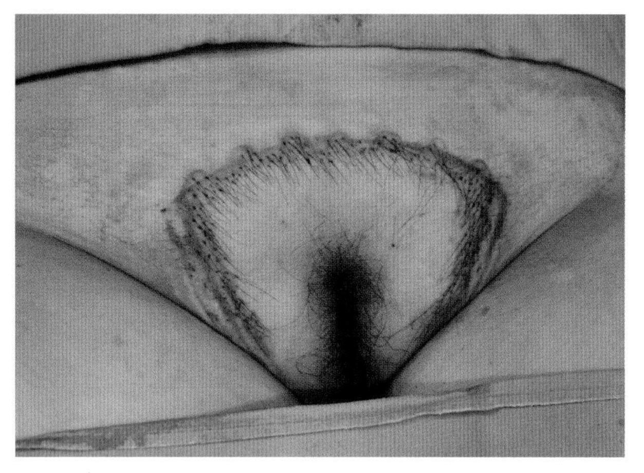

그림 17-3 단일모 이식

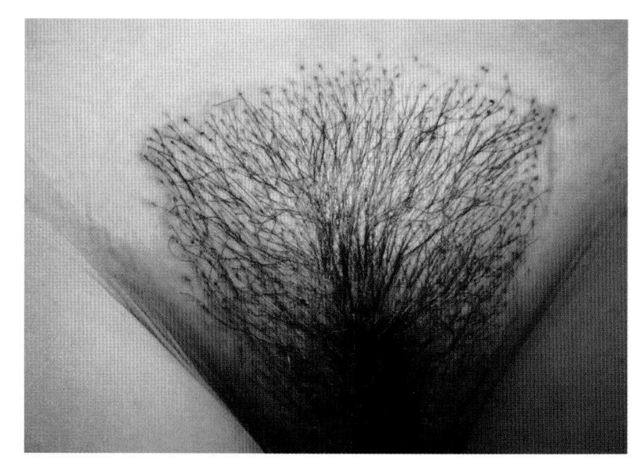

그림 17-4 수술 직후

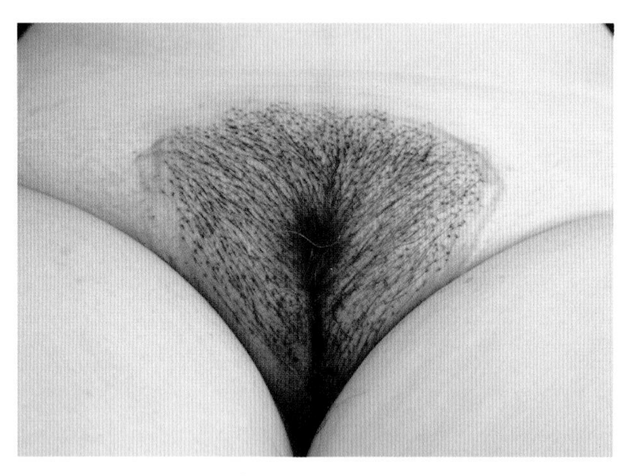

그림 17-5 수술 1일 후

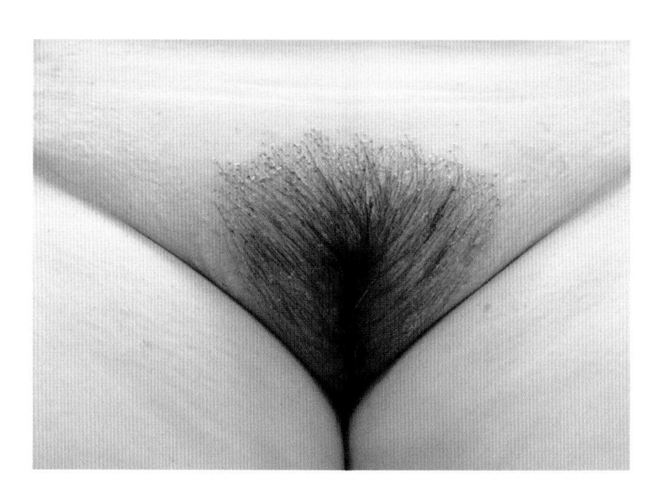

그림 17-6 수술 2주 후

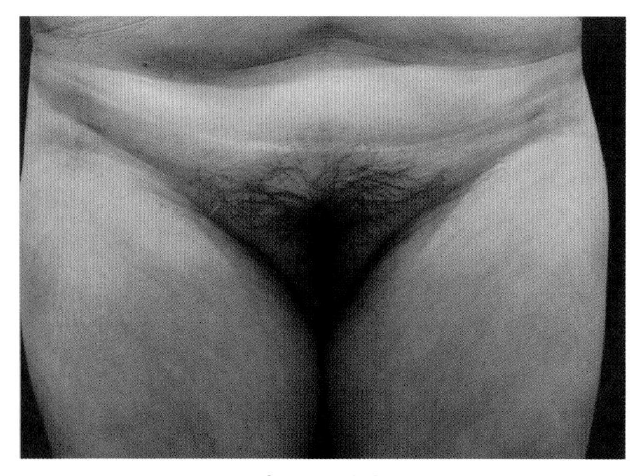

그림 17-7 수술 전

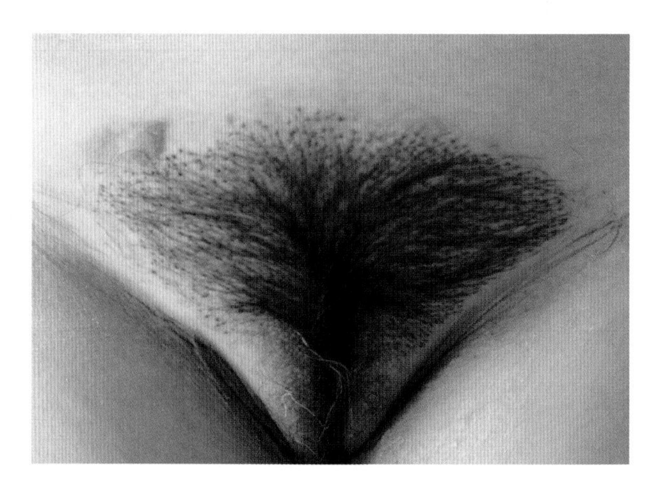

그림 17-8 수술 2주 후

4) 공여부 채취

음모가 굵고 강한 형태의 모발이 필요하다면 후두부 모발이 좋고, 가늘고 약한 모발이 필요하다면 귀 뒤 모발이 좋다.

이식 방향과 각도, 깊이를 확인하기 위해서 절편채취가 좋다. 펀치채취도 가능하나 이식할 때 깊이와 각도, 방향을 확인하기가 어렵고 깊이 이식된 모발을 빼내기가 어렵다.

채취할 면적은 이식할 밀도에 따라 결정되는데 보통 음모의 밀도는 15-20 모낭단위/㎠이고, 보통 800-1,000 모(444-556 모낭단위)가 필요하다. 절편채취로 한다면 이식할 면적의 1/3-1/4 정도 채취하면 되므로 보통 1 ㎝(폭) × 6-7 ㎝(길이)가 된다.

5) 마취

공여부 마취는 일반적 모발이식과 동일하다. 이식부 마취는 lidocaine과 국소팽창 마취(tumescent)를 20-30㎖ 주입한다.

6) 모낭분리

단일모 이식이 자연스러우므로 2모, 3모를 단일모로 분리한다. 풍부하기를 원하면 중앙부위에 2모, 3모의 혼합이식도 가능하다.

7) 모낭 이식

(1) 밀도

모발이 굵다면 단일모로 이식하고, 가늘거나 풍부하기를 원한다면 단일모와 2모를 섞어서 이식한다. 전체적으로 단일모로 이식한다면 가장자리는 가는 단일모로 이식하고, 중간과 중앙은 굵은 단일모를 사용하다. 단일모와 2모를 섞어서 이식한다면 가장자리는 가는 단일모를 사용하고, 중앙부위는 굵은 1모와 2모를 혼합하여 이식한다.

보통 음모의 밀도는 15-20모낭단위/㎠이므로 두피의 25-35 모낭단위/㎠의 1/3-1/2 정도 이식한다.

가장자리는 가는 단일모를 사용하고, 중앙부위는 굵은 1모와 2모를 혼합하여 이식하는 것을 선호하며, 가장자리인 헤어라인에서 1 ㎝는 10-15 모낭단위/㎠이며 중간정도는 15-20

모/㎠, 중앙부위는 20-25모/㎠이다. 중앙부위는 가장자리와 중간자리의 모발이 겹치므로 더욱 풍부하게 보인다.

(2) 이식 방법

① 모발이식기를 이용하는 방법

이식기를 이용하여 피부와 평행하게 자라도록 이식하는 방법은 옆머리(측두부)나 구레나룻 부위 이식과 동일하게 양각기법(double angle technique)과 tip up technique을 이용한다.

② no touch technique

22G 또는 23G needle로 슬릿을 낸 후 1모용과 2모용 식모기로 이식하는 방법이다.

③ 슬릿을 이용하는 방법

슬릿을 내자마자 끼워 넣는 방법(슬릿동시 삽입술, stick and place, S&P)이 좋다. 슬릿을 먼저 만들고 난 후에 끼워 넣는 방법(슬릿후 삽입술, making all the incisions first(MIF) and later replacement)은 이중삽입(piggy pack)이라 하여 첫 번째 삽입한 모낭이 너무 깊숙이 위치하여 모낭염과 낭종 형성이 우려된다. 슬릿 방법은 피부 표면과 거의 평행하게 이식해야 하므로 동양인에서는 잘 사용하지는 않는다.

(3) 이식 각도와 깊이

이식 깊이는 음모이식에서 가장 중요하다. 피부가 얇고 피하지방층이 두꺼워서 모낭이 깊이 이식되기가 쉬운 부위이고 또한 압박에 의해 눌려서 깊숙이 빠져 들어갈 수 있다.

또한 이식한 모발의 상피가 깊게 위치하면 모낭염과 낭종의 원인과 모발이 가늘고 꼬불거리거나 생존하지 않는다. 따라서 모낭은 진피 아래 피하지방 상층부에 위치해야 모낭염과 낭종 형성을 예방할 수 있다. 한 번 발생한 모낭염은 시간이 지나면서 다소 호전되나 지속할 가능성이 높고, 치료가 쉽지 않기 때문에 중요하다. 낭종이 발생하면 수술 방법으로 제거해야 한다.

이식각도가 두피의 앞머리 모발이식이 45도 정도라면 음모이식은 피부 표면과 약 15-20도가 되어야 하고, 모낭은 진피 아래 피하지방 상층부에 위치해야 한다(그림 17-9). 피부보다 이식한 모발의 상피가 튀어 나오면 비듬처럼 하얀 가루가 붙어있어 불결해 보이며, 모

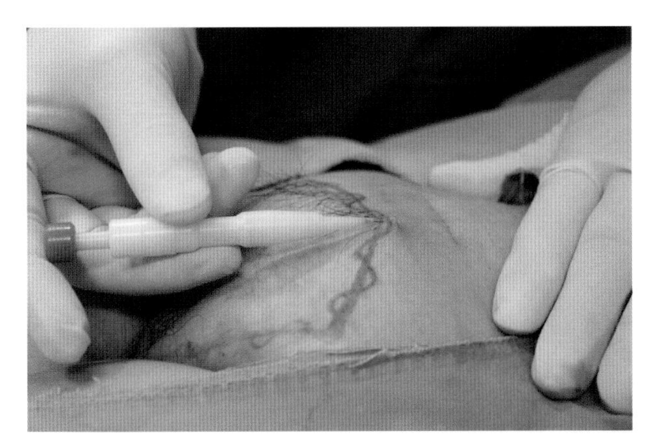

그림 17-9 피부와 거의 평행하게 이식기를 삽입

공주위 융기(tenting)가 발생한다. 반대로 너무 깊이 이식되면 모공주위 함몰(pitting)이 발생하고 모낭염과 낭종이 발생할 수 있다.

피부표면과 약 15-20도로 이식하는 방법은 헤어라인의 옆머리 이식과 동일한 방법을 사용한다.

(4) 이식 방향

음핵을 중심으로 부채꼴(나선상) 모양으로 자라도록 이식한다. 중심부위는 밀도가 높아 풍부해보이도록 하고, 가장자리는 밀도를 낮게 이식하여 자연스럽게 한다(그림 17-10).

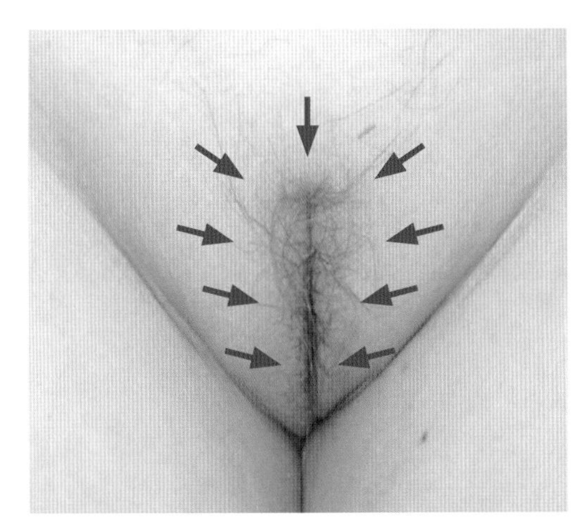

그림 17-10 음모이식에서 이식의 방향

8) 수술 후 경과와 치료

모낭염을 예방하기 위해서 이식이 끝난 직후 이식한 모발이 깊이 이식 되었는지 꼭 확인해야 한다. 절편채취 후에 모낭을 분리할 때 모발의 길이를 일정하게 자르면 이식한 후 피부 밖으로 나온 길이를 비교하면 쉽게 수정할 수 있다. 펀치채취인 경우는 확인이 어렵다.

또한 정확하게 위치한 모낭이 두꺼운 피하지방층으로 미끄러져 들어가 깊이 위치하기도 한다. 따라서 이식 후에 압박이 심하거나 활동하면서 발생한다. 따라서 이식한 다음날 깊이를 다시 확인해야 한다.

빠져 들어가는 모발을 예방하기 위해서 이식한 모발을 드라이 등으로 가볍게 말리고 안연고를 바르거나 접착제를 뿌려 놓기도 한다. 황성주 등은 3M사의 고정용 스프레이 접착제를 수술 후 1-2시간 지나 도포하여 좋은 결과를 얻었다고 한다. 안연고를 바르면 거즈에 붙어 움직이거나 거즈를 제거할 때 이식한 모발이 빠질 수 있어 조심해야 한다.

음모이식만은 팬티에 이식한 모발이 끼어 빠지는 경우가 있어 거즈로 밀봉해 놓는다.

이식한 모발의 경과는 모발이식과 동일하다. 직모인 모발은 팬티에 눌려서 꼬불꼬불해지므로 기존 모발과 차이가 별로 없다.

9) 부작용과 합병증

모발이식의 부작용과 합병증을 참고한다. 특히 음모이식은 다음과 같은 부작용과 합병증을 고려해야 한다.

(1) 모낭염과 표피낭종

모낭이 피하지방 깊숙이 이식되었을 때와 이식한 모발의 상피가 피하지방층에 있을 때 주로 생긴다. 표피낭종은 모발이 피부 밖으로 자라지 못하고 피부 속에서 꼬여서 털 다발을 형성하는 것이다(그림 17-11, 17-12).

이미 14장에서 모낭염의 원인과 예방에 대하여 언급하였으나 음모이식은 모낭염이 잘 생기므로 다시 한 번 정리하고자 한다(표 17-3, 17-4).

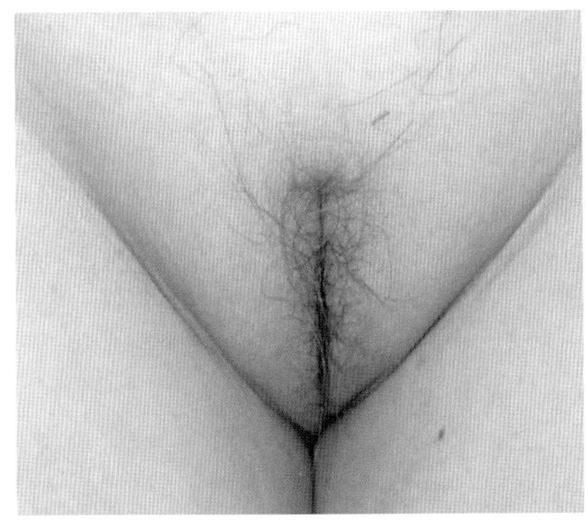

그림 17-11 음모이식 전

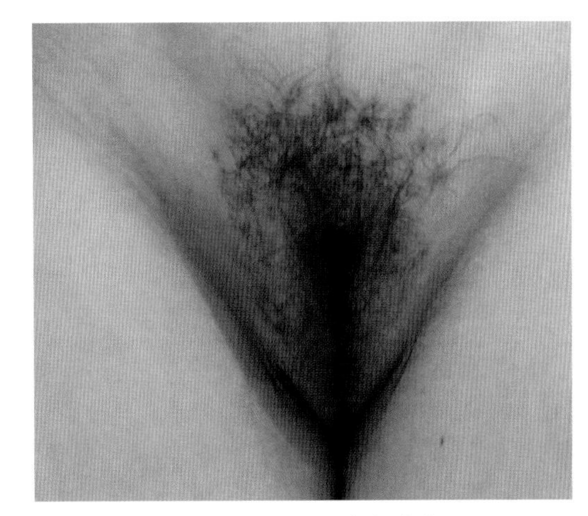

그림 17-12 모낭염 발생

표 17-3	모발이식 후 모낭염과 농포, 낭포, 낭종, 뾰루지의 원인

1. 이식부
   1) 너무 깊이 이식하여 모낭이 피하지방층 하층에 존재할 때
   2) 이중삽입(piggy-back)으로 먼저 이식한 모낭이 깊숙이 들어갈 때
   3) 상피 조직이 피하지방층 깊숙이 들어갈 때
   4) 잘린 모발이 깊숙이 들어갈 때
   5) 피지샘의 분비물이 배출되지 않을 때

2. 공여부
   1) 모낭의 위치가 변형되었거나 자라나는 방향이 반대로 향할 때

표 17-4	모낭염과 농포, 낭포, 낭종, 뾰루지의 예방과 치료

예방 방법

1. 모낭분리할 때 상피를 최대한 제거(de-epithelization)
2. 모낭의 길이에 따라 세분화하여 깊이 이식되지 않도록 이식기 바늘 깊이 조절
3. 이식할 모발의 길이를 일정하게 잘라서 이식 후 깊이 이식된 모발의 교정
4. 특히 슬릿 방법으로 이식할 때 이중삽입(piggy-back) 조심
5. 활동을 줄이고 팬티 등에 의해 심하게 압박되지 않도록 조심하고 안연고나 접착제 등을 뿌려 피하지방층으로 밀려 들어가는 것을 예방
6. 이식 다음날 깊이 이식된 모발의 교정
7. 피지샘이 막히지 않도록 세척 및 피딱지 제거
8. 공여부나 이식부의 묻힌 모발(buried graft) 제거와 교정

치료 방법

1. 이식 후 시간이 지나면 모낭염도 좋아지나 일부는 계속된다.
2. 처음에는 항생제 복용과 스테로이드 연고로 호전되나 재발이 심하다.
3. 낭종은 수술적 방법으로 절개와 배농하면서 모낭을 제거해야 한다.
4. 제모레이저로 모낭을 제거하려 해도 깊은 부위라 어렵기 때문에 전기소작기의 가느다란 침으로 모낭을 제거하거나 지방흡입 방법으로 제거한 후 다시 이식한다.

표 17-5	모공주위 융기(tenting)의 예방과 치료

예방 방법
1. 이식할 때 피부표면과 이식 모발의 상피 위치가 동일하게 이식한다.
2. 이식한 후에 올라온 모발은 밀어 넣어 정확한 위치에 놓는다. 이식할 모발의 길이를 일정하게 잘라서 이식하면 확인하는데 편리하다.

치료 방법
1. 치료 방법은 없다. 제모하고 다시 이식한다.

(2) 모공주위 융기(tenting)

너무 얇게 이식되어 이식한 모발의 상피가 피부 위로 올라온 현상(tenting)이다. 올라온 상피는 영구적으로 사라지지 않고 마치 비듬처럼 보이면서 날리게 된다. 청결하지 않게 보이므로 여성들은 신경을 많이 쓰므로 이식할 때 조심한다(표 17-5).

(3) 모공주위 함몰(pitting)

이식한 모발의 상피가 깊이 이식되어 모공주위가 함몰되어 보이는 경우다. 모낭염과 낭종의 원인이 되기도 한다.

(4) 낮은 생존율

음모이식은 모발이식보다 생존율이 낮다. 이식을 잘 못하면 생존율은 매우 낮아질 수 있다.

2 눈썹이식

눈썹이식은 눈썹이 없거나 약한 눈썹, 흉터, 짧은 눈썹이 해당된다. 눈썹은 얼굴의 전면부이기 때문에 눈에 잘 띄는 부위이므로 이식도 섬세하고 자연스럽게 해야 한다. 미용학적인 문제뿐만 아니라 관상학적으로 눈썹이나 속눈썹의 연결이 끊어지거나 자연스럽지 못하면 액운이 따른다고 믿기 때문에 이식을 원하는 경우도 많다.

1) 눈썹이식의 특징

눈썹의 모양에 따라 그 사람의 인상과 성격이 달라진다. 만약 눈썹이 부리부리한 인상이라면 위압적이고 강인한 인상을 준다. 여성의 경우 강한 눈썹은 고집이 세고, 자기주장이 강한 사람처럼 보이게 한다.

표 17-6	눈썹이식의 특징

1. 계속 자라나므로 1-2개월에 한번씩 잘라주어야 한다.
2. 이식한 모발의 80% 정도에서는 원하는 방향으로 결에 따라 자라지만 20%에서는 원치 않는 방향으로 자란다. 원치 않는 방향으로 자라는 모발은 다듬어야 하고 환자에게 교육시켜야 한다.
3. 이식 후에 반영구 화장이나 문신과 같이 하면 더 원하는 모양이 될 수 있다.
4. 문신이나 반영구 화장이 이미 되어 있어 모양이나 위치, 색깔이 원치 않으면 이식 전에 레이저로 제거한 후 이식한다.
5. 처음 1년간은 매우 부자연스러워 보이지만 3년 정도의 시간이 지날수록 좀더 자연스러워진다.
6. 공여부의 모발이 백발이 많다면 검은색만 골라 이식하여도 빠르게 백발로 변할 수 있다.

눈썹이식의 특징은 표 17-6과 같다.

2) 상담과 환자 선택

눈썹이식은 자세한 상담을 통하여 환자가 원하는 것이 무엇인지 정확한 판단이 중요하다. 눈썹의 길이와 폭, 밀도와 풍부한 정도(진한 눈썹과 부드러운 눈썹)를 파악한다.

눈썹이 원래 있다가 탈모가 되었다면 원인을 찾아야 이식 후에도 탈모가 오지 않는다. 눈썹의 탈모는 호르몬 질환이나 대사성 질환, 피부질환과 동반하는 경우가 흔하다.

여성이든 남성이든 눈썹이식은 자연스럽고 완벽한 눈썹이나 본인의 요구대로 원하는 모양과 형태로 되는 것이 아니므로 현재 모양의 개선에 목적이 있다는 것을 알려야 한다. 현 상태의 개선이 목적이지 완벽한 눈썹으로 재건하는 것은 아니다. 즉, 현재 눈썹이 흐리거나 눈썹이 짧거나 흉터가 있어 탈모처럼 보이는 것을 개선하는 것이 목적이다.

눈썹이식은 생존율이 낮고 본인의 욕구가 많은 곳이기 때문에 만족도가 낮다. 따라서 모발이식으로 완벽한 눈썹과 본인이 원하는 눈썹을 원한다면 수술을 포기하는 것이 현명하다. 즉, 이식으로 아주 자연스럽고 본인이 원하는 눈썹으로 이식되지 않기 때문이다. 미용적으로 별 문제가 없으나 더 예쁜 눈썹을 원하는 미용적 문제일 때는 만족도가 낮으므로 신중해야 한다. 또한 2차 이식이 필요한 경우가 많으므로 환자에게 2차 이식의 가능성을 미리 알리고 비용문제도 알려주어야 한다(표 17-7).

표 17-7	눈썹이식의 환자 선택

1. 최소한 1년간 눈썹 모발이 자라지 않거나 변화가 없는 상태에서 이식하고 흉터에 의한 이식은 최소한 1년이 지나서 흉터조직이 재생이 완료된 시점에서 이식한다.
2. 처음에는 눈썹이 많다가 이유를 모르는 탈모가 온 환자는 이식해도 탈모가 진행거나 생존율이 낮은 경우가 종종 있으므로 2차 이식의 필요성과 다시 탈모가 올 가능성이 있으므로 신중해야 한다.
3. 탈모가 올 수 있는 대사성 장해, 호르몬 장해(특히 갑상선기능 항상, 저하, 원형탈모 등), 신체 질환 등이 있으면 이식 후에도 탈모가 올 수 있으므로 환자 선택에 신중해야 한다.
4. 편평태선과 원형탈모 등 피부질환도 이식 후에 자라지 않거나 자라더라도 탈모가 올 수 있으므로 환자 선택에 신중해야 한다.
5. 비현실적 기대(배우나 모델, 사진 등의 눈썹으로 해달라고 하면 거부하는 것이 좋음)와 신체추형장해, 신데렐라 증후군은 충분히 상담하여 설득하거나 수술을 거부해야 한다.

3) 디자인

눈썹이식은 디자인이 중요하다. 자라나는 방향과 결(curl, wave)이 부위마다 다르기 때문에 이 모양대로 디자인되어야 하고 자연적인 방향으로 이식되어야 한다(그림 17-13, 17-14).

눈썹의 내측(head 부분)은 거의 수직 또는 약간 내측으로 자란다. 서서히 외측으로 가면

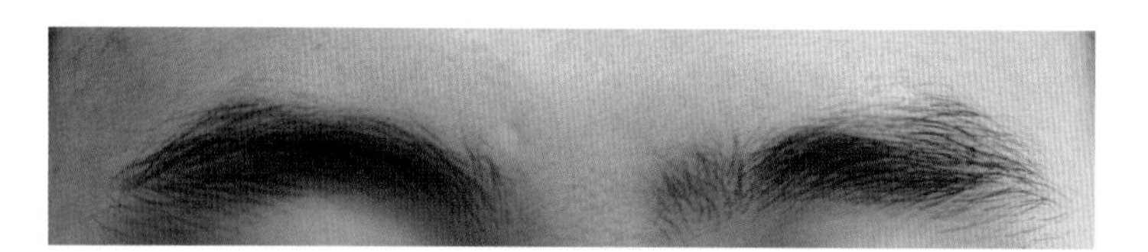

그림 17-13 정상인의 눈썹(남성)

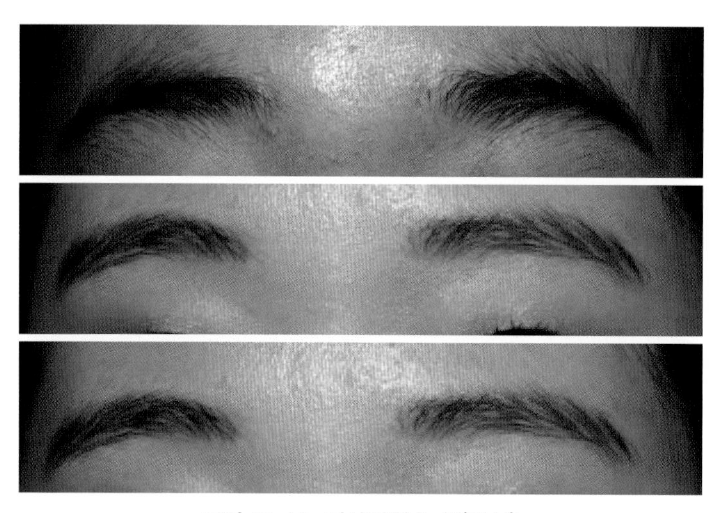

그림 17-14 정상인의 눈썹(여성)

서 눈썹의 중간부위(body 부분)에서는 아래쪽 눈썹은 위쪽과 외측으로 자라고, 위쪽 눈썹은 약간 하방이면서 외측으로 자란다. 눈 꼬리(tail 부분)는 수평으로 자라나 나이를 먹으면서 하방을 향하고 있다(그림 17-15).

여성의 눈썹은 반달형과 개성형이 있는데 반달형이 가장 무난하고, 나이가 들어도 좋은 모양이다. 개성형은 눈썹산이 높고 내측이 외측보다 낮으며, 나이를 먹으면서 사나운 눈썹 형태가 되므로 조심한다(그림 17-16).

눈썹의 길이는 코날개(ala nasi) 끝에서 눈의 내측 구석(medial canthus)을 연결한 선

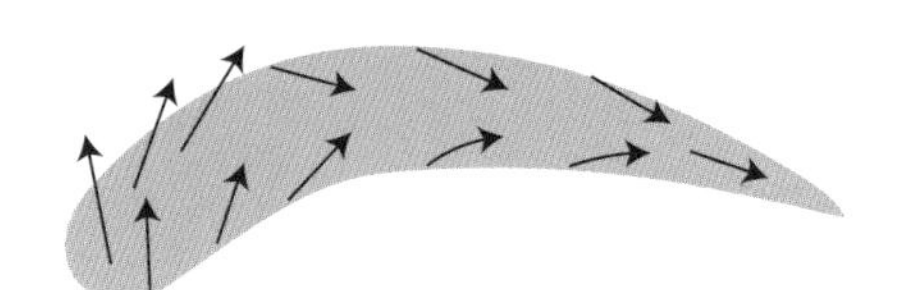

그림 17-15 눈썹의 방향

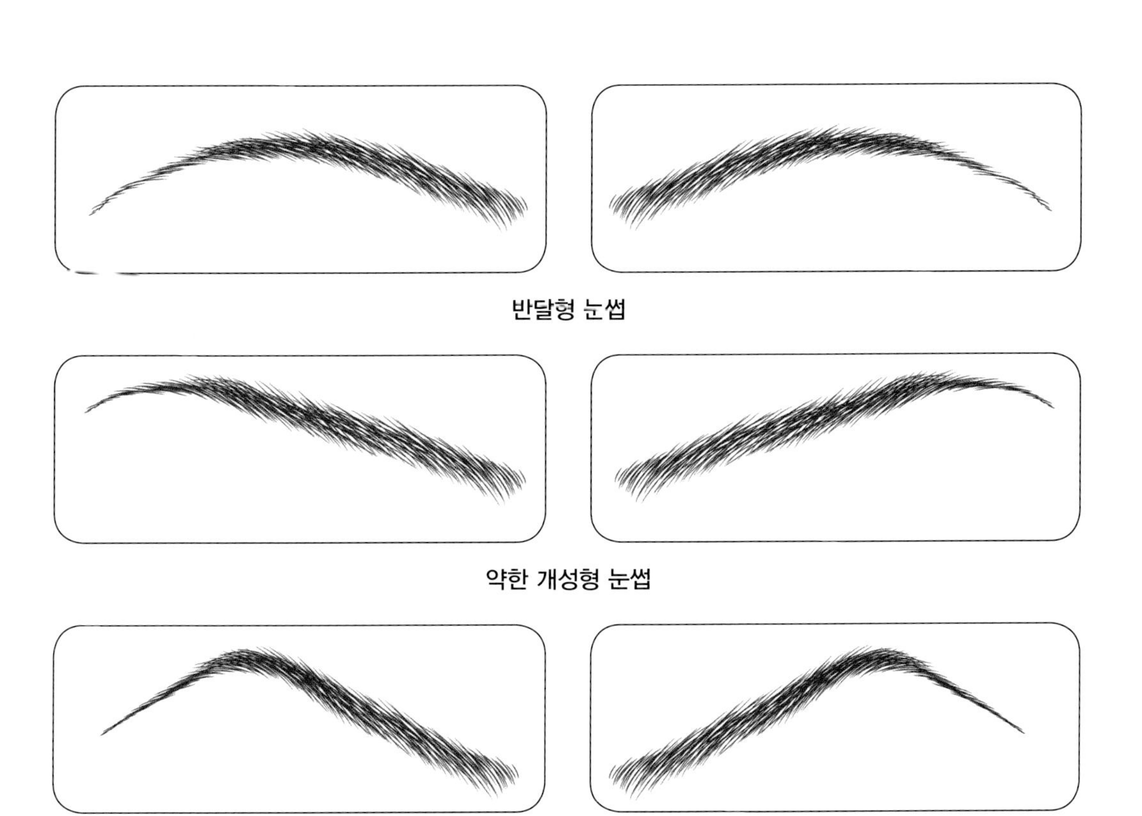

그림 17-16 여성 눈썹의 모양

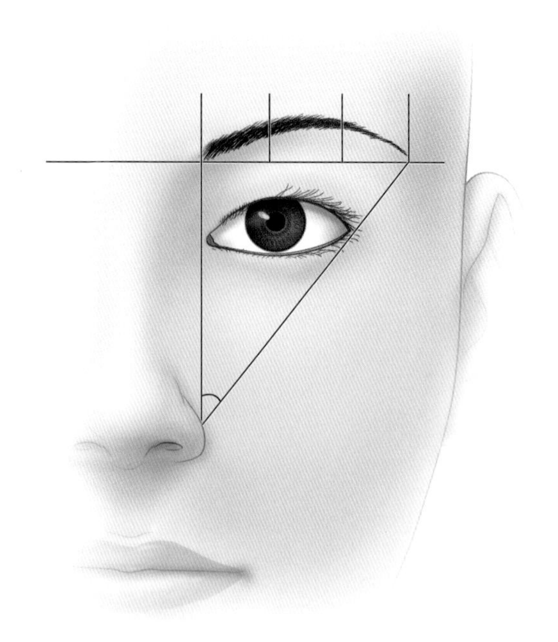

그림 17-17 눈썹이식의 범위

으로부터 코날개 끝에서 눈의 외측 구석(lateral canthus)을 연결한 선의 범위가 적당하다. 여성은 눈썹꼬리의 높이는 눈썹 시작점의 아랫선과 평행하거나 약간 높게 디자인 한다(그림 17-17). 남성은 수평이거나 약간 낮게 디자인 한다.

눈썹의 양 내측 거리가 가까우면 부자연스럽고, 눈꼬리가 너무 길어도 어색하다. 또한 눈꼬리 부위는 모발이 외측의 하방으로 자라더라도 수평으로 자라도록 이식해야 한다(표 17-8).

표 17-8 여성 눈썹의 디자인

1. 눈썹이 안쪽으로부터 바깥쪽으로 가면서 부드러운 곡선 형태의 아치형 또는 반달형으로 디자인한다. 눈이 크고 시원하다면 더욱 권한다.
2. 눈썹의 안쪽 높이가 바깥쪽 높이보다 약간 높거나 수평이 되도록 한다. 시원스럽고 젊게 보이며, 여성스럽게 보이기 위한 방법이다.
3. 눈썹이 가늘고 자연스러운 아치형이 좋다. 이목구비가 뚜렷하다면 눈썹을 굵게 그려도 좋을 것이다.
4. 눈썹과 눈썹간의 거리는 눈과 눈 사이의 거리와 비슷한 것이 좋다. 나이가 들수록 눈썹과 눈썹 사이가 넓을수록 시원스럽게 보이며, 미간에 주름이 있다면 필수적이다. 눈썹과 눈썹사이가 가까울수록 답답해 보이며, 성난 표정이 된다.
5. 눈썹과 눈사이의 거리는 멀수록 시원한 인상이 된다. 나이를 먹으면서 눈썹이 쳐져 가까워지므로 이를 고려하여 디자인한다.

가장 좋은 디자인 방법은 환자에게 직접 그리도록 하는 것이다. 길이와 폭, 풍성함 정도를 포함한다.

또 한 가지는 반영구 화장할 때 플라스틱으로 다양한 눈썹모양을 만들어 파는 제품이 있으므로 환자에게 원하는 눈썹모양을 선택하도록 한다.

이식 부위의 가장자리는 헤어라인 디자인과 마찬가지로 불규칙한 snail tract design이 필요하다. snail tract design은 폭과 길이가 아주 작아야 한다.

눈썹의 길이는 다소 길고 끝이 가늘게 화장해야 더욱 얼굴이 돋보이는 경우가 많다. 눈썹의 두께도 인상을 결정하는데 중요한데, 가늘수록 여성스럽게 느껴진다. 오드리 햅번이 대표적이다. 그녀는 거의 눈썹이 없이 아치형으로 그려 그녀만의 청순하고 여성스런 이미지를 만들어냈다.

남성의 눈썹이식도 디자인이 중요하다. 본인의 원래 눈썹모양과 본인이 희망하는 눈썹모양을 고려하여 디자인한다. 진하게 원하여 너무 조밀하게 이식하면 후에 너무 심하게 눈썹만 보인다고 불만하는 경우가 종종 있다.

또한 눈썹의 1/2-1/3이 없는 경우 이식에서 없는 부위만 이식하면 어색한 경우가 많으므로 기존 모발 부위도 약간 이식하여 전체적으로 자연스럽게 하는 것이 좋다. 눈썹의 흉터 이식도 마찬가지다.

4) 공여부 채취

단일모이면서 가는 모발이 필요하므로 귀의 뒷부분 모발이 좋다. 서양인은 가늘기 때문에 후두부의 정중앙 부위가 좋다.

보통 양쪽에 300-600모가 필요하다. 이식 방향과 각도, 깊이를 확인하기 위해서 절편채취가 좋다. 펀치채취(FUE) 방법으로 채취할 수 있으나 눈썹은 방향과 각도, 깊이 중요하나 이식할 때 방향을 확인하기가 어렵다.

절편채취인 경우 채취할 면적은 이식할 밀도에 따라 결정되는데 보통 눈썹의 밀도는 15-25 모낭단위/㎠이므로 이식할 눈썹 전체 면적의 1/5만 채취하면 된다. 한쪽에 보통 150-300

모가 필요하므로 1 ㎝ × 3-5 ㎝ 정도 채취한다.

5) 마취

에피네피린이 혼합된 리도카인 국소마취만으로 충분하다.

6) 모낭 이식

(1) 밀도

눈썹은 가능한 가는 모발을 선택하고 단일모만으로 이식해야 자연스럽다. 보통 눈썹의 밀도는 15-20 모낭단위/㎠이므로 두피 모발이식 밀도의 1/2-1/3 정도다. 내측은 10-15모/㎠이며 중앙부위는 20-25모/㎠, 꼬리부분은 10-15모/㎠ 정도 이식한다.

(2) 이식 방법

21 gage나 23 gage needle로 먼저 슬릿을 만든 후 0.6 ㎜ 또는 0.8 ㎜ 모발이식기를 이용하여 이식하는 no touch technique를 이용하면 편리하다. 특히 사고에 의한 흉터나 레이저 문신제거 후의 반흔, 수술로 생긴 흉터, 염증 등으로 인한 흉터, 딱딱한 피부(tough skin)에 이식할 때 편리하며 팝업 현상(pop up phenomenon)이 심한 경우도 조밀하게 이식할 수 있다. 또한 모발이식기로만 이식하면 부종이 발생하면 이식한 모낭이 압박으로 생존율이 매우 낮아질 수 있기 때문에 no touch technique를 이용는 것이 좋다.

이식 방향을 맞추기 위해서 모발이식기에 삽입할 때 모발의 결(curl, wave)방향을 고려하고, 결 방향이 잘 못되면 제거하고 다시 이식한다.

부드러운 피부라면 모발이식기나 슬릿방법을 이용할 수도 있다. 모발이식기를 이용할 때는 음모이식과 동일하게 피부와 거의 평행하게 자라도록 이식하는 양각기법(double angle technique)과 tip up technique을 이용한다.

펀치채취(FUE) 방법은 모발을 1 ㎜ 정도로 자른 후 채취하므로 이식할 때 피부 밖으로 보이는 털의 길이가 작어서 모발의 결(curl)과 방향을 정확하게 이식하기 어려운 점이 있다.

(3) 이식 각도와 깊이

피부가 두피보다 얇기 때문에 두피의 모발이식이 45도 정도라면 눈썹이식은 내측이 20도 정도이고 중앙이 15도, 꼬리가 10도 정도로 이식한다. 진피 아래 피하지방 상층부에 모

표 17-9	눈썹의 이식에서 중요한 3가지

1. 눈썹이 자라나는 방향
2. 모발의 결
3. 이식 각도

낭이 위치해야 한다.

(4) 이식방향

눈썹이식은 표 17-9와 같이 3가지가 맞아야 자연스럽다.

모발이 자라나는 방향이 내측과 중앙, 외측에 따라 다르므로 이 방향에 따라 이식되어야 한다. 조심하여 이식해도 20% 정도에서는 maldirection이 있다.

또한 모발의 곡선 방향인 결이 있으므로 내측과 중앙, 외측에 이식할 때 모발 하나 하나에 신경을 써서 이식한다.

7) 수술 후 경과와 치료

모발이식 후의 처치와 동일하다. 희석한 과산화수소로 피딱지를 조심스럽게 제거하고 EGF 겔 또는 안연고를 바르고 개방해 놓는다. 다음날부터 EGF 스프레이를 뿌려서 마르지 않도록 한다.

이식 수술 후 이식한 모발의 깊이가 적당한지 꼭 확인하여 튀어나오거나 깊이 이식된 모발이 없는지 핀셋으로 하나하나 확인한다. 이식할 때 모발의 길이를 일정하게 잘라서 이식한 후 피부 밖으로 나온 길이를 비교하여 수정하면 쉽게 할 수 있다. 수술 다음날도 깊이와 방향을 한 번 더 확인한다.

이식한 모발의 경과는 모발이식과 동일하다.

8) 부작용과 후유증

모발이식의 부작용과 후유증을 참고한다. 눈썹이식의 부작용은 다음과 같은 방법으로 교정한다.

(1) 눈썹의 진하고 연함의 교정

진한 눈썹을 원하면 길게 자르고, 부드러운 눈썹은 짧게 잘라서 어느 정도 욕구를 만족시킬 수 있다.

(2) 진한 눈썹의 교정

짧게 자르거나 IPL이나 제모레이저로 모발 굵기를 감소시킨다.

(3) 원치 않는 방향으로 자라는 모발(mal-direction)

원하는 방향으로 자주 손질하면 어느 정도는 방향이 달라진다.

(4) 모공주의 융기(tenting)

너무 얇게 이식되어 이식한 모발의 표피가 피부 위로 올라온 현상(tenting)이다. 올라온 상피는 마치 비듬처럼 보이기 때문에 불만이 많다. 눈에 잘 띄는 부위이므로 조심한다. 음모이식 편을 참고한다.

(5) 이식 주변 피부의 융기(bumpy appearance)

이식한 모발을 중심으로 주변 피부가 융기되어 보이는 것으로 시간이 지나면 어느 정도 회복된다.

(6) 부자연스러움

문신이나 반영구화장을 하면 다소 개선된다.

3 속눈썹이식

속눈썹은 눈꺼풀의 가장자리를 따라 2-3열로 나란히 있다. 그 중에서 위쪽에 있는 속눈썹은 길이가 12 ㎜ 정도로 약 180여 개가 있으나 아래에 있는 속눈썹은 6-8 ㎜로 약 80개 정도이다. 속눈썹은 수명이 약 100일 정도로 짧기 때문에 길게 자라나지 않고 빠져 버린다. 속눈썹이 자라는 속도는 하루에 약 0.18 ㎜로서 머리카락의 반 정도다.

1) 속눈썹이식의 특징과 문제점

외상이나 화상으로 인한 흉터나 다래끼 등의 염증으로 탈모가 되었다면 모발이식이 필요

표 17-10	속눈썹이식의 문제점

1. 계속 자라기 때문에 1-2주 간격으로 잘라주어야 한다.
2. 속눈썹이 자라는 방향이 20%에서는 일정치 않고 불규칙적(mal-direction)이다. 즉, 눈썹 난생증(trichiasis)이 생길 수 있다.
3. 대부분 속눈썹이 수평 방향으로 자라지 않고 아래 방향(implanted lash ptosis)으로 향하기 때문에 자주 뷰어로 속눈썹을 올려야 하고(curling), 가끔 속눈썹 펌(perm, 파마)를 해야 한다.
4. 생존율이 낮을 수 있고 밀도가 만족스럽지 못하다.
5. 이식 모발의 모낭이 붙는 경향이 있어 일정한 간격으로 이식해도 일정하게 되지 않아 마치 아이세도우를 진하게 한 것처럼 보인다.
6. 두피의 모발과 기존 속눈썹과는 굵기와 curl, 색깔, 모양이 동일하지 않아 차이가 있다.
7. 다래끼(맥립종)과 선립종(안검 맥립종) 등 염증이 발생하면 치료가 쉽지 않다.
8. 이식한 모발이 백발로 변하여 하얀 눈썹이 될 수 있다.

하다. 단순히 미용적인 문제라면 속눈썹이식을 추천하지 않는다. 그 이유는 불만족이 많고, 만족도가 낮기 때문이다. 또한 반영구 화장이나 비교적 오래 지속되는 인조 속눈썹 연장술과 붙임 속눈썹이 있고, 속눈썹을 자라게 하는 바르는 약(bimatoprost 0.3%)이 있기 때문이다. 속눈썹이식은 이러한 방법으로도 해결이 불가능한 경우에 추천한다.

환자들은 속눈썹이식을 하면 속눈썹 연장술이나 붙임 속눈썹과 같이 될 것이라는 기대감과 영구적이라고 생각하기 때문에 이식을 원한다. 그러나 속눈썹이식은 표 17-10과 같은 문제가 있기 때문에 신중히 검토하고 시술하는 것이 필요하다.

2) 상담과 환자 선택

속눈썹이식은 자세한 상담을 통하여 환자가 원하는 것이 무엇인지 정확히 파악해야 한다. 속눈썹이식은 완벽한 속눈썹이나 본인의 요구대로 이식되는 것이 아니므로 미용적 목적보다는 외모 개선에 목적이 있다는 것을 알려야 한다.

속눈썹이식은 다양한 불만과 수술의 한계 때문에 말이 많은 이식이다. 기대감의 50% 정도 만족도가 있다는 것을 사전에 알려주는 것이 좋다. 불만이 많은 성격이나 성격이 원만하지 못하고, 신체추형장애, 이식 후 관리를 못하는 환자(뷰어, 속눈썹 손질 등)는 처음부터 이식을 하지 않는 것이 좋다(표 17-11).

이식한 모발의 80% 정도에서는 원하는 방향으로 결에 따라 자라지만 20%에서는 원치 않는 방향으로 자란다. 원치 않는 방향으로 자라는 모발은 다듬어야 하고 환자에게 교육시

표 17-11	속눈썹이식의 환자 선택

1. 최소한 1년간 속눈썹 모발이 자라지 않거나 변화가 없는 상태에서 이식하고 흉터에 의한 이식은 최소한 1년이 지나서 흉터조직이 재생이 완료된 시점에서 이식한다.
2. 다래끼나 안검, 속눈썹 주위에 염증이 자주 생기는 부위는 이식 후에도 다시 다래끼가 생기고 모발의 탈락이 올 수 있다.
3. 흉터이식은 생존율이 낮으므로 3-4번 이식해야 하는 경우가 종종 있다.
4. 만성 결막염이나 녹내장, 안구건조증, 시야 장해, 안검하수, 안검내반, 속쌍꺼풀이 없는 환자, 상안검의 피부쳐짐이 심한 경우는 이식하지 않는 것이 좋다.
5. 이식 부위에 재발하는 다래끼(맥립종)과 선립종(안검 맥립종)이 있으면 이식하지 않는 것이 좋다.
6. 대사성 장해, 호르몬 장해(특히 갑상선기능 항상, 저하, 여성호르몬 등), 신체 질환 등이 있으면 이식 후에도 탈모가 올 수 있으므로 환자 선택에 신중해야 한다.
7. 비현실적 기대(배우나 모델, 사진 등의 눈썹으로 해달라고 하면 거부하는 것이 좋음)와 신체추형장해, 신데렐라 증후군은 충분히 상담하여 설득하거나 수술을 거부해야 한다.
8. 공여부 모발이 너무 곱슬이면 이식 후에도 방향이 불규칙하고, 눈썹난생증으로 불편함이 많다.

켜야 한다.

속눈썹이식은 생존율이 낮고 만족도가 낮기 때문에 2차 이식이 필요한 경우가 많으므로 환자에게 2차 이식의 가능성을 미리 알리고 비용문제도 알려주어야 한다. 따라서 다음과 같은 경우에는 문제점을 이해하였다고 하더라도 환자 선택에서 신중해야 한다.

결막염과 녹내장, 안구건조증 등 안과 질환은 치료되었다고 하더라도 이식하지 않는 것이 좋으며, 안검하수나 안검내반 등이 있다면 먼저 성형수술을 권한다. 또한 상안검이 심하게 쳐진 눈꺼풀(dermochalasis)이 있거나 속쌍꺼풀이 없는 환자에게 속눈썹이식을 하면 이식한 모발이 안구를 찌르는 안검내반이 발생할 수 있기 때문에 상안검 성형수술을 하고 난 후에 이식하는 것이 좋다.

라식이나 라섹 등의 눈 수술과 상안검 성형이나 안검하수 등을 수술하였다면 최소한 1개월 이상 지나서 조직이 안정화된 후에 하는 것이 좋다.

3) 디자인

속눈썹은 기존의 속눈썹을 무시하고 이식하지 않는다. 따라서 기존 속눈썹과 잘 어울리도록 이식해야 한다.

눈의 내측과 외측을 이식할 때 너무 내측이나 외측까지 이식하면 눈을 감거나 깜박일 때 이식한 모발이 아래 눈의 피부를 찌르므로 약 2-3 ㎜ 정도 띄어서 이식한다. 바깥쪽도 마찬가지이므로 약 2-3 ㎜ 정도 띄어서 한다. 모발이 자라면서 아래 속눈썹의 피부를 자극하면 결국 제거해야 하므로 이식해서는 안 된다.

4) 공여부 채취

단일모이면서 가는 모발이 필요하므로 귀 뒤 부분의 모발이 좋으나 후두부에서 가는 모발을 선택하는 방법도 가능하다. 가장 좋은 것은 눈썹이다. 눈썹은 어느 정도 자라면 교체되기 때문에 잘라줄 필요가 없으며, 방향을 잘 선택하면 이식한 모발이 아래로 쳐지지 않고, 눈썹 난생증(trichiasis)을 예방할 수 있다. 성형수술 중에서 눈썹거상술과 동시에 시술하면 좋은 눈썹모발을 구할 수 있다.

보통 한쪽에 60-90모를 이식하므로 120-180모가 필요하고 바늘이식 방법(needle technique)으로 이식하는 것이 좋으므로 절편채취술이 좋다. 펀치채취술(FUE)은 이식 방향과 깊이의 조절이 어렵다.

절편채취술의 채취할 면적은 0.5-0.8 ㎝(폭) × 3-5 ㎝(길이) 정도 넉넉하게 채취해서 원하는 단일모와 가는 모발만 선택한다. 2 모공단위 또는 3 모공단위를 단일모로 분리해도 된다.

눈썹의 모발을 펀치채취술로 채취해도 되겠지만 어렵고 흉터가 고민될 수 있다. 저자도 여러 번 시도하였으나 채취가 어렵고 생존율도 낮기 때문에 눈썹거상술이나 후두부 절편채취술을 추천한다.

5) 마취

에피네피린이 혼합된 리도카인 국소마취만으로 충분하다.

6) 속눈썹이식

(1) 밀도

속눈썹은 가능한 가는 모발을 선택하고 단일모만으로 이식해야 자연스럽다. 보통 한쪽에 60-80모를 이식한다. 80모가 넘으면 생존율이 낮아진다.

(2) 위치

기존 속눈썹 위치보다 약간 위쪽에 위치하도록 이식한다. 보통 3줄의 속눈썹이 있는데 2-3줄 사이 또는 3줄 바로 위에 위치하도록 한다. 이식한 모발의 상피가 피부 밖으로 튀어나와 보이지 않아야 하므로(모공주위 융기) 모낭이 높은 부위에 위치해도 어쩔 수 없다.

(3) 이식 방법

눈을 보호하기 위하여 안구보호대를 반드시 삽입하고 이식해야 한다. 안구보호대가 없다면 안검을 최대한 뒤집어서 안구가 다치지 않도록 해야 한다.

이식방법은 바늘이식 방법(needle technique)과 모발이식기를 이용하는 방법이 있으며 모발이 자라나는 방향이 아래를 향하지 않도록 이식 방법을 선택해야 한다. 바늘방법이 방향성이나 밀도를 높이는데 좋다.

① 바늘이식 방법

이식하는 방법은 1.5-2 ㎝ 길이의 round needle을 이용한다. 최소한 4 ㎝ 길이의 모발이 필요하므로 절편채취술로 채취한다. 펀치채취술로 채취하면 이 방법은 불가능하다.

바늘이식 방법의 순서는 다음과 같다(표 17-12, 그림 17-18, 17-19, 17-20, 17-21, 17-22, 17-23).

쌍꺼풀이 있으면 이 라인에 바늘을 삽입하는 것이 좋다. 쌍꺼풀 라인 이외 부위에 삽입하면 쌍꺼풀이 새로 생기거나 3겹 쌍꺼풀이 가능하기 때문이다.

안검판(tarsal plate)을 다치지 않도록 삽입하나 피부 깊숙이 위치하는 것이 좋다. 너무

표 17-12 바늘이식 방법

1. 안구보호대를 착용한다.
2. 바늘을 안검하연으로부터 위쪽 6-8 ㎜ 정도 위치에서 피부에 삽입하여 속눈썹 바로 위의 원하는 위치로 통과시킨다.
3. 바늘에 모발을 끼운다. 동시에 curl을 고려하여 삽입한다.
4. 보조자가 모낭부위의 모발을 잡고, 의사는 바늘을 잡아당겨 빼낸다.
5. 모발을 조정하여 모낭을 원하는 위치에 놓이게 하면서 분리한 모발의 상피가 피부 밖으로 나오지 않게 한다.
8. 모발이 자라는 방향이 위쪽을 향하도록 이식된 모발의 curl을 맞춘다.
9. 0.5 ㎝ 정도로 적당히 자른다. 길으면 비비거나 만져서 빠질 위험이 있으므로 가능한 짧게 자르는 것이 좋다.

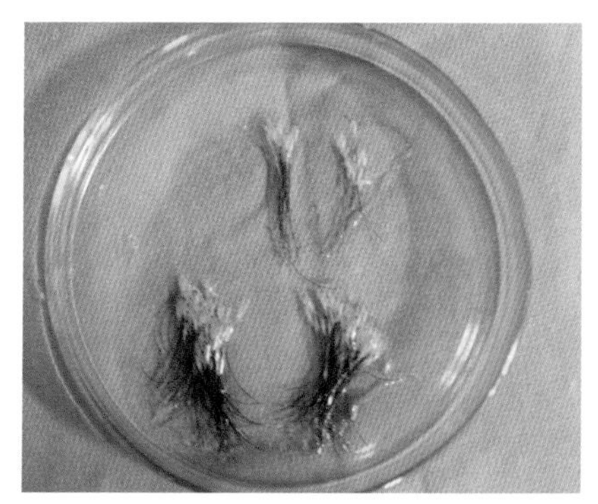

그림 17-18 모발분리

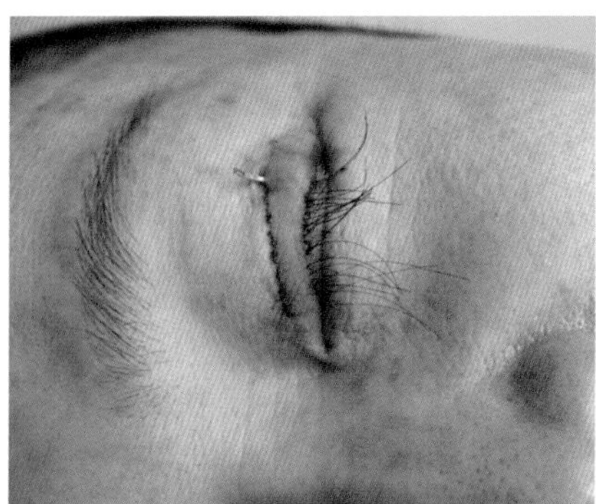

그림 17-19 바늘 삽입

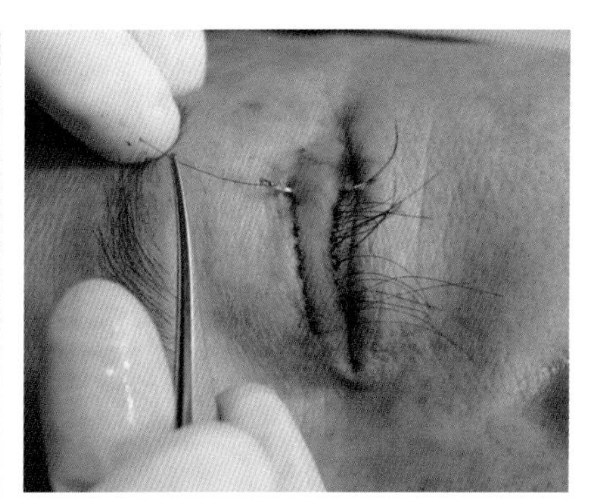

그림 17-20 바늘에 모발을 끼움

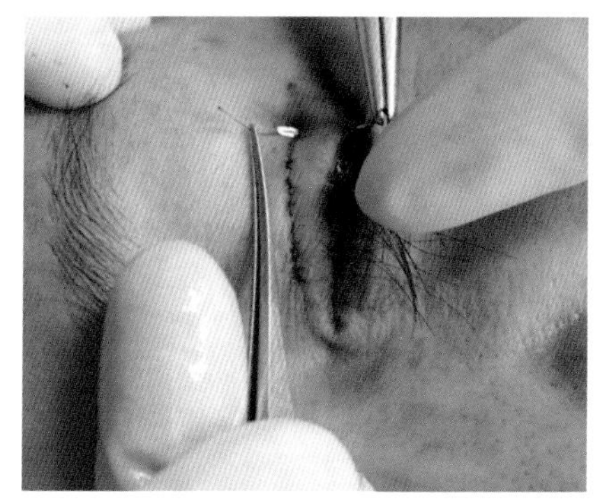

그림 17-21 모낭을 잡고 바늘제거

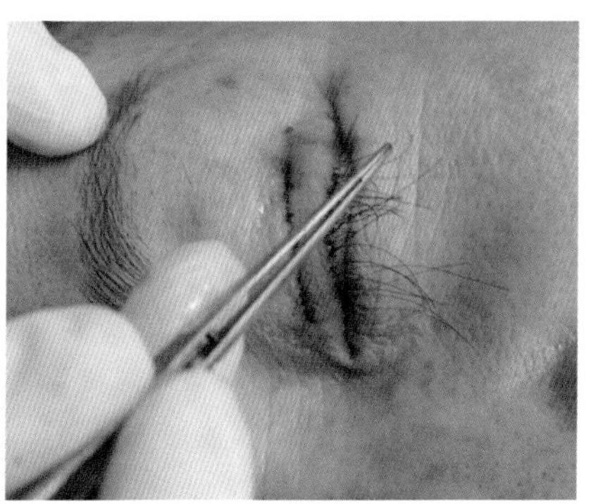

그림 17-22 모발을 당겨 위치 고정

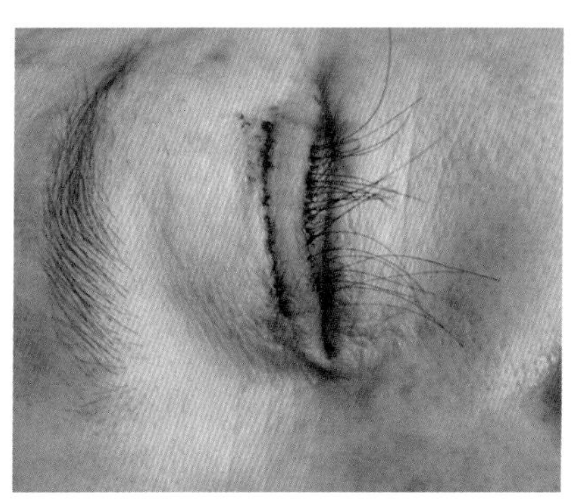

그림 17-23 40개 이식한 상태

피부 가까이 위치하면 모낭의 검은 색깔이 비쳐 보인다.

② 모발이식기를 이용하는 방법

0.6 ㎜ 직경의 식모기를 이용하여 단일모 중에서도 가는 단일모를 이식한다. 너무 피부에 가깝게 이식하면 모낭의 검은 색깔이 보일 수 있다. 따라서 안검판(tarsal plate) 바로 위에 위치하도록 한다. 자라나는 모발의 방향이 아래를 향하기 때문에 뷰어로 올리는 관리가 필요하다.

(4) 이식방향

속눈썹이식도 눈썹과 마찬가지로 방향이 중요하다(표 17-13).

표 17-13	속눈썹의 이식에서 중요한 2가지
1. 속눈썹이 자라나는 방향	
2. 모발의 결(curl)	

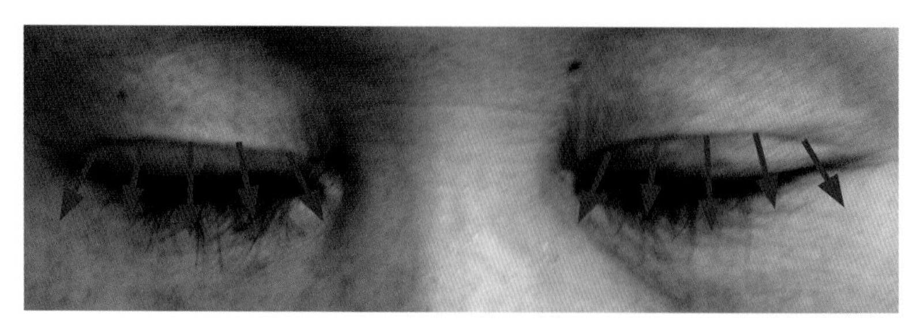

그림 17-24 속눈썹의 이식 방향

속눈썹의 자라는 방향은 내측은 좀 더 내측으로 자라도록 이식하고, 외측은 좀 더 외측으로 자라도록 이식한다.

이식한 모발이 수평방향으로 자라면 좋으나 아래 방향으로 자랄 수밖에 없다. 속눈썹이 아래로 자라면 마치 커튼을 친 것처럼 보이며, 아래 피부를 찌를 수 있기 때문이다. 따라서 이식할 때 모발의 curl이 위쪽으로 자라나도록 해야 한다. 양각기법(double angle technique)이나 tip up technique의 반대 방향이 된다.

7) 수술 후 경과와 치료

모발이식 후의 처치와 동일하다. 피딱지를 제거하고, 안연고를 바르고 open해 놓는다. 안연고를 이식부위가 마르지 않도록 자주 발라준다. EGF는 눈에 자극이 될 수 있으므로 피한다.

이식 수술 후 이식한 모발의 깊이가 적당한지 꼭 확인하여 튀어나오거나 깊이 이식된 모발이 없는지 핀셋으로 하나하나 확인한다. 수술 다음날도 깊이를 한 번 더 확인한다. 속눈썹은 마취와 이식으로 인해 부기나 멍이 7-10일 정도 지속될 수 있다.

이식 후에 반영구 화장이나 문신과 같이 하면 더 원하는 모양이 될 수 있다. 문신이나 반영구 화장이 이미 되어 있고 모양이나 위치, 색깔을 원치 않으면 이식 전에 레이저로 제거한 후 약 3개월이 지나서 이식한다. 처음 1년 간은 매우 부자연스러워 보이지만 3년 정도의 시간이 지날수록 좀 더 자연스러워진다.

8) 부작용과 합병증

모발이식의 부작용과 합병증을 참고한다. 속눈썹이식 후에 발생할 수 있는 부작용은 다음과 같다(표 17-4, 그림 17-25, 17-26, 17-27, 17-28, 17-29).

표 17-14	속눈썹이식의 부작용

1. 다래끼(맥립종, hordeolum)이나 선립종(안검 맥립종, chalazion cyst)가 발생할 수 있다.
2. 바늘이식은 피부에 삽입된 위치에서 원치 않는 쌍꺼풀이나 3중 쌍꺼풀이 생길 수 있다.
3. 원치 않는 방향(mal-direction)으로 자라나는 모발이 20% 정도 되며, 일정하게 이식하여도 모낭끼리 붙어서 마치 진한 마스카라한 속눈썹처럼 보일 수 있고 탈락된 속눈썹처럼 보일 수 있다.
4. 눈썹난생증(trichiasis)이 생길 수 있으며, 이식한 모발이 쳐지면(implanted lash ptosis) 하안검을 찌르거나 자극할 수 있다.
5. 원치 않는 방향(maldirection)으로 자라는 모발이 있으면 매일 원하는 방향으로 다듬으면 어느 정도는 방향이 달라진다.
6. 모공주위 융기(tenting)가 있으면 상피가 비듬처럼 보여 마치 눈꼽이 끼인 것처럼 보이므로 조심한다.
7. 이식 주변 피부의 융기(bumpy appearance)로 이식한 모발을 중심으로 주변 피부가 융기되어 보이는 것으로 시간이 지나면 어느 정도 회복된다.
8. 이식한 속눈썹이 백발로 변하여 하얀 속눈썹으로 될 수 있다.

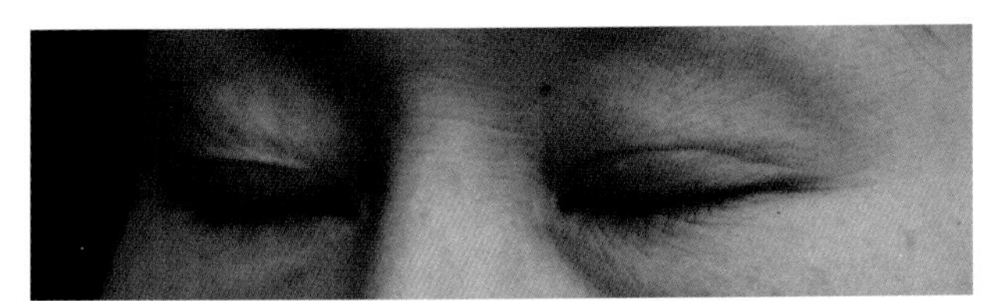

그림 17-25 수술 전

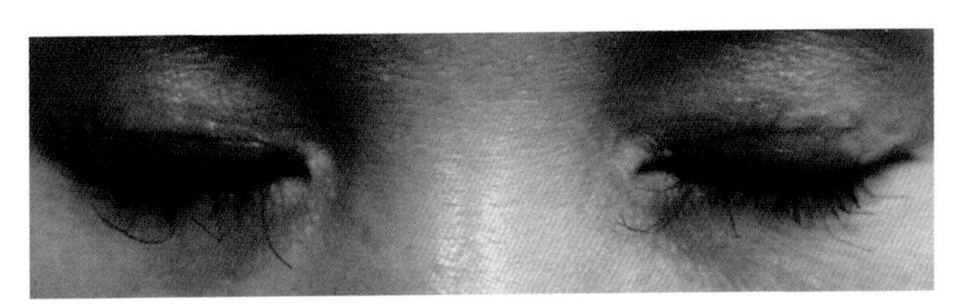

그림 17-26 수술 8개월 후

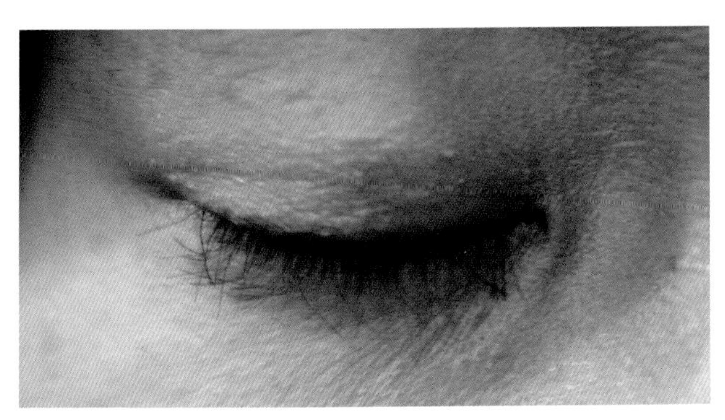

그림 17-27 이식 후 펌으로 잘 정리된 경우

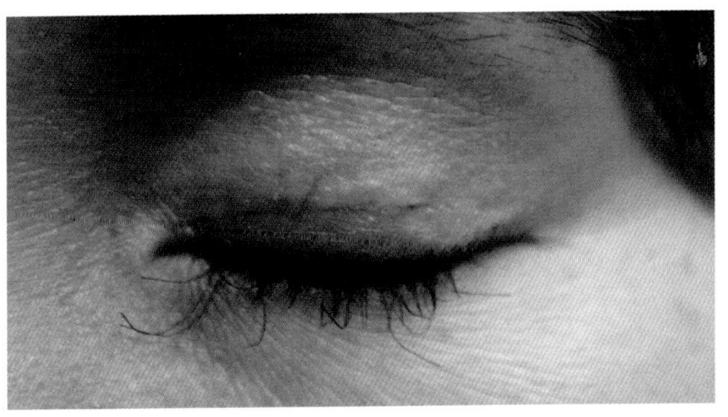

그림 17-28 이식 후 관리를 잘 못하는 경우

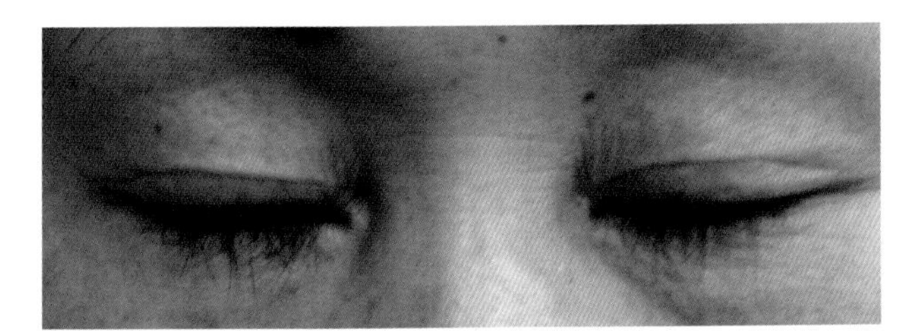

그림 17-29 속눈썹이식 후 mal-direction과 난생증의 예

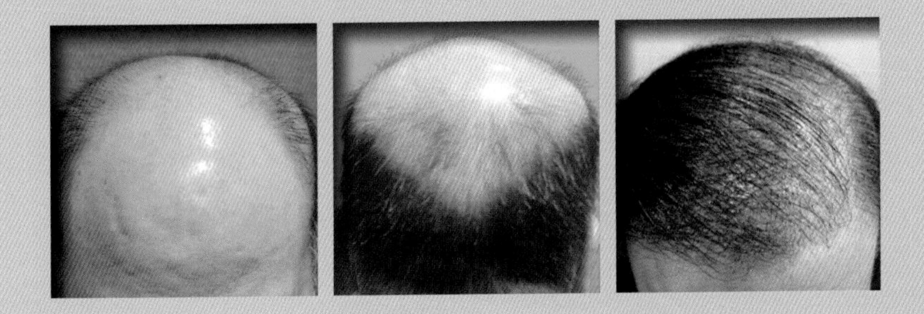

Chapter 18

콧수염, 턱수염, 구레나룻의 모발이식

Hair Transplantation

남성에서 흉터나 화상, 사고, 구개열 수술 등 반흔성 탈모가 있다면 모발이식이 필요하다. 여성에서는 얼굴이 넓고 커서 측두부 이식과 함께 구레나룻을 만들어 얼굴이 작게 보이고자 할 때 이식하게 된다.

1) 콧수염, 턱수염, 구레나룻의 특징 및 문제점

남성에서 미용적인 콧수염과 턱수염, 구레나룻의 모발이식은 권하지 않는다. 이유는 그 부위에 모발이 없다면 어느 정도 자연스러우나 이미 모발이 있다면 두피 모발과 굵기와 모양, 자라나는 속도, 자라나는 방향 등이 달라 자연스럽게 이식한다는 것이 어렵기 때문이다(표 18-1). 하지만 환자가 충분히 이해하고 동의한다면 가능하다.

2) 상담과 환자 선택

얼굴이기 때문에 자세한 상담을 통하여 환자가 원하는 것이 무엇인지 정확한 판단이 중요하다. 이식을 원하는 부위의 길이와 폭, 밀도와 풍부한 정도를 파악하고 환자가 원하는 이식이 가능한지 평가부터 해야 한다.

흉터나 반흔성 탈모의 모발이식은 만족도가 높다. 미용적인 콧수염과 턱수염 이식을 원하는 환자는 조심스럽게 접근하고, 환자 선택에 신중해야 한다. 미용적인 이식을 원하는 환자에서 신체추형장해가 남성에도 있지만 여성에서는 더 많다.

원래 수염이 있다가 탈모가 되었다면 원인을 알아야 이식 후에도 탈모가 오지 않는다. 수염의 탈모는 호르몬 질환이나 대사성 질환, 피부질환, 원형탈모와 동반하는 경우가 종종 있기 때문이다.

다음과 같은 경우를 고려하여 수술 여부를 결정한다(표 18-2).

표 18-1	콧수염과 턱수염, 구레나룻 모발이식의 특징

1. 공여부 모발과 수염은 굵기와 모양, 자라나는 속도가 다르므로 이식 후에 자연스럽지 못하다. 따라서 이식한 모발과 기존 모발에 차이가 있다.
2. 이식한 모발은 수염보다 빠르게 자라나므로 기존 모발이 있는 상태에서 보강하거나 연장한다면 부자연스러움이 있다.
3. 이식한 모발의 20%에서는 원치 않는 방향으로 자라나서 부조화가 있다.
4. 처음 1년간은 매우 부자연스러워 보이지만 3년 정도의 시간이 지날수록 좀 더 자연스러워진다.

표 18-2 콧수염과 턱수염, 구레나룻 모발이식의 환자 선택

1. 최소한 1년간 수염이 자라지 않거나 변화가 없는 상태에서 이식한다. 흉터에 의한 이식은 최소한 1년이 지나서 흉터조직이 재생이 완료된 시점에서 이식한다.
2. 흉터 이식은 생존율이 낮기 때문에 3-4번 이식해야 한다고 알려주고 시작한다.
3. 탈모가 올 수 있는 대사성 장해, 호르몬 장해(특히 갑상선기능 향상, 저하, 원형탈모 등), 신체 질환 등이 있으면 이식 후에도 탈모가 올 수 있으므로 환자 선택에 신중해야 한다.
4. 편평태선과 원형탈모 등 피부질환도 이식 후에 자라지 않거나 자라더라도 탈모가 올 수 있으므로 환자 선택에 신중해야 한다.
5. 비현실적 기대(배우나 모델, 사진 등의 눈썹으로 해달라고 하면 거부하는 것이 좋음)와 신체추형장해, 신데렐라 증후군은 충분히 상담하여 설득하거나 수술을 거부해야 한다.
6. 발모벽이나 정신적 문제가 있는 환자는 금기다.
7. 켈로이드 체질인 경우 이식하면 피부의 비후가 생길 수 있으므로 환자에게 충분히 설명하고 시작한다.

3) 디자인

눈에 잘 띄는 곳이기 때문에 결과에 대하여 말이 많다. 이식하기 전에 정상인의 콧수염과 턱수염을 잘 관찰해서 자연스럽게 이식하는 것이 중요하다.

가장 좋은 디자인 방법은 환자가 원하는 이식부위를 확인하고 환자가 직접 디자인을 해 보도록 한다. 또한 밀도와 굵기 등을 고려한다.

구레나룻은 귀 앞 부위로 폭이 약 1.5 ㎝ 정도이다. 길이나 폭 등은 환자의 의견을 따르도록 한다. 그러나 길이에서 zygomatic arch 윗부분까지만 이식하고, 가는 단일모만으로 가능한 적게 이식하는 방법이 좋다. 11장 절편채취 모발이식 편에서 구레나룻 이식을 참고한다.

콧수염과 턱수염, 구레나룻의 가장자리는 헤어라인 디자인과 마찬가지로 작은 불규칙한 소 돌출부(small irregularity)나 작은 snail tract design이 필요하다. 일직선을 요구하는 환자들이 있으나 헤어라인은 불규칙하게 이식하는 것이 원칙이다.

4) 공여부 채취

수염의 모발은 굵고 거칠기 때문에 후두부의 중앙부위에서 채취한다. 절편채취나 펀치채취가 가능하다. 절편채취를 선호하는 의사들이 많은데 펀치채취는 모발을 짧게 자르고 채취하기 때문에 이식할 때 적절한 방향이나 각도, 자연스런 결을 잘 알 수가 없기 때문이다.

콧수염과 턱수염은 두피보다 굵은 모발이므로 공여부 모발 중에서도 단일모이면서 굵은 모발을, 구레나룻은 가는 단일모가 좋다.

5) 마취

에피네피린이 혼합된 리도카인 국소마취만으로 충분하다.

6) 모낭 분리

모낭분리할 때 상피부분을 최대한 제거해야 모낭염을 줄일 수 있다.

7) 모낭단위 이식

주변부는 밀도가 낮으면서 가는 단일모로 이식하고, 중앙부위로 갈수록 굵은 단일모로 이식한다. 중앙부는 풍성하게 보이고자 할 때는 2모 모낭단위를 사용해도 좋으나 가능한 단일모를 조밀하게 심는 방법이 좋다.

(1) 밀도

콧수염은 보통 300-400 모낭단위가 이식되며, 밀도는 25-35 모낭단위/㎠가 적당하다. 턱수염은 800-1,200 모낭단위가 필요하며, 밀도는 20-30 모낭단위/㎠가 적당하다. 구레나룻은 600-1,000 모낭단위가 필요하며, 밀도는 30-40 모낭단위/㎠가 적당하다.

(2) 이식 각도와 깊이

피부가 두피보다 얇고, 피부와 평행하게 자라야 하므로 두피의 모발이식이 45도 정도라면 콧수염이식은 약 15-20°가 되어야 한다. 턱수염은 위치에 따라 방향과 각도가 달라진다. 그러나 가장 중요한 것은 기존 수염의 각도를 따라 이식하는 것이 좋다.

피부와 평행하게 자라도록 이식하는 방법은 double angle technique와 tip up technique 두 가지 방법이 있다. 모낭은 진피 아래 피하지방 상층부에 모낭이 위치해야 한다.

(3) 이식방향

기존 수염의 모발방향을 따라 이식하는 것이 좋다. 구레나룻은 아래 방향으로 턱수염과 콧수염은 방사선 방향으로 이식하나 환자가 원하는 스타일에 따라 이식방향이 달라진다.

8) 수술 후 경과와 치료

이식한 모발의 경과와 치료는 모발이식과 동일하다.

이식한 모발의 깊이가 적당한지 꼭 확인하여 조절하여야 한다. 이식할 모발의 길이를 일정하게 잘라서 이식한 후 피부 밖으로 나온 길이를 비교하거나 포셉으로 당겨보면서 수정하면 쉽게 할 수 있다. 수술 다음날도 확인하여 깊이 이식된 모발은 뽑아서 정확하게 위치하도록 하고, 튀어 올라온 모발은 집어넣어 피부 위로 튀어나오지 않게 한다.

EGF 겔 또는 안연고를 바르고 open해 놓는다. 다음날부터 EGF 스프레이를 뿌려서 마르지 않도록 한다.

9) 부작용과 합병증

모발이식의 부작용과 합병증을 참고한다. 특히 콧수염, 턱수염, 구레나룻의 모발이식은 다음과 같은 부작용에 주의한다(표 18-3).

표 18-3	콧수염, 턱수염, 구레나룻의 모발이식의 부작용

1. 부자연스러움이 있을 수 있는데 수염 모발과 두피 모발의 차이 때문에 생긴다.
2. 모발이식보다 생존율이 약간 낮으며, 부위마다 밀도가 차이가 날 수 있다.
3. 원치 않는 방향으로 자라는 모발은 다듬으면 어느 정도는 방향이 달라진다.
4. 너무 얇게 이식되어 이식한 모발의 표피가 피부 위로 올라온 현상(tenting)이 있으면 비듬처럼 보이며, 눈에 잘 띄는 부위이므로 조심한다.
5. 너무 깊게 이식되면 피부가 마치 여드름 흉터나 심한 모공처럼 보이게 되며(모공주위 함몰, pitting), 눈에 잘 띄는 부위이므로 조심한다.
6. 눈에 잘 보이는 부위이므로 모낭분리할 때 상피를 제거하고, 깊이 조절을 잘하여 모낭염과 낭종이 생기지 않도록 한다.

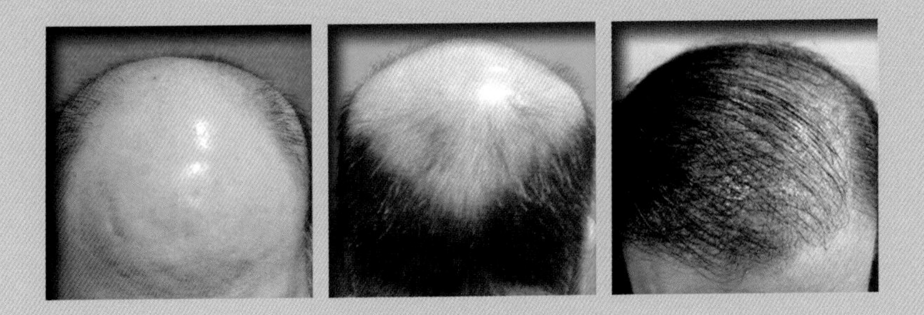

Chapter 19

체모 채취 모발이식

체모 채취 모발이식(body hair transplantation)이란 몸의 털을 이용한 이식으로 턱수염과 콧수염, 겨드랑이, 가슴, 다리 등의 털을 두피나 눈썹, 속눈썹, 음모로 이식하는 것을 말한다.

물론 두피의 공여부 모발이 부족한 경우에 차선책으로 선택하게 되며, 몸의 털을 이용한 모발이식이 최선책은 아니다. 그 이유는 몸의 털을 이용한 모발이식은 좋은 결과를 얻기 어렵고, 몸의 털 성질과 무관하게 미용적인 결과를 예측하기 어렵기 때문이다(표 19-1).

턱수염이나 콧수염을 두피로 이식하는 방법은 좋은 대안이 될 수 있으나 특히 꼬불거림과 이식한 방향으로 자라지 않거나 공여부 특성(donor dominance)의 영향으로 모발처럼 자라지 않고 짧게 자랄 가능성이 있다. 따라서 곱슬거리고, 푸석거리는 느낌이면서 모발의 모양과 결이 자연스럽지 못하다는 것을 알고 이식해야 한다. 생존율은 뒷머리 공여부의 모발에 비하여 큰 차이는 없다고 알려져 있다.

겨드랑이와 가슴, 다리 등의 털을 두피로 이식한 보고는 거의 없으며, 실험적 이식에서 결과를 예측하기 어렵다고 한다. 채취 부위에 켈로이드 등과 피부질환이 있다면 흉터가 발생하거나 피부질환이 심해질 수 있으므로 이식하지 않는다.

비록 체모 채취 이식은 아니지만 황성주 등의 연구에 따르면 두피의 모발을 몸에 이식하였을 때 다음과 같은 결과를 얻었다. 몸의 털을 두피에 이식하였을 때도 동일한 결과가 예측되나 연구가 필요하다.

1. 이식된 모발의 성장율과 생존율은 수혜부의 영향을 받는다.
2. 모발주기도 수혜부의 영향을 받는다.

표 19-1 신체부위 털의 모발주기와 일반적 길이

부위	모발주기	일반적 모발 길이(㎝)
두피	3-5년	36 - 60
수염	1-4개월	0.9 - 3.5
겨드랑이	1-6개월	0.8 - 5
다리	5-7개월	3 - 5
팔	1.5-3개월	1 - 2.5
눈썹	1-1.5개월	0.8 - 1

3. 이식된 모발의 성장율은 수혜부의 영향을 바로 받고 계속 유지된다.
4. 이식된 모발의 굵기(볼륨)는 이식 부위에 관계없이 변하지 않는다.
5. 수혜부 영향은 vascularity와 dermal thickness, skin tension, 기타 알려지지 않은 요인에 의한 것으로 추측된다.

몸의 털을 두피로 이식하면 원래 모발 길이보다 길어지고, 성장도 빠르고, 두피의 털 성질과 비슷해지는데 이도 수혜부의 영향이다. 수혜부의 영향을 받는다고 해도 모발주기는 쉽게 변화되지 않으므로 두피로 이식한 모발은 부자연스러울 수밖에 없다.

1) 상담

몸의 털을 이용하여 모발이식을 할 수밖에 없는 상황인지 파악한다. 가능하다면 두피의 모발을 이용하는 방법을 우선으로 해야 한다.

몸의 털을 이식하는 것은 좋은 결과를 얻기 어렵고, 몸의 털 성질과 무관하게 미용적인 결과를 예측하기 어렵고, 만족하지 못할 수도 있다는 것을 알려야 한다. 특히 이식한 모발의 곱슬거리고, 원치 않는 방향으로 자랄수 있고, 모발처럼 길게 자라지 않을 수 있으며, 푸석거리는 느낌이면서 모발의 모양과 결이 자연스럽지 못하다는 것과, 이식한 모발과 기존 모발의 차이로 인하여 부자연스러움과 생존율이 낮을 수 있다는 점 등을 설명하고 동의를 얻어야한다.

2) 환자 선택

이식을 원하는 환자는 매우 조심스럽게 접근하고, 환자 선택에서 신중해야 한다. 이유는 만족스럽지 못한 결과가 올 수 있기 때문이다(표 19-2).

표 19-2 몸의 털을 이용한 모발이식의 환자 선택

1. 체모(몸의 털)을 이용한 이식은 가능한 피해야 한다. 우선적으로 후두부 모발이식이 우선이다.
2. 켈로이드 체질인 경우 이식하면 흉터가 심해질 수 있으므로 환자에게 충분히 설명하고 시험적 이식을 먼저 시행한 후 결과에 따라서 이식을 결정한다.
3. 탈모가 올 수 있는 대사성 장해, 호르몬 장해(특히 갑상선기능 항상, 저하, 원형탈모 등), 신체 질환 등이 있으면 이식 후에도 탈모가 올 수 있으므로 환자 선택에 신중해야 한다.
4. 비현실적 기대(배우나 모델, 사진 등을 보고 그대로 해달라고 하면 거부하는것이 좋음)와 신체추형장해, 신데렐라 증후군은 충분히 상담하여 설득하거나 수술을 거부해야 한다.

기존 털과 이식할 털의 굵기와 모양, 성장주기 등이 비슷하다면 오히려 두피 모발보다 좋을 수 있다. 특히, 속눈썹을 이식할 때 눈썹의 털을 이용한다면 매우 만족한 결과를 얻을 수 있기 때문이지만 두피의 모발과 동일한 조건의 체모는 없다.

3) 공여부 채취

수염의 털이나 가슴털, 기타 부위 털도 펀치채취 방법으로 채취한다. 절편채취는 흉터가 문제이다.

펀치채취 때 펀치의 직경이 반흔성 흉터가 남지 않도록 0.8 ㎜ 펀치를 사용하고, 가능한 1.0 ㎜ 이상은 사용하지 않는다. 또한 모발을 채취할 때 절단율이 높다.

주로 눈썹이나 속눈썹, 헤어라인, 측두부는 가는 모발이 자연스럽다. 그러나 콧수염과 턱수염은 모발이 굵고 곱슬이므로 부자연스러울 수 밖에 없다는 결과를 예측하고 이식해야 한다.

4) 모낭 분리

대부분 펀치채취법으로 채취하기 때문에 모낭분리는 필요하지 않지만 상피를 최대한 제거하는 과정이 필요하다. 2, 3모낭단위를 단일모로 분리할 필요도 있다.

5) 모낭단위 이식

모발이식기나 슬릿 또는 no touch technique으로 이식한다.

6) 부작용과 합병증

모발이식의 부작용과 합병증을 참고한다. 특히 몸의 털을 이용한 이식은 다음과 같은 부작용에 주의한다(표 19-3).

표 19-3 몸의 털을 이용한 모발이식의 부작용

1. 공여부의 흉터와 저색소 침착, 과색소 침착이 발생할 가능성이 많다.
2. 기존 모발과 이식한 모발 간에 굵기와 모양, 모발주기 등의 차이점 때문에 부자연스러움이 생긴다.
3. 이식한 모발이 곱슬거리고, 푸석거리며, 두피 모발처럼 길게 자라나지 않는다.
4. 원치 않는 방향(mal-direction)으로 자라는 모발이 있어 부자연스럽다.
5. 생존율이 낮을 수 있고 모낭주기 등을 예측하기 어렵다.
5. 모공주위 융기와 모공주위 함몰 등이 발생하면 비듬처럼 보이며, 영구적으로 발생한다.

편치채취술로 채취해도 저색소인 하얀 작은 점(white spott)의 반흔이 발생할 수 있기 때문에 조심해야 한다. needle의 직경이 1.0 ㎜ 이하를 사용하면 이와 같은 반흔은 잘 생기지 않는다고 하나 반드시 그런 것은 아니므로 가능한 0.8 ㎜ 이하를 사용하는 것이 좋다. 그러나 켈로이드 체질이라면 흉터발생이 가능하고 오래동안 지속되며, 과색소 침착도 가능하나 시간이 지나면서 대부분 호전된다.

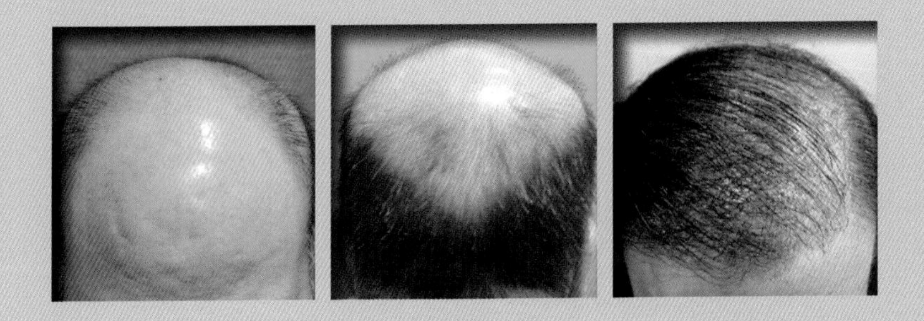

Chapter 20

2차 이상의 모발이식

2차 이상의 모발이식은 1차 이식으로 이식하지 못한 부분과 1차 이식 후에 밀도가 낮아 풍성하기를 원할 때, 1차 이식 때 잘 못된 디자인과 불만족한 이식 결과, 생존율이 낮을 때, 흉터의 2차 이식이 대부분이다.

절편채취 모발이식술의 2차 이식은 1차 이식 후 최소한 6개월이 경과한 시점부터 가능하나 모발이 재생되는 시점이 6개월이 경과해야 하므로 어느 정도 생존율을 파악하고 밀도를 알수 있으므로 최소한 9개월이 경과하는 것이 좋다(표 20-1). 일부 의사들은 모발이식의 결과가 12-18개월 후에 결정되기 때문에 12개월 이후에 하는 것을 추천한다.

펀치채취 모발이식술의 2차 이식도 공여부의 두피 탄력도가 늘어나기 까지 기다릴 필요는 없으나 이식한 모발이 어느 정도 자란 이후에 밀도를 평가하고 이식하는 것이 좋으므로 가능한 늦추는 것이 좋다.

2차 이상의 이식은 환자 선택이 중요한데 특히 1차 이식 결과가 불만족을 갖은 환자나 기대 이상을 바라는 환자들이 많기 때문이다.

따라서 환자의 목적을 확실히 파악하고, 원하는 이식이 가능한지 예측해야 한다. 뒷머리 공여부의 모발의 량과 특징(굵기, 결, 색상 등)을 정확하게 파악하고 만족감을 줄 수 있는지 평가해야 한다. 1차 이식 결과 생존율이 낮다면 2차 이식을 해도 낮을 수 있으므로 조심한다.

1차 이식한 부위에 밀도를 높이기 위한 2차 이식은 고밀도 이식을 피해야 한다. 이미 있는 모발의 손상과 이미 손상된 혈관, 림파조직의 재손상으로 생존율이 낮아 질 수 있기 때문이다. 여러 번 이식을 하더라도 최소한 한 번 더 이식을 할 수 있는 여지를 남겨놓는 것이 현명하다.

표 20-1	6개월 이상 기간을 두고 2차 이식을 하는 이유

1. 1차 수술로 인한 조직이 안정화하는데 6개월 이상 소요된다.
2. 절편채취술인 경우 공여부의 두피가 연화되어 더 많은 모발을 채취할 수 있다.
3. 흉터 조직의 vessel과 lymph system이 복원되어 흉터가 작고 부종, 괴사 등의 위험이 감소한다.
4. 1차 이식한 모발이 재생하는데 최소한 6개월이 소요되고, 밀도와 생존율을 파악하여 보강 및 2차 수술 계획을 세우기 편하다.

1) 모발 채취(donor harvesting)

(1) 채취 방법

1차 수술과 동일하게 절편채취 모발이식 또는 펀치채취 모발이식, 절편채취 모발이식과 펀치채취 모발이식을 동시에 시행할 수 있다.

절편채취 모발이식과 펀치채취 모발이식은 1차 수술과 마찬가지로 안전영역에서 채취해야 하므로 Norwood-Hamilton 분류에서 type VII로 진행해도 탈모가 오지 않는 부위에서 채취해야 한다.

절편채취술의 채취 방법은 2가지가 있다. 1차 수술의 흉터를 포함하여 상하 부위를 절편채취 모발이식하는 방법과 1차 수술의 흉터를 포함하지 않고 윗부분 또는 아랫부분에서 채취하는 방법이다.

1) 1차 수술의 흉터를 포함하여 절편채취 하는 방법(표 20-2)
2) 1차 수술의 흉터를 포함하지 않고 위나 아래에서 절편채취 하는 방법(표 20-3)

표 20-2 1차 수술의 흉터를 포함한 절편채취 모발이식 방법의 장단점

장점

1. 흉터가 1개만 남는다.

단점

1. 밀도가 낮아졌기 때문에 채취 가능한 모발 수가 1차 수술의 약 20 30% 감소한다.
2. 흉터가 크게 남을 가능성과 hypertrophic 또는 keloid scar가 심하다.
3. 1차보다 폭을 적게 해야 봉합이 가능하다.

표 20-3 1차 수술의 흉터를 포함하지 않는 절편채취 모발이식 방법의 장단점

장점

1. 1차 수술 때보다 약 10% 감소한 모발수 확보가 가능하다.

단점

1. 흉터가 2개 남는다.
2. 1차 수술로 인하여 림프관 손상이 있으므로 부종이 오래가고 흉터에 악영향을 미친다.
3. 1차 수술로 흉터가 작다고 하여 2차 수술도 작다는 보장은 없다.
4. 1차 수술로 인하여 피부 탄력이 감소하였기 때문에 봉합할 때 긴장도가 증가한다.
5. 1차 수술 흉터와 2차 수술 흉터 사이에 장력이 작용하여 모발 밀도가 감소하여 탈모처럼 보일 수 있다.

절편채취 모발이식인 경우, 1차 이식과 마찬가지로 젊은 사람의 이식은 채취 기준선보다 아래 부분에서 채취한다. 젊어서 탈모가 시작되었다면 나이를 먹으면서 Norwood 분류에서 type VII의 탈모가 후두부까지 일찍 올 수 있으므로 흉터를 보이지 않기 위해서다.

결론적으로 2가지 방법 중에서 1차 수술의 흉터를 포함하여 상하 부위를 절편채취 모발이식하는 방법이 더 좋다. 흉터를 2개 남기는 것을 좋아할 환자는 없기 때문이고, lymphatic drain과 혈류와 신경손상이 줄어들기 때문이다(그림 20-1, 20-2, 20-3).

재수술은 1차 수술과 폭과 길이가 같아도 약 20-30%(논문에는 20-25%)의 모발수가 감소할 수밖에 없다. 일차 수술 후 피부의 이완으로 공여부 모발의 밀도는 10-20% 감소한

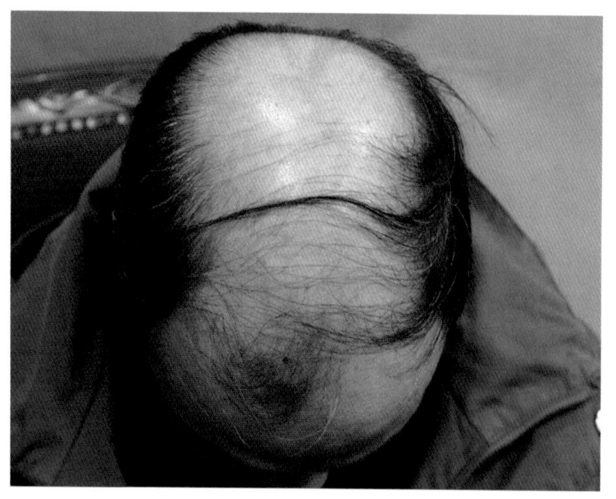

그림 20-1 모발이식 전

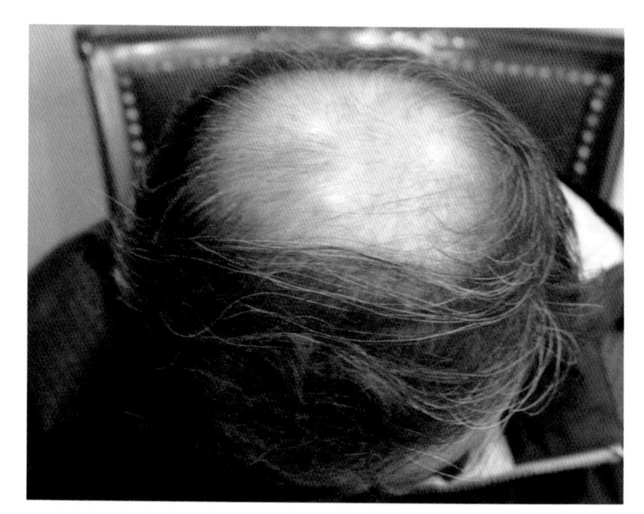

그림 20-2 1차 이식 후 12개월 경과

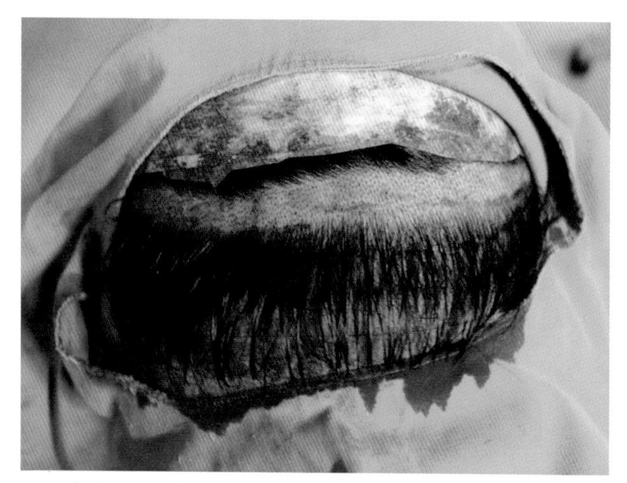

그림 20-3 2차 이식의 디자인(붉은 선이 1차 이식의 흉터)

다. 또한 흉터부위를 포함하여 절편채취를 하므로 또 감소한다. 2차 수술은 피부의 탄력이 떨어지므로 폭을 넓게 할 수 없기 때문이다. 3차 수술도 동일한 비율로 감소한다.

(2) 폭의 결정

1차 모발이식과 마찬가지로 2차 모발이식을 하는 의사 입장에서 제일 중요한 것이 폭의 결정이다. 폭이 넓어 봉합할 수 없거나 봉합의 긴장도가 강하다면 1차 수술보다 더 많은 흉터와 동반탈락, 괴사 등이 발생한다. 폭은 보통 1차 수술 때 1.5 ㎝라면 2차 수술은 1.0-1.2 ㎝ 정도이며, 1.2 ㎝를 초과하면 봉합이 어려운 경우가 많다.

1차 이식때와 마찬가지로 폭을 늘리기 위해 두피이완운동(scalp laxity exercise)이 있는데 공여부 두피를 손가락으로 상하로 강하게 움직이는 운동으로 하루에 5-10분 동안 10회를 2-3개월 지속하면 3-5 ㎜ 정도의 폭을 늘릴 수 있으며, 약 20% 정도 더 채취가 가능하다. 또한 1차 이식 후에 1년 이내에 빨리 2차 이식이 필요한 경우 두피의 조직을 연화시키는데도 도움이 된다.

(3) 길이의 결정

1차 수술과 동일하다. 귀 윗부분까지 연결하여 채취가 가능하며, 역시 흉터가 보이지 않도록 모발 경계선에서 최소한 2 ㎝ 이상 뛰어서 채취한다.

1차 수술과 마찬가지로 Alt와 Unger 등이 제시한 안전영역에서 절편채취의 길이는 귀의 tragus 직선 상방에서 얼굴쪽으로 2.8 ㎝부터 채취할 수 있다. 그러나 일반적으로 흉터가 보이는 염려 때문에 tragus의 직선 상방을 넘지 않는 것이 추천된다. tragus의 직선 상방을 넘어서 측두부까지 절개하면 측두부 모발도 탈모가 되기 때문에 흉터가 보일 수 있고, 공여부에서 탈모가 올 모발을 이식하면 또 이식부의 모발도 탈모가 진행되기 때문이다.

2) 마취 및 채취 방법

1차 이식과 동일하다. 1차 수술에 비해 절편채취술은 혈관과 신경손상, 림프관계의 손상 위험이 증가하므로 절개와 박리를 할 때 조심해야 한다. 펀치채취술도 마찬가지이며, 섬유화와 모발의 꼬임이 더 심하므로 절단율이 높아질 가능성이 크다.

3) 모낭 분리

1차 이식과 동일하다. 동일한 부위를 채취하면 조직의 섬유화로 분리가 좀 더 어렵고, 방향이 일정하지 않아 손상될 가능성이 더 높아진다.

4) 모낭단위 이식

1차 이식과 동일하다. 1차 모발이식한 모발이나 기존 모발이 손상되지 않도록 이식해야 하므로 방향과 깊이가 중요하다.

5) 수술 후 경과

1차 이식과 동일하다.

6) 부작용과 합병증

1차 이식과 동일하다. 2차 또는 그 이상의 모발이식은 다음과 같은 부작용에 주의한다(표 20-4).

표 20-4	2차 또는 그 이상의 모발이식 후유증

1. 공여부의 조직괴사와 흉터, 동반탈락은 1차 이식 때 보다 많아진다. 이유는 두피의 탄력성 감소와 혈관과 신경, 조직, 림파 계통의 손상에 기인한다.
2. 이식부의 동반탈락과 기존 모발의 손상이 증가한다. 이유는 모발의 사이사이에 이식하기 때문에 모발의 손상에 기인하며, 1차 이식 때 혈관과 조직, 림파 계통의 손상도 관여한다.

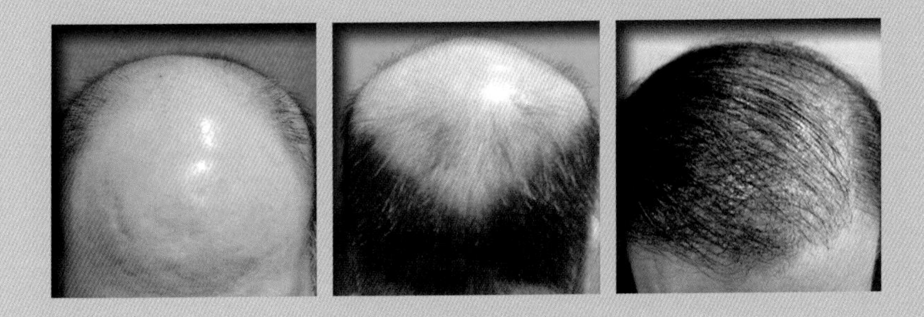

Chapter 21

흉터의 모발이식

흉터의 모발이식은 좋은 결과를 얻기가 매우 어렵다. 생존율도 낮고 밀도를 높이기가 쉽지 않으며, 이식한 모발의 모양과 방향이 일정치 않기 때문이다.

진피와 상피 부위에만 흉터가 있고, 피하지방층 이하 부위가 정상적인 상태라면 모발이식의 생존율은 두피의 탈모 부위 이식과 비슷한 생존율을 보이기 때문에 이식해도 효과가 좋다.

흉터의 모발이식은 다음과 같은 특징이 있다(표 21-1).

표 21-1	흉터 모발이식의 특징

1. 생존율이 낮으므로 3-4차례 모발이식을 해야 한다.
2. 생존율은 혈액의 순환 정도에 많은 영향을 받는다.
3. 이식 후 일반적인 두피의 이식 밀도보다 낮을 가능성이 높다.
4. 모낭이 정상조직에 위치해서 이식하는 경우가 많으므로 모발이 자라나는 방향이 일정하지 못한 경우가 많다.

흉터의 모발이식은 다음과 같은 3가지 사항을 먼저 고려해야 한다(표 21-2).

표 21-2	흉터의 모발이식에서 중요한 고려 사항

1. 1년 이상 변화가 없는 영구적 탈모로 반흔성 또는 안정화 탈모인가?
2. 이식할 부위에 혈류 공급이 원할 한가?
3. 모낭이 정상조직에 위치할 수 있는가?
4. 흉터가 모발이식으로 가려질 수 있는 범위인가? 두피축소술이나 두피피판술 등은 필요하지 않는가?

외상이나 피부질환 등에 의한 흉터의 모발이식은 3-4차례 해야한다. 생존율이 낮기 때문이며, 생존율이 낮은 이유는 흉터로 인한 섬유화 등으로 혈액순환 장해가 있거나 모낭이 피하지방층의 정상 조직에 위치하지 않았기 때문이다.

혈류 순환의 정도를 파악하기 위해서는 needle로 찔러서 출혈의 정도를 파악하고, 촉진하여 섬유화의 정도와 섬유화의 깊이, 피부의 위축 정도를 예측한다. 혈류 순환이 낮다면 두피축소술이나 다른 방법이 모발이식보다 좋을 수 있다.

혈류의 순환은 생존율도 관련되지만 이식 후 조직의 괴사와 감염도 생각해야 한다.

생존율을 높이려면 혈액 순환을 증가시켜야 한다. 혈액 순환을 증가시키는 방법은 표 21-3과 같다.

표 21-3 혈액 순환을 증가시키는 방법

1. 수술로 흉터의 섬유화 조직 제거
2. 지방이식
3. 프락셀 레이저를 흉터 부위에 조사
4. 스테로이드 국소주사
5. 수술 후 Minoxidil 또는 EGF 도포

흉터로 인하여 피하조직층이 충분하지 못하면 이식해도 생존율이 낮다. 저자는 흉터에 모발이식보다 수술로 흉터를 제거하는 방법을 먼저 고려하고, 피하지방층이 없는 흉터부위에 지방이식을 여러 차례 하여 모발이식을 성공적으로 시술하였다. 피하조직층이 충분해지면 혈액공급이 증가하고 모낭 주위의 지지조직이 증가하여 생존율이 높아진다.

지방흡입 부위는 어느 곳에서나 할 수 있으나 옆구리와 외측 힙, 허벅지 등에서 채위한다. 복부 등의 부드러운 지방은 생존율이 감소할 수 있기 때문에 가능하다면 딱딱한 지방을 채취하는 것이 좋다.

피부와 뼈 사이에 이식할 공간이 없어도 여러 층에 주입한다는 개념으로 전층 지방이식 방법을 사용한다. 보통 1회에 0.5 - 1 ㎖/㎠량으로 이식하게 되며, 1개월 간격으로 3회 이식한다. 이식할 때마다 지방을 흡입하여 사용하기도 하나 흡입한 지방을 냉동 보관하여 녹여서 이식하기도 한다.

지방을 3차례정도 이식한 후에 3개월 정도 지나면 지방이 생착되므로 그 후에 모발이식을 한다. 절편채취나 펀치채취술로 이식한다. 3장의 전후사진을 참고하고, 이미 설명하였듯이 생존율은 50-85%에 이른다.

프락셀 등의 레이저는 15일-1달 간격으로 5-6회 시행하여 혈류를 증가시킨다. 정상 모발에 조사하면 오히려 모발이 영구 탈락이 올 수 있으므로 조심해야 한다. 물론 모낭의 깊이까지 레이저가 들어갈 수 없으나 모발의 절단과 피하조직의 손상에 기인하는 것으로 판단된다.

트리암시롤논 등의 스테로이드 주사는 1:5- 1:8 정도로 희석하여 주사하는 것이 좋다. 1달 간격으로 3-4회 주사한 후에 이식한다. 진한 농도의 트리암시놀론은 조직의 위축과 calcification 형태로 남아 오히려 흉터 조직을 악화시킨다.

이식한 후에 Minoxidil을 도포하면 혈류가 증가하게 되므로 생존율이 높아지며, EGF는 이식한 모발의 성장에 도움을 준다. 또한 finasteride 또는 dutasteride의 복용도 도움이 된다.

1) 상담

흉터는 혈류가 부족하기 때문에 모발이 잘 살지 못한다. 따라서 흉터의 모발이식은 3-4차례 해야 한다고 설명해야 한다. 흉터가 표면에만 있고 피하지방층을 침범하지 않았다면 이식의 생존율은 거의 정상 생존율과 동일하다.

흉터의 이식은 정상적인 이식의 밀도가 불가능하다는 것을 알려주고, 모발이 자라나는 방향도 일정하지 않다는 것도 알려야 한다. 또한 생존율도 낮지만 가늘게 살아남을 가능성도 언급해야 한다.

2) 환자 선택

흉터가 변화하는 상태에서 모발이식은 금기다. 최소한 1년 이상 변화가 없는 경우에 가능하다. 생존율이 낮기 때문에 3-4차 이식이 필요한 경우가 많으므로 환자에게 미리 알리고 비용문제도 알려주어야 한다.

6장 모발이식의 상담편과 동일하나 흉터이식은 다음과 같은 경우에 신중한 환자 선택이 필요하다(표 21-4).

표 21-4	흉터 모발이식의 환자를 선택할 때 중요 사항

1. 1년 이상 흉터의 조직학적 변화가 없는 상태가 지속되어야 한다.
2. 현재 진행 중인 탈모거나 진행될 가능성이 있는 탈모는 신중해야 한다. 루프스나 편평태선, 감염성 탈모, 켈로이드 체질 등은 금기에 해당된다.
3. 탈모가 올 수 있는 대사성 장해, 호르몬 장해, 체중감소, 신체 질환 등이 있으면 이식 후에도 탈모가 올 수 있으므로 환자 선택에 신중해야 한다.

3) 모낭분리

10장의 모낭분리와 동일하며, 흉터 부위 이식은 특히 모낭염과 표피낭종을 예방하기 위하여 모낭을 분리할 때 상피제거(de-epithelization)를 해야 한다.

4) 모낭단위 이식

(1) 밀도

이식하기 전에 슬릿을 만들어 놓고 모발이식기로 이식하는 no touch technique이나 stick and place 방법을 이용한다. 슬릿은 needle을 주로 이용하는데 단일모는 22G, 2모는 20G, 3모는 18G needle을 주로 사용한다.

슬릿을 만들지 않고 직접 모발이식기를 이용하는 이식은 흉터조직이 딱딱하기 때문에 이식한 모낭이 부종 때문에 압박 손상의 증가로 생존율이 낮아지고, 혈류 공급도 낮기 때문에 생존율도 낮아 진다.

혈류 공급이 적기 때문에 생존율이 낮으므로 너무 조밀하게 이식하지 않는 것이 좋다. 보통 밀도는 15-20 모낭단위/㎠이다. 혈류 공급이 원활하다면 40모낭단위/㎠까지도 추천된다.

(2) 이식 각도와 깊이

이식 각도가 다소 틀리더라도 혈류 공급이 좋은 정상 조직이나 섬유화가 적은 곳에 모낭이 위치하도록 한다.

(3) 방향

기존 모발의 방향과 일치하면 좋다. 그러나 모낭이 혈류공급이 좋은 정상조직에 위치해야 생존율이 높으므로 방향이 다소 자연스럽지 못하여도 모낭은 정상조직에 위치하도록 이식한다.

또한 모발이 자라나서 흉터를 가릴 수 있다면 흉터부위에 꼭 이식하지 않아도 된다.

5) 수술 후 경과와 치료

모발이식 후의 경과와 치료 방법은 동일하다. 특히 수술 후 혈류 공급을 원활하게 할 수 있는 방법을 총 동원하는 것이 좋다.

따라서 Minoxidil이나 EGF 등의 도포와 finasteride나 dutasteride의 복용을 하도록 하고, 고주파나 메조주사 등도 도움이 되나 줄기세포와 PRP(platelet rich plasma)의 효과는 의문이다.

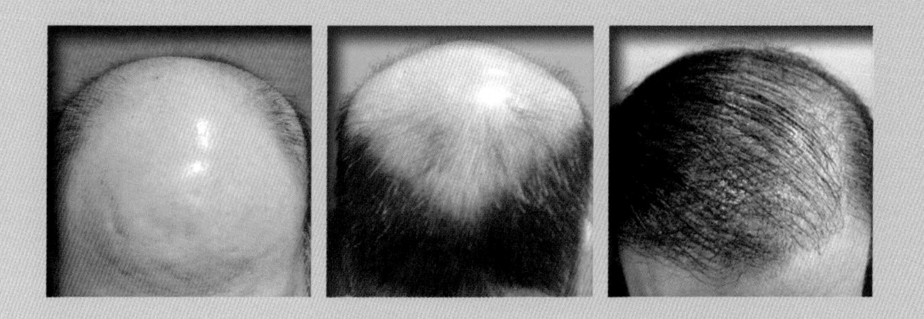

Chapter 22

두피 흉터 제거술

흉터에 의한 탈모는 반흔성과 비반흔성 탈모로 구분된다. 반흔성 탈모는 외상과 화상, 염증, 수술 후의 반흔 등이다. 비반흔성은 질환에 의한 2차적 탈모로 오랜 시간 동안 진행과 재발을 반복하는 탈모다. 의사에 따라서는 안정화 탈모(stable cicatricial alopecia)와 불안정화 탈모(unstable cicatricial alopecia)로 구분하기도 한다. 1장의 탈모의 분류를 참고한다.

흉터의 모발이식과 단순절제술 또는 두피축소술은 반흔성 탈모 또는 안정화 탈모에 한정한다. 비반흔성이나 불안정화 탈모는 모발이식이이 대부분 해당되지 않는다. 이런 경우에 모발이식을 하면 질환이 재발되면 탈모가 진행되어 생존율이 매우 떨어지기 때문이다.

두피 흉터를 개선하는 방법은 모발이식보다 다른 효과적인 방법을 충분히 검토해야 한다. 이 방법들 중에서 단순절제술이 가장 먼저 고려되어야 한다. 모발이식은 단순절제술 후에 남은 흉터에 약간의 모발이식이 권고된다. 혈류 공급이 적절치 못하다면 단순절제술은 모발이식보다 선행되어야 한다. 혈류 공급은 바늘로 찔러서 출혈정도를 파악하는 방법과 시험적으로 작은 절개를 하여 혈류 공급과 섬유화 정도를 파악한다.

흔히 볼 수 있는 흉터의 원인은 다음과 같다(표 22-1).

표 22-1	흔히 볼 수 있는 두피 흉터의 원인

1. 사고로 인한 흉터
2. 가성 독발 등의 두피질환에 의한 흉터
3. 뇌수술 등의 수술로 인한 흉터
4. 모발이식을 할 때 공여부 채취로 인한 흉터

흉터 제거술은 단순 절제술 또는 두피축소술이 대안이지만 환자 상태에 따라서 신중한 선택이 필요하다.

두피 흉터를 제거하는 방법은 다음과 같은 방법이 사용된다(표 22-2).

표 22-2	두피 흉터를 제거하는 방법

1. 단순 흉터 절제술
2. 두피 축소술
3. 피부 확장기를 이용한 흉터 축소술
4. 두피 이식술
5. 모발이식

1) 단순 흉터 절제술

작은 흉터의 교정은 모발이식보다 단순 흉터 절제술이 가장 먼저 고려되어야 하며, 모발이식은 흉터제거술로 더 이상 축소하기 어렵다고 판단될 때 시행하는 것이 좋다.

넓은 폭의 흉터도 여러 번에 걸쳐 절제술을 시행하는 것이 모발이식보다 효과적이다. 그러나 흉터가 있는 두피가 두피 유연성이 낮아서 봉합이 불가능하거나 환자의 특이 체질로 켈로이드가 잘 발생한다면 모발이식이 우선적으로 고려되어야 한다.

두피 흉터제거술은 흉터 조직이 안정화되는 최소한 6개월은 지나야 하며, 보통 1년이 지나서 수술하는 것이 좋다. 즉, 1년간 염증이나 탈모의 변화, 조직의 변화가 없어야 한다.

두피에서의 흉터 제거술은 조심해야 한다. 조심해야 할 이유는 표 22-3과 같다.

흉터의 제거술은 절개 폭을 작게 해야 한다. 두피의 유연성을 검사하여 봉합이 가능하다고 판단되는 폭의 50% 정도가 적합하다. 즉, 충분히 봉합하고도 남는다는 생각으로 해야 한다. 따라서 여러 번에 걸쳐 제거술을 시행해야 한다(그림 22-1, 22-2).

표 22-3	두피 흉터제거술의 조심해야 할 점

1. 두피의 유연성과 탄력성이 감소하여 오히려 흉터를 크게 할 수 있다.
2. 혈류의 감소로 인해 모발의 동반탈락과 영구 탈모의 가능성이 높다.
3. 이미 신경과 혈관의 조직학적 변화기 있기 때문에 손상시키기 쉬우며, 이로 인한 후유증이 발생할 수 있다.

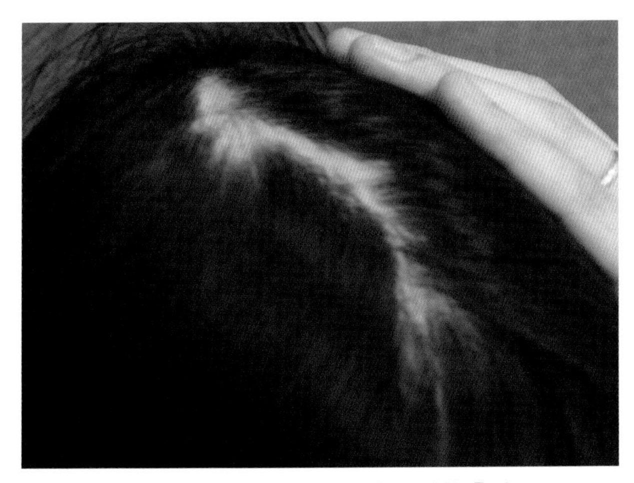

그림 22-1 수술 전 뇌수술로 인한 흉터

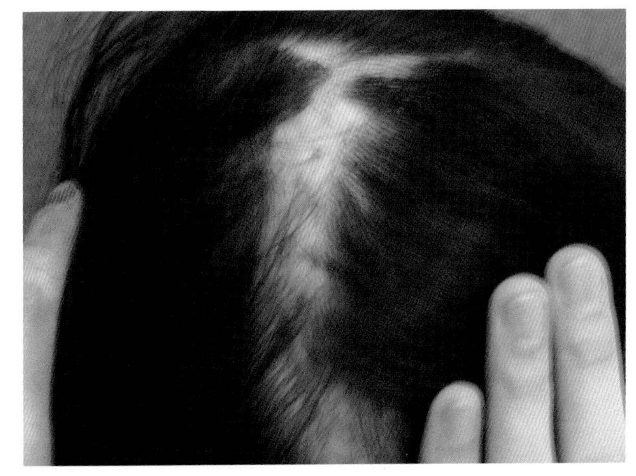

그림 22-2 단순절제술 후 오히려 흉터가 커짐

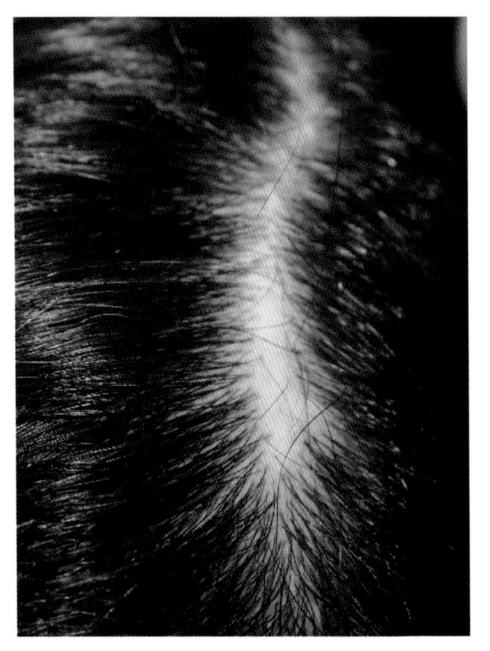

그림 22-3 **수술 전 두피 흉터**

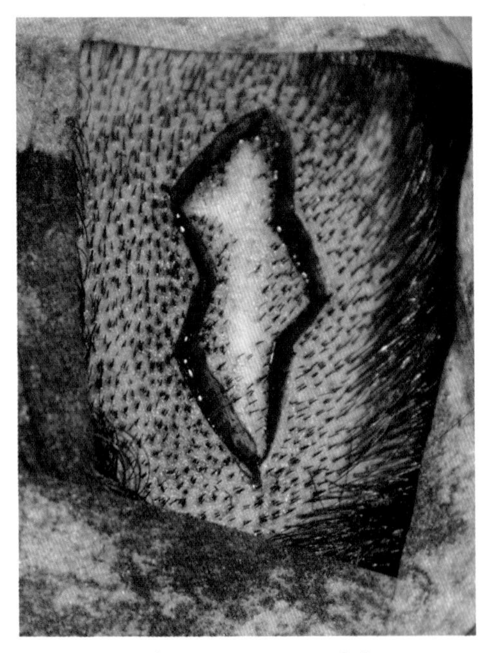

그림 22-4 **W plasty 수술**

또한 단순절제술시 긴장이 강해져서(strech-back 현상) 오히려 흉터가 커질 수 있다는 것을 항상 고려해야 한다. 또한 계단식 봉합법(trichophytic closure)은 가능한 시행하는 것이 추천된다.

이러한 이유 때문에 단순절제술은 W plasty나 Z plasty를 해야 한다. Z plasty는 피판이 큰 경우 두피 괴사의 위험이 있으므로 W plasty가 추천된다(그림 22-3, 22-4).

작은 타원형인 경우 국소피판(local flap)으로 transposition flap이나 Limberg flap 방법이 추천되나 조직의 괴사와 동반탈락, 영구 탈락 때문에 W plasty를 여러 번 시행하는 것이 좋다.

W plasty나 Z plasty의 선택보다 혈류장해가 적은 수술방법을 선택해야 하며, 혈류가 감소하면 동반탈락은 거의 발생한다고 생각해야 한다.

수술 전에 두피유연성 운동(scalp laxity exercise)를 하면 다소 폭을 넓게 절제할 수 있다. 운동방법은 공여부 채취와 동일하다. 하루에 10회 정도, 한 번에 5분 정도 두피를 강하게 상하, 좌우로 움직이는 운동이다. 보통 2-3개월간 운동한다.

절개 각도는 공여부 모발채취와 동일하게 모발이 잘리지 않도록 모발과 평행하게 절개해야 한다. 흉터 안에 있는 섬유화된 흉터조직은 가능한 제거해야 한다. 흉터조직이 남아 있으면 혈류 순환이 장해를 받고, 림프 배관도 되지 않아 오히려 흉터가 넓어질 수 있다. 따라서 남아 있는 흉터 조직을 제거해서 새로운 조직에 의한 혈류공급과 림프 배관이 좋다.

흉터의 길이가 길은 경우 한 번에 하지 말고 1/2 -1/3씩 나누어 수술해야 효과가 좋다. 길이가 길기 때문에 봉합하면 장력이 수직 방향이므로 작용하지 않는다고 평가하면 안 된다. 여러 개의 흉터가 있다고 하더라도 한 개씩 하면서 한 번에 10 ㎝를 넘지 말아야 한다.

2) 두피 축소술

단순 절제술보다 넓은 흉터를 여러 번에 걸쳐 축소하는 방법이다. 단순 절제술과 방법은 동일하지만 절제술을 할 때 박리 등을 이용하여 최대한 축소하는 방법이다.

이 방법도 여러 가지 문제가 있어 신중한 결정이 필요하다. 축소술 후에 남은 흉터의 처리가 매우 곤란할 때가 많다. 탈모부위가 축소되어 만족감도 있지만 모발이식을 시행해도 흉터 조직에 이식하는 것으로 3-4회 시행해야하고, 시간도 많이 소요되며, 비용도 모발이식보다 많아지는 것이 보통이다.

일반적인 두피 축소술은 그림 22-5와 같다.

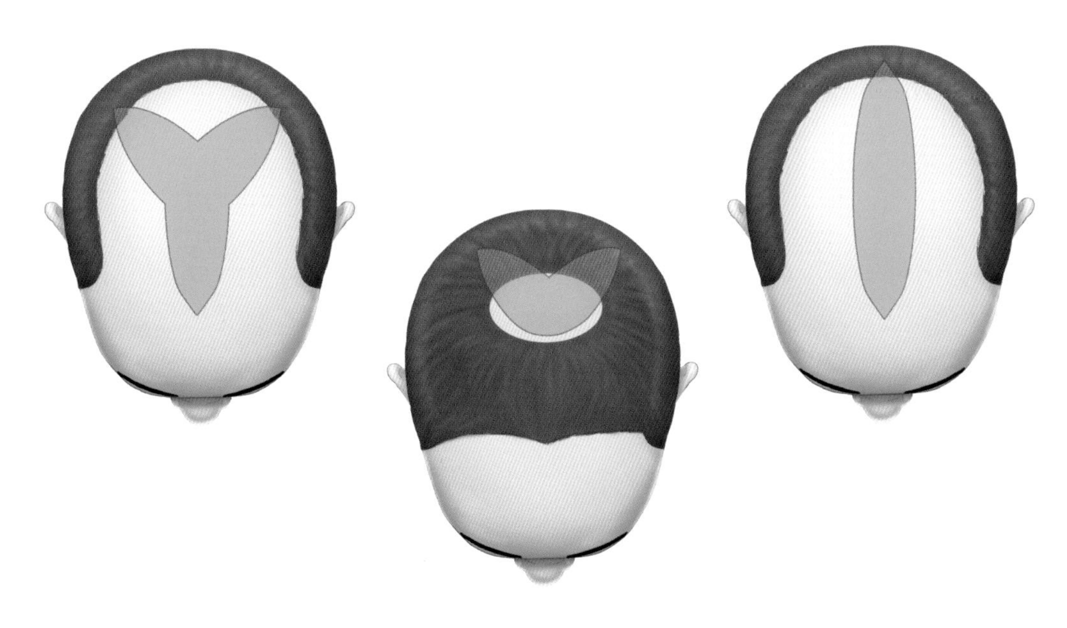

그림 22-5 **두피축소술**

3) 피부 확장기 이용한 두피 축소술

두피 확장술을 이용한 두피 축소술과 흉터 제거술도 고려될 수도 있으나 이 방법은 문제가 많이 발생하기 때문에 추천하지 않는다. 또한 흉터가 없이 탈모부위가 너무 넓어 모발이식으로만 불가능할 때 두피축소술이 효과적일 것으로 보이나 실제는 여러 가지 문제가 발생할 가능성이 많다. 피부 확장기를 통한 두피 축소술은 여러 가지 문제점이 있어 모발이식 방법이 많이 발달된 지금은 시행하지 않는 것이 현명하다. 그러나 공여부의 부족으로 모발이식도 어렵고, 신체의 다른 부위에서 모발을 채취하기도 어렵다면 두피 축소술을 고려해야 한다.

문제점으로는 다음과 같다.

1. 1회에 축소할 수 있는 폭이 넓지 않아 여러 번 해야 하며, 마지막에 흉터가 남아 모발이식으로도 감추기가 어렵기 때문이다.
2. 최종적으로 남은 흉터에 모발이식을 한다고 하지만 생존율도 감소하고 주위 탈모부위와 조화를 이룬다는 것이 매우 어렵기 때문에 두피 축소술을 가급적이면 하지 않는 것이 좋다.
3. 염증과 감염이 잘 발생하며, 섬유화로 인한 흉터의 확장으로 오히려 흉터가 더 커질 수 있다.

4) 두피 이식술

동전 크기 이상의 흉터가 있다면 두피 이식술을 고려할 수도 있으나 실제 시행해보면 문제가 많다. 이유는 이식술 후 남는 흉터와 조직괴사, 낮은 생존율, 감염, 동반탈락 등으로 시행하지 않는 것이 좋다.

차라리 단순 절제술을 여러 번 하고 남는 흉터에 모발이식을 시행하는 것이 현명하다.

Chapter 23

두피 문신

Hair Transplantation

의학적 두피 문신은(SMT : scalp medical tattoo, SMP : scalp medical pigmentation) 탈모부위에 문신을 이용하여 탈모를 감추는 위장기법(carmouflage)이다.

1) 의학적 두피문신의 indication

모발이식을 할 수 없는 상태거나 모발이식을 하였음에도 불구하고 밀도가 낮아 만족감이 떨어지는 경우, 모발이식이 어려운 흉터 부위에 사용할 수 있다. 공여부의 모발이 부족한 경우 모발이식과 의학적 두피문신은 만족도가 높다(표 23-1).

특히 여성에서 모발이식 후에 밀도가 낮아 두피가 잘 보이거나 두피가 보이지 않도록 모발이식을 원하나 불가능한 경우에 도움이 된다. 또한 탈모치료는 시간이 오래 걸리므로 급히 탈모를 감추기 원할 때도 사용할 수 있다.

어느 정도 모발이 있는 상태에서 보강하거나 감추는 방법으로 추천되며, 완전한 탈모나 모발이 거의 없어 두피가 잘 보이는 상태(see-through phenomenon)에다 두피문신을 하면 문신한 표시가 뚜렷하므로 추천하지 않는다(표 23-2).

탈모가 완전히 이루어진 민머리에 의학적 두피문신을 하는 경우도 있는데 문신한 표시가 난다는 것을 이해해야 하고, 경험과 기술이 필요하다.

표 23-1	의학적 두피문신의 indication

1. 남성이나 여성의 탈모, 단 어느 정도 모발이 있는 경우에 추천되며, 완전한 탈모 부위는 오히려 문신한 티가 많이나서 추천하지 않는다
2. 공여부 모발 부족이나 이식부의 넓은 범위로 모발이식이 불가능할 때
3. 밀도가 낮은 모발이식의 보조적 방법
4. 수술에 대한 부담감과 거부감이 있을 때
5. 다양한 흉터조직

표 23-2	의학적 두피문신의 contra-indication

1. 완전한 탈모나 모발이 거의 없는 경우
2. 탈모가 급속히 진행되어 문신한 표시가 뚜렷하게 남을 경우
3. 색소에 대한 알러지가 있는 경우

표 23-3	반영구 문신과 영구 문신의 차이	
구분	반영구 문신	영구 문신
지속성	3-5년	거의 영구적
색상	다양한 색소로 자연스런 화장 연출	이미지가 강렬하다.
주입 깊이	0.08-0.15 ㎜	1-2 ㎜
색소	주로 식물성	주로 광물성(석탄, 석유 계통)
바늘	0.15 ㎜ 굵기의 일회용 바늘사용	1-2 ㎜ 굵기의 바늘 반복 사용
알레르기	천연 식물성 색소로 가능성 없음	무기질, 중금속 염료로 가능함
사후관리	보강, 수정 가능	불가능
변색	안됨	푸른색, 붉은색, 주황색으로 변색

2) 의학적 두피 문신의 종류

두피 문신을 하는 방법은 2가지로 반영구 문신과 영구적인 문신이 있다. 반영구 문신은 상피층에 색소를 침투하여 3-5년 정도의 효과를 지속시키는 방법이며, 영구적 문신은 진피층까지 깊숙이 넣는 과거의 눈썹이나 속눈썹에 사용하는 미용 문신방법이다. 과거에는 두피에도 문신 방법을 이용하였지만 최근에는 반영구 문신을 한다(표 23-3).

미용 문신이 변색되는 것과는 달리 반영구 문신은 색상의 변색이 없고 터치(touch) 기법에 따라 지속기간이 달라진다.

반영구 문신에서 사용하는 색소는 주로 식물의 열매나 뿌리, 잎 등에서 축출한다. 반면에 영구 문신에 사용하는 색소는 Azo 계열의 염료를 화학적으로 만들거나 석유나 석탄의 원료를 사용한다.

따라서 반영구 문신은 색소의 선택이 중요하다. 색소는 피부에 영향을 주지 않으면서 변색되지 않고, 자연적으로 흡수되면 가장 좋은 색소다.

기존의 미용 문신 방법은 석탄이나 석유의 원료를 사용하기 때문에 거의 영구적이다. 또한 탈색이 되면 푸른색이나 붉은색으로 변하기 때문에 보기가 흉해진다. 특히 탈모가 진행되거나 이미 탈모가 심하여 모발이 거의 없는 부위가 푸른색이나 붉은색으로 변색이 되면 보기가 매우 흉하게 되므로 문신은 추천하지 않는다.

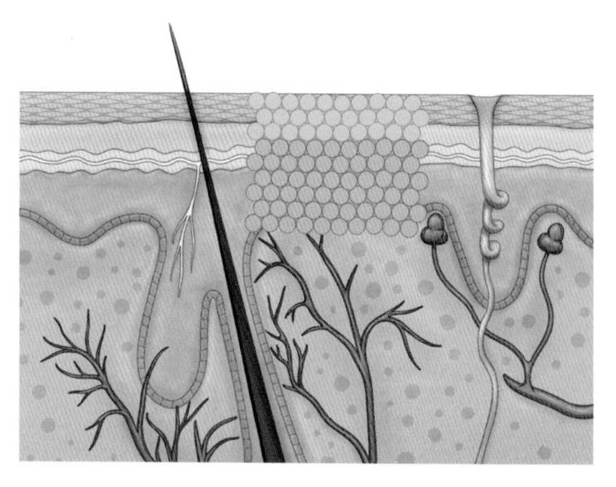

그림 23-1 반영구 문신의 색소 침투 깊이

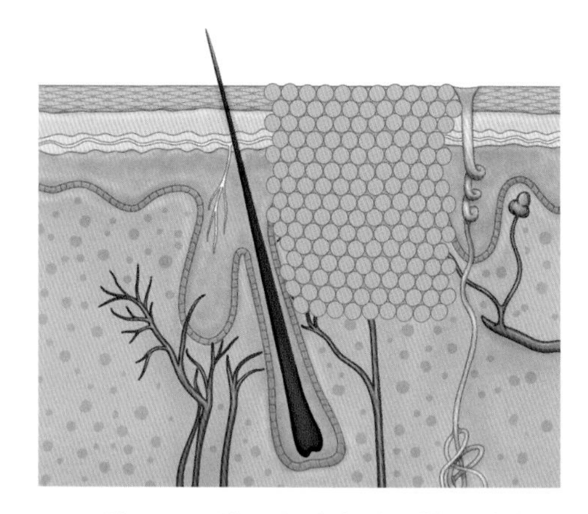

그림 23-2 영구 문신의 색소 침투 깊이

2-3년 정도 지속되는 반영구 문신과 영구적인 문신 방법의 차이점은 어떤 색소를 사용하였는가와 색소를 어느 조직에 침투시키냐에 따라 달라진다. 보통 반영구 문신은 epidermis 또는 superficial dermis까지 색소를 침투시키지만 영구적 문신은 middle dermis까지 침투시킨다(그림 23-1, 23-2).

반영구 문신은 표피층의 피부세포가 신진대사를 거듭하면서 세포의 탈각화로 서서히 자연스럽게 색이 빠진다는 점에서 진피층 깊은 곳에 시술하는 문신과 전혀 다른 개념의 문신 기술이다.

문신은 영구적이나 어색하고 사실감이 없으며 이미지가 매우 강하고 자연스럽지 못하는 반면 반영구 문신은 입체감이 있고 자연스럽고 사실적이다.

3) 색소의 선택

색소는 국내에서 제조된 것도 있고, 외국에서 수입된 제품들도 많다. 색소는 안전하고 변색이 없는 것을 선택한다. 중금속과 미네랄, 니켈, Azo 염기가 없어야 좋은 것이며, 이중에서도 철 성분과 아연 성분이 포함되면 색소가 변성될 가능성이 높다. 니켈 등은 피부의 변성이나 알레르기를 일으킬 수 있다.

색소는 여러 가지를 혼합하여 색깔을 내는데 가능한 진하지 않는 것이 좋다. 약간 흐리다는 정도로 혼합한다.

4) 의학적 두피문신의 방법

(1) 마취

크림 마취(1% lidocaine topical cream)나 lidocaine으로 부분마취를 한다. 마취를 하지 않아도 통증이 거의 없어 가능하나 불안감을 해소시키기 위해 마취를 한다.

(2) 문신 기법

정확한 깊이에 색소가 침투되어야 하고 점(dot)과 점 사이의 거리를 유지해야 하므로 2.5-5배 확대 Loupe를 착용하거나 10-20배 확대경을 이용하여 시술한다.

문신기기를 피부와 수직을 이루고 부드럽게 시술한다. 깊이는 반영구화장의 깊이인 0.1-0.5 ㎜가 적당하며, 2 ㎜ 이상 침투하지 않도록 한다. 적당한 깊이는 출혈이 없거나 작은 반상출혈 정도이다. 이보다 더 깊이 들어가면 영구적 문신이 되며, 통증이 발생하고 출혈이 생긴다. 더욱 중요한 것은 색소가 진피 이상으로 들어가면 번져서 점들이 뭉치게 되어 어색해지고 흡수가 빠르다. 피부가 얇은 사람은 0.1 ㎜, 피부가 두꺼운 사람은 0.5 ㎜ 정도 깊이가 적당하다. 너무 얇게 침투하면 색소가 탈락되어 문신한 흔적이 사라진다.

점의 크기는 환자의 모발 굵기와 밀도를 고려하여 정하나 작을수록 자연스럽다. 두피문신 기기의 needle은 날카로우면서도 부드러운 터치감이 있는 것이 좋으며, 작은 점을 만들 수 있어야 한다. 작은 점을 만들 수 없다면 어색하게 되고 색소가 번지게 된다(그림 23-3).

점과 점사이의 거리는 어느 정도 유지하는 것이 좋은데 너무 조밀하게 시술하면 마치 문

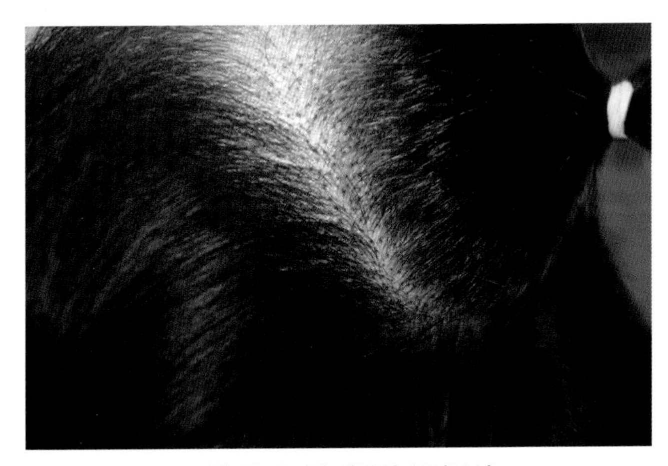

그림 23-3 점 기법의 두피문신

신한 것처럼 보여 부자연스러울 때가 많다. 시술 후 점들은 조금 더 크게 번진다는 것을 고려하여 시술해야 한다. 처음에는 너무 조밀하게 점을 찍지 말고 2차 수정할 때 좀 더 조밀하게 시술한다. 점들은 불규칙하게 찍어야 하며, 줄을 맞추어 찍으면 매우 어색하게 된다.

needl이 머무는 시간도 문신에 중요한 요소인데 너무 오래 머물면 번지게 되어 점이 크게 변하고, 강하게 보여 어색해진다. 반대로 너무 짧은 시간 머물면 색소가 흡수되거나 딱지와 함께 떨어져 나간다.

반영구 문신을 하는 방법은 점처럼 보이도록 하는 점(dot) 기법과 선처럼 보이게 하는 hand stool을 이용한 stroke(콤브, comb) 기법이 있다. 짧은 머리 스타일이라면 점 기법으로 해야 하고, 긴 머리 스타일은 stroke 기법으로 해야 자연스럽다. 짧은 머리 스타일에 stroke 기법을 사용하면 문신의 표시가 뚜렷하여 부자연스러운 경우가 많다. 눈썹은 점 기법보다 stroke 기법이 더 자연스럽다.

점 기법이나 stroke 기법이나 모발의 색깔보다 약간 연한 색깔로 흐리게 하는 것이 자연스럽다.

5) 시술 후 경과 및 처치

1일 정도 두피피부가 붉어지나 붓기는 거의 없다. 항생제와 진통제, 항히스타민제 등의 복용은 꼭 필요하지 않으나 1일 정도 약을 투여하기도 한다.

2일 후에는 머리감기가 가능하고, 7일 정도면 문신한 색소가 흡수되거나 흐려진다. 의학적 두피문신은 보통 2차 교정이 필요하다. 2차 교정 시술은 보통 4주-6주 사이에 보강한다. 색소는 시간이 지나면서 흡수되어 흐리게 되고, 색소가 번진 정도와 진한 정도를 확인하여 보강하게 된다.

탈모가 진행되거나 모발이 가늘어지면 문신한 표시가 뚜렷하게 나타나므로 탈모치료를 적극적으로 해야 한다. 환자에게도 탈모가 진행되면 문신한 표시가 뚜렷하게 나타날 수 있다는 것을 꼭 이해시키고 탈모치료가 꼭 필요함을 상기시켜야 한다. 물론 레이저를 이용하여 문신을 제거할 수도 있지만 기존 모발의 손상 등이 우려되기 때문에 신중하게 선택해야 한다.

모발이식 관련 용어와 약어

- 5AR(5-α-reductase) 두피에서 testosterone을 dihydrotestosterone(DHT)으로 변화시키는 호르몬
- AA(alopecia areata) 원형탈모증
- AAT(acute alopecia totalis) 급성 전두탈모증
- ADAT(acute diffuse alopecia totalis) 급성 미만성 전두 탈모증
- AE(anagen effluvium) 성장기 탈모증
- AGA(androgenetic alopecia) 안드로겐성 탈모증 – 남성형 탈모증이라고도 부름
- AR(acquisition rate) 획득율, 펀치채취 모낭단위적출술에서 한 번의 펀치 당 모발 수
- CAG(coronal angled graft) 슬릿을 모발이 자라나는 방향의 가로로 절개하는 방법으로 가로절개 슬릿 또는 관상절개라고 함
- Capping 펀치채취할 때 모와 모낭이 분리되어 채취되는 경우로 채취 실패를 의미
- CFGA(calculated follicles per graft achived) 이식편당 온전 모낭 획득율
- CFGE(calculated follicles per graft expected) 이식편당 예상 모낭 획득율
- Coring method 무회전 펀치술
- CTE(chronic telogen effluvium) 만성 휴지기 탈모증
- CTG(completely transected graft) 완전절단 이식편
- CTGR(completely transected graft rate) 완전 이식편 절단율
- DA(donor area) 공여부로 모발채취 부위
- DAA(diffuse alopecia areata) 미만성 원형탈모증
- DDI(density-diameter index) 밀도와 모발의 굵기를 나타내는 단위
- DFUs(double follicular units) 2hair로 구성된 모낭단위
- Donor Dominance 공여부 우성설: 이식한 모발은 원래 위치에 있는 특징(성장 속도, 모낭 주기, 굵기, 모양, 색깔)을 유지한다는 이론
- DTH(dihydrotestosterone) testosterone이 5AR에 의하여 변화된 물질로 모낭의 androgen receptor와 결합하여 탈모의 원인이 됨
- DUPA(diffuse unpatterned alopecia) 전형적인 남성이나 여성의 탈모형태가 아니면서 전체적으로 오는 탈모증으로 노화성 탈모증과 비슷함
- Extrip(extraction + strip) 절편채취와 펀치채취술을 동시에 시행하여 이식

- FAA(female androgenetic alopecia) 여성 안드로겐성 탈모증
- Follicular depth 모낭 깊이
- Follicular dissection, Follicular unit dissection 모낭분리
- Follicular distortion 모낭뒤틀림
- Follicular group, Follicular family 모낭군
- Follicular Unit paring, Follicular Unit recombination 모낭 재조합 분리
- FOX test(follicular unit extraction test) 펀치채취술을 할 때 사전에 모발의 특징을 알아보기 위한 시험적 채취 검사 방법
- FOX(follicular unit extraction) 펀치채취술(모낭단위 적출술, 모공단위 적출술, 비절개법 모발이식)로 FUE와 동일
- FPHL(female pattern hair loss) 여성형 탈모증
- FU(follicular unit) 모낭단위 또는 모공단위
- FUE(follicular unit extraction) 펀치채취술(모낭단위 적출술, 모공단위 적출술, 비절개법 모발이식)
- FUG(follicular unit grafting) 모낭단위 이식
- FUs(follicular units) 모낭단위의 복수
- FUSS(follicular unit strip surgery) 절편채취 모발이식(절개법 모발이식)
- FUT(follicular unit transplantation) 모낭단위 모발이식
- Giga-graft(gigasession) 모발 수로 6,000–8,000모 모발이식
- HMI(hair mass index) 모발면적지수
- IOF(idiopathic occipital fibrosis) 특발성 후두부 섬유화증
- Mega-graft(megasession) 모발 수로 4,000–6,000모 모발이식
- MFP(mid frontal point) 앞머리 헤어라인의 중앙점
- MFU(multi-FU graft) 2–3 FU를 이식하는 것으로 3–7개 모발을 이식하는 방법
- Micrografts 1–3개 모를 포함하는 모발이식으로 모낭단위 모발이식과 비슷한 개념
- MIF(make all incision first) 슬릿을 모두 만든 후에 모낭을 삽입하는 방법
- MPHL(male pattern hair loss) 남성 탈모증
- Patterned hair loss 정형 탈모증으로 전형적인 남성과 여성의 탈모 형태
- PHL(patterned hair loss) 정형 탈모증으로 남성형과 여성형 탈모증으로 분류
- Pitting 모공주위 함몰, 이식한 모발 때문에 표피가 작은 함몰 형태를 보이는 것
- Popping(pop up phenomenon) 이미 이식된 모발이 주위로 이식기를 삽입할 때 빠지는 현상
- PTG(partially transected graft) 부분절단 이식편
- PTGR(partially transected graft rate) 부분 이식편 절단율
- RAP(residual anatomic plag) 정수리의 가마부위에 탈모가 되었어도 일부 남아 있는 흔적

- Recipient Site Influence 수여부 영향설, 이식한 모발은 원래 위치에 있던 특징을 그대로 유지하지 않고 수여부의 특징에 따라 달라진다는 이론 – 현재 받아들여지고 있음
- RIDI(re-grafting in donor incision site) 절편채취 모발이식에서 분리된 모낭을 봉합한 사이에 삽입하여 흉터를 줄이고자 하는 방법
- S&F(slit and forcep technipue) 슬릿을 내고 포셉으로 분리한 모낭을 삽입하는 방법
- S&P(stick and place) 슬릿 동시 삽입술, 슬릿을 만들자마자 모낭을 삽입하는 방법
- SAFE(surgically advanced follicular extraction) 펀치채취술에서 진피층까지는 날선 펀치를 이용하고 모낭깊이까지는 무딘 펀치를 이용하여 채취하는 방법
- SAG(sagittal angled graft) 슬릿을 모발이 자라나는 방향과 같게 세로로 절개하는 방법으로 세로 절개 슬릿 또는 시상절개라고 함
- Scalp glidability 두피 활강력
- SDA(safe donor area) 안전 공여부
- SFU(single follicular units) 1hair로 구성된 모낭단위
- Shedding 모발의 탈락
- SLE(scalp laxity exercise) 두피연화운동, 공여부나 두피 흉터 제거술 등에서 하는 두피 연화 운동
- Slivering 모낭분리 또는 절편분리
- SMT(scalp medical tatoo) 두피 의학적 문신
- Spliting 모낭단위 분활 펀치 방법
- SR(survival rate) 생존율
- Tenting 모공주위 융기, 이식한 모발의 상피가 피부 표면보다 튀어나와 마치 비듬처럼 보이는 현상
- Terasession 모발 수로 8,000모 이상 모발이식
- Tetherlng 이식한 모낭들이 뭉치는 현상
- TFUs(triple follicular units) 3hair로 구성된 모낭단위
- Topping 펀치채취 할 때 모와 모낭이 분리되어 채취되는 경우로 채취 실패를 의미
- TR(transection rate) 펀치채취 모낭단위적출술에서 잘린 모낭과 정상 모낭의 비율
- Trichion MFP(mid frontal point)와 동일한 표현으로 앞머리 헤어라인의 중앙점
- Trichophytic closure 계단식 봉합법, 절편채취술에서 절개하단 부위를 일부 제거하고 봉합하는 방법으로 흉터를 작게하는 방법
- Trimming 모낭을 분리할 때 상피나 지방조직을 제거하여 다듬는 작업
- Unpatterned hair loss 비정형 탈모로 전형적인 남성이나 여성 탈모를 따르지 않는 탈모 형태
- UPHL(Unpatterned Hair Loss) 비정형 탈모증으로 전형적인 남성이나 여성 탈모를 따르지 않는 탈모 형태이며, 반흔성과 비반흔성 탈모증으로 분류
- USDA(unsafe, borderline sate donor area) 불안전 공여부

찾아보기

ㄷ

ㄹ

ㅁ

ㅂ

ㅈ

ㅋ~ㅌ

ㅍ

ㅎ

기타

A

B

C

D

E

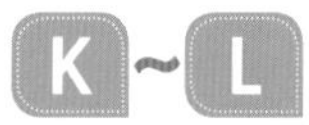

M